Vittoria Grant

Albenga Nov 1996

IL FLUSSO

MIHALY CSIKSZENTMIHALYI

600

Daniel Goleman

Intelligenza emotiva

Saper Rinviare le gratificazione -

in questa cultura di

Instant gratification

Rizzoli

ISBN 88-17-84468-3

Titolo originale:
EMOTIONAL INTELLIGENCE

Prima edizione: maggio 1996

Traduzione di Isabella Blum (parti I-IV) e Brunello Lotti (parte V e appendici)

L'illustrazione del cervello a pagina 39 è di Roberto Osti. Da *Emotional Memory and the Brain*, di Joseph E. LeDoux, © 1994 by Scientific American, Inc.

Intelligenza emotiva

PREFAZIONE ALL'EDIZIONE ITALIANA

Ho scritto *Emotional Intelligence* in un momento in cui la società civile americana si dibatteva in una crisi profonda, caratterizzata da un netto aumento della frequenza dei crimini violenti, dei suicidi e dell'abuso di droghe – come pure di altri indicatori di malessere emozionale – soprattutto fra i giovani. Il mio consiglio per guarire questi mali sociali era di prestare una maggiore attenzione alla competenza sociale ed emozionale nostra e dei nostri figli, e di coltivare con grande impegno queste abilità del cuore.

Dai miei amici italiani apprendo che anche nel loro paese la società mostra alcuni segni iniziali tipici di una crisi simile a quella americana. Pertanto, il mio consiglio per l'Italia è esattamente lo stesso – in questo caso però come misura preventiva e non come antidoto.

Ho anche appreso dai miei amici che in Italia si percepiscono i primi segnali ammonitori di un'alienazione sociale e di una disperazione individuale che, se non controllati, potrebbero un giorno portare a lacerazioni più profonde del tessuto sociale.

Nei paesi europei, la tendenza generale della società è verso un'autonomia sempre maggiore dell'individuo, che a sua volta porta a una minor disponibilità alla solidarietà e a una maggiore competitività (che a volte può diventare brutale, come si comincia a constatare negli ambienti universitari e in quelli di lavoro); tutto questo si traduce in un aumentato isolamento e nel deterioramento dell'integrazione sociale. Questa lenta disintegrazione della comunità, insieme a uno spietato atteggiamento di autoaffermazione fanno la loro comparsa in un momento in cui le pressioni economiche e sociali richiederebbero piuttosto un aumento della cooperazione e dell'attenzione verso gli altri e non certo una riduzione di tale disponibilità.

Insieme a questa atmosfera di incipiente crisi sociale, ci sono anche i segni di un crescente malessere emozionale, soprattutto fra i bambini e i giovani. Ciò che colpisce in modo particolare è l'impennata della violenza fra gli adolescenti; si pensi al giovane che massacrò i genitori a martellate per ereditare il loro patrimonio, o al gruppo di adolescenti che uccisero un amico per derubarlo e passare un fine settimana al mare. Questa tendenza, insieme al generale aumento di atti violenti privi di senso – soprattutto omicidi di donne e bambini – contribuisce a completare un quadro molto triste dal quale emerge che, fra i paesi industrializzati, l'Italia è seconda solo agli Stati Uniti per la frequenza di omicidi. Tutto questo indica che alcuni minorenni italiani stanno avviandosi all'età adulta con gravi carenze relative all'autocontrollo, alla capacità di gestire la propria collera, e all'empatia.

Aggiungete a questo crescente clima di violenza il fatto che l'Italia, come gli altri paesi del mondo industrializzato, sta sperimentando un aumento dell'incidenza della depressione che ha costantemente interessato tutto il nostro secolo. Per i nati dopo il 1945, ad esempio, la probabilità di andare incontro, una volta nella vita, a un grave episodio di depressione è più che tripla rispetto a quella dei loro nonni. Sebbene l'Italia abbia uno dei tassi di suicidio più bassi, negli ultimi vent'anni si è assistito a una netta impennata, soprattutto fra i disoccupati, le vere vittime della situazione economica.

Se a tutto questo si somma anche l'aumentato uso di droghe e di morti legate alla tossicodipendenza, si ottiene un quadro che mostra l'Italia pervasa da problemi laceranti, in preda a un crescente malessere.

Uno dei motivi può essere che, in Italia come altrove, l'infanzia non è più quella di un tempo. I genitori, rispetto ai loro padri e alle loro madri, sono oggi molto più stressati e sotto pressione per le questioni economiche e costretti a un ritmo di vita assai più frenetico; dovendosi confrontare dunque con una nuova realtà, hanno probabilmente un maggior bisogno di consigli e di guide per aiutare i propri figli ad acquisire le essenziali capacità umane.

Tutto questo suggerisce la necessità di insegnare ai bambini quello che potremmo definire l'alfabeto emozionale – le capacità fondamentali del cuore. Come negli Stati Uniti, anche in Italia le scuole potrebbero dare un positivo contributo in tal senso introducendo programmi di «alfabetizzazione emozionale» che – oltre alle materie tradizionali come la matematica e la lingua – insegnino ai bambini le capacità interpersonali essenziali.

Oggigiorno queste capacità sono fondamentali proprio come quelle intellettuali, in quanto servono a equilibrare la razionalità con la compassione. Rinunciando a coltivare queste abilità emozionali, ci si troverebbe a educare individui con un intelletto limitato: un timone troppo inaffidabile per navigare in questi nostri tempi, soggetti a mutamenti tanto complessi. Mente e cuore hanno bisogno l'una dell'altro.

Oggi è proprio la neuroscienza che sostiene la necessità di prendere molto seriamente le emozioni. Le nuove scoperte scientifiche sono incoraggianti. Ci assicurano che se cercheremo di aumentare l'autoconsapevolezza, di controllare più efficacemente i nostri sentimenti negativi, di conservare il nostro ottimismo, di essere perseveranti nonostante le frustrazioni, di aumentare la nostra capacità di essere empatici e di curarci degli altri, di cooperare e di stabilire legami sociali – in altre parole, se presteremo attenzione in modo più sistematico all'intelligenza emotiva – potremo sperare in un futuro più sereno.

LA SFIDA DI ARISTOTELE

> Colui quindi che si adira per ciò che deve e con chi deve, e inoltre come, quando e per quanto tempo si deve, può essere lodato!
>
> ARISTOTELE, *Etica nicomachea**

A New York, quel pomeriggio d'agosto, l'umidità era insopportabile; era la classica giornata in cui il disagio fisico rende la gente ostile. Tornando in albergo, salii su un autobus in Madison Avenue e fui colto di sorpresa dall'autista, un uomo nero di mezza età con un sorriso entusiasta stampato sul volto, che mi diede immediatamente il suo benvenuto a bordo con un cordiale «Ciao! Come va?»: un saluto che rivolgeva a tutti quelli che salivano, mentre l'autobus scivolava nel denso traffico del centro. Ogni passeggero restava stupito, proprio come lo ero stato io, e pochi furono quelli che ricambiarono il saluto, chiusi com'erano nell'umor nero della giornata.

Ma mentre l'autobus procedeva lentamente nell'ingorgo, si verificò una lenta trasformazione – una sorta di incantesimo. L'autista si esibì per noi in un monologo, un vivace commento sullo scenario intorno a noi – c'erano dei saldi fantastici in quel magazzino e una splendida mostra in questo museo... avevamo sentito di quel nuovo film al cinema in fondo all'isolato? L'uomo era deliziato dalle molteplici possibilità offerte dalla città, e il suo piacere era contagioso. Al momento di scendere dall'autobus, tutti si erano ormai scrollati di dosso il guscio di umor nero con il quale erano saliti, e quando l'autista gridava loro «Arrivederci, buona giornata!» rispondevano tutti con un sorriso.

Mi ero tenuto dentro il ricordo di quell'incontro per circa vent'anni. Quando salii su quell'autobus in Madison Avenue, avevo finito da poco il mio dottorato – ma la psicologia di allora non si interessava a trasformazioni come quella a cui avevo appena assistito. Si sapeva poco o nulla sulla meccanica delle emozioni. E tuttavia, immaginando il virus del buon umore che doveva essersi diffuso in tutta la città, disseminato dai passeggeri dell'autobus, compresi che quell'autista era una specie di pacificatore metropolitano, con il magico pote-

* Trad. it. di Armando Plebe, Bari 1973.

re di attenuare la cupa irritabilità che covava nei suoi passeggeri, ammorbidendo e aprendo un poco il loro cuore.

In netto contrasto, ecco alcuni stralci tratti dai quotidiani di questa settimana:

- In una scuola locale, un ragazzino di nove anni in preda alla collera ha versato della vernice sui banchi, i computer e le stampanti e ha distrutto un'automobile in sosta nel parcheggio della scuola. La ragione: alcuni compagni di classe della terza lo avevano chiamato «piccoletto» e lui voleva fare impressione su di loro.
- Otto adolescenti, fra quelli che sostavano fuori da un rap club di Manhattan, sono rimasti feriti in una rissa nata da una spinta involontaria e finita quando uno dei contendenti ha cominciato a sparare sul gruppo con un'automatica calibro 38. Il cronista osservava come negli ultimi anni queste sparatorie causate da motivi apparentemente futili, ma percepiti come mancanze di rispetto, siano diventate sempre più comuni nel paese.
- Nel caso di vittime di omicidi al di sotto dei dodici anni, riporta un altro articolo, il 57 per cento degli assassini sono i genitori naturali o il nuovo partner di uno dei due. In quasi la metà dei casi, i genitori affermano che «stavano solo cercando di dare una lezione al bambino». Il fatale accesso di violenza era causato da «infrazioni» come il monopolio della TV, il pianto o l'essersela fatta addosso.
- Un giovane tedesco è accusato dell'omicidio di cinque donne e bambine turche, morte in un incendio da lui appiccato mentre le vittime stavano dormendo. Membro di un gruppo neonazista, il giovane ha raccontato che beveva, non riusciva a tenersi un posto di lavoro, e riteneva gli stranieri i veri colpevoli della sua cattiva sorte. Con un filo di voce si difendeva così: «Non so darmi pace per quello che abbiamo fatto, e mi vergogno infinitamente».

Ogni giorno siamo raggiunti da notiziari pieni di queste cronache della disintegrazione della civiltà e del venir meno della sicurezza – attacchi furiosi di impulsi spregevoli sfuggiti a ogni controllo. I notiziari, tuttavia, non fanno che riflettere, su scala più ampia, la strisciante sensazione che anche nella nostra vita, come in quella delle persone intorno a noi, le emozioni siano fuori dal nostro controllo. Nessuno è al sicuro da questa caotica marea di impulsi seguiti dal pentimento; in un modo o nell'altro, essa raggiunge ciascuno di noi.

Gli ultimi dieci anni sono stati costantemente martellati da cronache come queste, che ritraggono, in forma amplificata, l'incapacità emotiva, la disperazione e la noncuranza che regnano nelle nostre famiglie, nelle nostre comunità e nella nostra vita collettiva. Questi anni sono stati testimoni di una violenza e una disperazione crescenti, indipendentemente dal fatto che si tratti della tranquilla solitudine dei giovanissimi con la chiave di casa in tasca e la TV come babysitter, o del dolore dei bambini abbandonati, trascurati o maltrattati, o ancora dell'oscena intimità della violenza coniugale. Le cifre che ci mostrano un enorme aumento della depressione in tutto il mondo denunciano un malessere emotivo* diffuso, che possiamo leggere anche in tutti quei fenomeni che tradiscono una crescente aggressività – adolescenti che vanno a scuola armati, incidenti stradali che finiscono in una sparatoria, ex dipendenti risentiti che massacrano gli ex colleghi. Concetti come *violenza psicologica* e *stress post-traumatico* e fenomeni come le sparatorie fra automobilisti sono tutti entrati, nell'arco degli ultimi dieci anni, nel lessico comune, proprio come la frase del momento è passata dal cordiale «Have a nice day» all'irritante «Make my day».

Questo libro è una guida per dare un senso logico a ciò che sembrerebbe proprio non averne. Come psicologo, e negli ultimi dieci anni come giornalista del *New York Times*, ho studiato i progressi compiuti nella comprensione scientifica dell'irrazionale. Da questo punto di osservazione, sono rimasto colpito nel constatare due tendenze opposte, una che ritrae una crescente miseria nella nostra vita emotiva, e l'altra che offrendoci invece qualche rimedio, ci lascia sperare.

Perché quest'esplorazione proprio adesso

Nonostante le cattive notizie, gli ultimi dieci anni sono stati testimoni di un'esplosione senza precedenti di studi scientifici sull'emozione. Soprattutto impressionanti sono gli studi resi possibili da metodi innovativi come le nuove tecnologie per l'ottenimento di immagini del cervello nel vivente. Esse hanno dato forma per la prima volta nella storia dell'uomo a ciò che è sempre stato fonte di profondo mistero: ci hanno mostrato il funzionamento di questa massa intricata di cellule proprio nel momento in cui noi pensiamo e sentiamo, immaginiamo e sogniamo. Questa mole di dati neurobiologici ci fa comprendere più chiaramente che mai il modo in cui i centri emozionali del cervello ci spingono alla rabbia o alle lacrime, e come l'attività delle parti più antiche del cervello – quelle che ci spingono a fare la

* In tutto il testo originale, l'aggettivo *emotional* ricorre con estrema frequenza. Pur consapevoli del fatto che in ambito specialistico viene sempre più spesso reso con «emozionale», rivolgendoci a una fascia di lettori più ampia, abbiamo preferito, per motivi di immediatezza e di scorrevolezza, ove fosse possibile, rendere *emotional* con «emotivo». Perciò si leggerà vita emotiva, reazione emotiva, intelligenza emotiva, in quanto espressioni già presenti nella lingua corrente, mentre abbiamo tradotto circuiti emozionali, cervello emozionale, ecc., trattandosi di espressioni comunque di per se stesse più tecniche [N.d.T.].

guerra, ma anche l'amore – possa essere, nel bene e nel male, incanalata. Questa chiarezza senza precedenti sui meccanismi delle emozioni e sulle loro debolezze offre alcuni nuovi rimedi per le crisi emotive che affliggono la collettività.

Se ho dovuto aspettare fino ad ora per scrivere questo libro è stato per disporre di risultati scientifici sufficienti. In larga misura, queste intuizioni sono arrivate tanto in ritardo perché per molti anni il ruolo del sentimento nella vita mentale è stato sorprendentemente trascurato dalla ricerca; le emozioni sono così rimaste un continente in gran parte inesplorato dalla psicologia scientifica. In questo vuoto, è andata poi riversandosi una marea di libri e di manuali pieni di consigli ben intenzionati che nel migliore dei casi erano basati sull'opinione di medici, ma che comunque lasciavano molto a desiderare in quanto a basi scientifiche. Finalmente, oggi la scienza è in grado di mappare il cuore umano con una certa precisione e può rispondere con autorevolezza a queste domande urgenti e sconcertanti sugli aspetti più irrazionali della psiche.

Questa mappatura costituisce una vera e propria sfida per coloro che sostengono una concezione limitata dell'intelligenza, che ritengono il Qi un dato di fatto genetico immodificabile dall'esperienza, e che considerano il destino in larga misura prefissato da tali presupposti. Questa tesi ignora la domanda più stimolante: che cosa *possiamo* cambiare, per aiutare i nostri figli a vivere meglio? Quali fattori sono in gioco, ad esempio, quando persone con elevato Qi falliscono e quelle con Qi modesti danno prestazioni sorprendentemente buone? Secondo me, molto spesso la differenza sta in quelle capacità indicate collettivamente come *intelligenza emotiva*, un termine che include l'autocontrollo, l'entusiasmo e la perseveranza, nonché la capacità di automotivarsi. E queste capacità, come vedremo, possono essere insegnate ai bambini, mettendoli così nelle migliori condizioni per far fruttare qualunque talento intellettuale la genetica abbia dato loro.

Al di là di questa possibilità, si profila un pressante imperativo morale. I nostri sono tempi nei quali il tessuto della società sembra logorarsi a velocità sempre maggiore, nei quali l'egoismo, la violenza e la miseria morale sembrano congiurare per corrompere i valori della nostra vita di comunità. È qui che la tesi che sostiene l'importanza dell'intelligenza emotiva si impernia sul legame fra sentimento, carattere e istinti morali. Ci sono prove crescenti del fatto che, nella vita, atteggiamenti fondamentalmente morali derivino dalle capacità emozionali elementari. L'impulso è il mezzo dell'emozione; il seme dell'impulso è un sentimento che preme per esprimersi nell'azione. Chi è alla mercé dell'impulso – chi manca di autocontrollo – è affetto da una carenza morale: la capacità di controllare gli impulsi è alla base della volontà e del carattere. Per lo stesso motivo, la radice dell'altruismo sta nell'empatia, ossia nella capacità di leggere le emozioni negli altri; senza la percezione delle esigenze o della disperazione altrui, non può esserci preoccupazione per gli altri. E se esistono due atteggiamenti morali dei quali i nostri tempi hanno grande bisogno, quelli sono proprio l'autocontrollo e la compassione.

Il nostro viaggio

In questo libro voglio guidarvi in un viaggio attraverso le intuizioni scientifiche sulle emozioni, un viaggio che ha lo scopo di far comprendere meglio alcuni degli aspetti più sconcertanti della nostra vita e del mondo intorno a noi. Un viaggio che si propone di arrivare a capire che cosa significhi portare l'intelligenza nella sfera dell'emozione – e come farlo. Questa stessa comprensione può, in una certa misura, essere utile; portare la conoscenza nella sfera del sentimento ha un effetto in un certo modo simile all'impatto, in fisica, di un osservatore a livello quantico che alteri ciò che va osservando.

Il nostro viaggio comincia nella Prima parte, dove le nuove scoperte sull'architettura emozionale del cervello offriranno una spiegazione dei momenti più sconcertanti della nostra vita, quando i sentimenti sopraffanno completamente la razionalità. La comprensione dell'interazione delle strutture cerebrali responsabili dei nostri momenti di collera e di paura – o di passione e di gioia – ci rivela moltissimo sul modo in cui apprendiamo le inclinazioni emozionali che possono sabotare le nostre migliori intenzioni, e ci insegna anche che cosa fare per addomesticare i nostri impulsi più distruttivi e frustranti. Fatto ancora più importante, i dati neurologici ci indicano la possibilità di plasmare le inclinazioni emozionali dei nostri bambini.

La successiva tappa del nostro viaggio, la Parte seconda di questo libro, ci mostra come le basi neurologiche si esprimano in quell'attitudine fondamentale chiamata *intelligenza emotiva*: essa comprende, ad esempio, la capacità di tenere a freno un impulso; di leggere i sentimenti più intimi di un'altra persona; di gestire senza scosse le relazioni con gli altri – come diceva Aristotele, la rara capacità di «colui quindi che si adira per ciò che deve e con chi deve, e inoltre come, quando e per quanto tempo si deve». (I lettori che non fossero troppo attratti dai dettagli neurologici possono passare direttamente alla lettura di questa parte.)

In quest'accezione più estesa dell'espressione «essere intelligente» le emozioni sono attitudini fondamentali nella vita. La Parte terza esamina alcune differenze chiave legate a tale attitudine; in particolare, vedremo come l'intelligenza emotiva possa preservare le nostre relazioni più preziose, che in sua assenza si deteriorano; come le forze di mercato che stanno riplasmando la nostra vita lavorativa stiano dando un valore senza precedenti all'intelligenza emotiva ai fini del successo professionale; e come emozioni tossiche mettano a rischio la nostra salute fisica proprio come l'abitudine di fumare una sigaretta dietro l'altra, mentre l'equilibrio psicologico può aiutarci a proteggere salute e benessere.

L'eredità genetica ci ha dotati di una serie di talenti emozionali che determinano il nostro temperamento. Ma i circuiti cerebrali interessati sono straordinariamente plastici; il temperamento non è destino. Come dimostra la Parte quarta, gli insegnamenti emozionali che apprendiamo da bambini a casa e a scuola plasmano i nostri circuiti emozionali, rendendoci più o meno abili nella gestione degli elementi fondamentali dell'intelligenza emotiva. Ciò significa che l'infanzia e l'adolescenza offrono opportunità importantissime per stabilire le essenziali inclinazioni emozionali che governeranno la nostra vita.

Nella Parte quinta esploreremo i rischi cui vanno incontro coloro che, nel diventare adulti, non riescono a dominare la sfera delle emozioni – vedremo insomma come le carenze a livello di intelligenza emotiva aumentino tutta una gamma di rischi, che vanno dalla depressione a una vita violenta, ai disturbi del comportamento alimentare e all'abuso di droghe. In questa parte parleremo anche di alcune scuole che, adottando programmi pionieristici, stanno insegnando ai bambini le capacità emozionali e sociali delle quali avranno bisogno per esercitare il controllo sulla propria vita.

Forse l'informazione più sconvolgente, fra quelle contenute in questo libro, viene da un'inchiesta a livello mondiale, compiuta su genitori e insegnanti, che ha mostrato la tendenza, nell'attuale generazione di bambini, ad avere un maggior numero di problemi emozionali rispetto a quella precedente: oggi i giovanissimi sono più soli e depressi, più rabbiosi e ribelli, più nervosi e inclini alla preoccupazione, più impulsivi e aggressivi.

Se un rimedio esiste, personalmente sono convinto che sia da cercarsi nel modo in cui prepariamo i nostri bambini alla vita. Attualmente, l'educazione emozionale dei nostri figli è lasciata al caso, con risultati sempre più disastrosi. La soluzione sta in un nuovo modo di considerare ciò che la scuola può fare per educare l'individuo come persona – ossia mettendo insieme mente e cuore. Il nostro viaggio terminerà con l'esame di alcuni corsi innovativi che mirano a dare ai bambini gli elementi di base dell'intelligenza emotiva. Prevedo un giorno nel quale sarà compito normale dell'educazione quello di inculcare comportamenti umani essenziali come l'autoconsapevolezza, l'autocontrollo e l'empatia, e anche l'arte di ascoltare, di risolvere i conflitti e di cooperare.

Nell'*Etica nicomachea* (l'indagine filosofica di Aristotele sulla virtù, la personalità e la vita retta), la sfida lanciata dall'autore era quella di controllare la vita emotiva con l'intelligenza. Le passioni, quando ben esercitate, hanno una loro saggezza; esse guidano il nostro pensiero, i nostri valori, la nostra stessa sopravvivenza. Esse possono, tuttavia, facilmente impazzire, e questo accade fin troppo spesso. Come ben capiva Aristotele, il problema non risiede nello stato d'animo in sé, ma nell'*appropriatezza* dell'emozione e della sua espressione. Il punto è dunque: come portare l'intelligenza nelle nostre emozioni – e di conseguenza, come portare la civiltà nelle nostre strade e la premura per l'altro nella nostra vita di relazione?

PARTE PRIMA

L'INTELLIGENZA EMOTIVA

1

A CHE COSA SERVONO LE EMOZIONI?

> Non si vede bene che col cuore. L'essenziale è invisibile agli occhi.
>
> ANTOINE DE SAINT-EXUPÉRY, *Il piccolo principe**

Proviamo ad analizzare gli ultimi istanti della vita di Gary e Mary Jane Chauncey, una coppia che si era completamente consacrata alla figlia undicenne Andrea costretta sulla sedia a rotelle da una paralisi cerebrale. La famiglia Chauncey si trovava su un treno che precipitò in un fiume della Louisiana mentre percorreva un ponte in precedenza urtato da una chiatta. Pensando per prima cosa alla figlia, Gary e Mary Jane fecero tutto quello che poterono per salvare Andrea mentre l'acqua inondava il treno che affondava; in un modo o nell'altro, riuscirono a spingere la bambina fra le braccia dei soccorritori, facendola passare da un finestrino. Poi, quando il vagone affondò completamente, annegarono.[1]

Come un'istantanea, la vicenda di Andrea – e quella di tutti quei genitori il cui ultimo atto eroico è volto a garantire la sopravvivenza dei figli – fissa davanti ai nostri occhi un momento di coraggio di portata quasi epica. Eventi di questo tipo, nei quali i genitori si sacrificano per la prole, si sono sicuramente ripetuti infinite volte non solo nel corso della storia e della preistoria umana, ma anche in quello, ben più lungo, della nostra evoluzione.[2] Considerato dal punto di vista dei biologi evoluzionisti, il sacrificio dei genitori è un comportamento che tende ad assicurare il «successo riproduttivo», ossia la buona riuscita del passaggio dei propri geni alle generazioni future. D'altra parte, se è visto con gli occhi di un genitore che stia prendendo una decisione disperata in un momento critico, lo stesso atto non è altro che amore. Svelandoci lo scopo e il potere delle emozioni, questo esempio di eroismo parentale testimonia il ruolo dell'amore altruista – e di qualunque altra emozione – nella vita umana.[3] L'episodio ci mostra come i sentimenti più profondi, le passioni e i desideri più intensi siano per noi guide importantissime, alla cui influenza sulle vicende umane la nostra specie deve in gran parte la propria esistenza. Si tratta di un'influenza davvero straordinaria: solo un amore im-

* Trad. it. di Nini Bompiani Bregoli, I Delfini Bompiani, Milano 1995.

menso – la volontà disperata di salvare un figlio molto amato – può spingere infatti un essere umano a superare il proprio istinto di conservazione. Se lo si considera da una prospettiva intellettuale, il sacrificio di Gary e Mary Jane fu un atto discutibile e irrazionale; ma se lo si giudica con il cuore, era la sola scelta possibile.

Nel cercare di comprendere come mai l'evoluzione abbia conferito all'emozione un ruolo tanto fondamentale nella psiche umana, i sociobiologi indicano – quale possibile spiegazione – proprio questa prevalenza del cuore sulla mente nei momenti più critici della vita. Essi sostengono che le nostre emozioni ci guidano nell'affrontare situazioni e compiti troppo difficili e importanti perché possano essere affidati al solo intelletto: si pensi ai momenti di grande pericolo, alle perdite dolorose, alla capacità di perseverare nei propri obiettivi nonostante le frustrazioni, allo stabilirsi del legame di coppia e alla costruzione del nucleo familiare. Ogni emozione ci predispone all'azione in modo caratteristico; ciascuna di esse ci orienta in una direzione già rivelatasi proficua per superare le sfide ricorrenti della vita umana – situazioni eterne che si ripeterono infinite volte nella nostra storia evolutiva.[4] Il valore del nostro repertorio emozionale ai fini della sopravvivenza trova conferma nel suo imprimersi nel nostro sistema nervoso come bagaglio comportamentale innato: in altre parole, nel fatto che le emozioni finirono per diventare tendenze automatiche del nostro cuore.

Una concezione della natura umana che ignorasse il potere delle emozioni si dimostrerebbe deplorevolmente limitata. La stessa denominazione della nostra specie, *Homo sapiens* – la specie in grado di pensare – è fuorviante quando la si consideri alla luce delle nuove prospettive che la scienza ci offre per valutare il ruolo delle emozioni nella nostra vita. Come tutti sappiamo per esperienza personale, quando è il momento che decisioni e azioni prendano forma, i sentimenti contano almeno quanto il pensiero razionale, e spesso anche di più. Finora si è data troppa importanza al valore, nella vita umana, della sfera puramente razionale – in altre parole quella misurata dal Qi. Nel bene o nel male, quando le emozioni prendono il sopravvento, l'intelligenza può non essere di alcun aiuto.

Quando le passioni hanno il sopravvento sulla ragione

Quella che sto per narrarvi fu un'autentica tragedia degli errori. Quando Matilda Crabtree, una ragazzina di quattordici anni, saltò fuori dall'armadio di camera sua gridando «Buh!» al padre, aveva solo intenzione di fare uno scherzo ai genitori che rientravano dopo essere stati a casa d'amici. Ma il padre, sentendo dei rumori in casa all'una di notte, prese la sua calibro 357 e andò nella cameretta di Matilda per vedere di che cosa si trattasse. Quando la figlia saltò fuori dall'armadio, Crabtree le sparò colpendola al collo; Matilda morì dodici ore dopo.[5]

Uno dei retaggi emozionali della nostra evoluzione biologica è la paura che ci spinge a mobilitarci per proteggere la nostra famiglia dai pericoli; fu proprio sotto quest'impulso che Bobby Crabtree prese la pistola e andò a cercare l'intruso che secondo lui doveva esser penetrato in casa. Fu la paura a fargli premere il grilletto prima ancora di registrare mentalmente a chi stesse sparando – prima ancora di poter riconoscere la voce di sua figlia. I biologi evoluzionisti ipotizzano che reazioni automatiche di questo tipo abbiano finito per imprimersi nel nostro sistema nervoso perché, nell'arco di un lungo periodo critico della preistoria umana, esse rappresentarono davvero la differenza fra la vita e la morte. Fatto ancora più importante, queste reazioni erano essenziali ai fini di quello che è il compito principale dell'evoluzione: riuscire ad avere una progenie alla quale trasmettere queste predisposizioni genetiche molto specifiche – il che suona tristemente ironico, se si pensa al tragico caso della famiglia Crabtree.

Ma se è vero che le emozioni ci hanno guidato con saggezza nel lungo cammino dell'evoluzione, è altrettanto vero che le nuove realtà legate alla civilizzazione sono sorte così velocemente che l'evoluzione – un processo molto lento – non può più tener loro dietro. A pensarci bene, le prime leggi e le prime affermazioni dell'etica – il Codice di Hammurabi, i Dieci Comandamenti degli Ebrei, gli editti dell'imperatore Ashoka – possono essere interpretati come tanti tentativi di imbrigliare, sottomettere e addomesticare la vita emozionale. Come descrisse Freud nel suo *Disagio della Civiltà*, la società umana ha dovuto affermarsi partendo da uno stadio nel quale non esistevano regole per arginare le ondate travolgenti degli eccessi emozionali, allora troppo liberi di manifestarsi.

Nonostante questi vincoli sociali, spesso le passioni sopraffanno la ragione: questa caratteristica della natura umana deriva dall'architettura neurale su cui si fonda la vita mentale. Se parliamo in termini di biologia dei fondamentali circuiti neurali dell'emozione, dobbiamo ammettere che quelli di cui siamo dotati sono i meccanismi rivelatisi più funzionali nelle ultime cinquantamila generazioni umane – si badi bene, non nelle ultime cinquemila, e meno che mai nelle ultime cinque. Le forze che hanno plasmato le nostre emozioni, forze evolutive lente e ponderate, hanno impiegato un milione di anni per compiere il loro lavoro; nonostante gli ultimi diecimila anni siano stati testimoni della rapida ascesa della civiltà e dell'esplosione della popolazione umana da cinque milioni a cinque miliardi di anime, essi hanno tuttavia lasciato pochissime tracce nella matrice biologica della vita emotiva umana.

Nel bene e nel male, la nostra valutazione di ogni singolo conflitto personale e le reazioni che esso suscita in noi sono plasmate non solo dai nostri giudizi razionali o dalla nostra biografia, ma anche dal nostro passato ancestrale – il che a volte ci conferisce tragiche inclinazioni, come testimoniano i tristi eventi della famiglia Crabtree. In breve, troppo spesso ci capita di dover affrontare dilemmi postmoderni con un repertorio emozionale adatto alle esigenze del Pleistocene. Questa difficilissima situazione è proprio l'argomento di cui intendo occuparmi.

IMPULSI ALL'AZIONE

Era un giorno all'inizio della primavera, mi trovavo in Colorado e stavo percorrendo in autostrada un passo montano, quando improvvisamente una tempesta di neve cancellò dalla mia vista l'auto che mi precedeva di pochi metri. Per quanto scrutassi attentamente di fronte a me, non vedevo assolutamente nulla; la neve turbinava ed era adesso di un biancore accecante. Nel premere il pedale del freno sentii l'ansia pervadermi mentre percepivo distintamente il battito del mio cuore.

L'ansia crebbe e divenne paura vera e propria: mi fermai a lato della carreggiata per aspettare che la tormenta finisse. Mezz'ora dopo smise di nevicare, la visibilità tornò normale e io ripresi il mio viaggio. Dovetti però interromperlo nuovamente poche centinaia di metri più in là: un'ambulanza stava infatti prestando soccorso al passeggero di un'auto che aveva tamponato una vettura più lenta; le auto coinvolte nell'incidente bloccavano completamente la strada. Se avessi continuato a guidare con la visibilità ridotta dalla neve, le avrei tamponate anch'io.

Quel giorno la prudenza impostami dalla paura probabilmente mi salvò la vita. Proprio come un coniglio paralizzato dal terrore nel sentire passare una volpe – o come un protomammifero che avesse percepito la presenza di un dinosauro predatore – anch'io ero stato colto di sorpresa da uno stato d'animo che mi aveva obbligato a fermarmi, a stare attento e a guardarmi da un pericolo imminente.

Tutte le emozioni sono, essenzialmente, impulsi ad agire; in altre parole, piani d'azione dei quali ci ha dotato l'evoluzione per gestire in tempo reale le emergenze della vita. La radice stessa della parola *emozione* è il verbo latino MOVEO, «muovere», con l'aggiunta del prefisso «e-» («movimento da»), per indicare che in ogni emozione è implicita una tendenza ad agire. Il fatto che le emozioni spingano all'azione è ovvio soprattutto se si osservano gli animali o i bambini; è solo negli adulti «civili» che troviamo tanto spesso quella che nel regno animale si può considerare una grande anomalia, ossia la separazione delle emozioni – che in origine sono impulsi ad agire – dall'ovvia reazione corrispondente.[6]

Nel nostro repertorio, ogni emozione ha un ruolo unico, rivelato dalle sue caratteristiche biologiche distintive (per i dettagli sulle emozioni «fondamentali», vedi l'Appendice A). Con i nuovi metodi di cui può avvalersi la scienza per scrutare nel corpo e nel cervello, i ricercatori stanno scoprendo ulteriori dettagli fisiologici sul modo in cui ciascuna emozione prepara il corpo a un tipo di risposta molto diverso.[7]

- Quando siamo in *collera*, il sangue ci affluisce alle mani e questo rende più facile afferrare un'arma o sferrare un pugno all'avversario; la frequenza cardiaca aumenta e una scarica di ormoni, fra i quali l'adrenalina, genera un impulso di energia abbastanza forte da permettere un'azione vigorosa.
- Se abbiamo *paura*, il sangue fluisce verso i grandi muscoli scheletrici, ad esempio quelli delle gambe, rendendo così più facile la fuga e al tempo stesso facendo impallidire il volto, momentaneamente meno irrorato (ecco da dove viene la sensazione che «si geli il sangue»). Allo stesso tempo, il corpo si immobilizza, come congelato, anche solo per un momento, forse per valutare se non convenga nascondersi. I circuiti dei centri cerebrali preposti alla regolazione della vita emotiva scatenano un flusso di ormoni che mette l'organismo in uno stato generale di allerta, preparandolo all'azione e fissando l'attenzione sulla minaccia che incombe per valutare quale sia la risposta migliore.
- Nella *felicità*, uno dei principali cambiamenti biologici sta nella maggiore attività di un centro cerebrale che inibisce i sentimenti negativi e aumenta la disponibilità di energia, insieme all'inibizione dei centri che generano pensieri angosciosi. Tuttavia, a parte uno stato di quiescenza che consente all'organismo di riprendersi più rapidamente dall'attivazione biologica causata da emozioni sconvolgenti, non si riscontrano particolari cambiamenti fisiologici. Questa configurazione offre all'organismo un generale riposo, e lo rende non solo disponibile ed entusiasta nei riguardi di qualunque compito esso debba intraprendere ma anche pronto a battersi per gli obiettivi più diversi.
- L'*amore*, i sentimenti di tenerezza e la soddisfazione sessuale comportano il risveglio del sistema parasimpatico; in altre parole, si tratta della mobilitazione opposta a quella che abbiamo visto nella reazione di «combattimento o fuga» tipica della paura e della collera. La modalità parasimpatica, che potremmo anche chiamare «risposta di rilassamento» si avvale di un insieme di reazioni che interessano tutto l'organismo e inducono uno stato generale di calma e soddisfazione tale da facilitare la cooperazione.
- Nella *sorpresa* il sollevamento delle sopracciglia consente di avere

una visuale più ampia e di far arrivare più luce sulla retina. Questo permette di raccogliere un maggior numero di informazioni sull'evento inatteso, contribuendo alla sua comprensione e facilitando la rapida formulazione del migliore piano d'azione.

- In tutto il mondo l'espressione di *disgusto* è la stessa, e invia il medesimo messaggio: qualcosa offende il gusto o l'olfatto, anche metaforicamente. Come già aveva osservato Darwin, l'espressione facciale del disgusto – il labbro superiore sollevato lateralmente mentre il naso accenna ad arricciarsi – indica il tentativo primordiale di chiudere le narici colpite da un odore nocivo o di sputare un cibo velenoso.
- La *tristezza* ha la funzione fondamentale di farci adeguare a una perdita significativa, ad esempio a una grande delusione o alla morte di qualcuno che ci era particolarmente vicino. Essa comporta una caduta di energia ed entusiasmo verso le attività della vita – in particolare per le distrazioni e i piaceri – e, quando diviene più profonda e si avvicina alla depressione, ha l'effetto di rallentare il metabolismo. La chiusura in se stessi che accompagna la tristezza ci dà l'opportunità di elaborare il lutto per una perdita o per una speranza frustrata, di comprendere le conseguenze di tali eventi nella nostra vita e, quando le energie ritornano, di essere pronti per nuovi progetti. Può darsi che un tempo questa caduta di energia servisse a tenere i primi esseri umani vicini ai loro rifugi – e quindi al sicuro – quando erano tristi e perciò più vulnerabili.

Queste inclinazioni biologiche a un certo tipo di azione vengono poi ulteriormente plasmate dall'esperienza personale e dalla cultura. Ad esempio, la perdita di una persona amata suscita universalmente tristezza e dolore. Ma il modo in cui esterniamo il nostro lutto – il modo in cui le emozioni sono esibite in pubblico o trattenute in modo da esprimerle solo in privato – è forgiato dalla cultura; analogamente, dipendono dalla cultura i criteri con i quali le persone vengono classificate o meno nella categoria di quelle «amate» delle quali si debba piangere la morte.

Il lungo periodo dell'evoluzione durante il quale queste risposte emozionali si andarono forgiando fu certamente caratterizzato da una realtà ben più dura di quella che la maggior parte degli esseri umani si trovò poi a dover affrontare in quanto specie a partire dagli albori della storia. Era un tempo in cui pochi bambini sopravvivevano all'infanzia e pochi adulti superavano i trent'anni; un tempo in cui i predatori potevano colpire in ogni momento; un tempo, infine, in cui il capriccioso alternarsi di siccità e inondazioni si traduceva nello spettro della fame o nella possibilità di sopravvivere. Ma con l'imporsi dell'agricoltura e delle società umane, anche molto primitive, le probabilità di sopravvivenza cominciarono ad aumentare sensibilmente. Negli ultimi diecimila anni, quando queste conquiste si affermarono in tutto il mondo, le feroci pressioni che avevano tenuto in scacco le popolazioni umane andarono costantemente allentandosi.

Erano state quelle stesse pressioni a rendere le nostre risposte emozionali così preziose per la sopravvivenza; quando esse cessarono, venne meno anche il perfetto adattamento del nostro repertorio emozionale. Se è vero che nel passato più remoto la propensione alla collera poteva costituire un vantaggio di cruciale importanza in termini di sopravvivenza, oggi che le armi automatiche sono a portata di mano dei tredicenni una tale inclinazione può troppo spesso portare a reazioni disastrose.[8]

LE NOSTRE DUE MENTI

Un'amica mi raccontava del suo divorzio, una separazione molto dolorosa. Il marito si era innamorato di un'altra donna più giovane e improvvisamente le aveva annunciato che sarebbe andato a vivere con lei. Seguì un periodo di amare contese sulla casa, il denaro e la custodia dei figli. A distanza di qualche mese, la mia amica mi stava confidando che l'indipendenza le piaceva e che era felice di stare da sola. «Semplicemente, ecco, non penso più a lui – davvero non me ne importa» affermò. Ma non appena aveva pronunciate queste parole, gli occhi le si riempirono di lacrime.

Quegli occhi lucidi potevano facilmente passare inosservati. Ma la comprensione empatica della tristezza che essi tradivano a dispetto delle parole è un atto di decodifica proprio come la capacità di trarre significati dai caratteri stampati su una pagina. Nel primo caso, è all'opera la mente emozionale, nel secondo quella razionale. A tutti gli effetti abbiamo due menti, una che pensa, l'altra che sente.

Queste due modalità della conoscenza, così fondamentalmente diverse, interagiscono per costruire la nostra vita mentale. La mente razionale è la modalità di comprensione della quale siamo solitamente coscienti: dominante nella consapevolezza e nella riflessione, capace di ponderare e di riflettere. Ma accanto ad essa c'è un altro sistema di conoscenza – impulsiva e potente, anche se a volte illogica, c'è la mente emozionale. (Per una descrizione più dettagliata della mente emozionale, vedi l'Appendice B.) La dicotomia emozionale/razionale è simile alla popolare distinzione fra «cuore» e «mente»; quando sappiamo che qualcosa è giusto «con il cuore» la nostra convinzione è di un ordine diverso – in qualche modo è una certezza più profonda – di quando pensiamo la stessa cosa con la mente razionale. Il rapporto fra razionale ed emozionale nel controllo della mente varia lungo un gradiente continuo; quanto più intenso è il sentimento, tanto più dominante è la mente emozionale – e più inefficace quella razionale. Questa situazione sembra derivare dal vantaggio evolutivo, affermatosi nel corso di tempi lunghissimi, rappresentato dall'essere guidati dalle emozioni e dalle intuizioni quando sia necessaria una reazione immediata in un contesto di pericolo – circostanze nelle quali indugiare a pensare sul da farsi potrebbe costarci la vita.

Nella maggior parte dei casi, queste due menti, l'emozionale e la razionale, operano in grande armonia e le loro modalità di conoscenza, così diverse, si integrano reciprocamente per guidarci nella realtà. Di solito c'è un equilibrio fra mente razionale ed emozionale; l'emozione alimenta e informa le operazioni della mente razionale, mentre questa rifinisce e a volte oppone il veto agli input delle emozioni. Tuttavia, la mente emozionale e quella razionale sono facoltà semiindipendenti: ciascuna di esse, come vedremo, riflette il funzionamento di circuiti cerebrali distinti sebbene interconnessi.

Spesso – forse quasi sempre – queste due menti sono perfettamente coordinate; i sentimenti sono essenziali per il pensiero razionale, proprio come questo lo è per i sentimenti. Ma quando le passioni aumentano d'intensità, l'equilibrio si capovolge: la mente emozionale prende il sopravvento, travolgendo quella razionale. Erasmo da Rotterdam, l'umanista del sedicesimo secolo, descrisse in toni satirici questa perenne tensione fra ragione ed emozione:[9]

> [...] Considerate voi stessi in qual rapporto Giove abbia distribuito agli uomini ragione e passione [...] Sarebbe come paragonare una semioncia ad un asse [...] Giove alla ragione ha messo contro due nemici accaniti: l'ira [...] e la concupiscenza. Con quanto successo la ragione contrasti con questi due nemici, basta a dimostrarlo la vita d'ogni giorno: tutto il suo potere si esaurisce nell'arrochirsi a predicare i comandamenti dell'onestà, mentre ira e lussuria tendono dei tranelli alla loro regina, con tanto strepito e clamore che quella, stanca, infine si arrende e cede le armi.*

L'evoluzione del cervello

Per meglio comprendere la grande influenza delle emozioni sulla mente razionale – e per capire anche come mai il sentimento e la ragione entrino in conflitto tanto facilmente – bisogna considerare il modo in cui si è evoluto il cervello umano, che con il suo chilo e mezzo di cellule e umori nervosi ha dimensioni circa triple rispetto a quello dei primati non umani, ossia dei nostri cugini più prossimi dal punto di vista filogenetico. Nell'arco di milioni di anni di evoluzione, il cervello ha sviluppato i suoi centri superiori elaborando e perfezio-

* Trad. it. di Luca D'Ascia, Bur Rizzoli, Milano 1994.

nando le aree inferiori, più antiche. (La crescita del cervello nell'embrione umano ripercorre a grandi linee questa traiettoria evolutiva.)

La parte più primitiva del cervello, che l'uomo ha in comune con tutte le specie dotate di un sistema nervoso relativamente sviluppato, è il tronco cerebrale che circonda l'estremità cefalica del midollo spinale. Esso regola funzioni vegetative fondamentali come il respiro e il metabolismo degli altri organi; inoltre, controlla le reazioni e i movimenti stereotipati. Non si può affermare che questo cervello primitivo sia in grado di pensare o apprendere; piuttosto, si tratta di una serie di centri regolatori programmati per mantenere il corretto funzionamento e l'appropriata reattività dell'organismo, in modo da assicurarne la sopravvivenza. Questo tipo di cervello dominava nell'Era dei Rettili (ancora oggi, lo vediamo in azione in un serpente che sibila in segno di minaccia).

Da questa struttura molto primitiva, il tronco cerebrale, derivarono i centri emozionali. Milioni di anni dopo, nel corso dell'evoluzione, da questi centri emozionali si evolsero le aree del cervello pensante ossia la «neocorteccia» – la grande massa di tessuto nervoso convoluto che costituisce i livelli cerebrali superiori. Il fatto che il cervello pensante si sia evoluto da quello emozionale ci dice molto sui rapporti fra pensiero e sentimento: molto prima che esistesse un cervello razionale, esisteva già quello emozionale.

Le radici più antiche della nostra vita emotiva affondano nel senso dell'olfatto o, più precisamente, nel lobo olfattivo, dove sono situate le cellule che ricevono e analizzano gli odori. Ogni essere vivente – sia esso commestibile o velenoso, un partner sessuale, un predatore o una preda – ha una marcatura molecolare distintiva che può essere trasportata dal vento. In quei tempi ancestrali, l'olfatto si dimostrò un senso di importanza enorme ai fini della sopravvivenza.

Dal lobo olfattivo cominciarono poi a evolversi gli antichi centri emozionali, che infine divennero abbastanza grandi da circondare l'estremità cefalica del tronco cerebrale. Inizialmente, il centro olfattivo era costituito da poco più di un sottile strato di neuroni, riunitisi in una struttura finalizzata all'analisi degli odori. Uno strato di cellule recepiva ciò che veniva odorato e lo classificava nelle principali categorie: sessualmente disponibile, nemico o pasto potenziale, commestibile o tossico. Un secondo strato di cellule inviava, attraverso il sistema nervoso, messaggi riflessi per informare l'organismo sul da farsi: avvicinarsi, fuggire, inseguire, mordere, sputare.[10]

Con la comparsa dei primi mammiferi, nel cervello emozionale apparvero nuovi livelli fondamentali che, circondando il tronco encefalico somigliavano approssimativamente a un *bagel* dal cui fondo fosse stato staccato un morso, proprio dove è annidato il tronco cerebrale. Poiché questa parte del cervello circonda e delimita il tronco cerebrale, venne chiamata «sistema limbico» (dal latino *limbus*, «anello»). Questo nuovo territorio neurale aggiunse al repertorio cerebrale le emozioni che gli sono proprie.[11] Quando siamo stretti nella morsa del desiderio o dell'ira, follemente innamorati o terrorizzati a morte, siamo in balia del sistema limbico.

Quando si evolse, il sistema limbico perfezionò due strumenti potenti: l'apprendimento e la memoria. Queste conquiste rivoluzionarie consentivano a un animale di essere più intelligente nelle sue scelte per la sopravvivenza, e di regolare finemente le proprie risposte in modo da adattarle ad esigenze mutevoli senza più dover reagire in modo automatico e rigidamente invariabile. Se un tipo di cibo si era rivelato nocivo, la volta successiva poteva essere evitato. Decisioni riguardanti quali cibi consumare e quali rifiutare erano ancora determinate in larga misura dall'olfatto; a quel punto, le connessioni fra bulbo olfattivo e sistema limbico si assunsero il compito di distinguere gli odori e riconoscerli, confrontandoli con quelli già percepiti in passato e discriminando così il buono dal cattivo. Queste funzioni vennero assunte dal «rinencefalo» o cervello olfattivo, che fa parte del circuito limbico e rappresenta il rudimento dal quale si sviluppò la neocorteccia, ossia il cervello pensante.

Circa 100 milioni di anni fa, il cervello dei mammiferi cominciò a svilupparsi molto velocemente. Alla sottile corteccia allora costituita da due soli strati – le regioni responsabili dell'attività di programmazione, che comprendono ciò che viene percepito e coordinano il movimento – andarono ad aggiungersi diversi altri strati di cellule nervose, che formarono la neocorteccia. Rispetto alla struttura corticale bistratificata del cervello più antico, la neocorteccia offriva ora uno straordinario vantaggio in termini di possibilità intellettuali.

La neocorteccia di *Homo sapiens*, tanto più sviluppata che nelle altre specie, è responsabile di tutte le nostre capacità segnatamente umane. Essa è sede del pensiero; contiene i centri che integrano e comprendono quanto viene percepito dai sensi; e inoltre, aggiunge ai sentimenti ciò che noi pensiamo di essi – e ci consente di provare sentimenti a proposito delle idee, dell'arte, dei simboli e dell'immaginazione.

Nel corso dell'evoluzione la neocorteccia permise una regolazione fine che senza dubbio comportò enormi vantaggi ai fini della capacità di un organismo di sopravvivere alle avversità, aumentando nel contempo le probabilità che la sua progenie trasmettesse alle generazioni future i geni codificanti quegli stessi circuiti neurali. Il vantaggio per la sopravvivenza garantito dalla neocorteccia è dovuto alla sua capacità di ideare programmi a lungo termine e di escogitare strategie mentali e altri espedienti. Al di là di questo, i trionfi dell'arte, della civiltà e della cultura sono tutti frutto dell'attività neocorticale.

Questa nuova componente del cervello consentì l'aggiunta di altrettante nuove sfumature alla vita emotiva. Prendiamo ad esempio l'amore. Le strutture limbiche generano sentimenti di piacere e di desiderio – ossia, le emozioni che alimentano la passione sessuale. Ma fu l'aggiunta della neocorteccia e delle sue connessioni con il sistema limbico, a permettere il legame affettivo madre-figlio e cioè quel sentimento che rende possibile lo sviluppo umano rappresentando la base dell'unità familiare e della dedizione a lungo termine necessaria per allevare i figli. (Nelle specie prive di neocorteccia, come i rettili, manca l'affetto materno; quando i piccoli escono dall'uovo, devono nascondersi per non essere divorati dai loro stessi genitori.) Negli esseri umani, il legame protettivo che si instaura fra genitore e figlio consente che gran parte della maturazione prosegua nel corso di una infanzia che si protrae a lungo e durante la quale il cervello continua a svilupparsi.

Quando ci spostiamo nella scala filogenetica passando dai rettili alle scimmie rhesus fino agli esseri umani, osserviamo che la massa della neocorteccia aumenta; parallelamente a tale aumento si osserva un moltiplicarsi, in progressione geometrica, delle interconnessioni dei circuiti cerebrali. Quanto più grande è il numero di tali connessioni, tanto più ampia è la gamma delle possibili risposte. La neocorteccia rende possibili le finezze e la complessità della vita emozionale, ad esempio la capacità di provare sentimenti *sui* propri sentimenti. Nei primati, il rapporto fra neocorteccia e sistema limbico è potenziato rispetto alle altre specie – e lo è immensamente negli esseri umani; ecco perché disponendo di un numero molto maggiore di sfumature siamo in grado di reagire alle nostre emozioni esibendo una gamma di risposte di gran lunga più ampia di quanto non possano fare le altre specie. Le modalità di risposta di un coniglio o di una scimmia rhesus alla paura sono alquanto limitate; la neocorteccia umana, invece, essendo più sviluppata, permette un repertorio di gran lunga più articolato – ivi compresa la possibilità di chiamare il 113. Quanto più complesso è il sistema sociale, tanto più essenziale diventa questa flessibilità – e di certo non esiste universo sociale più complesso del nostro.[12]

Questi centri superiori, però, non governano tutta la vita emotiva; nelle fondamentali questioni di cuore – e soprattutto nelle emergenze emozionali – essi sono sottomessi al sistema limbico. Poiché molti centri cerebrali superiori si svilupparono dal sistema limbico, o ne estesero il raggio d'azione, il cervello emozionale ha un ruolo fondamentale nell'architettura neurale. Come fonte dalla quale si sono sviluppate le parti più recenti del cervello, le aree emozionali sono strettamente collegate a tutte le zone della neocorteccia attraverso una miriade di circuiti di connessione. Ciò conferisce ai centri emozionali l'immenso potere di influenzare il funzionamento di tutte le altre aree del cervello – compresi i centri del pensiero.

2

ANATOMIA DI UN «SEQUESTRO» EMOZIONALE

La vita è una commedia per coloro che pensano e una tragedia per coloro che sentono.

HORACE WALPOLE

Era un caldo pomeriggio d'agosto del 1963, lo stesso giorno in cui il reverendo Martin Luther King tenne il suo celebre discorso, «I Have a Dream», in occasione di una marcia su Washington per i diritti civili. Quel giorno, Richard Robles, uno scassinatore incallito che era stato appena rilasciato sulla parola dopo una condanna a tre anni per le oltre cento effrazioni effettuate per procurarsi l'eroina, decise di mettere a segno un altro colpo. In seguito Robles raccontò che si era deciso a rinunciare al crimine, ma che aveva un disperato bisogno di denaro per la sua compagna e la loro bambina di tre anni.

L'appartamento in cui penetrò quel giorno era quello di due giovani donne, la ventunenne Janice Wylie, che lavorava presso la rivista *Newsweek*, e la ventitreenne Emily Hoffert, una maestra elementare. Sebbene Robles avesse scelto per la rapina un appartamento nell'Upper East Side – una zona elegante di New York – perché pensava di non trovarci nessuno, Janice era in casa. Minacciandola con un coltello, Robles la legò; poi, mentre se ne stava andando, Emily rientrò a casa. Per coprirsi la fuga, Robles cominciò a legare anche lei.

A distanza di anni Robles racconta che mentre stava legando Emily, Janice Wylie gli disse che non l'avrebbe fatta franca: affermò che avrebbe ricordato la sua faccia e si sarebbe data da fare per aiutare la polizia ad acciuffarlo. Avendo promesso a se stesso che quello sarebbe stato il suo ultimo colpo, a quelle parole Robles fu assalito dal panico e perse completamente il controllo. Come una furia, afferrò una bottiglia di soda e la usò per colpire le due donne finché non persero i sensi; poi, travolto dalla collera e dalla paura, le massacrò con un coltello da cucina. Ripensando a quei momenti circa venticinque anni dopo, Robles affermava: «Ero completamente fuori di me. La mia testa era come esplosa».

Finora, Robles ha avuto modo di rimpiangere moltissime volte quei pochi istanti di collera incontrollata. Mentre sto scrivendo egli è ancora in prigione, a distanza di circa trent'anni, per quello che divenne noto come «l'assassinio delle ragazze in carriera».

Tali esplosioni emozionali sono una sorta di «sequestro» neurale. Sembra che in quei momenti, un centro del sistema limbico dichiari lo stato di emergenza imponendo a tutto il resto del cervello il proprio impellente ordine del giorno (in altre parole, «sequestrandolo»). Il colpo di mano avviene in un attimo, innescando la reazione alcuni istanti prima che la neocorteccia – il cervello pensante – abbia avuto la possibilità di comprendere appieno ciò che sta accadendo – e quindi sicuramente prima che abbia potuto valutare se si tratti o meno di una buona idea. Il carattere distintivo di questo «sequestro» neurale è che, una volta passato il momento cruciale, le persone che ne sono state vittime hanno la sensazione di non sapere che cosa sia capitato loro.

Questi «sequestri» neurali non sono assolutamente incidenti isolati e orribili che portano automaticamente a crimini come quello che abbiamo appena descritto. In forma meno catastrofica – ma non necessariamente meno intensa – essi ci capitano con una discreta frequenza. Provate a pensare all'ultima volta che avete perso le staffe e avete messo le mani addosso a qualcuno – forse a vostra moglie o a vostro figlio, o magari a un altro automobilista – trascendendo a tal punto che in seguito, riflettendo con il senno di poi, la vostra reazione vi è sembrata ingiustificata. Con ogni probabilità si è trattato anche in quel caso di uno di questi «sequestri» neurali che, come vedremo, hanno origine nell'amigdala, un centro del sistema limbico del cervello.

Non tutti i «sequestri» messi a segno dal sistema limbico hanno un carattere sconvolgente. Quando qualcuno trova una barzelletta talmente spassosa da riderne a crepapelle, anche quella è una risposta del sistema limbico. Esso è all'opera anche in momenti di intensa gioia: Dan Jansen aveva tristemente fallito diversi tentativi di cogliere l'oro olimpico per il pattinaggio su ghiaccio in velocità, impresa che aveva fatto voto di realizzare per la sorella morente; quando finalmente vinse l'oro nella specialità dei 1000 metri alle Olimpiadi Invernali del 1994 in Norvegia, sua moglie fu talmente sopraffatta dall'eccitazione e dalla felicità che dovette ricorrere d'urgenza alle cure dei medici che si trovavano ai bordi della pista, pronti a intervenire in caso di emergenza.

La sede di tutte le passioni

Negli esseri umani l'amigdala (un termine derivante dalla parola greca che significa «mandorla») è un gruppo di strutture interconnesse, a forma appunto di mandorla, posto sopra il tronco cerebrale, vicino alla parte inferiore del sistema limbico. Ci sono due amigdale, una su ciascun lato del cervello. L'amigdala umana è relativamente voluminosa rispetto a quella di tutti gli altri primati (le specie a noi più affini dal punto di vista evolutivo). L'ippocampo e l'amigdala erano due parti fondamentali del rinencefalo che, nel corso della filogenesi, diede origine alla corteccia primitiva e poi alla neocorteccia. Oggi queste strutture limbiche compiono gran parte del lavoro di apprendimento e memorizzazione svolto dal cervello; l'amigdala è specializzata nelle questioni emozionali: se viene resecata dal resto del cervello, il risultato è una evidentissima incapacità di valutare il significato emozionale degli eventi – condizione che viene a volte indicata con l'espressione «cecità affettiva».

Private del loro significato emozionale, le interazioni umane perdono di interesse. Un giovane al quale era stata rimossa chirurgicamente l'amigdala per controllare i gravi attacchi epilettici cui era soggetto perse completamente ogni interesse per le persone, e preferiva starsene seduto da solo senza aver alcun contatto umano. Sebbene fosse perfettamente capace di conversare, non riconosceva più i suoi amici, i parenti e nemmeno sua madre, e rimaneva impassibile di fronte all'angoscia che il suo comportamento indifferente suscitava in loro. Privato di un'amigdala, egli sembrava non solo aver perduto tutta la sua capacità di riconoscere i sentimenti, ma anche quella di provare sentimenti sui sentimenti.[1] L'amigdala funziona come un archivio della memoria emozionale ed è quindi depositaria del significato stesso degli eventi; la vita senza l'amigdala è un'esistenza spogliata di significato personale.

All'amigdala è legato qualcosa di più dell'affetto: tutte le passioni dipendono da essa. Gli animali ai quali essa sia stata rimossa o resecata non provano più rabbia o paura, perdono l'impulso a cooperare o a competere e non hanno più percezione alcuna della propria posizione nell'ordine sociale della specie cui appartengono; l'emozione è smorzata o assente. Le lacrime, un segnale emozionale esclusivo degli esseri umani, sono stimolate dall'amigdala e dal giro del cingolo, una struttura ad essa vicina; l'attività di tali regioni del cervello viene smorzata quando siamo sorretti, accarezzati o confortati in qualche altro modo, e questo placa i singhiozzi del pianto. Ma senza l'amigdala, non ci sarebbe alcun pianto da confortare.

Joseph LeDoux, un neuroscienziato che lavora al Center for Neural Science della New York University, fu il primo a scoprire il ruolo fondamentale dell'amigdala nel cervello emozionale.[2] LeDoux fa parte di una nuova scuola di neuroscienziati i quali, ricorrendo a metodi e tecnologie innovative che consentono di mappare il cervello del vivente con un livello di precisione precedentemente impensabile, hanno potuto mettere a nudo misteri della mente che in passato erano rimasti inaccessibili a intere generazioni di scienziati. Le scoperte di LeDoux sui circuiti del cervello emozionale hanno rovesciato idee sul sistema limbico che avevano resistito a lungo, ponendo l'amigdala al centro dell'azione e attribuendo alle altre strutture limbiche ruoli molto diversi.[3]

La ricerca di LeDoux spiega in che modo l'amigdala riesca a mantenere il controllo sulle nostre azioni anche quando il cervello pensante – la neocorteccia – deve ancora arrivare a una decisione. Come vedremo, l'attività dell'amigdala e la sua interazione con la neocorteccia sono al centro dell'intelligenza emotiva.

Un «grilletto» molto sensibile

Estremamente interessanti per comprendere il potere delle emozioni nella vita mentale sono i momenti in cui agiamo spinti dalla passione – momenti dei quali più tardi, una volta placatasi la tempesta, ci pentiamo; il punto sta nel cercare di capire come mai sia tanto facile diventare così irrazionali. Prendiamo, ad esempio, il caso di quella giovane donna che si sobbarcò due ore di macchina fino a Boston per far colazione con il fidanzato e passare la giornata con lui. Durante la colazione, egli le diede un regalo che la giovane desiderava da mesi, una stampa artistica molto difficile da trovare, fatta venire dalla Spagna. Ma la gioia della donna svanì quando propose al fidanzato di recarsi, subito dopo colazione, a vedere un film che le interessava: l'uomo la lasciò di sasso spiegandole che aveva un allenamento di softball e che quindi non potevano passare la giornata insieme. Ferita e incredula, la giovane scoppiò in lacrime, lasciò il locale e, d'impulso, gettò la stampa in un cestino dei rifiuti. Mesi dopo, raccontando l'incidente, non si rammaricava di aver piantato in asso il fidanzato seduto al tavolo del locale, ma rimpiangeva ancora la perdita della stampa.

È in momenti come questi – quando il sentimento impulsivo travolge la nostra componente razionale – che il ruolo appena scoperto dell'amigdala è fondamentale. I segnali in entrata provenienti dagli organi di senso consentono all'amigdala di analizzare ogni esperienza andando, per così dire, a caccia di guai. Questo suo ruolo mette l'amigdala in una posizione di grande influenza nella vita mentale, facendone una sorta di sentinella psicologica che scandaglia ogni situazione e ogni percezione, sempre guidata da un unico interrogativo, il più primitivo: «È qualcosa che odio? Qualcosa che mi ferisce? Qualcosa che temo?». Se la risposta è affermativa – se in qualche modo la situazione profila un «Sì» – l'amigdala scatta immediatamente, come una sorta di «grilletto» neurale e reagisce telegrafando un messaggio di crisi a tutte le parti del cervello.

Nell'architettura cerebrale, l'amigdala è come una di quelle centraline programmate per inviare chiamate di emergenza ai vigili del fuoco, alla polizia e a un vicino di casa ogniqualvolta il sistema di allarme istallato all'interno di un'abitazione segnali un problema.

Quando scatta l'allarme della paura, ad esempio, l'amigdala invia messaggi di emergenza a tutte le parti principali del cervello: stimola la secrezione degli ormoni che innescano la reazione di combattimento o fuga, mobilita i centri del movimento e attiva il sistema cardiovascolare, i muscoli e l'intestino.[4] Altri circuiti che si dipartono dall'amigdala segnalano l'ordine di secernere piccole quantità di noradrenalina, un ormone che aumenta la reattività delle aree chiave del cervello, comprese quelle che rendono più vigili i sensi, mettendolo così in uno stato di allerta. Altri segnali emessi dall'amigdala ordinano al tronco cerebrale di far assumere al volto un'espressione spaventata, di bloccare i movimenti eventualmente già intrapresi dai muscoli, di accelerare la frequenza cardiaca e innalzare la pressione sanguigna, rallentando nel contempo il respiro. Altri segnali ancora attirano l'attenzione su ciò che ha scatenato la paura e preparano la muscolatura a reagire in modo appropriato. Simultaneamente, i sistemi mnemonici corticali vengono riorganizzati con precedenza assoluta per richiamare ogni informazione utile nella situazione di emergenza contingente.

E questi sono solo una parte di tutti i cambiamenti, meticolosamente coordinati, che l'amigdala armonizza arruolando le aree di tutto il cervello (per una descrizione più dettagliata, si veda l'Appendice C). L'estesa rete di connessioni neurali dell'amigdala le consente, durante un'emergenza emozionale, di «sequestrare» gran parte del resto del cervello – ivi compresa la mente razionale – e di imporle i propri comandi.

La sentinella delle emozioni

Un amico mi raccontava che un giorno, mentre era in vacanza in Inghilterra, stava facendo colazione in un caffè sulla riva di un canale. Finito di mangiare, mentre faceva quattro passi verso la riva, vide improvvisamente una ragazzina che fissava l'acqua con il volto paralizzato in una smorfia di terrore. Senza sapere perché, si gettò nel canale con cappotto, cravatta e tutto il resto. Solo dopo essersi tuffato si rese conto che la ragazzina stava fissando scioccata un bimbetto di un paio d'anni caduto in acqua, che egli riuscì poi a portare in salvo.

Che cosa lo spinse a saltare in acqua prima ancora di sapere perché? Molto probabilmente la risposta è: l'amigdala.

In una delle ricerche sulle emozioni più significative fra quelle degli ultimi dieci anni, LeDoux scoprì che l'architettura del cervello conferisce all'amigdala una posizione privilegiata in qualità di sentinella delle emozioni capace, all'occorrenza, di «sequestrare» il cervello.[5] La sua ricerca ha dimostrato che nel cervello gli input sensoriali provenienti dall'occhio o dall'orecchio viaggiano dapprima diretti al talamo e poi – servendosi di un circuito monosinaptico – all'amigdala; un secondo segnale viene poi inviato dal talamo alla neocorteccia – il cervello pensante. Questa ramificazione permette all'amigdala di cominciare a rispondere *prima* della neocorteccia; quest'ultima, infatti, elabora le informazioni attraverso vari livelli di circuiti cerebrali prima di poterle percepire in modo davvero completo e di iniziare infine la sua risposta, che risulta quindi molto più raffinata rispetto a quella dell'amigdala.

La ricerca di LeDoux ha rivoluzionato la nostra comprensione della vita emotiva perché è la prima ad aver scoperto l'esistenza di vie neurali emozionali che aggirano la neocorteccia. I segnali che prendono la via diretta passante per l'amigdala corrispondono ai sentimenti più primitivi e potenti; la conoscenza di questo circuito è di grande aiuto per spiegare la capacità dell'emozione di soffocare la razionalità.

I neuroscienziati avevano sempre creduto che l'occhio, l'orecchio e gli altri organi di senso trasmettessero i loro segnali al talamo, e che questo li inviasse poi alle aree della neocorteccia deputate all'elaborazione sensoriale, dove essi erano integrati a formare le nostre percezioni degli oggetti. I segnali vengono classificati a seconda del loro significato in modo che il cervello riconosca ciascun oggetto e il significato della sua presenza. Secondo la vecchia teoria, dalla neocorteccia i segnali erano poi inviati al sistema limbico, dal quale si sarebbe poi irradiata la risposta appropriata attraverso il cervello e il resto del corpo. Effettivamente, questo è proprio ciò che accade nella maggior parte dei casi; LeDoux tuttavia ha scoperto che, oltre alla via che dal talamo va alla corteccia, esiste un fascio più sottile di fibre nervose che vanno direttamente all'amigdala. Questa via, più sottile e più breve – una sorta di «vicolo» neurale – permette all'amigdala di ricevere alcuni input direttamente dagli organi di senso; essa può così cominciare a rispondere *prima* che quegli stessi input siano stati completamente registrati dalla neocorteccia.

Questa scoperta capovolge l'idea secondo la quale, per formulare le sue reazioni emozionali, l'amigdala dipenderebbe totalmente dai segnali provenienti dalla neocorteccia. Essa può invece innescare una risposta emozionale attraverso questa via di emergenza proprio mentre viene attivato un circuito riverberante parallelo con la neocorteccia. L'amigdala può spingerci all'azione mentre la neocorteccia, leggermente più lenta – ma in possesso di informazioni più complete – prepara il suo piano di reazione più raffinato.

Con la sua ricerca sulla paura negli animali, LeDoux rivoluzionò la nostra conoscenza sulle vie percorse nel cervello dai segnali emozionali. In un esperimento fondamentale, condotto nel ratto, egli distrusse la corteccia uditiva e poi espose gli animali a un suono, associandolo alla somministrazione di uno shock elettrico. Ben presto, i ratti impararono a temere il suono, anche se esso non poteva essere registrato dalla loro neocorteccia, ma prendeva la via diretta dall'orecchio al talamo all'amigdala, evitando i circuiti superiori. In breve, i ratti avevano appreso una reazione emotiva senza alcun coinvolgimento da parte dei centri corticali superiori: l'amigdala percepiva, ricordava e modulava la loro paura in modo del tutto autonomo.

«Dal punto di vista anatomico, il sistema emozionale può agire indipendentemente dalla neocorteccia» mi disse LeDoux. «Alcuni ricordi e reazioni emotive possono formarsi senza alcuna partecipazione cognitiva cosciente.» Nell'amigdala possono esserci ricordi e repertori di risposte che vengono messi in atto senza che ci si renda assolutamente conto del perché si agisca in quel modo, e questo perché la scorciatoia dal talamo all'amigdala esclude completamente la neocorteccia. Questo aggiramento sembra consentire all'amigdala di assumere il ruolo di archivio di impressioni e ricordi emozionali dei quali non abbiamo mai una conoscenza pienamente consapevole. LeDoux ipotizza che sia proprio questo ruolo mnemonico dell'amigdala, per così dire sotterraneo, a spiegare i risultati sbalorditivi di un esperimento nel corso del quale i soggetti manifestavano preferenze per strane figure geometriche, pur non avendo alcuna consapevolezza di averle mai viste, in quanto erano state mostrate loro molto velocemente![6]

Altre ricerche hanno dimostrato che nei primi millisecondi della percezione non solo comprendiamo in modo inconscio quale sia l'oggetto percepito, ma decidiamo anche se esso ci piace o no; l'«inconscio cognitivo» presenta poi alla nostra consapevolezza non solo l'identità di ciò che vediamo, ma anche un vero e proprio giudizio su di esso.[7] Le nostre emozioni hanno una mente che si occupa di loro e che può avere opinioni del tutto indipendenti da quelle della mente razionale.

Lo specialista della memoria emozionale

Queste opinioni inconsce sono memorie emozionali archiviate nell'amigdala. La ricerca di LeDoux e di altri neuroscienziati sembra ora indicare che l'ippocampo – per lungo tempo considerato la struttura chiave del sistema limbico – è coinvolto nella registrazione e nella comprensione degli schemi percettivi più che non nelle reazioni emotive. La principale funzione dell'ippocampo sta nel fornire un ricordo particolareggiato del contesto, vitale per il significato emozionale; è l'ippocampo che riconosce il diverso significato, tanto per fare un esempio, di un orso visto allo zoo o nel cortile di casa.

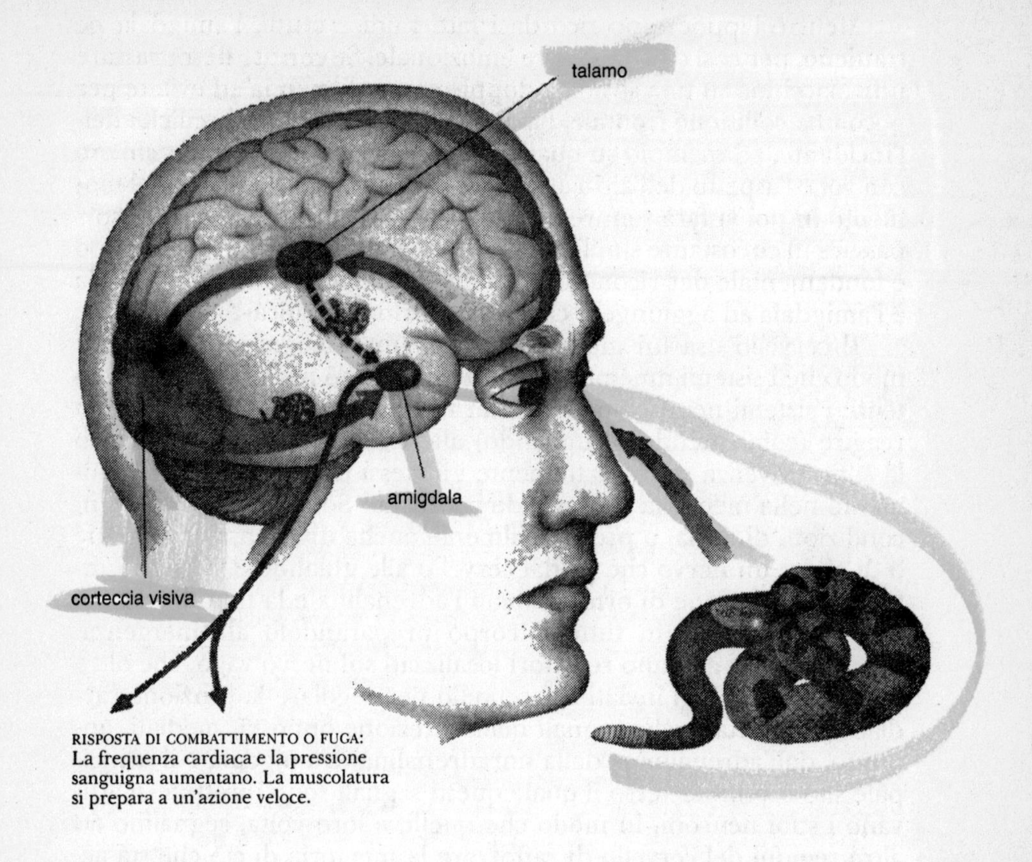

Un segnale visivo proveniente dalla retina viene inviato dapprima al talamo, dove è tradotto nel linguaggio del cervello. Gran parte del messaggio viene poi smistato alla corteccia visiva, che lo analizza e lo valuta per comprenderne il significato e produrre una risposta appropriata; se quella risposta è di tipo emotivo, un segnale viene inviato all'amigdala per attivare i centri emozionali. Una porzione più piccola del segnale originale, però, va direttamente dal talamo all'amigdala, percorrendo una via di trasmissione più breve, e consentendo così una risposta più veloce (anche se meno precisa). In tal modo, l'amigdala può innescare una risposta emotiva ancor prima che i centri corticali abbiano del tutto compreso ciò che sta accadendo.

Mentre l'ippocampo ricorda i fatti nudi e crudi, l'amigdala ne trattiene, per così dire, il sapore emozionale. Se cercate di sorpassare una macchina su una strada a doppio senso di marcia ed evitate per poco una collisione frontale, l'ippocampo ricorderà le specifiche dell'incidente, ad esempio su quale tratto di strada vi trovavate, chi era con voi e l'aspetto dell'altra auto. Ma sarà l'amigdala che da quel momento in poi vi farà sentire ansiosi ogni volta che cercherete di sorpassare in circostanze simili. Come mi spiegò LeDoux: «L'ippocampo è fondamentale per riconoscere in un volto quello di tua cugina. Ma è l'amigdala ad aggiungere che ti è proprio antipatica».

Il cervello usa un metodo semplice ma ingegnoso per fare in modo che i sistemi mnemonici emozionali siano particolarmente potenti: i sistemi neurochimici di allarme che inducono l'organismo a reagire (combattendo o fuggendo) alle emergenze che minacciano la sopravvivenza sono esattamente gli stessi che imprimono il momento nella memoria con grande incisività.[8] Sotto stress (oppure in condizioni di ansia, o presumibilmente anche di intensa eccitazione o di gioia) un nervo che va dal cervello alle ghiandole surrenali innesca la secrezione di ormoni quali l'adrenalina e la noradrenalina, che si diffondono in tutto il corpo preparandolo all'emergenza. Questi ormoni attivano recettori localizzati sul nervo vago, che oltre a portare messaggi inviati dal cervello per regolare la funzione cardiaca, trasporta anche segnali nella direzione opposta, mediati, appunto, dall'adrenalina e dalla noradrenalina. L'amigdala è il principale sito cerebrale verso il quale questi segnali sono diretti; essi attivano i suoi neuroni, in modo che quelli, a loro volta, segnalino ad altre regioni del cervello di rafforzare la memoria di ciò che sta accadendo.

L'attivazione dell'amigdala sembra imprimere più fortemente nella memoria la maggior parte dei momenti caratterizzati dal risveglio emozionale: ecco perché è più probabile ricordare, ad esempio, il luogo del nostro primo appuntamento o ciò che stavamo facendo quando sentimmo al telegiornale che il *Challenger* era esploso. Quanto più intenso è il risveglio dell'amigdala, tanto più forte è l'impressione del ricordo; le esperienze della vita che più ci feriscono o ci spaventano sono destinate a diventare i nostri ricordi più indelebili. Ciò significa che il cervello ha effettivamente due sistemi mnemonici, uno per i fatti ordinari e l'altro per quelli che hanno una valenza emozionale. Naturalmente, l'esistenza di un sistema speciale per i ricordi emozionali è un fatto assolutamente logico nell'evoluzione: essa infatti garantisce agli animali la conservazione di un ricordo particolarmente vivido di ciò che li ha minacciati o che ha dato loro piacere. Nel presente, però, i ricordi emozionali possono rivelarsi guide fuorvianti.

Meccanismi di allarme neurale ormai obsoleti

Uno svantaggio di questi allarmi neurali è costituito dal fatto che il messaggio urgente inviato dall'amigdala è a volte, per non dire spesso, obsoleto, soprattutto in un universo sociale in perenne movimento come quello dell'uomo. In quanto archivio della memoria emozionale, l'amigdala analizza l'esperienza corrente, confrontando ciò che sta accadendo nel presente con quanto già accaduto in passato. Il suo metodo di confronto è associativo: quando la situazione presente e quella passata hanno un elemento chiave simile, l'amigdala lo identifica come un'«associazione». Ecco perché questo circuito è, per così dire, sciatto: agisce prima di avere una piena conferma. Ci comanda precipitosamente di reagire a una situazione presente secondo modalità fissate moltissimo tempo fa, con pensieri, emozioni e reazioni apprese in risposta ad eventi forse solo vagamente analoghi – e tuttavia abbastanza simili da mettere in allarme l'amigdala.

Ad esempio, un'ex infermiera dell'esercito, traumatizzata dall'inesorabile sequenza di ferite orrende che aveva curato in tempo di guerra, venne improvvisamente travolta da un misto di terrore, ripugnanza e panico, a distanza di anni, scatenati dal fetore uscito da un armadio nel quale il suo bambino aveva nascosto un pannolino sporco – una sorta di replica della reazione suscitata in lei dagli orrori del campo di battaglia. Perché l'amigdala dichiari lo stato di emergenza basta che solo pochissimi elementi della situazione presente ricordino quelli di una passata circostanza pericolosa. Il guaio è che oltre ai ricordi, carichi di valenze emozionali, che hanno il potere di scatenare questa risposta di crisi, possono essere altrettanto superate anche le modalità di reazione. In tali momenti, l'imprecisione del cervello è aumentata anche dal fatto che molti vividi ricordi emozionali risalgono ai primi anni di vita e riguardano il rapporto fra il bambino e chi si prendeva cura di lui. Questo è vero soprattutto per gli eventi traumatici, ad esempio nel caso in cui il piccolo venisse percosso o apertamente trascurato. In questo primo periodo della vita, altre strutture cerebrali – in particolare l'ippocampo, che è fondamentale per la memoria narrativa, e la neocorteccia, sede del pensiero razionale – devono ancora svilupparsi completamente. Nel sistema mnemonico, l'amigdala e l'ippocampo lavorano in stretta collaborazione; ciascuno di essi archivia e richiama le proprie informazioni indipendentemente. Mentre l'ippocampo richiama dunque le proprie, l'amigdala decide se esse hanno o meno una valenza emozionale. L'amigdala, tuttavia, matura molto velocemente nel cervello del bambino, e alla nascita è molto più vicina di altre strutture allo sviluppo completo.

LeDoux fa ricorso al ruolo dell'amigdala nell'infanzia per confermare quello che è un principio fondamentale del pensiero psicoanalitico, e cioè il fatto che le interazioni sperimentate nei primissimi anni di vita impartirebbero una serie di insegnamenti emozionali basati sull'armonia e i contrasti fra il bambino e chi si prende cura di lui.[9] LeDoux ritiene che queste lezioni siano tanto potenti, e al tempo stesso così difficili da comprendere dalla prospettiva dell'adulto, perché sono state archiviate nell'amigdala come programmi della vita emotiva ancora grossolani e senza parole. Poiché questi primissimi ricordi emozionali si fissano nella memoria in un momento in cui i bambini non hanno ancora parole per descrivere le loro esperienze, quando poi, in tempi successivi, essi vengono richiamati, non è possibile associare alcun insieme di pensieri articolati alla risposta che prende il sopravvento. Uno dei motivi, quindi, che spiegano come mai siamo così sconcertati dalle nostre esplosioni emozionali, è che esse spesso hanno radici in un periodo molto precoce della nostra vita, quando le cose ci sbalordivano ma non avevamo ancora le parole per descriverle. I ricordi che scatenano tali esplosioni possono dunque suscitare sentimenti caotici, ma non possono evocare parole.

Risposte emotive rapide e approssimative

Erano circa le tre del mattino quando qualcosa di enorme precipitò fragorosamente in un angolo della mia camera da letto sfondando il soffitto e seminando nella stanza gli oggetti riposti nel sottotetto. In un secondo saltai giù dal letto e corsi fuori dalla stanza, terrorizzato al pensiero che tutto il soffitto potesse crollare. Poi, rendendomi conto che ero in salvo, con prudenza tornai nella stanza per vedere che cosa avesse causato tutto quel danno; scoprii allora che il suono che avevo interpretato come il crollo del soffitto era stato causato in realtà dalla caduta di una pila di scatole che mia moglie aveva eretto in quell'angolo il giorno prima, mettendo in ordine nel suo armadio. Non era caduto proprio niente dal sottotetto – anche perché non c'era nessun sottotetto. Il soffitto era intatto, e altrettanto poteva dirsi di me.

Il mio salto fuori dal letto mentre ero ancora mezzo addormentato – un gesto che avrebbe potuto salvarmi se il soffitto fosse davvero franato nella stanza – ci dà una dimostrazione della capacità dell'amigdala di spingerci all'azione in situazioni d'emergenza, proprio pochi attimi prima – attimi vitali! – che la neocorteccia abbia il tempo di registrare in modo completo quel che sta davvero accadendo. La sottile via d'emergenza che dall'orecchio o dall'occhio va al talamo e poi all'amigdala è di fondamentale importanza in questi casi: risparmia tempo in situazioni di emergenza, proprio quando più è necessaria una risposta istantanea. D'altra parte, questo circuito che dal talamo va all'amigdala porta solo una piccola parte dei messaggi sensoriali, mentre la maggior parte di essi prende la via principale diretta alla neocorteccia. Pertanto, ciò che viene registrato nell'amigdala attraverso questa via ultrarapida è, nei casi migliori, un segnale solo approssimativo, appena sufficiente per lanciare un avvertimento. Come dice LeDoux: «Non c'è bisogno di conoscere esattamente di che cosa si tratti per sapere che può essere pericoloso».[10]

La via diretta presenta un grande vantaggio in termini di tempo – che nel cervello si misura nell'ordine dei millisecondi. Nel ratto, l'amigdala può cominciare a rispondere a uno stimolo percettivo in soli dodici millisecondi – ossia in dodici millesimi di secondo. La via che dal talamo va alla neocorteccia e poi all'amigdala impiega invece circa il doppio di questo tempo. Misurazioni analoghe devono ancora essere compiute nel cervello umano, ma probabilmente anche nella nostra specie valgono all'incirca gli stessi rapporti.

In termini evolutivi, il valore per la sopravvivenza di questa via diretta dev'essere stato considerevole, consentendo una risposta rapida che abbreviava di alcuni millisecondi critici il tempo di reazione ai pericoli. Quei millisecondi possono aver salvato la vita dei nostri antenati protomammaliani in così tanti casi che adesso questo meccanismo si trova impresso nel cervello di tutti i mammiferi, compreso il vostro e il mio. In verità, sebbene questo circuito abbia probabilmente un ruolo relativamente limitato nella vita mentale umana, essendo in larga misura confinato alle crisi emotive, gran parte della vita mentale degli uccelli, dei pesci e dei rettili ruota intorno ad esso, in quanto la loro sopravvivenza dipende dall'analisi costante dell'ambiente per la localizzazione di predatori o prede potenziali. «Questo sistema, che nei mammiferi è primitivo e di minore importanza, costituisce il principale sistema cerebrale nei non mammiferi» spiega LeDoux. «Esso offre una via molto rapida per scatenare le emozioni. Si tratta però di un processo veloce ma poco preciso.»

In uno scoiattolo, tanto per fare un esempio, questa imprecisione non disturba; essa porta infatti l'animale a peccare di eccessiva prudenza, facendolo fuggire al primo possibile segno di un nemico in agguato, o inducendolo a dirigersi verso gli oggetti commestibili. Ma nella vita emotiva umana, quell'imprecisione può avere conseguenze disastrose in quanto, metaforicamente parlando, può portarci a fuggire o ad andare incontro alla cosa – o alla persona – sbagliata. (Pensate a quella cameriera che lasciò cadere un vassoio con sei coperti avendo visto una cliente con un'enorme criniera di capelli rossi ricci – proprio come quella donna per la quale il suo ex marito l'aveva lasciata!)

Queste confusioni emozionali sono basate sul sentimento prima che sul pensiero. LeDoux chiama «emozione precognitiva» una reazione fondata su frammenti di informazione sensoriale non completamente classificati e integrati in un oggetto riconoscibile. Si tratta di una forma di informazione sensoriale molto grezza, qualcosa di simile a un'assonanza neurale dove, invece di riconoscere una melodia istantaneamente in base a pochissime note, un'intera percezione viene afferrata sulla base di una ricostruzione provvisoria. Se l'amigdala percepisce la comparsa di uno schema sensoriale importante salta, per così dire, immediatamente alle conclusioni, scatenando le sue reazioni prima di aver avuto prove convincenti – o anche solo una conferma.

Non deve dunque meravigliarci se riusciamo a comprendere tanto poco nelle tenebre delle nostre emozioni più violente, soprattutto quando esse ci tengono ancora in scacco. L'amigdala può reagire con un delirio di collera o di paura prima che la corteccia sappia che cosa sta accadendo, e questo perché l'emozione grezza viene scatenata in modo indipendente dal pensiero razionale, e prima di esso.

Il centro che controlla le emozioni

Jessica, una bambina di sei anni, si accingeva per la prima volta a passare la notte fuori casa, da una compagna di giochi, e non era ben chiaro se la cosa rendesse più agitata lei o sua madre. Sebbene quest'ultima cercasse di non lasciar capire a Jessica la propria ansia, la sua tensione raggiunse l'apice verso la mezzanotte, quando si stava preparando per andare a letto e sentì squillare il telefono. Lasciato cadere lo spazzolino da denti la donna si precipitò all'apparecchio col cuore in gola mentre nella mente le balenavano immagini di Jessica in preda a una terribile angoscia. La donna afferrò il ricevitore e gridò impulsivamente nel microfono «Jessica!», ma si sentì rispondere da una voce femminile: «Oh, mi scusi, temo di aver sbagliato numero...».

A quel punto la madre di Jessica recuperò il proprio sangue freddo e chiese con un tono educato e misurato: «Che numero desiderava?».

Mentre l'amigdala lavora per scatenare una reazione ansiosa e impulsiva, altre aree del cervello emozionale si adoperano per produrre una risposta correttiva, più consona alla situazione. L'interruttore cerebrale che smorza gli impulsi dell'amigdala sembra trovarsi all'altro estremo di un importante circuito diretto alla neocorteccia – precisamente ai lobi prefrontali. La corteccia prefrontale sembra attiva quando l'individuo è spaventato o adirato, ma soffoca o comunque controlla il sentimento in modo da gestire più efficacemente la situazione (anche quando una rivalutazione degli eventi richieda una risposta completamente diversa, come abbiamo appena visto nel caso della madre preoccupata al telefono). Quest'area cerebrale neocorticale consente di dare ai nostri impulsi emotivi una risposta più analitica o appropriata, modulando l'amigdala e le altre aree limbiche.

Di solito le aree prefrontali regolano le nostre reazioni emotive fin dal principio. Ricorderete che la maggiore proiezione delle informazioni sensoriali provenienti dal talamo non è diretta all'amigdala ma alla neocorteccia e ai suoi molti centri deputati alla ricezione e alla comprensione di quanto viene percepito; quell'informazione, e la nostra risposta ad essa, sono coordinate dai lobi prefrontali, dove le azioni vengono programmate e organizzate in vista di un obiettivo, ivi compresi quelli emozionali. Nella neocorteccia una serie di circuiti a cascata registra e analizza quell'informazione, la comprende e attraverso i lobi prefrontali organizza una reazione coordinata. Se è necessaria una risposta emozionale, i lobi prefrontali la dettano lavorando in stretta collaborazione con l'amigdala e gli altri circuiti.

Questa sequenza, che consente un certo discernimento nella risposta emozionale, rappresenta una situazione normale, che conosce significative eccezioni nel caso delle emergenze. Quando si scatena un'emozione, nel giro di qualche istante i lobi prefrontali eseguono la reazione che ritengono migliore fra una miriade di possibilità, in base al criterio del rapporto rischio/beneficio.[11] Per gli animali, ciò significa decidere quando attaccare e quando darsi alla fuga. E per noi esseri umani... quando attaccare, quando darsi alla fuga – e anche quando calmarsi, persuadere, cercare comprensione, tergiversare, provocare sensi di colpa, piagnucolare, indossare una maschera di spavalderia, essere sprezzanti – e così via, attraverso l'intero repertorio degli artifici emozionali.

La risposta neocorticale è più lenta – sempre in termini di tempi cerebrali – rispetto al meccanismo del «sequestro neurale», perché comporta il passaggio del segnale attraverso un maggior numero di circuiti. Inoltre, essa è probabilmente più giudiziosa e ponderata in quanto, nel suo caso, i sentimenti sono preceduti da una maggiore riflessione. La neocorteccia è al lavoro tutte le volte che registriamo una perdita e ci rattristiamo, o ci sentiamo felici dopo un trionfo, o ci maceriamo rimuginando su qualcosa che qualcuno ha detto o fatto, facendoci sentire feriti o in collera.

Come nel caso della resezione dell'amigdala, in assenza dell'elaborazione dei lobi prefrontali, gran parte della vita emotiva vien meno; se non ci si rende conto di essere in presenza di qualcosa che merita una risposta emozionale, non ci sarà risposta alcuna. I neurologi hanno sospettato che i lobi prefrontali avessero questo ruolo nelle emozioni fin dall'avvento, negli anni Quaranta, della lobotomia prefrontale, una «cura» chirurgica disperata e tragicamente impiegata per le malattie mentali: questa operazione rimuoveva, spesso molto grossolanamente, parte dei lobi prefrontali o comunque interrompeva le connessioni fra corteccia prefrontale e centri inferiori del cervello. In tempi nei quali ancora non si disponeva di alcuna cura efficace per le malattie mentali, la lobotomia venne accolta come una soluzione per i casi di grave sofferenza psicologica: bastava resecare i collegamenti fra i lobi prefrontali e il resto del cervello e il malessere del paziente veniva «alleviato»: purtroppo, il prezzo di tutto ciò era il soffocamento di gran parte della sua vita emotiva, in quanto i fondamentali circuiti deputati alla sua regolazione andavano così distrutti.

I «sequestri» neurali comportano presumibilmente due dinamiche: da un lato, lo scatenamento dell'amigdala e dall'altro la mancata attivazione dei processi neocorticali che solitamente mantengono l'equilibrio delle risposte emozionali (oppure la mobilitazione della neocorteccia nell'emergenza).[12] In questi momenti la mente razionale viene sopraffatta da quella emozionale. Fra i modi con i quali la corteccia prefrontale riesce a dominare efficacemente le emozioni – soppesando le reazioni prima di passare all'azione – c'è quello di smorzare i segnali di attivazione inviati dall'amigdala e da altri centri limbici – un meccanismo che possiamo paragonare a un genitore che fermi il proprio bambino impulsivo impedendogli di afferrare ciò che vuole e insegnandogli a chiederlo educatamente (o ad aspettare).[13]

Sembra che l'interruttore neurale fondamentale che «spegne» le emozioni negative sia il lobo prefrontale sinistro. I neuropsicologi che studiano gli stati d'animo dei pazienti con lesioni frontali hanno determinato che una delle funzioni del lobo frontale sinistro è quella di regolare le emozioni spiacevoli come una sorta di termostato neurale. Il lobo prefrontale destro è sede di sentimenti negativi come la paura e l'aggressività, mentre quello sinistro tiene sotto controllo tali emozioni grossolane, probabilmente inibendo il lobo destro.[14] In un gruppo di pazienti reduci da un ictus, ad esempio, i soggetti la cui lesione era localizzata nella corteccia prefrontale sinistra andavano incontro a catastrofici attacchi di angoscia e di terrore; quelli con lesioni alla parte destra erano invece «indebitamente allegri»; era chiaro che costoro non si curavano dell'esito degli esami neurologici cui venivano sottoposti, durante i quali erano completamente rilassati e continuavano a raccontare barzellette.[15] E poi ci fu il caso del «marito felice», un uomo che aveva subito la parziale rimozione chirurgica del lobo prefrontale destro per correggere una malformazione al cervello. La moglie di quest'uomo disse al suo medico che dopo l'operazione il marito era andato incontro a un impressionante cambiamento di personalità, diventando meno irascibile e, con grande soddisfazione della donna, più affettuoso.[16]

Il lobo prefrontale sinistro, in breve, sembra far parte di un circuito neurale in grado di disattivare – o quanto meno di smorzare – tutti gli impulsi emotivi negativi con la sola eccezione dei più violenti. Mentre l'amigdala spesso funziona come un sistema di emergenza, il lobo prefrontale sinistro sembra far parte del meccanismo cerebrale per «spegnere» le emozioni che disturbano – l'amigdala propone, il lobo prefrontale dispone. Nella vita mentale, queste connessioni fra corteccia prefrontale e sistema limbico hanno un'importanza fondamentale che va ben oltre la regolazione fine delle emozioni; esse sono essenziali per guidarci nelle più importanti decisioni della vita.

Armonizzare emozione e pensiero

Le connessioni fra l'amigdala (e le strutture limbiche affini) e la neocorteccia sono al centro di quelle che possiamo definire come le battaglie o gli accordi di cooperazione fra mente e cuore – fra pensiero e sentimento. Questi circuiti spiegano come mai l'emozione è tanto importante ai fini del pensiero, sia quando si debbano prendere sagge decisioni, sia quando si tratti di pensare lucidamente.

Prendiamo, a titolo di esempio, la capacità delle emozioni di rendere disorganizzato il pensiero. I neuroscienziati usano l'espressione «memoria di lavoro» per indicare la capacità di attenzione che fissa nella mente i dati essenziali per completare un certo compito o per risolvere un particolare problema; tali dati possono essere di natura molto varia: può trattarsi dei requisiti ideali che cerchiamo in una casa da acquistare quando vagliamo diverse possibilità, oppure degli elementi di un problema razionale durante un esame. La corteccia prefrontale è la regione del cervello in cui ha sede la memoria di lavoro.[17] Ma i circuiti che connettono il sistema limbico ai lobi prefrontali comportano la possibilità che i segnali di forti emozioni – ansia, collera e simili – creino dei rumori di fondo, per così dire un'elettricità statica neurale, sabotando così la capacità del lobo prefrontale di conservare la memoria di lavoro. Ecco perché quando siamo sconvolti diciamo che «non riusciamo a pensare»; ecco perché una continua sofferenza psicologica può causare delle carenze nelle capacità intellettuali dei bambini, compromettendone l'apprendimento.

Quando questi deficit sono meno pronunciati non vengono sempre evidenziati dai test per la misura del Qi, sebbene essi siano rivelati da misure neuropsicologiche più mirate e affiorino anche nel caso in cui il bambino mostri un comportamento costantemente agitato e impulsivo. In uno studio condotto su bambini della scuola elementare, ad esempio, questi test neuropsicologici dimostrarono che i soggetti con Qi al di sopra della media, ma le cui prestazioni scolastiche erano insoddisfacenti, presentavano una compromissione del funzionamento della corteccia frontale.[18] Questi bambini erano anche impulsivi e ansiosi, spesso confusi e agitati – una serie di riscontri che indicavano un controllo difettoso dei lobi prefrontali sugli impulsi del sistema limbico. Nonostante le loro potenzialità intellettuali, questi bambini erano soggetti ad altissimo rischio di fallimento scolastico, alcolismo e criminalità (non perché fossero carenti sul piano intellettuale, ma per le loro scarse capacità di controllo sulla vita emotiva). Il cervello emozionale, del tutto separato dalle aree corticali la cui funzione viene vagliata dal test Qi, controlla la collera e la compassione. Questi circuiti vengono scolpiti dall'esperienza durante l'infanzia – e noi, a nostro rischio, permettiamo che quelle esperienze siano completamente affidate al caso.

Consideriamo ora il ruolo delle emozioni quando dobbiamo prendere una decisione, anche la più «razionale». Antonio Damasio, neurologo al College of Medicine della Iowa University, ha compiuto ricerche ricche di importanti implicazioni per la nostra comprensione della vita mentale; in particolare, egli desiderava scoprire quali funzioni fossero compromesse nei pazienti con lesioni del circuito che collega i lobi prefrontali all'amigdala.[19] La capacità di questi soggetti di prendere decisioni è spaventosamente compromessa – e tuttavia essi non presentano alcun deterioramento del loro Qi o di qualunque abilità cognitiva. Nonostante la loro intelligenza sia intatta, essi compiono scelte disastrose negli affari e nella vita privata, e possono anche tormentarsi all'infinito per prendere decisioni semplici come quella di fissare un appuntamento.

Damasio sostiene che le scelte di questi pazienti sono tanto sbagliate perché essi hanno perso la possibilità di accedere alla propria memoria *emozionale*. Essendo il punto di incontro fra pensiero razionale ed emozione, il circuito che collega lobi prefrontali e amigdala è una via di accesso fondamentale all'archivio contenente tutte quelle preferenze e quelle avversioni che andiamo accumulando nel corso della nostra vita. Se si esclude la memoria emozionale custodita nell'amigdala, qualunque cosa venga elaborata dalla neocorteccia non è più in grado di innescare le reazioni emotive in passato associate allo stesso evento, e tutto assume i toni di una grigia neutralità. Uno stimolo esterno, indipendentemente che si tratti del loro amato cagnolino o di una maledetta seccatura, non suscita più in questi pazienti attrazione o avversione: essi hanno «dimenticato» tutti gli insegnamenti emozionali precedentemente appresi perché non hanno più accesso al luogo dove li avevano archiviati – in altre parole, all'amigdala.

Dati come questi hanno portato Damasio su una posizione opposta a quanto suggerirebbe l'intuito; lo hanno indotto cioé a ritenere che i sentimenti siano solitamente *indispensabili* nei processi decisori della mente razionale; essi ci orientano nella giusta direzione, dove poi la pura logica si dimostrerà utilissima. Spesso la realtà ci mette di fronte a una gamma di scelte molto difficili (come investire la liquidazione?, chi sposare?); in questi casi, gli insegnamenti emozionali impartitici dalla vita (ad esempio il ricordo di un investimento rivelatosi disastroso o di una dolorosa rottura sentimentale) inviano segnali che restringono il campo della decisione, eliminando alcune opzioni e mettendone in evidenza altre fin dall'inizio. In questo modo, secondo Damasio, il cervello emozionale è coinvolto nel ragionamento proprio come il cervello pensante.

Le emozioni, allora, hanno un ruolo importante ai fini della razionalità. Nel complesso rapporto fra sentimenti e pensiero, la facoltà emozionale guida le nostre decisioni momento per momento, in stretta collaborazione con la mente razionale, consentendo il pensiero logico o rendendolo impossibile. Allo stesso modo, il cervello razionale ha un ruolo dominante nelle nostre emozioni – con la sola eccezione di quei momenti in cui le emozioni eludono il controllo e prendono, per così dire, il sopravvento di prepotenza.

In un certo senso, abbiamo due cervelli, due menti – e due diversi tipi di intelligenza: quella razionale e quella emotiva. Il nostro modo di comportarci nella vita è determinato da entrambe: non dipende solo dal Qi, ma anche dall'intelligenza *emotiva*, in assenza della quale, l'intelletto non può funzionare al meglio. La complementarietà del sistema limbico e della neocorteccia, dell'amigdala e dei lobi prefrontali, significa che ciascuno di essi è solitamente una componente essenziale a pieno diritto della vita mentale. Quando questi partner interagiscono bene, l'intelligenza emotiva si sviluppa, e altrettanto fanno le capacità intellettuali.

Quanto abbiamo detto capovolge le antiche opinioni sulla tensione fra ragione e sentimento: noi non vogliamo fare a meno dell'emozione e mettere al suo posto la ragione, come avrebbe desiderato Erasmo; vorremmo invece trovare il giusto equilibrio fra le due componenti. Il vecchio paradigma sosteneva un ideale in cui la ragione poteva liberarsi dalla spinta delle emozioni. Il nuovo modello ci spinge piuttosto a trovare un'armonia fra mente e cuore. Per farlo, però, dobbiamo per prima cosa comprendere più esattamente che cosa significhi fare un uso intelligente dell'emozione.

PARTE SECONDA

LA NATURA DELL'INTELLIGENZA EMOTIVA

3

QUANDO INTELLIGENTE È UGUALE A OTTUSO

Il motivo esatto per il quale David Pologruto, un insegnante di fisica della scuola superiore, venne pugnalato con un coltello da cucina da uno dei suoi studenti più brillanti è ancora dubbio. I fatti, così come vennero riportati con ampio risalto dai media, sono comunque i seguenti.

Jason H., uno studente modello che frequentava il secondo anno della scuola superiore di Coral Springs in California, si era fissato sull'idea di entrare alla facoltà di medicina – si badi bene, non presso una qualsiasi università: lui sognava Harvard. Ma Pologruto, il suo insegnante di fisica, gli aveva dato 80 in un test e Jason, pensando che il voto – un modesto B – compromettesse i suoi sogni, portò un coltello da macellaio a scuola e, confrontandosi con l'insegnante nel laboratorio di fisica, lo colpì vicino alla clavicola prima di essere bloccato in un corpo a corpo.

Il giudice riconobbe Jason innocente, temporaneamente incapace di intendere durante l'incidente, e quattro psicologi e psichiatri giurarono che durante la colluttazione il giovane fosse in preda a un attacco psicotico. Jason dichiarò che il punteggio ricevuto nel test lo aveva spinto a progettare il suicidio e che era andato da Pologruto per dirglielo. Pologruto raccontò una storia diversa: «Sono convinto che abbia cercato di accoltellarmi perché era infuriato a causa del voto mediocre».

Dopo essersi trasferito in una scuola privata, Jason si diplomò due anni dopo fra i migliori. Seguendo corsi regolari avrebbe preso un A pieno, con 4.0 di media; ma Jason frequentò un numero sufficiente di corsi avanzati per diplomarsi con la media di 4.614, meritando quindi più di A. Anche se Jason si diplomò con tutti gli onori, il suo ex insegnante di fisica, David Pologruto, si lamentava del fatto che il giovane non si fosse mai scusato per l'aggressione, e non se ne fosse mai assunto la responsabilità.[1]

La domanda a questo punto è: come può essere che una persona dotata di una tale intelligenza faccia una cosa tanto irrazionale – così assolutamente stupida? Ecco la risposta: l'intelligenza scolastica ha ben poco a che fare con la vita emotiva. Le persone più brillanti possono incagliarsi nelle secche di passioni senza freni e impulsi burrascosi; individui con Qi elevato possono rivelarsi nocchieri spaventosamente incapaci nei flutti della loro vita privata.

Un fatto della psicologia noto a tutti è la relativa incapacità di strumenti quali i voti scolastici, il Qi o i punteggi Sat di prevedere in modo infallibile quali individui avranno successo nella vita – e questo nonostante l'aura mistica dalla quale tali strumenti sono circondati. Se si considerano vasti gruppi di individui presi nel loro insieme, sicuramente esiste una relazione fra Qi e circostanze della vita: molte persone con Qi bassissimi finiscono per fare lavori umili, mentre quelle con Qi alti tendono ad essere ben pagate – ma non è assolutamente sempre così.

Esistono diffuse eccezioni alla regola secondo la quale il Qi sarebbe in grado di prevedere il successo personale; anzi, a ben guardare, le eccezioni sono molte, forse ancora di più dei casi che seguono la regola. Al massimo, il Qi contribuisce in ragione del 20 per cento ai fattori che determinano il successo nella vita – il che lascia evidentemente l'80 per cento determinato da altre variabili. È stato osservato che «la nicchia finale occupata dall'individuo nella società è determinata in larghissima misura da fattori diversi dal Qi e che possono spaziare dalla classe sociale alla fortuna».[2]

Perfino Richard Herrnstein e Charles Murray, che nel loro libro *The Bell Curve* attribuiscono un'importanza primaria al Qi, lo hanno riconosciuto; essi stessi hanno affermato che «forse una matricola con un punteggio Sat in matematica di 500 farebbe meglio a non aprirsi il cuore alla speranza di diventare un matematico; d'altra parte, se desiderasse gestire i propri affari, diventare senatore degli Stati Uniti o fare miliardi, non avrebbe motivo di accantonare i suoi sogni... L'importanza del nesso fra i punteggi scolastici e quest'ultimo tipo di realizzazione è minimizzata da tutto l'insieme delle altre caratteristiche che l'individuo riversa nella propria vita».[3]

Personalmente sono interessato a un insieme chiave di queste «altre caratteristiche», ossia all'*intelligenza emotiva*: si tratta, ad esempio, della capacità di motivare se stessi e di persistere nel perseguire un obiettivo nonostante le frustrazioni; di controllare gli impulsi e rimandare la gratificazione; di modulare i propri stati d'animo evitando che la sofferenza ci impedisca di pensare; e, ancora, la capacità di essere empatici e di sperare. A differenza del Qi, che vanta una storia ormai quasi secolare di ricerche condotte su centinaia di migliaia di soggetti, l'intelligenza emotiva è un concetto nuovo. Nessuno può ancora dire esattamente quanta parte della variabilità esistente da persona a persona sia dovuta ad essa. Ma i dati disponibili indicano che può essere un fattore potente, a volte più potente del Qi: e mentre c'è chi sostiene che quest'ultimo non possa essere modificato molto dall'esperienza o dall'istruzione, nella Parte quinta di questo libro intendo dimostrare come le fondamentali competenze emozionali possano invece essere apprese e potenziate nei bambini – sempre che noi adulti ci si prenda il disturbo di insegnar loro come fare.

Intelligenza emotiva e destino

Ricordo un mio compagno di corso all'Amherst College, che aveva meritato cinque punteggi pieni, pari a 800, nel Sat e in altri test sostenuti prima dell'ammissione. Nonostante queste formidabili capacità intellettuali, passava la maggior parte del suo tempo bighellonando e rimanendo alzato fino a tardi per poi dormire fino a mezzogiorno, perdendo così le lezioni della mattina. Impiegò quasi dieci anni per laurearsi.

L'analisi del Qi spiega ben poco del diverso destino di individui con talenti, istruzione e opportunità approssimativamente simili. Quando si studiarono, seguendoli fino alla mezza età, novantacinque studenti di Harvard dei corsi degli anni Quaranta – un periodo in cui le scuole dell'Ivy League erano frequentate da persone con una distribuzione più ampia di Qi di quanto non accada adesso – si scoprì che, per quanto riguardava il salario, la produttività o lo status raggiunto nel proprio campo, gli ex studenti più brillanti non avevano avuto particolare successo rispetto ai coetanei diplomatisi con votazioni mediocri, né si erano assicurati una vita più ricca di soddisfazioni, o maggiore felicità nella sfera delle amicizie, della famiglia e delle relazioni amorose.[4]

Uno studio analogo venne effettuato anche su 450 ragazzi, in massima parte figli di immigranti, per due terzi provenienti da famiglie che vivevano di sussidi, cresciuti a Somerville (Massachusetts), uno *slum* a qualche isolato da Harvard, a quei tempi frequentato dalla feccia. Un terzo dei soggetti studiati aveva un Qi inferiore a 90. Ma anche in questo caso il Qi aveva poco a che fare con il successo che questi giovani riscossero sul lavoro e nel resto della loro vita; ad esempio, il 7 per cento degli uomini con Qi al di sotto di 80 rimasero disoccupati per dieci anni e anche più, ma questo accadde anche al 7 per cento dei soggetti con Qi superiore a 100. All'età di quarantasette anni, sicuramente c'era un legame generale (come sempre) fra il Qi e il livello socioeconomico. Ma a fare la grande differenza erano abilità maturate durante l'infanzia, ad esempio la capacità di superare la frustrazione, controllare le emozioni e andare d'accordo con gli altri.[5]

Consideriamo i dati di uno studio attualmente ancora in corso su ottantuno studenti delle scuole superiori dell'Illinois, scelti fra quelli che tennero i discorsi inaugurali e di commiato per i corsi del 1981. Tutti, ovviamente, avevano le medie più alte della propria scuola. Ma per quanto essi continuassero a dare ottime prestazioni anche all'università, laureandosi a pieni voti, quando furono prossimi ai trent'anni avevano raggiunto quello che può considerarsi un livello medio di successo. Dieci anni dopo aver preso il diploma di scuola media superiore solo uno su quattro di loro si trovava al massimo livello compatibile con la sua età e molti erano decisamente al di sotto di quello standard.

Karen Arnold, che insegna pedagogia alla Boston University, è una delle ricercatrici che ha seguito il destino di questi studenti; ella spiega: «Credo che abbiamo scoperto gli individui "ligi al dovere", quelli che sanno come ottenere buoni risultati nel sistema. Gli studenti della nostra indagine, però, devono lottare nella vita come sicuramente facciamo tutti noi. Sapere che una persona è stata uno studente modello significa solo sapere che è straordinariamente abile nelle prestazioni scolastiche. Non ci dice nulla sul modo in cui essa reagisce alle vicissitudini della vita».[6]

E proprio questo è il problema: l'intelligenza accademica non offre pressoché alcuna preparazione per superare i travagli e cogliere le opportunità che la vita porta con sé. Tuttavia, anche se un Qi alto non è una garanzia di prosperità, prestigio o felicità, le nostre scuole e la nostra cultura si fissano sulle capacità accademiche, ignorando l'intelligenza *emotiva* – un insieme di tratti che qualcuno potrebbe definire carattere – immensamente importante ai fini del nostro destino personale. La vita emotiva è una sfera che, come sicuramente accade nel caso della matematica o della lettura, può essere gestita con maggiore o minore abilità, e richiede un insieme di competenze esclusive. La destrezza di una persona in tali ambiti è fondamentale per comprendere come mai alcuni soggetti abbiano successo mentre altri, intellettualmente non da meno, imbocchino vicoli ciechi: l'attitudine emozionale è una *meta-abilità*, in quanto determina quanto bene riusciamo a servirci delle nostre altre capacità – ivi incluse quelle puramente intellettuali.

Naturalmente, ci sono molte strade per avere successo nella vita, e molte sfere nelle quali vengono premiate altre attitudini. Nella nostra società, sempre più imperniata sulla conoscenza, la capacità tecnica è certamente una di queste. C'è una barzelletta da bambini che dice: «Come si chiama uno "stupido secchione" quindici anni dopo?». La risposta è: «Capo». Ma anche fra «secchioni» l'intelligenza emotiva offre un ulteriore vantaggio sul posto di lavoro, come vedremo nella Terza parte del libro. Molti dati testimoniano che le persone competenti sul piano emozionale – quelle che sanno controllare i propri sentimenti, leggere quelli degli altri e trattarli efficacemente – si trovano avvantaggiate in tutti i campi della vita, sia nelle relazioni intime che nel cogliere le regole implicite che portano al successo politico. Gli individui con capacità emozionali ben sviluppate hanno anche maggiori probabilità di essere contenti ed efficaci nella vita, essendo in grado di adottare gli atteggiamenti mentali che alimentano la produttività; coloro che non riescono ad esercitare un certo controllo sulla propria vita emotiva combattono battaglie interiori che finiscono per sabotare la loro capacità di concentrarsi sul lavoro e di pensare lucidamente.

Un tipo diverso di intelligenza

Agli occhi di un osservatore qualunque, vista in mezzo ai suoi compagni di giochi molto più socievoli, Judy, una bambina di quattro anni, potrebbe sembrare un classico tipo da tappezzeria. Quando è il momento di giocare, esita a prender parte all'azione e ne resta ai margini invece di immergersi in essa. Tuttavia, Judy è un'abile osservatrice della politica sociale nell'ambito della sua classe di scuola materna – forse la più sofisticata, fra tutti i suoi compagni, nella comprensione dei sentimenti altrui.

Questa sua dote emerge soltanto quando l'insegnante riunisce Judy e i suoi coetanei per fare quello che essi chiamano il Gioco della Classe. Questo gioco – che consiste in un modellino dell'aula di Judy, come una casa di bambole, con figurine che hanno al posto della testa delle piccole fotografie dei bambini e dell'insegnante – è un test per valutare la percettività sociale. Quando l'insegnante le chiede di mettere ciascun bambino nella zona della classe dove esso ama di più stare – l'angolo delle attività artistiche, quello delle costruzioni, e così via – Judy è in grado di farlo con grande accuratezza. E quando le si chiede di mettere ciascun bambino insieme a quelli con cui ama di più giocare, Judy sa mettere insieme tutti gli amici migliori.

L'accuratezza di Judy rivela il possesso di una perfetta mappa sociale della propria classe – un livello di percettività eccezionale per una bambina di quattro anni. Queste sono abilità che, più tardi nella vita, potranno consentirle di diventare bravissima in tutti quei campi dove conta la capacità di avere a che fare con la gente, e che spaziano dalle vendite al management e alla diplomazia.

Se le brillanti attitudini sociali di Judy sono state rivelate, e così presto, lo si deve al fatto che ella frequentava la Eliot-Pearson Preschool, nel campus della Tuft University, dove si stava sviluppando Project Spectrum, un programma che coltiva intenzionalmente numerose intelligenze. Project Spectrum riconosce che il repertorio delle capacità umane si spinge ben oltre la stretta banda di abilità verbali e numeriche sulla quale tradizionalmente si concentra la scuola.

Esso riconosce che capacità come la percettività sociale di Judy sono talenti che possono essere coltivati invece di essere ignorati o addirittura mortificati. Incoraggiando i bambini a sviluppare la gamma completa delle abilità dalle quali essi effettivamente attingeranno per avere successo – o semplicemente per essere soddisfatti di ciò che faranno – la scuola diventa davvero educazione alla vita.

La guida – l'idealista – alle spalle di Project Spectrum è Howard Gardner, uno psicologo della Harvard School of Education.[7] «È arrivato il momento» mi disse «di ampliare la nostra concezione della gamma dei talenti. Il più importante contributo che la pedagogia può dare allo sviluppo di un bambino è quello di aiutarlo e di guidarlo verso un campo nel quale i suoi talenti siano più adatti, e in cui egli possa sentirsi soddisfatto e competente. Abbiamo completamente perso di vista tutto questo. Non facciamo che sottoporre tutti a un'istruzione nella quale, se si ha successo, ci si ritrova al massimo ben assortiti con un professore universitario. E tutti vengono valutati a seconda che soddisfino o meno questo standard così limitato. Dovremmo passar meno tempo a classificare i bambini e più tempo ad aiutarli a identificare e coltivare le loro competenze e i loro talenti naturali. Ci sono centinaia e centinaia di modi diversi per avere successo, e molte, moltissime diverse capacità che possono aiutare a farlo.»[8]

Se c'è qualcuno che vede chiaramente i limiti delle vecchie concezioni sull'intelligenza, quello è Gardner. Egli sottolinea che il grande successo dei test per la misura del Qi cominciò durante la prima guerra mondiale, quando due milioni di americani vennero classificati utilizzando la prima versione del test, appena messa a punto da Lewis Terman, uno psicologo di Stanford. Questo portò al predominio, durato interi decenni, di quella che Gardner chiama «mentalità da Qi»: la convinzione, cioé, «che le persone possano essere classificate in due categorie, intelligenti e non intelligenti, e che a tal proposito non ci sia molto da fare; infine, che i test possano dirci a quale categoria, intelligenti o non intelligenti, appartenga ciascuno. Il test Sat per l'ammissione all'università si basa sullo stesso concetto, e cioé sull'idea che un unico tipo di attitudine possa determinare il tuo futuro. Questo modo di pensare permea tutta la società».

L'importante libro di Gardner, uscito nel 1983, *Formae mentis*, rappresentò il manifesto di chi criticava la mentalità da Qi; in esso Gardner sosteneva che non esistesse un unico tipo monolitico di intelligenza fondamentale per avere successo nella vita, ma piuttosto che ce ne fosse un'ampia gamma, della quale individuava sette varietà fondamentali. L'elenco di Gardner comprende i due tipi standard di intelligenza scolastica, ossia quella verbale e quella logico-matematica, spingendosi però oltre, fino a includere anche la capacità spaziale che si osserva in un bravo artista o in un architetto; il genio cinestetico che emerge dalla fluidità dei movimenti e dalla grazia di Martha

Graham o di Magic Johnson; il talento musicale di Mozart o di Yoyo Ma. Ci sono poi le due facce di quella che Gardner chiama «intelligenza personale»: le capacità interpersonali, ad esempio quelle di un grande terapeuta come Carl Rogers o di un leader di portata mondiale come Martin Luther King, e la capacità «intrapsichica» che può emergere dalle brillanti introspezioni di Sigmund Freud o, sebbene con minore ostentazione, dalla soddisfazione interiore che si prova quando la propria vita è in armonia con i propri sentimenti.

La parola chiave in questa concezione dell'intelligenza è *«multipla»*: il modello di Gardner si spinge ben oltre il concetto standard di Qi come singolo fattore immutabile. Secondo la teoria delle intelligenze multiple, i test che ci hanno tiranneggiato quando andavamo a scuola – da quelli usati per suddividere chi di noi avrebbe frequentato scuole a indirizzo tecnico da coloro che erano destinati all'università, fino ai test Sat che decidevano quali università avremmo potuto frequentare, sempre che quello fosse il nostro destino – sono basati su un concetto di intelligenza limitato, che non trova riscontro nell'autentica gamma di capacità e competenze ben più importanti per la vita di quanto non sia il Qi.

Gardner riconosce che il sette è una cifra arbitraria per descrivere la varietà delle intelligenze; non esiste un numero magico che denoti la molteplicità dei talenti umani. A un certo punto, Gardner e colleghi hanno allungato questa lista fino a individuare venti diverse intelligenze. L'intelligenza interpersonale, ad esempio, venne frammentata in quattro abilità distinte: la predisposizione alla leadership, la capacità di alimentare relazioni e di conservare le amicizie, l'abilità di risolvere conflitti e la bravura in quel tipo di analisi sociale nella quale eccelleva Judy, la bambina di quattro anni di cui abbiamo parlato prima.

Questa concezione poliedrica dell'intelligenza offre una visuale più ricca delle capacità e del potenziale di successo di un bambino di quanto non possa fare il test standard per la misurazione del Qi. Quando i bambini di una classe Spectrum furono valutati dapprima secondo la Scala di intelligenza di Stanford-Binet – un tempo lo standard aureo dei test per la misurazione del Qi – e poi ancora con una batteria di test ideata per misurare lo spettro delle intelligenze identificate da Gardner, non venne messa in luce alcuna relazione significativa fra i punteggi ottenuti nei due tipi di test.[9] I cinque bambini con i più alti Qi (compresi fra 125 e 133) mostravano profili molto vari nelle dieci abilità misurate dal test Spectrum. Ad esempio, dei cinque bambini che in base al Qi erano da ritenersi più «intelligenti», uno era bravo in tre aree Spectrum, tre erano dotati in due aree Spectrum e un soggetto riusciva bene solo in uno degli ambiti sondati dal test di Gardner. Queste abilità erano variamente distribuite; in quattro casi, i bambini erano dotati per la musica, in due casi per le arti visive, in un caso per la comprensione sociale, in un altro per la logica, e in due per il linguaggio. Nessuno dei cinque bambini ai quali era stato assegnato un elevato Qi si dimostrò dotato per la meccanica o il movimento o l'aritmetica; anzi, questi ultimi due ambiti costituivano i punti deboli di due soggetti.

La conclusione di Gardner fu che «la Scala d'intelligenza di Stanford-Binet non consentiva di prevedere il successo delle prestazioni nelle attività Spectrum o in una parte costante di esse». D'altro canto, i punteggi Spectrum danno ai genitori e agli insegnanti una chiara guida per quanto riguarda le aree che potranno essere oggetto dell'interesse spontaneo dei bambini e nelle quali essi riscuoteranno successi tali da sviluppare la passione che un giorno potrebbe portarli a oltrepassare i limiti della competenza dell'esperto, per sconfinare nell'autentica maestria.

Il pensiero di Gardner sulla molteplicità delle intelligenze è in continua evoluzione. Circa dieci anni dopo la prima pubblicazione della sua teoria, egli riassunse le caratteristiche fondamentali delle intelligenze personali come segue:

L'intelligenza interpersonale è la capacità di comprendere gli altri, le loro motivazioni e il loro modo di lavorare, scoprendo nel contempo in che modo sia possibile interagire con essi in maniera cooperativa. I venditori di successo, i politici, gli insegnanti, i clinici e i leader religiosi sono probabilmente individui con un elevato grado di intelligenza interpersonale. L'intelligenza *intra*personale [...] è una capacità correlativa rivolta verso l'interno: è l'abilità di formarsi un modello accurato e veritiero di se stessi e di usarlo per operare efficacemente nella vita.[10]

In un'altra versione, Gardner osserva che il nucleo dell'intelligenza interpersonale comprende le «capacità di distinguere e di rispondere appropriatamente agli stati d'animo, al temperamento, alle motivazioni e ai desideri altrui». Nell'intelligenza intrapersonale, che è la chiave per accedere alla conoscenza di sé, egli comprende l'«accesso ai propri sentimenti e la capacità di discriminarli e basarsi su di essi, assumendoli come guida del proprio comportamento».[11]

Spock e Data: quando la cognizione non è abbastanza

Nella trattazione di Gardner, il ruolo delle emozioni è una dimensione dell'intelligenza personale che egli si limita a indicare senza esplorarla a fondo. Forse ciò è dovuto al fatto che, come mi disse lo stesso Gardner, il suo lavoro è stato fortemente ispirato e informato dal modello della mente proprio delle scienze cognitive. Pertanto la concezione gardneriana di queste intelligenze enfatizza la cognizione – ossia la *comprensione* di se stessi e degli altri relativamente alle motivazioni e alle abitudini di lavoro, servendosi di tali intuizioni per condurre la propria vita e per andare d'accordo con gli altri. Ma come avviene nell'ambito cinestetico, dove la genialità si esprime in modo non verbale, anche il regno delle emozioni si estende oltre la portata del linguaggio e della cognizione.

Sebbene la descrizione delle intelligenze personali di Gardner lasci ampio spazio alla comprensione del gioco delle emozioni e della capacità di dominarle, Gardner e collaboratori non hanno tuttavia studiato a fondo il ruolo del *sentimento* in queste intelligenze, concentrandosi più che *su di* esso, sulla cognizione *relativa* ad esso. Questo approccio lascia inesplorato, forse non intenzionalmente, il mare di emozioni che rende la vita interiore e le relazioni umane così complesse, così irresistibili e spesso tanto sconcertanti. E lascia ancora inesplorati due concetti: in primo luogo, la possibilità che l'intelligenza *sia presente* nelle emozioni, e in secondo luogo, quella che vi *venga portata*.

L'enfasi di Gardner sugli elementi cognitivi delle intelligenze personali riflette lo spirito dominante nella psicologia al tempo in cui le sue idee presero forma. L'eccessivo accento che la psicologia pose sulla cognizione anche quando si accingeva a indagare la sfera delle emozioni è in parte dovuto alla storia particolare di questa scienza. A metà del secolo, la psicologia accademica era dominata dai comportamentisti della scuola di Skinner; questi riteneva che solo il comportamento osservabile oggettivamente dall'esterno potesse essere studiato con accuratezza scientifica. I comportamentisti decretarono che tutta la sfera della vita interiore, comprese le emozioni, fosse da considerarsi un'area inaccessibile alla scienza.

In seguito, con l'affermarsi, verso la fine degli anni Sessanta, della «rivoluzione cognitiva», l'attenzione della psicologia si rivolse verso le modalità con le quali la mente registra e archivia le informazioni, e sulla natura dell'intelligenza. Ma le emozioni restarono ancora confinate in un territorio inaccessibile. Fra gli scienziati cognitivi, era opinione comune che l'intelligenza comportasse un'elaborazione fredda e metodica dei fatti. Essa sarebbe iperrazionale, simile per certi versi al signor Spock di *Star Trek*, l'archetipo dell'informazione nuda e cruda, non intorbidata dal sentimento, incarnazione dell'idea secondo la quale le emozioni non hanno posto nell'intelligenza e non fanno che confondere il nostro quadro della vita mentale.

Gli scienziati cognitivi che hanno fatta propria questa concezione si sono lasciati sedurre dal computer quale modello operativo della mente, dimentichi del fatto che in realtà i circuiti biologici del cervello sono immersi in una caotica miscela ribollente di sostanze chimiche che non ha nulla a che fare con l'ambiente, a base di silicio, asettico e ordinato, che ha generato la metafora. I modelli che fra gli scienziati cognitivi sono più accreditati per descrivere il modo in cui la mente elabora l'informazione non hanno riconosciuto che la razionalità è guidata – e può essere travolta – dal sentimento. Il modello cognitivo fornisce, a questo proposito, una visione impoverita della mente, una concezione che non può spiegare lo *Sturm und Drang* dei sentimenti che dà sapore all'intelletto. Per poter rimanere su tali posizioni, gli stessi scienziati cognitivi hanno dovuto ignorare l'importanza, per i loro modelli della mente, di speranze e paure personali, di liti coniugali e gelosie professionali – in altre parole hanno dovuto ignorare tutto quel miscuglio di sentimenti che dà alla vita sapore e tensione, e che in ogni momento influenza il modo esatto in cui l'informazione viene elaborata, nonché la qualità di tale elaborazione.

La visione scientifica, peraltro sbilanciata, di una vita mentale emotivamente piatta – atteggiamento prevalente negli ultimi ottant'anni di ricerca sull'intelligenza – sta gradualmente modificandosi da quando la psicologia ha cominciato a riconoscere il ruolo essenziale del sentimento nel pensiero. Un po' come nel caso di Data, il personaggio simile a Spock di *Star Trek: The Next Generation*, la psicologia sta arrivando a comprendere il potere delle emozioni nella vita mentale, come pure a riconoscere i vantaggi e i pericoli che esse comportano. Dopo tutto, Data si rende conto (con suo sgomento, se solo potesse provarne) che la sua fredda logica non lo aiuterà a trovare una giusta soluzione *umana*. La nostra umanità è molto più evidente nei sentimenti che non nella logica; Data cerca di provarne anche lui, capendo di essere altrimenti escluso da qualcosa di essenziale. Egli desidera l'amicizia, la lealtà; come l'Uomo di Latta del Mago di Oz, Data non ha un cuore. Privato di quel senso lirico che ci viene dal sentimento, Data è in grado di fare musica o di scrivere versi con grande virtuosismo, ma senza passione. Il desiderio di Data (desiderio di provar desiderio) ci insegna che i più alti valori del cuore umano – fede, speranza, devozione, amore – sono totalmente assenti in una concezione freddamente cognitiva della mente. Le emozioni ci arricchiscono; un modello della mente che le escluda è un ben povero modello. Quando chiesi a Gardner il perché della sua enfasi non tanto sulle emozioni, quanto sul pensiero che le riguarda – ossia sulla metacognizione – egli riconobbe la propria tendenza verso una concezione cognitiva dell'intelligenza. Tuttavia mi disse: «Quando cominciai a scrivere delle intelligenze personali, *stavo* effettivamente parlando delle emozioni, soprattutto quando mi riferivo al mio concetto di intelligenza intrapersonale – una componente dell'intelligenza che ci mette emotivamente in sintonia con noi stessi. Per l'intelligenza interpersonale è essenziale la recezione di segnali di sentimenti viscerali. Ma in pratica, la teoria delle intelligenze multiple si è poi evoluta in modo da concentrarsi di più sulla metacognizione» – ossia sulla consapevolezza dei propri processi mentali – «che non sulla gamma completa delle capacità emozionali».

Anche così, Gardner si rende conto di quanto queste capacità emozionali e di relazione siano fondamentali per affrontare la lotta della vita. Egli sottolinea come «molte persone con Qi di 160 possano dare prestazioni simili a quelle di altre con Qi pari solo a 100, qualora queste ultime siano molto superiori a loro per intelligenza intrapersonale. E nella realtà quotidiana nessuna intelligenza è più importante di quella interpersonale. Se non ne avete, prenderete la decisione sbagliata riguardo alla persona da sposare, il lavoro da fare, e così via. Dobbiamo addestrare già a scuola le intelligenze personali dei bambini».

Le emozioni possono essere intelligenti?

Per capire meglio come potrebbe essere un addestramento di questo genere, dobbiamo rivolgerci ad altri teorici che stanno seguendo la guida intellettuale di Gardner, e fra questi soprattutto a uno psicologo di Yale, Peter Salovey, che ha mappato molto dettagliatamente i vari modi in cui è possibile portare l'intelligenza nella sfera delle emozioni.[12] Questa impresa non è nuova; negli anni, perfino i più ardenti sostenitori del Qi hanno, di tanto in tanto, cercato di portare le emozioni nella sfera dell'intelligenza, invece di considerare «emozione» e «intelligenza» come un'intrinseca contraddizione di termini. Ad esempio, E.L. Thorndike, un eminente psicologo che contribuì a diffondere il concetto di Qi negli anni Venti e Trenta, propose, in un articolo pubblicato su *Harper's Magazine*, che un aspetto dell'intelligenza emotiva, ossia l'intelligenza «sociale» – in altre parole la capacità di comprendere gli altri e di «agire saggiamente nelle relazioni umane» – facesse anch'esso parte del Qi di un individuo. Altri psicologi suoi contemporanei avevano un'opinione più cinica dell'intelligenza sociale, in quanto la consideravano alla stregua dell'abilità di manipolare gli altri – la capacità di indurli a fare ciò che si vuole, indipendentemente dal fatto che essi lo vogliano o no. Tuttavia, nessuna di queste due formulazioni dell'intelligenza sociale esercitò a lungo la propria influenza sui teorici del Qi, e nel 1960 un importante manuale sui test d'intelligenza dichiarò che essa era un concetto «inutile».

L'intelligenza personale, però, non era destinata a essere ignorata, soprattutto perché essa è tanto importante per l'intuito e il buon senso comune. Ad esempio, quando Robert Sternberg, un altro psicologo di Yale, chiese ad alcuni individui di descrivere una «persona intelligente», fra i tratti principali venivano citate le capacità pratiche nelle relazioni personali. Ricerche più sistematiche indussero Sternberg a tornare sulla conclusione di Thorndike, e cioè ad affermare che l'intelligenza sociale è al tempo stesso distinta dalle capacità scolastiche e parte integrante delle doti che consentono alle persone di riuscir bene negli aspetti pratici della vita. Ad esempio, fra le intelligenze pratiche tanto apprezzate nel mondo del lavoro c'è quel tipo di sensibilità che consente ai dirigenti perspicaci di cogliere messaggi impliciti.[13]

Recentemente un gruppo sempre più numeroso di psicologi è pervenuto a conclusioni simili, e concorda con Gardner nel ritenere che i vecchi concetti relativi al Qi fossero imperniati su una gamma ristretta di abilità linguistiche e matematiche, e che, sebbene un buon Qi fosse un fattore predittivo diretto del successo scolastico come studente o insegnante, esso si rivelava però molto meno efficace quando la vita cominciava ad allontanarsi dal mondo accademico. Questi psicologi – fra i quali troviamo Sternberg e Salovey – hanno fatto propria una concezione più ampia dell'intelligenza, cercando di reinventarla e di ridescriverla nei termini di ciò che è necessario possedere per avere successo nella vita. Questa linea di ricerca ha portato a riapprezzare quanto sia fondamentale l'intelligenza «personale» o emotiva.

Nella sua fondamentale definizione dell'intelligenza emotiva, Salovey include le intelligenze personali di Gardner, estendendo queste abilità a cinque ambiti principali:[14]

1. *Conoscenza delle proprie emozioni.* L'autoconsapevolezza – in altre parole la capacità di riconoscere un sentimento *nel momento in cui esso si presenta* – è la chiave di volta dell'intelligenza emotiva. Come vedremo nel capitolo 4, la capacità di monitorare istante per istante i sentimenti è fondamentale per la comprensione psicologica di se stessi, mentre l'incapacità di farlo ci lascia alla loro mercé. Le persone molto sicure dei propri sentimenti riescono a gestire molto meglio la propria vita; esse infatti hanno una percezione più sicura di ciò che realmente provano riguardo a decisioni personali che possono spaziare dalla scelta del coniuge all'attività professionale da intraprendere.
2. *Controllo delle emozioni.* La capacità di controllare i sentimenti in modo che essi siano appropriati si fonda sull'autoconsapevolezza. Nel capitolo 5 esamineremo la capacità di calmarsi, di liberarsi dall'ansia, dalla tristezza o dall'irritabilità, e le conseguenze della mancanza di tale fondamentale abilità. Coloro che ne sono privi o scarsamente dotati si trovano a dover perennemente combattere contro sentimenti tormentosi, mentre gli individui capaci di controllo emotivo riescono a riprendersi molto più velocemente dalle sconfitte e dai rovesci della vita.

3. *Motivazione di se stessi*. Come mostrerò nel capitolo 6, la capacità di dominare le emozioni per raggiungere un obiettivo è una dote essenziale per concentrare l'attenzione, per trovare motivazione e controllo di sé, come pure ai fini della creatività. Il controllo emozionale – la capacità di ritardare la gratificazione e di reprimere gli impulsi – è alla base di qualunque tipo di realizzazione. La capacità di entrare nello stato di «flusso» ci consente di ottenere prestazioni eccezionali di qualsiasi tipo. Chi ha queste capacità tende a essere più produttivo ed efficiente in qualunque ambito si applichi.
4. *Riconoscimento delle emozioni altrui*. L'empatia, un'altra capacità basata sulla consapevolezza delle proprie emozioni, è fondamentale nelle relazioni con gli altri. Nel capitolo 7 analizzeremo le radici dell'empatia, il costo sociale della sordità emozionale, e le ragioni per le quali l'empatia genera l'altruismo. Le persone empatiche sono più sensibili ai sottili segnali sociali che indicano le necessità o i desideri altrui. Questo le rende più adatte alle professioni di tipo assistenziale, all'insegnamento, alle vendite e alla dirigenza.
5. *Gestione delle relazioni*. L'arte delle relazioni consiste in larga misura nella capacità di dominare le emozioni altrui. Nel capitolo 8 analizzeremo la competenza e l'incompetenza sociale, e le capacità specifiche che vi sono implicate. Si tratta di abilità che aumentano la popolarità, la leadership e l'efficacia nelle relazioni interpersonali. Coloro che eccellono in queste abilità riescono bene in tutti i campi nei quali è necessario interagire in modo disinvolto con gli altri: in altre parole, sono veri campioni delle arti sociali.

Naturalmente le persone hanno capacità diverse in ciascuno di questi cinque ambiti; può darsi, ad esempio, che alcuni di noi riescano a controllare benissimo la propria ansia ma siano relativamente incapaci di consolare i turbamenti altrui. Il nostro livello di capacità ha, senza dubbio, una base neurale; come vedremo, però, il cervello è eccezionalmente plastico, sempre impegnato com'è nei processi di apprendimento. Le eventuali carenze nelle capacità emozionali possono essere corrette: ciascuno di questi ambiti rappresenta, in larga misura, un insieme di abitudini e di risposte passibili di miglioramento, purché ci si impegni a tal fine nel modo giusto.

Qi e intelligenza emotiva: tipi puri

Il Qi e l'intelligenza emotiva non sono competenze opposte, ma solo separate. Tutti noi siamo dotati di una miscela di abilità intellettuali ed emozionali; le persone con un elevato Qi ma con una scarsa intelligenza emotiva (come pure quelle che si trovano nella situazione inversa) sono, nonostante gli stereotipi correnti, relativamente rare. In verità, esiste una leggera correlazione fra Qi ed alcuni aspetti dell'intelligenza emotiva – tuttavia essa è abbastanza piccola da dimostrare come si tratta di entità in larga misura indipendenti.

A differenza dei test ormai familiari per la determinazione del Qi, finora non esiste un test per ottenere un «punteggio dell'intelligenza emotiva», e probabilmente non esisterà mai. Sebbene si stiano compiendo ampie ricerche su ciascuna delle sue componenti, alcune di esse, come l'empatia, vengono valutate meglio osservando le reali capacità del soggetto messo alla prova – ad esempio chiedendogli di leggere i sentimenti di una persona dalle sue espressioni facciali filmate da una telecamera. Jack Block, uno psicologo della California University di Berkeley, ha misurato quella che egli chiama «resilienza dell'ego», e che comprendendo le principali competenze sociali ed emozionali è abbastanza simile all'intelligenza emotiva; nei suoi studi, Block ha confrontato due tipi teorici puri: quello dei soggetti con un elevato Qi, e quello degli individui con grandi doti emozionali.[15] Le differenze riscontrate parlano da sé.

Il tipo dotato di un elevato Qi (lasciando da parte l'intelligenza emotiva) è quasi una caricatura dell'intellettuale, abile nel regno della mente ma inetto in quello personale. I profili sono leggermente diversi a seconda che si tratti di uomini o donne. Il maschio con un elevato Qi è caratterizzato – il che non ci sorprende – da un'ampia gamma di interessi e di capacità intellettuali. È ambizioso e produttivo, fidato e ostinato, e non è turbato da preoccupazioni autoriferite. Tende anche a essere critico e condiscendente, esigente e inibito, a disagio nella sfera della sessualità e delle esperienze sensuali, distaccato e poco espressivo, freddo e indifferente dal punto di vista emozionale.

Invece, gli uomini dotati di grande intelligenza emotiva sono socialmente equilibrati, espansivi e allegri, non soggetti a paure o al rimuginare di natura ansiosa. Hanno la spiccata capacità di dedicarsi ad altre persone o a una causa, di assumersi responsabilità, e di avere concezioni e prospettive etiche; nelle loro relazioni con gli altri sono comprensivi, premurosi e protettivi. La loro vita emotiva è ricca ma appropriata; queste persone si sentono a proprio agio con se stesse, con gli altri e nell'universo sociale nel quale vivono.

Passando alle donne, il tipo puro con elevato Qi ha la prevedibile sicurezza intellettuale, è fluente nell'esprimere i propri pensieri ha un'ampia gamma di interessi intellettuali ed estetici ai quali attribuisce molto valore. Queste donne tendono anche ad essere introspettive, soggette all'ansia, ai ripensamenti e ai sensi di colpa, ed esitano a esprimere apertamente la propria collera (sebbene lo facciano indirettamente).

Le donne emotivamente intelligenti, invece, tendono ad essere sicure di sé, ad esprimere i propri sentimenti in modo diretto e a nutrirne di positivi riguardo a se stesse; per loro la vita ha un senso. Come gli uomini con il profilo corrispondente, esse sono estroverse e gregarie, ed esprimono i propri sentimenti in modo equilibrato (senza abbandonarsi, ad esempio, ad esplosioni delle quali debbano poi pentirsi); si adattano bene allo stress. Questo equilibrio sociale consente loro di stringere facilmente nuove conoscenze; si sentono abbastanza a proprio agio con se stesse da essere allegre, spontanee e aperte alle esperienze dei sensi. A differenza delle donne con un profilo di tipo puro con elevato Qi, raramente si sentono in ansia o colpevoli, e raramente sprofondano nel rimuginare.

Questi profili, naturalmente, sono estremi – tutti noi siamo dotati di abilità intellettuali ed emozionali in vario grado. Tuttavia essi offrono un'analisi istruttiva del contributo separato di ciascuna di queste dimensioni – intellettuale ed emozionale – alle qualità di un individuo. Nella misura in cui una persona è dotata sia di intelligenza cognitiva che di intelligenza emotiva, questi ritratti si fondono. Tuttavia, delle due, è proprio la seconda quella che contribuisce di più alle qualità che ci rendono pienamente umani.

4
CONOSCI TE STESSO

In un'antica leggenda giapponese si narra di un samurai bellicoso che un giorno sfidò un maestro Zen chiedendogli di spiegare i concetti di paradiso e inferno. Il monaco, però, replicò con disprezzo: «Non sei che un rozzo villano; non posso perdere il mio tempo con gente come te!».

Sentendosi attaccato nel suo stesso onore, il samurai si infuriò e sguainata la spada gridò: «Potrei ucciderti per la tua impertinenza».

«Ecco» replicò con calma il monaco «questo è l'inferno.»

Riconoscendo che il maestro diceva la verità sulla collera che lo aveva invaso, il samurai, colpito, si calmò, ringuainò la spada e si inchinò, ringraziando il monaco per la lezione.

«Ecco» disse allora il maestro Zen «questo è il paradiso.»

L'improvviso risveglio del samurai e il suo aprire gli occhi sul proprio stato di agitazione ci mostra quanto sia fondamentale la differenza fra l'essere schiavi di un'emozione e il divenire consapevoli del fatto che essa ci sta travolgendo. Il consiglio di Socrate, «conosci te stesso», fa proprio riferimento a questa chiave di volta dell'intelligenza emotiva: la consapevolezza dei propri sentimenti nel momento stesso in cui essi si presentano.

Di primo acchito potrebbe sembrare che i nostri sentimenti siano ovvi; ma se riflettiamo più attentamente ci ricordiamo di tutte quelle volte che li abbiamo troppo trascurati o che siamo diventati consapevoli di essi troppo tardi. Gli psicologi usano il termine piuttosto pomposo di *metacognizione* per riferirsi a una consapevolezza dei processi di pensiero, e quello di *metaemozione* per indicare la consapevolezza delle proprie emozioni. Io preferisco parlare di *autoconsapevolezza*, per indicare la continua attenzione ai propri stati interiori.[1] In questa consapevolezza introspettiva la mente osserva e studia l'esperienza, ivi comprese le emozioni.[2]

Questo aspetto della consapevolezza è simile a ciò che Freud descrisse come un'«attenzione che si libra imparziale» e che egli raccomandava a chi dovesse intraprendere la psicoanalisi. Questa attenzione considera con imparzialità tutto ciò che passa attraverso la consapevolezza, proprio come farebbe un testimone interessato agli eventi e tuttavia non reattivo. Alcuni psicoanalisti, la chiamano l'«ego osservatore»: in altre parole, si tratta dell'autoconsapevolezza che consente all'analista di monitorare le proprie reazioni verso ciò che il paziente sta dicendo e che nel paziente è alimentata dal processo delle libere associazioni.[3]

Sembra che questa autoconsapevolezza richieda l'attivazione della neocorteccia, e particolarmente delle aree del linguaggio, che consentono di dare un nome alle emozioni risvegliate. L'autoconsapevolezza non è una forma di attenzione che – reagendo eccessivamente alle percezioni e amplificandole – venga spazzata via dalle emozioni. Piuttosto, è una modalità neutrale della mente che sostiene l'introspezione anche in mezzo a emozioni turbolente. William Styron sembra descrivere qualcosa di simile a questa facoltà della mente quando, scrivendo della sua profonda depressione, parla della sensazione «di essere accompagnato da un secondo sé – un osservatore simile a un fantasma che, senza condividere la demenza del suo doppio, è in grado di osservare con curiosità spassionata le lotte del suo compagno».[4]

Nei migliore dei casi, l'osservazione di sé permette questa consapevolezza equilibrata di sentimenti appassionati o violenti. Nel caso peggiore, invece, essa si manifesta semplicemente come un distacco, appena accennato, dall'esperienza – una sorta di passo indietro per fermarsi a osservare il quadro; un flusso parallelo di coscienza nella modalità «meta», che si libra al di sopra o accanto a quello principale, consapevole degli eventi in corso ma non immerso, o perso, in essi. È la differenza che passa fra l'essere travolti da una furia omicida verso qualcuno e il pensare introspettivamente «Ecco, quella che sto provando è collera», anche nel momento stesso in cui ne siamo pervasi. In termini di meccanica neurale, presumibilmente questo sottile spostamento nell'attività mentale segnala che i circuiti neocorticali stanno monitorando attivamente l'emozione, compiendo così un primo passo nell'acquisizione di un certo controllo su di essa. Questa consapevolezza è la competenza emozionale fondamentale sulla quale si basano tutte le altre, ad esempio l'autocontrollo.

Essere consapevoli di sé, in breve, significa essere «consapevoli sia del nostro stato d'animo che nei nostri pensieri su di esso», per usare le parole di John Mayer, uno psicologo della New Hampshire University che, con Peter Salovey di Yale, è uno dei padri della teoria dell'intelligenza emotiva.[5] L'autoconsapevolezza può essere una forma di attenzione, non reattiva e non critica, verso i propri stati interiori. Mayer tuttavia osserva che questa sensibilità può anche essere meno equilibrata; ecco alcuni pensieri tipici che rivelano l'autoconsapevolezza emozionale: «Non dovrei provare questo sentimento», «Sto pensando a delle cose buone per tirarmi su» e, nel caso di un'autoconsapevolezza più limitata «Non pensarci», una reazione di fuga in risposta a qualcosa che ci turba profondamente.

Sebbene esista una distinzione logica fra l'essere consapevoli dei propri sentimenti e l'agire per modificarli, Mayer ritiene che a tutti i fini pratici le due cose procedano in stretta cooperazione: riconoscere uno stato d'animo profondamente negativo significa volersene liberare. Tuttavia, il riconoscimento delle emozioni è una cosa, e altra cosa distinta sono gli sforzi che facciamo per non agire sotto il loro impulso. Quando diciamo «Smettila!» a un bambino che, infuriato, sta colpendo un compagno di giochi, probabilmente riusciremo a fermare lo scontro fisico, ma la collera continuerà a covare sotto la cenere. I pensieri del bambino sono ancora fissi sull'evento che aveva scatenato la sua collera – «Ha preso il mio giocattolo!» – collera che peraltro non si è mai placata. L'autoconsapevolezza ha un effetto più potente sui sentimenti negativi molto intensi: quando diciamo a noi stessi «Ecco, quella che sto provando è collera» questa consapevolezza ci offre un maggior grado di libertà – in altre parole, ci dà la possibilità di decidere non solo di non agire spinti dall'impulso della collera, ma anche di cercare in qualche modo di sfogarla.

Mayer ritiene che le persone siano classificabili in diverse categorie a seconda del modo in cui percepiscono e gestiscono le proprie emozioni:[6]

- *Gli autoconsapevoli*. Consapevoli dei propri stati d'animo nel momento stesso in cui essi si presentano, queste persone sono comprensibilmente alquanto sofisticate riguardo alla propria vita emotiva. La loro chiara visione delle proprie emozioni può rafforzare altri aspetti della personalità: si tratta di individui autonomi e sicuri dei propri limiti, che godono di una buona salute psicologica e tendono a vedere la vita da una prospettiva positiva. Quando sono di cattivo umore, costoro non continuano a rimuginare e a ossessionarsi, e riescono a liberarsi dello stato d'animo negativo prima degli altri. In breve, il loro essere attenti alla propria vita interiore li aiuta a controllare le emozioni.
- *I sopraffatti*. Si tratta di persone spesso sommerse dalle proprie emozioni e incapaci di sfuggir loro, come se nella loro mente esse avessero preso il sopravvento. Essendo dei tipi volubili e non pienamente consapevoli dei propri sentimenti, questi individui si perdono in essi invece di considerarli con un minimo di distacco. Di conseguenza, rendendosi conto di non avere alcun controllo sulla propria vita emotiva, costoro fanno ben poco per sfuggire agli stati d'animo negativi. Spesso si sentono sopraffatti e incapaci di controllare le proprie emozioni.
- *I rassegnati*. Sebbene queste persone abbiano spesso idee chiare sui

propri sentimenti, anch'esse tendono tuttavia ad accettarli senza cercare di modificarli. Sembra che in questa categoria rientrino due tipi di soggetti: in primo luogo quelli che solitamente hanno stati d'animo positivi e perciò sono scarsamente motivati a modificarli; e in secondo luogo coloro che, nonostante siano chiaramente consapevoli dei propri stati d'animo, e siano suscettibili a sentimenti negativi, tuttavia li accettano assumendo un atteggiamento da *laissez-faire*, senza cercare di modificarli nonostante la sofferenza che essi comportano – una situazione che si riscontra, ad esempio, nei depressi che si sono rassegnati alla propria disperazione.

L'appassionato e l'indifferente

Immaginate per un momento di trovarvi su un aeroplano diretto da New York a San Francisco. È stato un viaggio tranquillo, ma proprio mentre cominciate a vedere le Montagne Rocciose la voce del pilota risuona all'altoparlante. «Signori e signore, abbiamo di fronte a noi una certa turbolenza. Vi preghiamo pertanto di raddrizzare lo schienale delle vostre poltrone e di allacciare le cinture di sicurezza.» Detto questo, l'aeroplano viene inghiottito dalla turbolenza – la peggiore che vi sia mai capitata – che lo scuote su e giù e da una parte all'altra come un pallone in balia delle onde.

La domanda è: come vi comportereste? Siete il tipo di persona che si seppellisce in un libro o in una rivista o che continua a guardare il film, escludendo la turbolenza dai propri pensieri? Oppure tirereste fuori l'opuscolo sui comportamenti da assumere in caso d'emergenza, tanto per dargli una ripassata? O forse vi mettereste a scrutare gli assistenti di volo per vedere se il loro volto non tradisca segni di panico? O ancora, cerchereste forse di sentire il rumore dei motori per capire se c'è qualcosa di preoccupante?

Il tipo di reazione che, fra quelle elencate, ritenete vi verrebbe più spontanea è un indice del vostro modo preferito di prestare attenzione a un problema quando vi trovate, per così dire, con le spalle al muro. Lo scenario dell'aeroplano è stato tratto da un test psicologico sviluppato da Suzanne Miller, psicologa della Temple University, per distinguere le persone che tendono ad essere vigili e attente a ogni dettaglio di una situazione difficile da quelle che, invece, affrontano questi momenti d'angoscia cercando di distrarsi. Queste due diverse modalità di attenzione nei confronti del disagio profondo hanno effetti molto diversi sul modo in cui gli individui vivono le proprie reazioni emotive. Coloro che in tali circostanze si sintonizzano sugli eventi, possono, per lo stesso fatto di prestar loro un'attenzione così meticolosa, amplificare involontariamente l'entità delle proprie reazioni – soprattutto se il loro concentrarsi sugli eventi non è equilibrato dall'autoconsapevolezza. Il risultato è che le loro emozioni sembrano più intense. Coloro che invece decidono di escludere mentalmente gli eventi distraendosi, fanno meno caso alle proprie reazioni e pertanto minimizzano, se non l'entità della risposta emozionale, almeno l'esperienza soggettiva.

Portato agli estremi, ciò significa che per alcune persone la consapevolezza delle emozioni è travolgente, mentre per altri a mala pena esiste. Consideriamo, ad esempio, il caso di quello studente universitario che, una sera, scoprì un incendio nella sua camera, andò a cercare un estintore, lo trovò e con quello spense il fuoco. Niente di strano, direte voi; sì, certo, tranne il fatto che mentre andava a cercare l'estintore e poi mentre tornava nella sua camera a spegnere l'incendio, il giovane non correva ma camminava tranquillamente. Non riteneva ci fosse urgenza alcuna.

Questa storia mi venne raccontata da Edward Diener, uno psicologo che lavora alla Illinois University di Urbana e che sta studiando l'*intensità* con la quale le persone vivono le proprie emozioni.[7] Nella casistica di Diener, lo studente di cui abbiamo appena parlato era uno dei soggetti con percezione emozionale meno intensa mai incontrato. Egli era essenzialmente un uomo senza passioni, che attraversava le vicissitudini dell'esistenza provando poche emozioni – o addirittura senza provarne affatto – perfino in un caso di emergenza come poteva essere un incendio.

Consideriamo ora invece il caso di una donna che si trovava all'estremo opposto nella casistica di Diener. Una volta, perse la sua penna preferita, e rimase turbata per giorni. Un'altra volta, si eccitò talmente leggendo che un magazzino dai prezzi alquanto alti aveva messo in saldo le scarpe da donna, che lasciò perdere quel che stava facendo, saltò in auto e si fece tre ore di guida fino a Chicago, tanto per dare un'occhiata.

Diener ritiene che, in generale, le donne sentano sia le emozioni positive, sia quelle negative, con maggiore intensità rispetto agli uomini. In ogni caso, al di là delle differenze di sesso, la vita emozionale è più ricca per chi le presta maggior attenzione. Negli individui più sensibili alle emozioni, il minimo stimolo può scatenare vere e proprie tempeste emozionali – che possono rivelarsi infernali o paradisiache; all'estremo opposto ci sono individui che quasi non avvertono emozione alcuna, nemmeno nelle circostanze più critiche.

L'uomo senza sentimenti

Gary riusciva a mandare su tutte le furie Ellen, la sua fidanzata; infatti, pur essendo un chirurgo di successo, intelligente e pieno di attenzioni, era emozionalmente piatto, assolutamente incapace di rispondere ad alcuna manifestazione di sentimento. Sebbene fosse in grado di sostenere una conversazione brillante su argomenti che spaziavano dalla scienza all'arte, quando doveva esprimere i propri sentimenti – anche quelli per Ellen – Gary sprofondava nel silenzio. Per quanto Ellen cercasse di suscitare in lui una qualche passione, Gary rimaneva impassibile e ignaro. «Non mi viene spontaneo esprimere i miei sentimenti» disse Gary al terapeuta al quale si era rivolto dietro le insistenze di Ellen. «Non so di che cosa parlare; non ho sentimenti forti, né positivi, né negativi.»

Ellen non era l'unica ad essere frustrata dall'indifferenza di Gary; egli stesso confidò al terapeuta di essere incapace di parlare apertamente dei propri sentimenti con chiunque. La ragione? In primo luogo, nemmeno lui sapeva bene che cosa sentiva. Stando a lui, non provava mai sentimenti di collera, di tristezza o di gioia.[8]

Come afferma il suo terapeuta, questo vuoto emozionale rende Gary e gli individui come lui insipidi e scialbi: «Annoiano chiunque. Ecco perché le loro mogli li spingono a tentare la terapia». La vacuità emozionale di Gary esemplifica quella che gli psichiatri definiscono *alessitimia*, dal greco *a* per «mancanza», *lexis* per «parola», e *thymos* per «emozione». Queste persone non hanno parole per descrivere i propri sentimenti. In effetti, esse sembrano mancare anche dei sentimenti stessi, sebbene quest'impressione possa essere causata dalla loro incapacità di *esprimere* l'emozione, e non dalla totale assenza dell'emozione in quanto tale. Queste persone vennero notate la prima volta dai loro psicoanalisti, che rimanevano sconcertati da una classe di pazienti refrattari all'analisi perché incapaci di riferire sentimenti, fantasie, sogni intensi; in breve, si trattava di soggetti privi di una vita emotiva della quale parlare.[9] Gli aspetti clinici che contrassegnano i pazienti alessitimici comprendono la difficoltà nel descrivere i sentimenti – propri e altrui – e un vocabolario emozionale molto limitato.[10] Non solo: costoro hanno difficoltà a discriminare tanto fra emozioni diverse, quanto fra emozioni e sensazioni fisiche; arrivano infatti al punto di lamentarsi di un senso di vuoto allo stomaco, palpitazioni, sudorazione e vertigini, senza sospettare minimamente che possa trattarsi di ansia.

«Danno l'impressione di essere strani, creature aliene, provenienti da un mondo completamente diverso e destinate a vivere in una società dominata dai sentimenti»: ecco come li descrive Peter Sifneos, lo psichiatra di Harvard che nel 1972 coniò il termine *alessitimia*.[11] Gli alessitimici raramente piangono, ma se lo fanno, non risparmiano le lacrime. Tuttavia, restano sconcertati se si chiede loro il perché del loro pianto. Una paziente alessitimica rimase così sconvolta nel vedere un film su una donna con otto figli che stava morendo di cancro, da piangere fino a cadere addormentata. Quando il suo terapeuta le suggerì che forse era sconvolta perché il film le aveva ricordato sua madre, che stava davvero morendo di cancro, la donna rimase immobile, sconcertata e in silenzio. Al terapeuta che le chiedeva come si sentisse in quel momento, la donna rispose «orrendamente», ma non riuscì a chiarire oltre i propri sentimenti. Aggiunse che di tanto in tanto si ritrovava a piangere, ma che non sapeva mai esattamente perché lo stesse facendo.[12]

Questo è proprio il nocciolo del problema. Non è che gli alessitimici non provino assolutamente sentimenti: il fatto è che non riescono a sapere di che sentimento si tratti, e soprattutto sono incapaci di esprimerlo a parole. Essi mancano completamente di quella abilità fondamentale dell'intelligenza emotiva che è l'autoconsapevolezza – ossia mancano della capacità di sapere che emozione stanno provando nel momento stesso in cui ne sono pervasi. Gli alessitimici smentiscono il buon senso comune, secondo il quale i propri sentimenti dovrebbero essere cosa assolutamente ovvia: questi pazienti non ne hanno invece la più pallida idea. Quando qualcosa – o più probabilmente qualcuno – stimola in loro un'emozione, essi trovano l'esperienza sconcertante e travolgente, qualcosa da evitare a ogni costo. Quando i sentimenti li travolgono, causano loro un grande disagio, al punto da stordirli; come disse la paziente che aveva pianto vedendo il film, questi individui si sentono «orribilmente», ma non sanno dire esattamente che *genere* di orrore sia quello che percepiscono.

Questa loro fondamentale confusione relativa alla sfera emozionale sembra spesso indurli a lamentarsi di problemi fisici non ben definiti, quando in realtà il loro disagio è di natura emozionale: in psichiatria questo fenomeno è noto come *somatizzazione*, e indica la confusione di una sofferenza psicologica con un problema fisico (si tratta di una condizione diversa dalla malattia psicosomatica, nella quale i problemi emozionali causano autentici disturbi fisici). In effetti, gran parte dell'interesse degli psichiatri per gli alessitimici è mosso dal desiderio di separarli dagli altri pazienti; essi vanno infatti incontro a ricerche diagnostiche interminabili – quanto infruttuose – e a cure lunghissime per quello che in realtà è un problema emozionale.

Sebbene finora nessuno abbia potuto dire con certezza quali siano le cause dell'alessitimia, Sifneos ipotizza che in questi pazienti si sia verificata un'interruzione delle connessioni fra il sistema limbico e la neocorteccia, soprattutto a livello dei centri del linguaggio; questo quadro ben si adatta alle nuove acquisizioni sul cervello emozionale. Sifneos osserva che pazienti con gravi attacchi epilettici, ai quali tali connessioni vennero resecate nel tentativo di alleviare i loro sintomi, divennero emozionalmente piatti, proprio come i pazienti alessitimici – incapaci di tradurre i propri sentimenti in parole e improvvisamente privi di fantasia. In breve, sebbene in questi soggetti i circuiti del cervello emozionale possano ancora reagire producendo sentimenti, la neocorteccia non è più in grado di classificarli e di completarli aggiungendo loro le sfumature del linguaggio. Come osservò Henry Roth nel suo romanzo *Chiamalo sonno* parlando di questo potere del linguaggio: «Se riesci a tradurre in parole ciò che senti, ti appartiene». Naturalmente, il dilemma dell'alessitimico non è che il corollario di quest'affermazione: non aver parole per descrivere i sentimenti significa non potersi appropriare di essi.

Elogio dei sentimenti viscerali

Il tumore di Elliot, che cresceva proprio dietro la fronte, era delle dimensioni di una piccola arancia, e il chirurgo riuscì a rimuoverlo completamente. Sebbene l'intervento fosse pienamente riuscito, le persone che lo conoscevano bene dissero che in seguito all'operazione Elliot non era più lui – che aveva subito un drastico cambiamento di personalità. Avvocato di successo presso un'azienda, dopo l'intervento Elliot non fu più in grado di lavorare; la moglie lo lasciò; sperperati i suoi risparmi in investimenti infruttuosi, si ridusse a vivere in una camera libera a casa del fratello.

C'era un aspetto sconcertante nel difficile caso di Elliot. Dal punto di vista intellettuale, egli era brillante come sempre, ma usava il suo tempo malissimo, perdendosi in dettagli di nessuna importanza; sembrava aver perso il senso della priorità. I rimproveri non sortivano più alcun effetto su di lui; venne sollevato da una serie di incarichi legali. Sebbene test approfonditi non avessero evidenziato alcun problema nelle facoltà intellettuali di Elliot, in ogni caso egli andò a farsi vedere da uno specialista, sperando che la scoperta di un disturbo neurologico potesse assicurargli il godimento dei benefici di invalidità ai quali riteneva di aver diritto. In caso contrario, egli sarebbe inevitabilmente passato per un simulatore.

Antonio Damasio, il neurologo consultato da Elliot, rimase colpito dalla mancanza di un elemento nel suo repertorio mentale: sebbene non ci fosse nulla di alterato nelle capacità logiche, mnemoniche, attentive o in altre abilità cognitive, Elliot era praticamente ignaro dei propri sentimenti su quanto gli stava accadendo.[13] Fatto ancora più importante, narrava i tragici eventi della sua vita con una totale indifferenza, come se fosse stato solo uno spettatore delle perdite e dei fallimenti dei quali era costellato il suo passato – senza una nota di rimpianto o di tristezza, di frustrazione o di collera verso la crudele ingiustizia riservatagli dalla vita. La sua stessa tragedia non gli arrecava dolore alcuno; Damasio era molto più sconvolto dalla storia di Elliot di quanto non lo fosse lo stesso protagonista.

Damasio concluse che la causa di questa inconsapevolezza nei confronti delle proprie emozioni era stata la rimozione, insieme al tumore, di parte dei lobi prefrontali. In effetti, l'operazione aveva resecato i collegamenti fra i centri inferiori del cervello emozionale (soprattutto l'amigdala e i circuiti ad essa legati) e i centri della neocorteccia, sede delle capacità intellettuali. Quanto a queste ultime, Elliot era diventato simile a un computer, in grado di eseguire ogni passaggio nel calcolo di una decisione, ma incapace di assegnare *valori* alle diverse possibilità. Per lui, ogni opzione era neutrale. Damasio sospettava che il nocciolo dei problemi di Elliot fosse proprio quel suo ragionare così imperturbabile: l'ignorare i propri sentimenti inficiava il suo ragionamento.

L'handicap affiorava anche nelle decisioni più banali. Quando Damasio cercò di scegliere un orario e un giorno per il successivo appuntamento con Elliot, il risultato fu un caos di indecisione: Elliot trovava argomenti pro e contro ogni orario e ogni data proposta da Damasio, senza riuscire a decidersi. A livello razionale, esistevano ragioni perfettamente valide per rifiutare o accettare qualunque orario per l'appuntamento. Ma Elliot non aveva la percezione dei propri *sentimenti* riguardo ai diversi orari. Mancando di quella consapevolezza, non aveva preferenze.

L'indecisione di Elliot serve a mostrarci quanto sia importante il ruolo del sentimento nel guidare il flusso senza fine delle decisioni personali. Sebbene i sentimenti forti possano disturbare il ragionamento creandovi il caos, la *mancanza* di consapevolezza sui sentimenti può anch'essa rivelarsi disastrosa, soprattutto quando si devono soppesare decisioni dalle quali dipende in larga misura il nostro destino: quale carriera intraprendere, se conservare un posto di lavoro sicuro o passare a un altro, più a rischio ma anche più interessante, con chi avere una relazione, chi eventualmente sposare, dove vivere, quale appartamento affittare o quale casa acquistare – e così via, per tutta la vita. Queste decisioni non possono essere prese servendosi della sola razionalità, nuda e cruda; esse richiedono anche il contributo che ci viene dai sentimenti viscerali e quella saggezza emozionale che scaturisce dalle esperienze del passato. La logica formale da sola non potrà mai servire come base per decidere chi sposare o in quale persona riporre fiducia, e nemmeno quale lavoro scegliere; questi sono tutti campi nei quali la ragione, se non è coadiuvata dal sentimento, è cieca.

In questi momenti, i segnali intuitivi che ci guidano arrivano in forma di impulsi provenienti dalle viscere e regolati dal sistema limbico: Damasio li chiama «marker somatici» – letteralmente sentimenti viscerali. Il marker somatico è un tipo di allarme automatico, che solitamente attira l'attenzione su un pericolo potenziale proveniente da un'azione in corso di svolgimento. Molto spesso questi marker ci *distolgono* da una scelta sconsigliata dall'esperienza, ma possono anche allertarci di fronte a un'occasione d'oro. Di solito in quel momento, noi non ricordiamo quale esperienza specifica abbia generato in noi questo sentimento negativo; tutto ciò che ci serve è il segnale che un certo corso dell'azione potrebbe rivelarsi disastroso. Ogni qualvolta compare una sensazione viscerale, possiamo immediatamente abbandonare una certa strada o proseguire su di essa con maggior sicurezza, riducendo la gamma delle scelte disponibili a una matrice più maneggevole. La chiave per scandagliare i nostri processi decisori personali è dunque quella di essere in sintonia con i propri sentimenti.

Sondare l'inconscio

La vacuità emozionale di Elliot indica che, probabilmente, la capacità di percepire le proprie emozioni nel momento stesso in cui esse si presentano varia lungo un continuum. Con la logica della neuroscienza, se l'assenza di un circuito neurale porta a un deficit in una capacità, allora la potenza o la debolezza relative di quello stesso circuito, in soggetti con il cervello intatto, dovrebbe portare a livelli di competenza similmente potenziati o indeboliti relativamente a quella stessa abilità. Tenendo presente l'importanza dei circuiti prefrontali per entrare in sintonia con le proprie emozioni, ciò suggerisce che, per ragioni neurologiche, alcuni di noi riescano probabilmente a riconoscere meglio di altri la paura o la gioia, e quindi siano maggiormente autoconsapevoli.

Può darsi che il talento per l'introspezione psicologica si basi su questo stesso circuito. Alcuni di noi sono per natura più in sintonia con le particolari modalità simboliche della mente emozionale: la metafora e la similitudine, insieme alla poesia, al canto e alla favola, sono tutti elementi presenti nel linguaggio del cuore. E altrettanto lo sono i sogni e i miti, nei quali il flusso della narrazione è determinato dalle libere associazioni, fedeli alla logica della mente emozionale. Coloro che per natura sono in sintonia con la voce del proprio cuore – con il linguaggio delle emozioni – sanno di essere più adatti ad articolarne i messaggi, indipendentemente dal fatto che siano romanzieri, che scrivano testi di canzoni o facciano gli psicoterapeuti. Questa sintonia interiore dovrebbe renderli maggiormente dotati nel dar voce alla «saggezza dell'inconscio» – in altre parole, ai significati dei nostri sogni e delle nostre fantasie, ai simboli che incarnano i nostri desideri più profondi.

L'autoconsapevolezza è fondamentale per la comprensione psicologica; questa è la facoltà che la psicoterapia cerca di rafforzare. In effetti, la personalità che Howard Gardner ha preso a modello per la sua intelligenza intrapsichica è Sigmund Freud, il grande osservatore della dinamica segreta della psiche. Come chiarì lo stesso Freud, gran parte della vita emotiva è inconscia, e i sentimenti che ci scuotono non sempre oltrepassano la soglia della consapevolezza. La verifica empirica di questo assioma della psicologia ci viene dagli esperimenti sulle emozioni inconsce; ad esempio, è stato scoperto che le persone si formano precise preferenze per cose che non sanno neppure di avere mai visto. Qualunque emozione può essere – e spesso è – inconscia.

Solitamente, dal punto di vista fisiologico, un'emozione sorge prima che l'individuo ne sia conscio. Ad esempio, quando le persone che temono i serpenti osservano disegni che li raffigurano, sensori posti sulla loro pelle rivelano che cominciano a sudare, sebbene essi sostengano di non aver paura alcuna. In questi soggetti la sudorazione compare anche quando il disegno di un serpente viene presentato loro così rapidamente che essi non sono assolutamente consapevoli di che cosa, esattamente, abbiano appena visto – e meno che mai sono consapevoli di essere in procinto di diventare ansiosi. Questa agitazione emozionale preconscia continua ad aumentare e diventa infine abbastanza forte da irrompere nella consapevolezza. Esistono pertanto due livelli di emozione, quello conscio e quello inconscio. Il momento in cui un'emozione si fa strada nella consapevolezza segna la sua registrazione come tale da parte della corteccia frontale.[14]

Le emozioni che covano sotto la cenere al di sotto della soglia della consapevolezza possono avere un impatto potente sul nostro modo di percepire e reagire, anche se non ce ne rendiamo conto. Prendiamo, ad esempio, qualcuno che sia stato infastidito dall'incontro con un tipo villano al principio della giornata e che resti irritabile per ore, offendendosi a sproposito e rimbeccando aspramente gli altri senza motivo. Può darsi benissimo che costui non si renda conto della propria irritabilità e che si sorprenda quando qualcuno gliela fa notare, sebbene sia proprio quell'irritabilità, appena al di là della consapevolezza, ad imporgli le sue brusche risposte. Ma una volta che l'azione viene portata nella consapevolezza – una volta che essa sia stata registrata dalla corteccia – quest'uomo potrà rivalutare la situazione e decidere di scrollarsi di dosso i sentimenti lasciatigli dall'incontro sgradevole del mattino, cambiando prospettiva e stato d'animo. In questo modo, l'autoconsapevolezza delle proprie emozioni è l'elemento costruttivo essenziale di un altro importantissimo aspetto dell'intelligenza emotiva, ossia la capacità di liberarsi di uno stato d'animo negativo.

5

SCHIAVI DELLE PASSIONI

> Tu sei sempre stato uno che tutto sopportando nulla subisce: e con pari animo accoglie i favori e gli schiaffi della Fortuna [...] Mostrami un uomo che non sia schiavo delle passioni e me lo porterò chiuso nell'intimo del cuore, nel cuore del mio cuore, come ora te.
>
> *Amleto all'amico Orazio**

Una buona padronanza di sé – ossia la capacità di resistere alle tempeste emotive causate dalla sorte avversa, senza essere «schiavi delle passioni» – è una virtù elogiata fin dai tempi di Platone. L'antica parola greca che indicava questa qualità era *sophrosyne*, ossia, secondo la traduzione del grecista Page DuBois, «cura e intelligenza nel condurre la propria vita; misura, equilibrio e saggezza». I Romani e i primi cristiani la chiamarono *temperantia* – temperanza – in altre parole, la identificavano con la capacità di frenare gli eccessi emozionali. In effetti, l'obiettivo della temperanza è l'equilibrio, non la soppressione delle emozioni: ogni sentimento ha il suo valore e il suo significato. Una vita senza passioni sarebbe come una landa desolata abitata solo dall'indifferenza – tagliata fuori, isolata e separata dalla ricchezza della vita stessa. Tuttavia, come ha osservato Aristotele, è importante che le emozioni siano *appropriate*, in altre parole che il sentimento sia proporzionato alla circostanza. Quando le emozioni sono troppo tenui, compaiono l'indifferenza e il distacco; ma quando sfuggono al controllo, diventando troppo estreme e persistenti, allora sono patologiche, come accade, ad esempio, quando siamo paralizzati dalla depressione, travolti dall'angoscia, oppure anche sopraffatti dalla collera furiosa o dall'agitazione maniacale.

In verità, il saper controllare le proprie emozioni penose è la chiave del benessere psicologico; i sentimenti estremi – emozioni che diventano troppo intense o durano troppo a lungo – minano la nostra stabilità. Naturalmente, non sto dicendo che dovremmo provare un solo tipo di emozione; se avessimo un'espressione costantemente felice stampata sul volto, saremmo in qualche modo simili a quelle spillette con la faccia sorridente che ebbero un momento di grande popolarità negli anni Settanta, e comunicheremmo la stessa impressione di vacuità. Ci sarebbe molto da dire sul contributo costruttivo

* William Shakespeare, *Amleto*, trad. it. di Cesare Vico Lodovici, Torino 1960.

della sofferenza alla vita creativa e spirituale; il dolore può davvero temprare l'anima.

I momenti difficili, come del resto anche quelli positivi, danno sapore alla vita, ma per farlo devono essere in equilibrio. Infatti, è il rapporto fra emozioni negative e positive che determina il senso di benessere psicologico – almeno stando a quanto è emerso da alcuni studi sugli stati d'animo condotti su centinaia di soggetti di entrambi i sessi; questi individui portavano con sé dei cicalini che ricordavano loro, suonando a caso, di registrare le emozioni che provavano in quel preciso istante.[1] Non sto dicendo che per sentirsi contenti si debbano evitare i sentimenti spiacevoli; piuttosto, è importante che i sentimenti molto intensi non sfuggano al controllo, spazzando via tutti gli stati d'animo piacevoli. Le persone soggette a violenti episodi di collera o depressione possono ciò nonostante riuscire ancora a provare un senso di benessere se godono di momenti ugualmente felici o gioiosi che controbilanciano i sentimenti negativi. Questi studi hanno inoltre affermato l'indipendenza dell'intelligenza emotiva da quella scolastica, in quanto hanno rivelato la presenza di una correlazione scarsa o nulla fra le votazioni (o il Qi) e il benessere psicologico.

Proprio come nella mente esiste un costante mormorio di fondo di pensieri, c'è anche un incessante rumore emozionale; se chiamate qualcuno alle sei di mattina o alle sette di sera, lo troverete sempre nell'uno o nell'altro stato d'animo. Naturalmente, se si prendono due mattine qualsiasi, una persona può trovarsi in stati d'animo molto diversi; ma quando si fa la media degli stati d'animo registrati nell'arco di intere settimane o anche di mesi, essi tendono a riflettere il senso di benessere generale di quella persona. Emerge così che nella maggior parte degli individui i sentimenti di estrema intensità sono relativamente rari e che la maggioranza di noi è compresa, sotto questo aspetto, in una grigia mediocrità animata solo da leggeri sussulti – una sorta di montagne russe emozionali.

Ciò nonostante, il controllo delle proprie emozioni è come un lavoro a tempo pieno: molte delle nostre azioni – soprattutto nel tempo libero – non sono altro che tentativi di controllare i nostri stati d'animo. Tutto – dalla lettura di un romanzo al guardare la televisione, dalla scelta delle nostre attività a quella degli amici – ebbene, tutto questo può essere un modo per sentirci meglio. L'arte di tranquillizzare e confortare se stessi è una capacità fondamentale nella vita; alcuni teorici della psicoanalisi, come John Bowlby e D.W. Winnicott, la considerano come uno degli strumenti psichici più essenziali. Secondo la loro teoria, i bambini emozionalmente sani imparano a confortarsi da soli imitando le persone che si prendono normalmente cura di loro e diventando così meno vulnerabili alle tempeste scatenate dal cervello emozionale.

Come abbiamo visto, la struttura delle connessioni cerebrali comporta che non possiamo assolutamente controllare in *quale* momento verremo travolti dalle emozioni, né *quale* emozione ci travolgerà. Tuttavia, possiamo, in una certa misura, controllare *la durata* dell'emozione. Il problema non esiste nel caso in cui le emozioni che ci pervadono – tristezza, preoccupazione o collera – siano all'acqua di rose; normalmente questi stati d'animo si risolvono col tempo e un poco di pazienza. Ma quando queste stesse emozioni sono molto intense e indugiano oltre misura, ecco che sfumano nei loro estremi corrispondenti, che sono sempre associati a sofferenza – si pensi all'ansia cronica, alla collera incontrollabile e alla depressione. Nei casi più gravi e refrattari, per attenuare questi stati d'animo sarà probabilmente necessario un trattamento farmacologico, la psicoterapia, o entrambi i tipi di intervento.

In questi momenti, anche il saper riconoscere quando l'emozione è troppo intensa e prolungata perché la si possa dominare senza aiuto farmacologico può essere un segno della capacità di operare un certo controllo. Ad esempio, due terzi di coloro che soffrono di depressione maniacale non sono mai stati curati. Tuttavia, il litio e i farmaci più recenti possono interrompere quel ciclo caratteristico che vede l'alternarsi di fasi di depressione paralizzante a episodi maniacali: un ciclo in cui si mescolano esaltazione e grandiosità caotiche con irritazione e collera. Uno dei problemi di fondo, nel caso dei pazienti maniaco-depressivi, è che spesso, quando si trovano nella fase maniacale del ciclo, questi individui hanno una tale fiducia in se stessi da essere convinti di non aver alcun bisogno di aiuto – e questo nonostante le decisioni disastrose che prendono. In disturbi emozionali di tale gravità il trattamento con psicofarmaci è un valido strumento per migliorare la qualità della vita.

Ma quando si tratta di vincere gli stati d'animo negativi più comuni, ecco che ci troviamo a combattere con i soli nostri mezzi che purtroppo non sono sempre efficaci – almeno stando alla conclusione cui è giunta Diane Tice, psicologa della Case Western Reserve University; ella chiese a più di quattrocento persone di entrambi i sessi quali strategie usassero per sfuggire agli stati d'animo negativi, e in che misura esse si fossero rivelate efficaci.[2]

In linea di principio, non tutti sono d'accordo nel premettere che i sentimenti negativi andrebbero modificati; Tice ha scoperto che il cinque per cento dei soggetti interrogati assumeva, rispetto agli stati d'animo, un atteggiamento da «purista»; costoro dissero di non aver mai cercato di modificare un proprio stato d'animo perché, secondo loro, tutte le emozioni sono «naturali» e dovrebbero essere vissute come si presentano, non importa quanto deprimenti possano essere. Poi, c'erano perfino quelli che cercavano regolarmente di calarsi in uno stato d'animo negativo per ragioni di ordine pratico: medici che dovevano assumere un aspetto di circostanza per poter dare cattive notizie ai propri pazienti; attivisti sociali che alimentavano il proprio risentimento contro l'ingiustizia per poterla meglio combattere; c'era perfino un giovane che raccontò di fomentare la propria collera per aiutare il fratello minore contro i compagni di gioco prepotenti. Alcune persone mostrarono di essere positivamente machiavelliche nel saper manipolare le proprie emozioni: si pensi, ad esempio, ai riscossori di crediti che lavoravano intenzionalmente sul proprio stato d'animo cercando di portarlo alla collera, in modo di essere il più duri possibili con i debitori.[3] Ma a parte questo alimentare a bella posta emozioni spiacevoli – peraltro un fenomeno alquanto raro – quasi tutti gli interrogati si lamentavano di essere alla mercé dei propri stati d'animo. Le diverse strategie adottate per liberarsi delle emozioni negative erano decisamente varie.

Anatomia della collera

Immaginate che, mentre state percorrendo la superstrada, un'altra auto vi tagli pericolosamente la strada a distanza di pochi metri. Supponiamo che il vostro pensiero immediato sia «Brutto figlio di puttana!». Ai fini dell'evoluzione – della traiettoria – della vostra collera, è molto importante sapere se esso sia poi seguito da altri pensieri di risentimento e vendetta. «Avrebbe potuto venirmi addosso! Quel bastardo – non gliela farò passare liscia!» Mentre stringete la presa sul volante – che in questo momento è una sorta di surrogato della gola di quel tale – le nocche delle mani vi diventano bianche. Il vostro corpo è pronto a combattere – certo non si appresta alla fuga – e restate lì tremanti, con la fronte imperlata di sudore, il cuore che batte forte e i muscoli del volto contratti in una smorfia. Vorreste ucciderlo, quel tizio. Immaginate ora che, avendo evitato per miracolo la collisione con lui, abbiate rallentato l'andatura e che proprio in quel momento un'auto dietro di voi si metta a strombazzare: sareste sicuramente pronti ad esplodere di collera anche contro questo secondo automobilista. Meccanismi di questo tipo sono l'essenza dell'ipertensione, della guida spericolata e perfino delle sparatorie sulle strade.

Confrontiamo la sequenza appena descritta, nella quale la collera va gradualmente montando, con un atteggiamento mentale più indulgente nei confronti dell'automobilista che vi ha tagliato la strada: «Può darsi che non mi abbia visto, o che avesse qualche buona ragione per guidare in modo così spericolato, forse stava portando qualcuno in ospedale». Questo atteggiamento possibilista mitiga la collera con la compassione, o per lo meno con una certa apertura mentale, e questo le impedisce di aumentare ulteriormente diventando violenta. Aristotele ammoniva affinché la collera fosse sempre *misurata* e *appropriata*: il problema, infatti, sta nel fatto che essa molto spesso sfugge al nostro controllo. Benjamin Franklin lo disse molto bene: «La collera non è mai senza ragione, ma raramente ne ha una buona».

Ci sono, naturalmente, diversi tipi di collera. Probabilmente, l'amigdala è una delle fonti principali di quel tipo di rabbia improvvisa che proviamo nei confronti dell'automobilista la cui guida imprudente ha messo a repentaglio la nostra sicurezza. L'altro componente del circuito emozionale, la neocorteccia, molto probabilmente fomenta invece una collera più calcolata, ad esempio il desiderio di vendetta a sangue freddo o il senso di offesa di fronte alla slealtà o all'ingiustizia. Questo tipo di collera, più razionale, è quella che con maggiori probabilità, per usare le parole di Franklin, ha, o sembra avere, «buone ragioni».

Di tutti gli stati d'animo che la gente desidera evitare, la collera sembra essere il più ostinato; Tice ha scoperto che è quello più difficile da controllare. In effetti, fra tutte le emozioni negative, la collera è la più seduttiva; l'ipocrita monologo interiore che le fa da propellente, satura la mente sommergendola con le argomentazioni più convincenti per indurci a dare sfogo all'impulso. A differenza della tristezza, la collera è energizzante e a volte perfino tonificante; il suo potere seduttivo e persuasivo può di per se stesso spiegare come mai, su di essa, persistano idee tanto comuni: mi riferisco alla convinzione che la collera sia incontrollabile o che, comunque, *non dovrebbe* essere controllata, e che la soluzione migliore sia quella di sfogarla in una sorta di «catarsi». Una concezione opposta, sorta forse per reazione al quadro cupo offerto da queste altre due, sostiene la possibilità di prevenire completamente questo sentimento. Ma un'attenta lettura dei risultati ottenuti dalla ricerca indica che tutti questi atteggiamenti, peraltro molto comuni, se non sono miti veri e propri, sono comunque frutto di malintesi.[4]

La sequenza di pensieri risentiti che alimentano la collera è anche, potenzialmente, un efficace meccanismo per disinnescarla, in primo luogo facendo vacillare le convinzioni che la fomentano. Quanto più a lungo rimuginiamo su ciò che ci ha fatto andare su tutte le furie, tanto più numerose sono le «buone ragioni» e le giustificazioni che riusciamo a inventare per giustificare la nostra collera. Le riflessioni cupe non fanno che attizzare il fuoco interiore: per gettarvi sopra dell'acqua, invece, occorre considerare le cose da una prospettiva diversa. Tice constatò che uno dei metodi più potenti per sedare la collera era quello di reinquadrare la situazione in termini più positivi.

L'«ONDA» DELLA RABBIA

Questa constatazione ben si accorda con le conclusioni alle quali è giunto Dolf Zillmann, uno psicologo della Alabama University, che nel corso di una lunga serie di accurati esperimenti ha compiuto misure precise della collera e delle sue espressioni più violente.[5] Date le radici fisiologiche di questa emozione, che affondano nella reazione di «combattimento o fuga», la scoperta di Zillmann, secondo la quale uno dei suoi fattori scatenanti universali sarebbe la sensazione di trovarsi in pericolo, non ci sorprende. Il segnale di pericolo può venire non solo da una vera e propria minaccia fisica, ma anche, anzi più spesso, da una minaccia simbolica all'autostima o alla dignità della persona, ad esempio quando essa è trattata in modo ingiusto o sgarbato, insultata o umiliata o, ancora, quando vede frustrati i suoi tentativi di raggiungere uno scopo importante. Questa percezione di pericolo è il fattore innescante che scatena una tempesta nel sistema limbico, producendo un duplice effetto sul cervello. Parte di tale tempesta si traduce nel rilascio delle catecolamine, che inducono un'onda rapida ed episodica di energia; come dice Zillmann, quel tanto che basta per «una singola, energica, azione di combattimento o fuga». Questa tempesta di energia dura qualche minuto, preparando l'organismo a un buon combattimento o a una fuga veloce, a seconda del modo in cui il cervello emozionale giudica la situazione contingente.

Nel frattempo, la seconda reazione, guidata dall'amigdala e mediata dalle ghiandole surrenali, crea una condizione tonica di fondo che predispone all'azione e che dura molto più a lungo della tempesta di energia legata al rilascio delle catecolamine. Questo eccitamento corticosurrenale generalizzato può durare per ore e anche per giorni, con l'effetto di mantenere il cervello emozionale in uno stato di particolare attivazione e diventando così la base sulla quale è possibile innescare molto velocemente eventuali reazioni successive. In generale, questa condizione di innesco creata dall'attivazione corticosurrenale spiega come mai individui già provocati o irritati siano tanto inclini alla collera. Gli stress – di qualunque tipo essi siano – creano uno stato generale di attivazione corticosurrenale, abbassando così la soglia necessaria per innescare la collera. Ad esempio, un individuo che abbia avuto una giornata molto dura sul lavoro è particolarmente soggetto, una volta tornato a casa, ad andare su tutte le furie per qualcosa che in altre circostanze non arriverebbe a scatenare una simile reazione – come i bambini che fanno troppo rumore o mettono la casa a soqquadro.

Zillmann arrivò a comprendere questi meccanismi della collera grazie ad accurate sperimentazioni. In uno dei suoi studi, ad esempio, egli si era precedentemente accordato con un assistente, il quale avrebbe dovuto provocare i partecipanti all'esperimento – tutti volontari, di entrambi i sessi – rivolgendo loro commenti sprezzanti. In seguito i volontari guardavano un film che poteva essere piacevole oppure tale da turbarli. Si dava poi loro la possibilità di vendicarsi dell'assistente villano, dando una valutazione su di lui che – stando a quanto si faceva loro credere – sarebbe stata usata per decidere se licenziarlo o meno. L'intensità del loro comportamento vendicativo era direttamente proporzionale al grado di attivazione indotto dal film che avevano appena visto; dopo il film spiacevole i volontari erano molto più risentiti ed esprimevano valutazioni più severe.

LA COLLERA SI AUTOALIMENTA

Gli studi di Zillmann sembrerebbero spiegare la dinamica di un tipico dramma familiare al quale mi capitò di assistere un giorno mentre facevo la spesa. Nei corridoi del supermercato risuonava la voce di una giovane madre che si rivolgeva con tono enfatico e misurato al figlio di circa tre anni: «Rimettila... a... posto!».

«Ma la *voglio*!» piagnucolò il piccolo, stringendo ancora più forte una confezione di cereali delle Tartarughe Ninja.

«Rimettila a posto!» insistette la madre, stavolta alzando la voce, mentre la collera prendeva il sopravvento.

In quel momento, la bambina più piccola, seduta sul seggiolino del carrello, fece cadere il vasetto di gelatina che stava succhiando. Quando il barattolo si frantumò sul pavimento la madre esplose «Adesso basta!» e, come una furia, diede uno scappellotto alla bambina più piccola, strappò di mano all'altro la scatola dei cereali e la sbatté sullo scaffale più vicino; poi tirò su il figlio tenendolo per la vita e fece di corsa tutto il corridoio con il carrello che sbandava pericolosamente di fronte a lei, la bambina più piccola che piangeva e l'altro che agitando le gambe protestava «Mettimi *giù*, mettimi *giù*!».

Zillmann ha scoperto che quando l'organismo si trova già in uno stato di tensione, com'era appunto il caso della madre dei due bambini, e qualcosa interviene a scatenare uno di quelli che abbiamo chiamato «sequestri» neurali, l'emozione successiva – poco importa se si tratta di collera o di angoscia – è particolarmente intensa. Questa dinamica è all'opera quando un individuo si infuria. Zillmann vede l'*escalation* della collera come «una sequenza di provocazioni, ciascuna delle quali innesca una reazione eccitatoria che si dissipa lentamente». In tale sequenza, ogni pensiero – o percezione – successivo, tale da innescare la collera, diventa una sorta di micro-fattore scatenante che stimola il rilascio delle catecolamine controllato dall'amigdala, e il cui effetto va ad aggiungersi all'ondata di ormoni prodotta dagli stimoli precedenti. Il secondo pensiero emerge prima che il primo sia svanito; il terzo si aggiunge ai primi due, e così via; ogni onda cavalca la scia di quelle precedenti, aumentando rapidamente il livello di attivazione fisiologica dell'organismo. Un pensiero che insorga in un punto intermedio di questa catena scatena una collera di gran lunga più intensa di uno che si presenti al suo inizio. In altre parole, la collera si autoalimenta; il cervello emozionale si riscalda, e l'ira, non più frenata dalla ragione, sfocia facilmente nella violenza.

A questo punto le persone diventano implacabili e non sentono più ragioni; tutti i loro pensieri ruotano attorno a idee di vendetta e rappresaglia, incuranti delle possibili conseguenze. Secondo Zillmann, questo elevato livello di eccitazione «alimenta quell'illusione di potere e invulnerabilità che può ispirare e facilitare l'aggressività»; infatti, «venendogli meno la guida cognitiva» l'individuo adirato torna a far ricorso alle risposte più primitive. Gli impulsi provenienti dal sistema limbico aumentano e i più crudi esempi di brutalità assurgono al ruolo di guide.

COME UN BALSAMO

Data questa analisi della collera, Zillmann vede due possibili modalità di intervento. Un primo modo per disinnescarla è quello di fermarsi sui pensieri che la alimentano mettendoli in discussione; infatti, lo scoppio d'ira iniziale viene incoraggiato e confermato dal nostro primo, originale giudizio su un'interazione, mentre le successive rivalutazioni hanno l'effetto di spegnere le fiamme. Anche la tempestività dell'intervento conta; quanto più presto si agisce sul ciclo della collera, tanto più l'intervento si rivelerà efficace. In effetti, si può ottenere una completa sedazione purché l'informazione atta a mitigare la collera arrivi prima che si agisca dietro il suo potente impulso.

Il fatto che una migliore comprensione della situazione abbia il potere di sgonfiare la collera emerge chiaramente da un altro esperimento di Zillmann, nel quale un assistente villano (anche stavolta d'accordo con lui) insultava e provocava i volontari che stavano pedalando su delle biciclette da camera. Quando si diede ai volontari la possibilità di vendicarsi della villania dell'assistente (anche in questo caso dandogli una valutazione negativa, nella convinzione che sarebbe stata usata per vagliare la sua candidatura per un lavoro), essi lo fecero con grande soddisfazione. Ma in una variante dell'esperimento un'altra assistente entrava dopo che i volontari erano stati provocati, proprio prima che fosse loro data la possibilità di vendicarsi, e avvertiva il suo collega sgarbato che era atteso nell'atrio al telefono. Uscendo, egli fece commenti sprezzanti anche su di lei. Ma la donna non se la prese, e dopo che quello fu uscito, spiegò che era sottoposto a pressioni tremende, fuori di sé per i suoi imminenti esami orali di diploma. Dopo di ciò, i volontari adirati, avendo la possibilità di vendicarsi, decisero di non farlo; piuttosto, espressero compassione per l'assistente e per il suo stato.

Queste informazioni, che hanno un effetto calmante, consentono una rivalutazione degli eventi che altrimenti provocano la collera. Tuttavia, esistono condizioni specifiche per cogliere l'opportunità di questa *de-escalation*. Zillmann ha constatato che tali informazioni hanno effetto nel caso in cui la collera sia di livello moderato; quando l'emozione è assurta al livello di furia, l'arrivo di queste informazioni non fa effetto a causa di quella che egli chiama «incapacità cognitiva» – in altre parole, in tali condizioni l'individuo non è più in grado di pensare lucidamente. Quando è già furioso, egli liquida le informazioni che dovrebbero attenuare la sua collera con un «Questo è davvero troppo!» oppure, come spiega eufemisticamente Zillmann, con le «più tremende volgarità messegli a disposizione dalla lingua inglese».

L'INCENDIO SI SPEGNE

Una volta, quando avevo circa tredici anni, in un accesso di collera, uscii di casa gridando che non vi avrei più fatto ritorno. Era una bellissima giornata d'estate e camminai a lungo per viali incantevoli finché, gradualmente, la tranquillità e la bellezza che mi circondavano ebbero su di me un effetto calmante e confortante, e dopo qualche ora tornai pentito e alquanto ammorbidito. Da allora, quando sono in collera, se appena posso, faccio sempre così, e trovo che sia la cura migliore.

Questo è il racconto di un soggetto che partecipò a uno dei primissimi studi sulla collera, compiuto nel 1899.[6] Esso costituisce ancora un ottimo esempio del secondo sistema per disinnescare la collera: raffreddarsi fisiologicamente, aspettando che l'ondata di adrenalina si estingua, in un ambiente nel quale ci siano scarse probabilità di imbattersi in altri fattori che possano stimolare l'ira. Nel corso di una lite, ad esempio, ciò significa allontanarsi per qualche tempo dagli altri. Durante il periodo di raffreddamento, l'individuo può frenare la sequenza di pensieri ostili cercando di distrarsi. La distrazione, come ha constatato Zillmann, è un meccanismo molto potente per alterare gli stati d'animo, e questo per una ragione semplicissima: è difficile restare in collera quando stiamo passando dei momenti piacevoli. Lo stratagemma, ovviamente, sta nel raffreddare la collera fino al punto in cui si possano effettivamente *passare* momenti piacevoli.

L'analisi di Zillmann sulle diverse modalità in cui la collera cresce e diminuisce spiega molti dei risultati ottenuti da Diane Tice sulle strategie che gli individui affermano di usare per smorzare la collera. Una strategia relativamente efficace consiste nell'allontanarsi per starsene da soli mentre l'emozione va via via scemando. Molti uomini traducono questa strategia nell'uscire in macchina – un riscontro che impone una certa prudenza quando si guida (e che, come mi confessò Tice, la ispirò a guidare stando più sulla difensiva). Forse un'alternativa più sicura è quella di fare una lunga passeggiata; anche l'attività fisica contribuisce a dissipare la collera. Altrettanto utili possono essere le tecniche di rilassamento, come la respirazione profonda e il rilassamento muscolare, forse perché modificano la fisiologia dell'organismo facendola passare da uno stato di attivazione generale – caratteristico della collera – a uno stato di minore attivazione – e forse anche perché servono a distrarre da qualunque fattore possa innescare questa emozione. L'attività fisica funziona più o meno per le stesse ragioni: dopo essere stato portato ad alti livelli di attivazione fisiologica durante lo sforzo fisico, l'organismo, una volta cessata l'attività, ritorna a un livello di attivazione inferiore.

Tuttavia, questo periodo di raffreddamento non funzionerà se sarà impiegato per seguire i pensieri che innescano la collera; ciascuno di quei pensieri è infatti di per se stesso un fattore scatenante minore che può provocare altre reazioni a cascata. Nella sua inchiesta sulle strategie usate per controllare la collera, Tice ha constatato che le distrazioni in senso lato aiutano a calmare questa emozione; la Tv, il cinema, la lettura e altre attività simili interferiscono con i pensieri di risentimento che alimentano la collera nelle sue forme più violente. Tuttavia, Tice scoprì che il lasciarsi andare concedendosi delle gratificazioni – ad esempio uscire a fare acquisti e mangiare leccornie – non ha molto effetto; è troppo facile perseverare nella sequenza di pensieri negativi mentre si percorre in lungo e in largo un centro commerciale o si divora una fetta di torta al cioccolato.

A queste strategie possiamo aggiungere quelle sviluppate da Redford Williams, uno psichiatra della Duke University che cercava di aiutare individui abitualmente ostili ad alto rischio di cardiopatie, a controllare la propria irritabilità.[7] Una delle sue raccomandazioni consiste nell'usare l'autoconsapevolezza per bloccare i pensieri cinici e ostili non appena essi si presentano, e nel metterli per iscritto. Una volta che i pensieri negativi vengono fissati in questo modo, è possibile metterli in discussione e rivalutarli; come constatò lo stesso Zillmann, però, questo approccio funziona meglio se si interviene prima che la collera si sia tramutata in vera e propria furia.

IL MITO DELLO SFOGO

Mi trovavo a New York ed ero appena salito su un taxi quando un giovane che stava attraversando la strada si fermò davanti a noi aspettando di poter passare. L'autista, impaziente di partire, suonò il clacson, facendo cenno al giovane di togliersi dalla strada. Per tutta risposta ricevette uno sguardo minaccioso e un gesto osceno.

«Brutto figlio di puttana!» gridò l'autista, e fece uno scatto in avanti premendo nello stesso tempo sull'acceleratore e il freno. Di fronte a questa minaccia letale, il giovane si spostò a mala pena di lato, con fare torvo, e colpì il taxi con un pugno mentre quello si muoveva a passo d'uomo nel traffico. L'autista replicò vomitandogli addosso una spaventosa litania di imprecazioni.

Mentre ci muovevamo, l'uomo, ancora visibilmente agitato, mi disse: «Non puoi farti prendere a pesci in faccia da chiunque. Bisogna pur reagire – almeno ci si sente meglio!».

La catarsi, ossia questo dare sfogo alla rabbia – viene a volte magnificata come un sistema per controllare l'emozione. La teoria, molto diffusa, sostiene che dopo «ci si sente meglio». Tuttavia, stando ai risultati di Zillmann, c'è un argomento anche contro la strategia dello sfogo. Esso è stato avanzato fin dagli anni Cinquanta, quando gli psicologi cominciarono a saggiare sperimentalmente gli effetti della catarsi e, di volta in volta, scoprirono che dare sfogo alla collera contribuiva poco o nulla a dissiparla (anche se, a causa della natura seduttiva di questa emozione, poteva dare una *sensazione* di soddisfazione).[8] In alcune condizioni specifiche, abbandonarsi a una collera violenta può essere una strategia efficace: ad esempio, quando essa viene espressa direttamente alla persona che ne è il bersaglio, o quando ripristina un senso di autocontrollo o raddrizza un'ingiustizia, oppure ancora quando infligge all'altro una «giusta punizione» impedendogli di fare qualcosa di male senza però assumere i contorni della rappresaglia. Tuttavia, poiché la collera ha una natura incendiaria, questo può essere più facile a dirsi che a farsi.[9]

Tice scoprì che il dare libero sfogo alla collera è uno dei modi peggiori per raffreddarla: di solito gli scoppi di collera alimentano l'attivazione del cervello emozionale, lasciando l'individuo ancora più adirato, di certo non più calmo. Tice constatò che quando la gente le raccontava di avere espresso tutta la propria collera alla persona che l'aveva provocata, l'effetto netto era stato quello di prolungare lo stato d'animo negativo invece di porgli fine. Una tattica di gran lunga più efficace era quella in primo luogo di raffreddarsi, e solo dopo, in modo più costruttivo e sicuro di sé, confrontarsi con l'altro per ricomporre la disputa. Io stesso sentii Chogyam Trungpa, un maestro tibetano, rispondere a chi gli aveva chiesto quale fosse il modo migliore di controllare la collera dicendo: «Non sopprimetela. Ma non agite mai sotto il suo impulso.»

Strategie per lenire l'ansia

Oh, no! La marmitta fa un rumore che non mi piace... E se dovessi portarla dal meccanico?... Accidenti, non posso permettermelo... Dovrei ritirare dei soldi dai risparmi per il college di Jamie... E se non ce la facessi a pagargli gli studi?... Quel giudizio negativo la scorsa settimana, a scuola... e se la sua media fosse troppo bassa e non riuscisse a entrare al college?... Questo maledetto rumore della marmitta!...

E così la mente agitata precipita in una spirale senza fine da melodramma di bassa lega, nella quale una serie di preoccupazioni porta alla successiva, senza tregua. Il passo citato sopra è stato riportato da Lizabeth Roemer e Thomas Borkovec, entrambi psicologi della Pennsylvania State University, la cui ricerca sulla preoccupazione – alla base di tutti i tipi di ansia – ha elevato questo argomento – prima ritenuto appannaggio dei nevrotici – al rango di interesse scientifico.[10]

Naturalmente, finché la preoccupazione ha un ruolo positivo, tutto va bene; meditando su un problema – ossia impiegando un tipo di riflessione costruttiva simile alla preoccupazione – lo si può risolvere. In effetti, la reazione fisiologica che sta alla base della preoccupazione è la vigilanza nei confronti del potenziale pericolo – una reazione che senza dubbio è stata essenziale ai fini della sopravvivenza nel corso dell'evoluzione. Quando la paura mette il cervello emozionale in uno stato di agitazione, parte dell'ansia che ne risulta serve a fissare l'attenzione sulla minaccia contingente, costringendo la mente a escogitare un modo per controllarla, ignorando temporaneamente qualunque altra cosa. La preoccupazione è, in un certo senso, un ripercorrere mentalmente gli eventi, in modo da isolare ciò che potrebbe andare male e decidere come affrontare il problema; la funzione della preoccupazione in quanto reazione è quella di escogitare soluzioni positive nelle situazioni pericolose della vita, anticipandole prima che si presentino.

Il problema sorge nel caso in cui le preoccupazioni diventino croniche e ripetitive – nel caso, insomma, in cui continuino a riciclarsi all'infinito, senza mai far intravedere una soluzione positiva. Un'analisi attenta della preoccupazione cronica mostra che essa ha tutti gli attributi di un «sequestro» emozionale di bassa intensità: le preoccupazioni sembrano spuntare dal nulla, sono incontrollabili, generano un costante ribollire d'ansia, sono inaccessibili alla ragione e costringono l'individuo a considerare il problema da un'unica, inflessibile, prospettiva. Quando questo ciclo di preoccupazione persiste e si intensifica, esso sfuma in veri e propri «sequestri» emozionali, ossia nei disturbi ansiosi: fobie, ossessioni e compulsioni, attacchi di panico. In ciascuno di questi disturbi la preoccupazione assume una connotazione distinta: nel paziente fobico, le ansie si fissano sulla situazione oggetto della paura; in quello ossessivo, sulla necessità di evitare una qualche calamità temuta; nel caso degli attacchi di panico, infine, le preoccupazioni possono concentrarsi sulla paura di morire o sulla prospettiva stessa degli attacchi.

In tutte queste condizioni, il comune denominatore è rappresentato dal fatto che la preoccupazione finisce per sfuggire ad ogni controllo. Ad esempio, una donna che era in cura per un disturbo ossessivo-compulsivo, eseguiva una serie di rituali che occupavano gran parte delle sue ore di veglia: docce di quarantacinque minuti, diverse volte al giorno; lavaggio delle mani per cinque minuti, venti o più volte al giorno. Non poteva sedersi se prima non aveva passato uno straccio imbevuto di alcol sul sedile per sterilizzarlo. Né avrebbe mai toccato un bambino o un animale – entrambi erano «troppo sporchi». Tutte queste compulsioni scaturivano dalla sua paura morbosa dei germi; temeva costantemente che, rinunciando al suo continuo lavare e sterilizzare, si sarebbe ammalata e sarebbe morta.[11]

Una donna in cura per un «disturbo ansioso generalizzato» – il termine psichiatrico per indicare una persona costantemente preoccupata – rispose come segue al terapeuta che le chiese di esprimere le proprie preoccupazioni a voce alta per un minuto:

Forse non faccio bene a farlo. È una cosa talmente artificiale che probabilmente non darà indicazioni sul problema reale, e noi è a quello che dobbiamo arrivare... Perché se non arriviamo al problema reale, io non starò mai bene. E se non starò bene non sarò mai felice.[12]

In questa esibizione virtuosistica di preoccupazioni sulle preoccupazioni, la stessa richiesta di preoccuparsi per un minuto l'aveva indotta, nel giro di pochi secondi, a contemplare una catastrofe esistenziale: «Non sarò mai felice». Di solito le preoccupazioni seguono questo schema; si tratta cioé di un racconto narrato a se stessi, nel quale si salta da una preoccupazione all'altra e che molto spesso comprende pensieri catastrofici e la visione di qualche terribile tragedia. Quasi sempre le preoccupazioni sono espresse parlando all'orecchio della mente, e non agli occhi – in parole, non in immagini –, un fatto, questo, che è significativo ai fini del controllo della preoccupazione.

Borkovec e colleghi cominciarono a studiare la preoccupazione *per sé* mentre stavano cercando una cura per l'insonnia. Altri ricercatori avevano osservato che l'ansia si presenta in due forme: *cognitiva* – ossia sotto forma di pensieri preoccupanti – e *somatica* – con i classici sintomi, quali la sudorazione, l'aumento della frequenza cardiaca, la tensione muscolare. Nei pazienti sofferenti di insonnia, Borkovec constatò che il problema principale non era lo stato di attivazione somatica: a tenerli svegli erano invece i loro pensieri invadenti e importuni. Costoro erano preda di preoccupazioni croniche, e non riuscivano a smettere di preoccuparsi, indipendentemente da quanto sonno avessero. L'unica cosa che li aiutava a prender sonno era quella di distogliere la loro mente dalle preoccupazioni, facendoli concentrare sulle sensazioni prodotte con una tecnica di rilassamento. In breve, le preoccupazioni potevano essere bloccate se si riusciva ad allontanare da esse l'attenzione.

La maggior parte degli individui preoccupati tuttavia, non sembra ricorrere a questa strategia. La ragione, secondo Borkovec, ha a che fare con la parziale gratificazione offerta dalla preoccupazione, che produce un potente effetto di rinforzo sull'abitudine. C'è, a quanto sembra, qualcosa di positivo nelle preoccupazioni: esse sono un sistema per affrontare potenziali minacce, pericoli nei quali ci si potrebbe imbattere. La funzione della preoccupazione – quando essa serve al suo scopo – è quella di identificare mentalmente questi pericoli e di riflettere sulle strategie per affrontarli. Ma non sempre la preoccupazione esplica così bene la sua funzione. Di solito – soprattutto quando si tratta di preoccupazione cronica –, essa non fa emergere nuove soluzioni e nuove prospettive. Invece di escogitare soluzioni per questi potenziali problemi, coloro che sono cronicamente afflitti dalle preoccupazioni solitamente si limitano a rimuginare sul pericolo, immergendosi a capofitto nel terrore associato a tali pensieri, senza riuscire a liberarsene. Costoro si preoccupano per moltissime cose, la maggior parte delle quali, non ha di fatto alcuna probabilità di verificarsi; nella vita, essi vedono il pericolo là dove gli altri non lo scorgono affatto.

Ciò nonostante, questi pazienti raccontarono a Borkovec che il preoccuparsi li aiutava, e che le loro preoccupazioni si autoperpetuavano in una spirale infinita di pensieri dominati dall'angoscia. Ma perché la preoccupazione tende a diventare quella che ha tutta l'aria di una vera e propria dipendenza mentale? Stranamente, come osserva Borkovec, l'abitudine di preoccuparsi si autorinforza, proprio come la tendenza alla superstizione. Poiché l'individuo si preoccupa per una serie di cose che hanno una bassissima probabilità di verificarsi – una persona amata che muore in un incidente aereo, la possibilità di fallire, e altre simili eventualità – c'è qualcosa di magico intorno a queste preoccupazioni, almeno per il primitivo sistema limbico. Come un amuleto che scongiuri il presagio di un male, la tendenza psicologica è quella di attribuire alla preoccupazione il merito di allontanare il pericolo oggetto dell'ossessione.

PREOCCUPARSI – UN LAVORO COME UN ALTRO

Questa donna si era trasferita a Los Angeles dal Midwest, allettata da un lavoro presso un editore, che però subito dopo fu assorbito da un altro, lasciandola disoccupata. Essendo passata alla libera professione come scrittrice, si scontrò con un mercato erratico, che a volte la sommergeva di lavoro, a volte non le consentiva di pagare l'affitto. Spesso doveva stare a contare le telefonate, e per la prima volta le capitò di rimanere senza copertura sanitaria – un fatto, questo, che la turbò molto: si scopriva a fare pensieri catastrofici sulla propria salute, sicura che ogni mal di testa fosse il sintomo di un tumore al cervello o immaginandosi coinvolta in un incidente stradale ogni volta che le capitava di dover prendere l'auto. Spesso si perdeva in un lungo fantasticare pullulante di preoccupazioni – un miscuglio di angosce. Ciò nonostante, diceva di essere dipendente dalle proprie preoccupazioni quasi come da una droga.

Borkovec scoprì un altro beneficio inaspettato delle preoccupazioni. Mentre l'individuo è immerso in esse, sembra non rendersi conto delle sensazioni soggettive di ansia che ne derivano – in particolare non fa caso alla tachicardia, alla sudorazione e all'agitazione – e con il protrarsi delle preoccupazioni, sembra effettivamente riuscire a sopprimere parte di quell'ansia – almeno stando a quanto si deduce dalla frequenza cardiaca. La sequenza è probabilmente la seguente: la persona incline alla preoccupazione percepisce qualcosa che evoca l'immagine di una minaccia o di un pericolo potenziale; quella catastrofe immaginaria a sua volta scatena un leggero attacco d'ansia. L'individuo sprofonda allora in una lunga serie di pensieri tormentosi, ciascuno dei quali introduce un altro motivo di preoccupazione; mentre l'attenzione continua a spostarsi lungo questa penosa sequenza, il fatto stesso di concentrarsi su tali pensieri allontana la mente dall'immagine catastrofica che ha scatenato l'ansia. Le immagini, ha scoperto Borkovec, innescano l'ansia fisiologica in modo molto più potente dei pensieri; pertanto, l'immersione nelle preoccupazioni, che porta ad escludere le immagini catastrofiche, allevia in parte l'esperienza dell'ansia. E, in una certa misura, la preoccupazione viene anche rinforzata, come antidoto contro quella stessa ansia che ha suscitato.

Tuttavia, le preoccupazioni croniche sono anche autofrustranti nel momento in cui assumono la forma di idee rigidamente stereotipate e non di atti creativi che avvicinino effettivamente alla soluzione del problema. Questa rigidità è palese non solo nel contenuto della preoccupazione, la quale non fa che ripetere le stesse idee all'infinito. Anche a livello neurologico, sembra esserci una certa rigidità corticale, un deficit nella capacità del cervello emozionale di rispondere con flessibilità al mutare delle circostanze. In breve, la preoccupazione cronica funziona positivamente solo per certi versi: allevia un poco l'ansia, questo è vero, ma senza mai risolvere il problema.

Se c'è una cosa che i pazienti cronicamente in preda alla preoccupazione non possono fare è quella di seguire i consigli che spesso gli vengono impartiti: «Smettila di preoccuparti» (o, peggio ancora, «Non preoccuparti, cerca di essere allegro»). Dal momento che le preoccupazioni croniche sembrano essere episodi di leggera intensità innescati a livello dell'amigdala, si presentano spontaneamente. E per la loro stessa natura, una volta comparse nella mente, vi persistono. Dopo molte sperimentazioni, però, Borkovec scoprì alcune semplici misure che possono aiutare a controllare l'inclinazione alla preoccupazione anche quando essa si è instaurata da lunghissimo tempo. Il primo passo è l'autoconsapevolezza, sta cioè nel riconoscere quanto prima gli episodi fonte di preoccupazione; l'ideale sarebbe di riuscire a coglierli non appena l'immagine catastrofica scatena il ciclo preoccupazione-ansia, o al massimo, subito dopo. Borkovec insegna questo approccio in primo luogo addestrando gli individui a monitorare gli stimoli che inducono l'ansia, e soprattutto a identificare le situazioni e il flusso di pensieri e immagini che inducono la preoccupazione e le sensazioni fisiologiche associate all'ansia. Con la pratica, l'individuo riesce a identificare le preoccupazioni a uno stadio molto precoce. Egli impara anche le tecniche di rilassamento da applicare nel momento in cui avverte l'insorgere della preoccupazione e si esercita quotidianamente in modo da essere in grado di servirsene all'istante, quando ne avrà bisogno.

Le tecniche di rilassamento, però, non bastano da sé. Questi pazienti devono anche mettere attivamente in discussione i pensieri che generano preoccupazione, altrimenti la spirale dell'ansia continuerà a ripresentarsi. Perciò, il passo successivo è quello di assumere un atteggiamento critico verso i loro assunti: è molto probabile che l'evento temuto si verifichi? È necessariamente vero che esiste solo una (o nessuna) alternativa al lasciare che esso accada? Si possono prendere delle misure efficaci al riguardo? È veramente utile indugiare all'infinito in questi stessi pensieri ansiosi?

Questa combinazione di attenzione sui propri pensieri e di sano scetticismo agirebbe, presumibilmente, come un freno sull'attivazione neurale alla base di un leggero stato d'ansia. Probabilmente, l'induzione attiva di tali pensieri può attivare il circuito che inibisce l'innesco della preoccupazione da parte del sistema limbico; allo stesso tempo, l'induzione attiva di uno stato di rilassamento contrasta i segnali ansiogeni che il cervello emozionale sta inviando a tutto l'organismo.

Borkovec sottolinea che queste strategie innescano un'attività mentale incompatibile con la preoccupazione. Quando si permette che un pensiero molesto si ripeta all'infinito senza metterlo in discussione, a poco a poco il suo potere persuasivo aumenta; quando invece lo si mette in discussione, contemplando tutta una gamma di punti di vista ugualmente plausibili, ci si vieta di considerarlo vero e di accettarlo ingenuamente. Questo metodo si è rivelato utile contro la preoccupazione cronica perfino in alcune persone in cui il disturbo era abbastanza serio da richiedere una diagnosi psichiatrica.

D'altro canto, nel caso di coloro le cui preoccupazioni sono talmente gravi da sfociare nella fobia, nel disturbo ossessivo-compulsivo o negli attacchi di panico, può essere prudente – effettivamente un segno di autoconsapevolezza – ricorrere all'uso di farmaci per spezzare il circolo vizioso. Tuttavia, una volta interrotta la terapia, per diminuire la probabilità che i disturbi ansiosi si ripresentino sarà necessario riaddestrare il circuito emozionale con la terapia.[13]

Controllare la malinconia

La tristezza è lo stato d'animo per liberarsi del quale è generalmente richiesto lo sforzo maggiore; Diane Tice riscontrò che le persone dimostrano grande inventiva quando cercano di eludere la malinconia. Naturalmente non è opportuno sfuggire a qualsiasi tipo di tristezza; anch'essa, come ogni altro stato d'animo, ha i suoi aspetti positivi: mette un freno al nostro interesse per le distrazioni e i piaceri, fissa l'attenzione su ciò che abbiamo perduto, e – almeno per il momento – ci sottrae l'energia per intraprendere nuove imprese. In breve, essa instaura una sorta di ritiro riflessivo dalle occupazioni frenetiche della vita, lasciandoci in uno stato di sospensione che ci consente di elaborare il lutto per la perdita, di meditare sul suo significato, di adeguarci psicologicamente ad essa e, infine, di fare nuovi progetti che ci consentiranno di sopravvivere.

Il senso di privazione è utile; la depressione completa non lo è. William Styron ha descritto in modo eloquente «le molte, terribili, manifestazioni della malattia»: fra di esse l'odio per se stessi, un senso di inutilità, una «fredda mancanza di gioia» mentre «cresce dentro di me la tristezza, un senso di terrore e alienazione e, soprattutto, un'ansia soffocante».[14] E poi c'erano i sintomi intellettuali: «confusione, incapacità di concentrarsi e vuoti di memoria»; in uno stadio successivo, poi, la sua mente era «completamente dominata da distorsioni anarchiche» mentre aumentava «la sensazione che i processi di pensiero fossero inghiottiti da una marea tossica e indescrivibile che cancellava ogni risposta piacevole nei confronti del mondo vivente». C'erano anche i tipici effetti fisici: la sonnolenza, la sensazione di essere indifferente come uno zombie, «una specie di intorpidimento, un infiacchimento, ma soprattutto una strana fragilità», insieme a una «nervosa irrequietezza». E poi c'era la perdita del piacere: «Il cibo, come qualunque altra cosa rientrasse nella sfera dei sensi, era assolutamente privo di sapore». Infine, c'era il venir meno della speranza quando «la grigia pioggia dell'orrore» portava con sé una disperazione talmente palpabile da sembrare un dolore fisico – un dolore così insopportabile che il suicidio pareva davvero una soluzione.

In questa depressione maggiore, la vita è come paralizzata; nulla di nuovo vi può emergere. Sono gli stessi sintomi della depressione a farci presagire una sospensione della vita. Per Styron, farmaci e terapie non furono di alcun aiuto; solo il passare del tempo e il rifugio offerto da una clinica riuscirono infine a dissipare il suo profondo sconforto. Ma per la maggior parte degli individui, soprattutto nei casi meno gravi, la psicoterapia può rivelarsi utile, come pure i trattamenti farmacologici – ad esempio a base di fluoxetina, ma ci sono numerosi altri composti che possono offrire un certo aiuto, soprattutto nel caso della depressione maggiore.

A questo punto intendo però attirare l'attenzione sulla tristezza, che è di gran lunga più comune e che, in corrispondenza del limite superiore, sconfina in quella che in gergo tecnico è la «depressione subclinica» – in altre parole, la comune malinconia. Si tratta di un tipo di sconforto che l'individuo riesce a gestire da sé, purché abbia le risorse interiori per farlo. Purtroppo, alcune delle strategie alle quali si ricorre più spesso per vincere questo stato d'animo possono fallire, lasciando l'individuo in condizioni peggiori di prima. Una di tali strategie consiste semplicemente nello starsene da soli – una scelta spesso invitante per chi si sente giù di morale; altrettanto spesso però, essa non fa altro che aggiungere alla tristezza un senso di solitudine e di isolamento. Questo può in parte spiegare come mai Tice constatò che la tattica più diffusa per combattere la depressione era la socializzazione: andar fuori a mangiare, a vedere una partita di baseball o al cinema – insomma – fare qualcosa con gli amici o i familiari. Questa strategia funziona bene quando il suo effetto netto è quello di liberare la mente dell'individuo dalla sua tristezza. Ma se egli si serve dell'occasione di socializzare solo per rimuginare ulteriormente su ciò che ha provocato lo scoramento, questa strategia non farà che prolungare il suo stato.

In effetti, il grado in cui l'individuo continua a rimuginare sulla propria depressione è uno dei principali fattori che determinano se il suo stato persisterà o andrà via via dissipandosi. Il continuo preoccuparsi su ciò che ci deprime, non fa che rendere la depressione ancora più intensa e prolungata. Nell'individuo depresso, la preoccupazione può assumere forme diverse, tutte concentrate su alcuni aspetti della depressione stessa – su quanto ci sentiamo stanchi, sulle nostre poche energie e la nostra scarsa motivazione o, ancora, sul poco lavoro che riusciamo a fare. Solitamente nessuna di queste riflessioni è accompagnata da un'azione concreta volta a risolvere il problema. Secondo Susan Nolen-Hoeksma, psicologa di Stanford, che ha studiato il penoso rimuginare tipico dei pazienti depressi, altre preoccupazioni comuni sono «l'isolarsi, e pensare a quanto ci si sente male; temere che il coniuge possa rifiutarci perché siamo depressi; e continuare a chiedersi se si passerà in bianco anche la prossima notte».[15]

A volte costoro giustificano questo tipo di meditazione dicendo che stanno cercando di «capire meglio se stessi»: in realtà, stanno innescando sentimenti di tristezza senza far nulla che possa davvero migliorare il loro stato d'animo. Nell'ambito della terapia, la riflessione profonda sulle cause della propria depressione può essere utilissima, purché porti a un buon livello di comprensione di se stessi, o ad azioni che modifichino le cause della depressione. Ma un'immersione passiva nella tristezza non fa che peggiorare la situazione.

Queste penose riflessioni possono infatti anche creare condizioni ancora più deprimenti. Nolen-Hoeksma porta l'esempio di una donna depressa, che lavorava come rappresentante e passava ore ed ore a preoccuparsi del suo stato al punto da non andare più a visitare i clienti. Le sue vendite pertanto diminuirono, e questo generò in lei una sensazione di fallimento alimentando così la sua depressione. Ma se la donna avesse cercato di reagire provando a distrarsi, avrebbe potuto benissimo immergersi nella sua attività usandola per allontanare la tristezza dalla propria mente. Così facendo, sarebbe stato meno probabile assistere alla diminuzione delle vendite, e l'esperienza della conclusione di qualche buon affare avrebbe potuto rinforzare la sua sicurezza in se stessa, attenuando in qualche modo la depressione.

Secondo quando ha potuto constatare Nolen-Hoeksma, quando sono depresse, le donne sono molto più inclini al rimuginare degli uomini. Nolen-Hoeksma ritiene che questo possa spiegare almeno in parte il fatto che la depressione viene diagnosticata nelle donne con una frequenza doppia rispetto agli uomini. Naturalmente, entrano in gioco anche altri fattori, ad esempio il fatto che le donne sono più disposte a comunicare il proprio disagio psicologico; oppure il fatto che nella loro vita ci siano più motivi per essere depresse. Gli uomini, dal canto loro, tendono ad affogare la propria depressione nell'alcol, e vanno soggetti all'etilismo in misura doppia rispetto alle donne.

In alcuni studi, la terapia cognitiva mirata a modificare questi penosi schemi di pensiero si è dimostrata utile come il trattamento farmacologico nella cura della depressione clinica leggera, e anche migliore di quello nell'evitare le recidive. In questa vera e propria battaglia, le strategie dimostratesi particolarmente efficaci sono due.[16] Una è quella di imparare a mettere in discussione i pensieri oggetto delle ruminazioni – a mettere in dubbio la loro validità e a escogitare alternative più positive. L'altra, è quella di programmare ad hoc eventi piacevoli che ci distraggano.

Uno dei motivi che spiegano l'utilità della distrazione sta nel fatto che i pensieri del depresso sono automatici, e si insinuano nella sua mente senza essere stati in qualche modo sollecitati. Anche quando i pazienti depressi cercano di sopprimere i propri pensieri deprimenti, spesso non riescono a trovare alternative; una volta cominciata, l'ondata di questi pensieri ha un potente effetto magnetico sulle associazioni mentali. Ad esempio, quando le persone depresse sono invitate a formulare frasi di cinque parole, riescono molto meglio a comporre messaggi deprimenti («Il futuro sembra molto triste») piuttosto che ottimistici («Il futuro sembra molto luminoso»).[17]

La tendenza della depressione ad autoperpetuarsi influenza anche il tipo di distrazioni scelte dalle persone. Alcuni pazienti depressi, invitati a scegliere in una lista diversi modi – alcuni allegri, altri molto meno – per distrarsi da qualcosa di triste (ad esempio il funerale di un amico) scelsero con maggior frequenza le attività malinconiche. Richard Wenzlaff, lo psicologo della Texas University che condusse questi studi, è arrivato alla conclusione che gli individui già depressi dovrebbero compiere uno sforzo particolare per fissare la propria attenzione su qualcosa di decisamente allegro, stando bene attenti a non scegliere inavvertitamente attività che possano trascinare il loro stato d'animo ancora più in basso – ad esempio, un film strappalacrime o un romanzo tragico.

STRATEGIE PER TIRARSI SU

Immaginate di essere alla guida della vostra auto su una strada che non conoscete, ripida e piena di curve, immersa nella nebbia. Improvvisamente un veicolo sbuca da una strada laterale a pochi metri da voi – troppo pochi perché riusciate a frenare in tempo. Il vostro piede è sul freno, premuto disperatamente al massimo, e l'auto inchioda, strisciando contro la fiancata dell'altra vettura. Proprio prima che le lamiere si incastrino e i vetri esplodano andando in frantumi, vi rendete conto che l'altro veicolo è pieno di bambini... dev'essere il piccolo pullman che li porta all'asilo... Poi, nell'improvviso silenzio che segue la collisione, si leva un coro di pianti. Correte a vedere, e vi accorgete che uno dei bambini giace a terra immobile. Siete travolti dal rimorso e dalla disperazione...

Wenzlaff usò nei suoi esperimenti scenari laceranti come questo per sconvolgere i volontari che dovevano poi cercare di levarsi dalla mente la scena mentre, per nove minuti, scrivevano appunti sul proprio flusso di pensieri. Ogni volta che, mentre stavano scrivendo, l'immagine della scena tragica si intrometteva nella loro mente, essi facevano un segno sul foglio. Col tempo, la maggior parte dei volontari pensava sempre di meno alla scena; i soggetti più depressi, però, via via che il tempo passava, mostrarono invece un accentuato *aumento* di pensieri molesti centrati sulla scena in questione, e arrivavano perfino a riferirsi ad essa in modo implicito in quegli stessi pensieri che avrebbero dovuto distrarli.

Ma non basta: i volontari inclini alla depressione cercavano di distrarsi ricorrendo ad altri pensieri tormentosi. Come mi disse Wenzlaff: «I pensieri vengono associati nella mente non solo in base al loro contenuto, ma a seconda dello stato d'animo. Esiste una specie di serbatoio di pensieri negativi che vengono in mente con grande facilità quando ci si sente depressi. I soggetti depressi tendono a creare reti di associazioni molto potenti fra questi pensieri che perciò, una volta evocato un certo stato d'animo negativo, sono più difficili da sopprimere. Paradossalmente, i pazienti depressi sembrano usare argomenti deprimenti per liberarsi la mente da un altro pensiero pure deprimente, il che non fa che suscitare in loro emozioni sempre più negative».

Secondo una teoria, il pianto potrebbe essere un modo naturale per abbassare i livelli delle sostanze chimiche che innescano la sofferenza a livello cerebrale. Sebbene il pianto possa a volte interrompere un attacco di tristezza, esso può anche lasciare l'individuo ossessionato sui motivi della disperazione. L'idea di un «bel pianto» è fuorviante: il pianto che rinforza la tendenza al rimuginare non fa che prolungare l'infelicità. Le distrazioni spezzano la catena dei pensieri che perpetuano e alimentano la tristezza; una delle principali teorie per spiegare l'efficacia della terapia elettroconvulsiva nelle depressioni più gravi è che essa causa una perdita della memoria a breve termine – in altre parole, i pazienti si sentono meglio perché non riescono più a ricordare i motivi della loro tristezza. In ogni caso, Diane Tice constatò che molte persone riferivano di liberarsi da una leggera tristezza ricorrendo a distrazioni quali la lettura, la televisione e il cinema, i videogiochi e i puzzle; altri ancora dormivano o sognavano a occhi aperti, ad esempio programmando una vacanza immaginaria. Wenzlaff aggiunge che le distrazioni più efficaci sono quelle che modificano l'umore – un evento sportivo entusiasmante, un film divertente, un libro che tira su il morale. (A questo punto si impone un ammonimento: alcune attività distraenti possono, di per se stesse, perpetuare la depressione. Studi compiuti su soggetti che passavano moltissimo tempo guardando la televisione hanno messo in evidenza che, una volta spento l'apparecchio, essi erano generalmente più depressi di quando lo avevano acceso!)

La ginnastica aerobica, osserva Tice, è una delle tattiche più efficaci per dissipare una leggera depressione, come pure altri stati d'animo negativi. La riserva, in questo caso, è che i benefici della ginnastica sull'umore sono massimi per gli individui pigri che di solito non fanno molta attività fisica. Nel caso di coloro che fanno tutti i giorni un po' di movimento, quali che siano i possibili benefici di questa attività, essi sono probabilmente massimi nel momento in cui viene instaurata l'abitudine. In verità, coloro che fanno abitualmente attività fisica possono sperimentare anche un effetto contrario sullo stato d'animo, cominciando a sentirsi male quando saltano il loro programma di allenamento. L'attività fisica sembra efficace perché modifica lo stato fisiologico causato dallo stato d'animo negativo: la depressione è caratterizzata da un basso grado di attivazione fisiologica, e la ginnastica aerobica pone invece l'organismo in uno stato di forte attivazione. Per lo stesso motivo, le tecniche di rilassamento, che riducono lo stato di attivazione fisiologica, vanno molto bene per allentare l'ansia (caratterizzata da un elevato stato di attivazione) ma non sono altrettanto efficaci per la depressione. Ciascuno di questi approcci sembra funzionare in quanto spezza il ciclo della depressione o dell'ansia portando il cervello a un livello di attivazione incompatibile con lo stato emozionale che lo tiene in scacco.

Un altro antidoto molto diffuso contro la depressione, è quello di tirarsi su con il cibo e altri piaceri sensuali. I metodi più comuni usati dai depressi per consolarsi, andavano dal fare bagni caldi al mangiare i cibi preferiti, dall'ascolto della musica, al sesso. Regalarsi qualcosa o concedersi una leccornia per liberarsi di uno stato d'animo negativo era una strategia particolarmente comune fra le donne, come anche l'andare in giro a far spese, sebbene limitato anche al solo guardare le vetrine. Fra gli studenti universitari, Tice riscontrò che il cibo era un antidoto contro la tristezza tre volte più comune fra le donne che non fra gli uomini; questi, dal canto loro, avevano probabilità cinque volte superiori di rivolgersi all'alcol o alle droghe nei momenti di sconforto. Il problema legato all'uso del cibo o dell'alcol come antidoti sta ovviamente nella probabilità che essi falliscano: il troppo mangiare scatena sensi di colpa; l'alcol, poi, ha un effetto depressivo sul sistema nervoso centrale, e pertanto si rivela un rimedio peggiore del male.

Una tecnica più costruttiva per sollevarsi il morale, secondo Diane Tice, è quella di prepararsi un piccolo trionfo o un facile successo: affrontare un lavoro di casa a lungo rimandato o sbrigare qualche altra incombenza della quale si desidera liberarsi. Per lo stesso motivo, tutto quanto contribuisce a migliorare l'immagine di sé ha un effetto rasserenante, anche se si tratta solo di vestirsi bene o di truccarsi.

Uno degli antidoti più potenti contro la depressione – e al di fuori della terapia, fra quelli meno usati – è il *reinquadramento cognitivo*, ossia il cercare di considerare la situazione in modo diverso. È naturale piangere per la fine di una relazione e indugiare nell'autocommiserazione, ad esempio dicendo a se stessi che «ciò significa che resterò sempre solo»; d'altra parte questo atteggiamento rende sicuramente più profondo il senso di disperazione. Un buon antidoto contro la tristezza consiste invece nel fare, per così dire, un passo indietro, e nel pensare a tutti quegli aspetti della relazione che lasciavano a desiderare e nei quali voi e il vostro partner non eravate molto ben assortiti – in altre parole, l'antidoto sta nel vedere la perdita in modo diverso, sotto una luce più positiva. Per lo stesso motivo, i pazienti oncologici, indipendentemente dalla gravità delle loro condizioni, sono di umore migliore se riescono a pensare a un altro paziente in uno stato peggiore («Dopo tutto non sto così male, io almeno posso camminare»); quelli che si confrontano con le persone sane sono i più depressi.[18] Questi confronti verso il basso – verso situazioni meno felici della nostra – hanno un effetto sorprendentemente rasserenante: improvvisamente ciò che sembrava assolutamente deprimente non appare più in una luce così negativa.

Un'altra strategia efficace per sollevare il morale è quella di aiutare altre persone in difficoltà. Poiché la depressione è alimentata da pensieri e preoccupazioni riferiti al sé, nel momento stesso in cui empatizziamo con altre persone sofferenti e le aiutiamo, ci sentiamo sollevati. Nello studio condotto da Tice, l'intraprendere un'attività di volontariato – di qualunque tipo si trattasse – si rivelò uno dei modi migliori per modificare il proprio stato d'animo; era anche, però, uno dei più rari.

Infine, alcune persone riescono a trovare sollievo dalla propria melanconia rivolgendosi a un potere trascendentale. Tice mi disse: «La preghiera, se sei molto religioso, può aiutarti in tutti gli stati d'animo e soprattutto nel caso della depressione».

I repressori: la negazione ottimista

«Diede un calcio nello stomaco al suo compagno di camera...» comincia la frase. Che prosegue poi: «... ma voleva solo accendere la luce».

Questa trasformazione di un atto di aggressione in un errore innocente, per quanto poco plausibile, è un atto di repressione colto *in vivo*. La frase venne composta da uno studente universitario che aveva partecipato come volontario a uno studio sui *repressori*, cioè su quegli individui che abitualmente e automaticamente sembrano cancellare dalla propria consapevolezza ogni turbamento emotivo. Il frammento iniziale della frase – «Diede un calcio nello stomaco al suo compagno di camera...» – venne proposto a questo studente nell'ambito di un test nel quale egli doveva completare alcune frasi. Altri test dimostrarono che questo piccolo atto di evitamento faceva parte di uno schema molto più generale, che lo portava nella massima parte dei casi a desintonizzarsi dai turbamenti emotivi.[19] Sebbene inizialmente i ricercatori avessero considerato i repressori come un esempio dell'incapacità di sentire emozioni – forse in questo affini agli alessitimici – attualmente essi sono ritenuti in realtà dei veri e propri esperti nella regolazione delle emozioni. Costoro sono talmente bravi a tamponare i propri sentimenti negativi da non essere nemmeno consapevoli della negatività. Invece di chiamarli «repressori», come fanno comunemente i ricercatori, un'espressione più adatta potrebbe essere *imperturbabili*.

Gran parte di questa ricerca, effettuata principalmente da Daniel Weinberger, uno psicologo che ora lavora alla Case Western Reserve University, dimostra che sebbene queste persone possano sembrare calme e imperturbabili, a volte possono fremere per turbamenti psicologici dei quali sono ignare. Durante il test di completamento delle frasi, veniva anche monitorato il livello di attivazione fisiologica dei volontari. La maschera di calma imperturbabile indossata dai repressori era smentita dall'agitazione rilevabile nel loro organismo: di fronte alla frase sul compagno di camera violento e ad altre dello stesso tenore, tutti questi soggetti davano segni di ansia: ad esempio, presentavano un aumento della frequenza cardiaca, della sudorazione e della pressione ematica. Tuttavia, se interrogati, dicevano di sentirsi perfettamente calmi.

Questo continuo desintonizzarsi da emozioni come la collera e l'ansia non è un comportamento insolito: stando a Weinberger esso è riscontrabile in circa una persona su sei. In teoria, i bambini potrebbero imparare a diventare imperturbabili in moltissimi modi. Potrebbe trattarsi di una strategia per sopravvivere a una situazione angosciosa come quella di avere un genitore etilista in una famiglia dove il problema viene negato. In un altro caso, il bambino potrebbe avere uno o entrambi i genitori essi stessi «repressori», i quali quindi trasmetterebbero l'esempio di una perenne allegria o di una caparbia resistenza verso emozioni fonte di turbamento. Oppure, questo comportamento potrebbe semplicemente essere ereditato. Sebbene nessuno possa dire per ora con precisione in che modo tale comportamento compaia nel bambino, sta di fatto che quando i repressori raggiungono l'età adulta sono freddi e padroni di sé nelle circostanze più difficili.

Rimane, naturalmente, il problema di capire quanto calmi e freddi essi siano in realtà. Riescono davvero ad essere inconsapevoli delle manifestazioni fisiche delle emozioni penose, oppure si tratta solo di ostentazione? La risposta a questo interrogativo è venuta dalla brillante ricerca di Richard Davidson, uno psicologo della Wisconsin University e uno dei primi collaboratori di Weinberger. Davidson faceva compiere libere associazioni mentali a persone dal comportamento imperturbabile sottoponendo loro una lista di parole, la maggior parte delle quali era neutrale, mentre alcune avevano significati ostili o a sfondo sessuale che quasi sempre inducono ansia. Come rivelavano le loro reazioni fisiche, questi soggetti presentavano tutti i segni fisiologici del turbamento in risposta a tali parole non neutrali, sebbene mostrassero un tentativo di sterilizzarle associandole quasi sempre ad altre parole innocenti. Ad esempio, se la prima parola era «odio», la risposta poteva essere «amore».

Lo studio di Davidson traeva vantaggio dal fatto che (nelle persone destrimani) un centro chiave nell'elaborazione delle emozioni negative si trova nella metà destra del cervello, mentre quello del linguaggio è a sinistra. Quando l'emisfero destro riconosce che una parola produce turbamento, trasmette l'informazione attraverso il corpo calloso – la grande via di comunicazione fra le due metà del cervello – inviandola al centro del linguaggio, che in risposta emette una parola. Usando un complesso sistema di lenti, Davidson riuscì a proporre ai soggetti sperimentali una parola in modo che la vedessero solo in una metà del loro campo visivo. A causa delle connessioni neurali del sistema visivo, se la parola era mostrata nella metà sinistra del campo visivo, essa veniva riconosciuta dapprima dalla metà destra del cervello, cioè da quella sensibile al turbamento. Se la parola compariva nella sola metà destra del campo visivo, il segnale veniva inviato al lato sinistro del cervello senza essere prima valutato relativamente alla sua capacità di indurre turbamento.

Quando le parole venivano presentate all'emisfero destro, c'era un tempo di latenza prima che gli imperturbabili emettessero una risposta – ma solo se la parola alla quale stavano rispondendo era di quelle non neutrali. Essi non mostravano tempo di latenza alcuno quando si misurava la velocità di associazione a parole *neutrali*. Il tempo di latenza compariva *solo* quando le parole erano presentate all'emisfero destro. In breve, la loro imperturbabilità sembrava dovuta a un meccanismo neurale che rallentava il trasferimento dell'informazione causa di turbamento, o interferiva con esso. Ciò implica che questi soggetti *non* simulino la loro mancanza di consapevolezza sul proprio grado di turbamento; è il loro stesso cervello a nascondere loro quell'informazione. Più precisamente, i sentimenti allegri che nascondono queste percezioni fonte di disturbo scaturiscono dalle elaborazioni dei lobi prefrontali. Con sua grande sorpresa, quando Davidson misurò il livello di attività dei lobi prefrontali dei soggetti imperturbabili, essi presentavano una netta predominanza a sinistra – il centro delle sensazioni positive – e molto meno a destra, il centro della negatività.

Queste persone, mi disse Davidson, «si presentano in una luce positiva, con uno stato d'animo ottimista». «Negano di essere turbati dallo stress e, mentre sono seduti a riposo, mostrano un'attivazione frontale sinistra associata a sensazioni positive. Questa attività cerebrale è probabilmente la chiave delle loro asserzioni positive, nonostante lo stato di attivazione fisiologica in cui si trovano, faccia pensare a una sofferenza.» La teoria di Davidson è che, in termini di attività cerebrale, vivere le realtà stressanti vedendole in una luce positiva è un impegno che richiede molte energie. L'aumentato stato di attivazione fisiologica potrebbe essere dovuto al prolungato tentativo dei circuiti neurali di mantenere i sentimenti positivi o di sopprimere o inibire tutti quelli negativi.

In breve, l'imperturbabilità è un tipo di negazione ottimista, una dissociazione positiva – e, forse, un indizio dei meccanismi neurali che entrano in gioco negli stati dissociativi più gravi come quelli che si verificano, ad esempio, nel disturbo da stress posttraumatico. Nel caso di persone che mostrano semplicemente di avere un animo sereno, afferma Davidson, «essa sembra essere una strategia ben riuscita per l'autoregolazione emozionale», sebbene non si conosca il prezzo che tutto questo impone all'autoconsapevolezza.

6

INTELLIGENZA EMOTIVA: UNA CAPACITÀ FONDAMENTALE

Solo una volta, in tutta la mia vita, mi è capitato di essere paralizzato dalla paura. Avvenne al primo anno di università durante un esame di calcolo, per il quale non avevo aperto libro. Ricordo ancora l'aula verso la quale mi stavo dirigendo, quella mattina di primavera, con il cuore appesantito dai cattivi presentimenti. Quella mattina, però, non vedevo nulla dalle finestre, e in effetti non vedevo nemmeno l'aula nella quale avevo seguito vari corsi. Mentre trovavo posto proprio vicino alla porta, tenevo lo sguardo fisso su una macchia del pavimento di fronte a me. Non appena aprii il fascicolo con la copertina blu contenente le domande del test, sentii il cuore pulsarmi nelle orecchie e in fondo allo stomaco il sapore dell'angoscia.

Diedi un'unica occhiata veloce alle domande. Senza speranza. Per un'ora fissai quella pagina, mentre la mia mente correva alle inevitabili conseguenze. Gli stessi pensieri si ripetevano all'infinito, una sequenza interminabile di paura e tremore. Sedevo immobile, come un animale paralizzato dal curaro a metà di un movimento. Quello che mi colpisce di più nel ricordo di quel momento di terrore è il pensiero di come fosse soggiogata la mia mente. Non passai quell'ora nel disperato tentativo di mettere insieme qualcosa che potesse avere una vaga sembianza di soluzione. Non sognavo a occhi aperti. Me ne stavo semplicemente lì seduto a contemplare il mio terrore, aspettando che quel supplizio finisse.[1]

Il racconto di quell'ora d'angoscia è mio, e fino a oggi esso rappresenta per me la prova più convincente dell'impatto devastante che la sofferenza psicologica può avere sulla lucidità mentale. Ora mi rendo conto che il mio tormento molto probabilmente stava a testimoniare la capacità del cervello emozionale di prendere il sopravvento sul cervello razionale – addirittura, la sua capacità di paralizzarlo.

Gli insegnanti sanno benissimo quanto i turbamenti emotivi interferiscano con la vita mentale. Quando sono ansiosi, adirati o depressi gli studenti non imparano; chi si trova in questi stati d'animo non assorbe informazioni né è in grado di applicarle proficuamente. Come abbiamo visto nel capitolo 5, quando sono forti, le emozioni negative dirottano l'attenzione dell'individuo sulle proprie preoccupazioni, interferendo con i suoi eventuali tentativi di concentrarsi su qualcos'altro. In verità, il fatto che i sentimenti diventino talmente invadenti e molesti da sopraffare tutti gli altri pensieri, sabotando continuamente ogni tentativo di prestare attenzione ad altri compiti contingenti, quali che siano, ci segnala che essi stanno sconfinando nel patologico. Nell'individuo che sta vivendo un divorzio lacerante – o nel figlio di una coppia che stia facendo quell'esperienza – la mente non si sofferma a lungo sulla quotidiana routine lavorativa o scolastica, che al confronto appare banale; nel paziente clinicamente depresso, i pensieri di autocommiserazione e disperazione, la mancanza di speranza e il senso di impotenza hanno la precedenza su tutti gli altri.

Quando le emozioni sopraffanno la concentrazione, quel che viene effettivamente annientato è una capacità mentale che gli scienziati cognitivi chiamano «memoria di lavoro», ossia l'abilità di tenere a mente tutte le informazioni rilevanti per portare a termine ciò a cui ci stiamo dedicando. La memoria di lavoro può essere occupata da informazioni banali come le cifre di un numero telefonico, o complesse come le fila di una trama intricata elaborata da un romanziere. Nella vita mentale, la memoria di lavoro è una funzione esecutiva per eccellenza, che rende possibili tutti gli altri sforzi intellettuali, dal pronunciare una frase ad affrontare una proposizione logica ingarbugliata.[2] La memoria di lavoro ha sede nella corteccia prefrontale, che, ricorderete, è il luogo in cui si incontrano sensazioni ed emozioni.[3] Quando i circuiti del sistema limbico che affluiscono alla corteccia prefrontale sono in preda alla sofferenza emotiva, a rimetterci è proprio l'efficienza della memoria di lavoro; in altri termini, non riusciamo più a pensare lucidamente, come ebbi io stesso a constatare durante il mio terrificante esame di calcolo.

Passeremo ora invece a considerare l'effetto di una motivazione positiva – la prevalenza di sentimenti di entusiasmo, fervore e fiducia in se stessi – ai fini della realizzazione dei propri obiettivi. Studi condotti su atleti olimpionici, musicisti di fama mondiale e grandi maestri di scacchi hanno messo in evidenza che l'aspetto comune a tutti questi individui è la capacità di automotivarsi in modo da sopportare durissimi programmi di studio o allenamento.[4] Si tenga presente, inoltre, che sempre più spesso questi programmi devono essere intrapresi fin dall'infanzia, visto che il grado di eccellenza richiesto per prestazioni a livello mondiale è sempre più elevato. Ai Giochi Olimpici del 1992, i tuffatori dodicenni della squadra cinese avevano al proprio attivo un numero di tuffi pari a quello degli atleti americani, che però avevano già passato i vent'anni: i tuffatori cinesi, infatti, si sottopongono ad allenamenti rigorosi fin dall'età di quattro anni. Allo stesso modo, i più grandi virtuosi di violino del nostro secolo hanno cominciato a studiare intorno ai cinque anni; e i campioni internazionali di scacchi vengono iniziati al gioco verso i sette anni, mentre quelli che si affermano solo a livello nazionale iniziano a dieci. Cominciare prima costituisce un vantaggio in termini di tempo: nella migliore accademia musicale di Berlino, gli allievi di violino più brillanti, tutti di età compresa fra i venti e i venticinque anni, avevano alle loro spalle diecimila ore di studio, mentre gli allievi di secondo livello ne avevano al proprio attivo circa settemilacinquecento.

Probabilmente, il fattore che sembra discriminare gli individui che svolgono attività competitive ai massimi livelli dagli altri soggetti con abilità pressappoco simili, è proprio il fatto che i primi, fin da giovanissimi, riescono a sopportare anni e anni di addestramento durissimo. E tale ostinazione dipende soprattutto dai tratti emotivi della personalità, ad esempio dalla capacità di provare entusiasmo ed essere perseveranti, nonostante gli insuccessi.

Senza contare le altre capacità innate, la gratificazione, in termini di successo nella vita, ottenuta grazie alla motivazione, appare evidente se si considerano le eccezionali prestazioni scolastiche e professionali degli studenti di origine asiatica che vivono in America. Un attento esame dei dati indica che questi soggetti hanno mediamente un Qi di appena due o tre punti superiore a quello dei bianchi.[5] Tuttavia, stando alle professioni – avvocato e medico – che molti di essi intraprendono una volta diventati adulti, nel loro insieme si comportano come se avessero un Qi molto più alto – l'equivalente di 110 nel caso dei nippoamericani e di 120 in quello dei cinoamericani.[6] A quanto pare, ciò è dovuto al fatto che, fin dai primi anni di scuola, i bambini asiatici si impegnano nello studio molto più dei bianchi. Sanford Dorenbusch, un sociologo di Stanford che ha esaminato più di diecimila studenti della scuola superiore, scoprì che quelli di origine asiatica dedicavano ai loro compiti un numero di ore superiore del 40 per cento rispetto agli altri. «Mentre la maggior parte dei genitori americani è disposta ad accettare i punti deboli del proprio figlio sottolineando invece le sue particolari abilità, nel caso dei genitori asiatici, l'atteggiamento mentale è questo: "Se non vai bene, dovrai studiare qualche ora di più la sera, e se ancora questo non basta, vorrà dire che ti alzerai un po' prima la mattina". Essi sono convinti che chiunque possa ottenere buoni risultati scolastici, purché si impegni a dovere.» In breve, una forte etica culturale del lavoro si traduce in motivazione, entusiasmo e perseveranza maggiori – in altre parole, in un vantaggio sul piano emotivo.

Nella misura in cui le emozioni intralciano o potenziano le nostre capacità di pensare, di fare progetti, di risolvere problemi, di sottoporci a un addestramento in vista di un obiettivo lontano, e altre ancora, esse non fanno che definire i limiti della nostra capacità di usare abilità mentali innate, e pertanto determinano il nostro successo nella vita. Ancora, nella misura in cui le nostre azioni sono motivate da sentimenti di entusiasmo e di piacere – o anche da un grado ottimale di ansia – sono proprio tali sentimenti a spingerci verso la realizzazione. In questo senso, l'intelligenza emotiva è un'abilità fondamentale che influenza profondamente tutte le altre, di volta in volta facilitandone l'espressione, o interferendo con esse.

Controllo degli impulsi: il test delle caramelle

Immaginate di avere quattro anni e che qualcuno vi faccia la seguente proposta: se aspetti che io ritorni da una commissione, avrai in premio due caramelle. Se non puoi aspettare, ne avrai solo una, ma subito. Si tratta di una sfida che mette alla prova qualunque bambino di quell'età e che riproduce su scala ridotta l'eterna battaglia fra impulso e repressione, id ed ego, desiderio e autocontrollo, gratificazione e rinvio. In queste condizioni, la scelta operata dal bambino è un valido test che offre una rapida interpretazione non solo del suo carattere, ma anche della traiettoria che egli probabilmente percorrerà nella sua vita.

Forse non esiste una capacità psicologica più importante del saper resistere agli impulsi. Essa è alla base di ogni tipo di autocontrollo emotivo, poiché tutte le emozioni, per loro stessa natura, si traducono in un impulso ad agire. Ricorderete che il significato etimologico della parola *emozione* è «muovere». A livello di funzione cerebrale, la capacità di resistere a quell'impulso, di bloccare il movimento incipiente, molto probabilmente si esprime nell'inibizione dei segnali inviati dal sistema limbico alla corteccia motrice, sebbene per adesso questa interpretazione resti ancora solo un'ipotesi. In ogni caso, in uno studio importante, bambini di quattro anni vennero sottoposti al test della caramella; i risultati ottenuti hanno dimostrato quanto sia fondamentale la capacità di reprimere le emozioni e di resistere all'impulso. Cominciato dallo psicologo Walter Mischel negli anni Sessanta presso una scuola materna del campus della Stanford University, lo studio arruolò principalmente bambini figli di docenti, studenti laureati e altri impiegati dell'università, che vennero seguiti dall'età di quattro anni fino al conseguimento del diploma di scuola media superiore.[7]

Alcuni di questi bambini di quattro anni riuscirono ad aspettare il ritorno dello sperimentatore, per quella che sicuramente dev'essere sembrata loro un'eternità – in realtà quindici-venti minuti. Per aiutarsi nella lotta, i bambini si coprivano gli occhi per non dover guardare l'oggetto della tentazione, oppure appoggiavano la testa sul braccio, parlando fra sé e sé, cantavano, giocavano con le mani o i piedi – qualcuno cercò perfino di mettersi a dormire. Questi corag-

ASIA - Dichico

giosi bimbetti ottennero la ricompensa delle due caramelle. Ma altri, più impulsivi, afferrarono una caramella, quasi sempre dopo che lo sperimentatore aveva lasciato la stanza da pochi secondi per fare la sua «commissione».

Il fatto che le modalità con le quali i bambini gestivano l'impulso del momento avesse un notevole potere diagnostico, venne chiarito dodici-quattordici anni dopo, quando questi stessi bambini, ormai adolescenti, furono rintracciati. Le differenze, a livello emotivo e sociale, fra chi aveva afferrato subito la caramella e chi aveva saputo aspettare era evidentissima. I soggetti che all'età di quattro anni avevano resistito alla tentazione, da adolescenti dimostravano di possedere una maggiore competenza sociale: erano efficaci a livello personale, sicuri di sé e più capaci di tener testa alle frustrazioni della vita. Le probabilità che questi giovani andassero in pezzi, si paralizzassero o regredissero quando erano sottoposti a stress, o che si innervosissero o si disorganizzassero sotto pressione, erano inferiori; essi accettavano le sfide e perseguivano i propri obiettivi senza rinunciare nemmeno di fronte alle difficoltà; avevano fiducia in se stessi, ed erano a loro volta degni di fiducia; prendevano l'iniziativa e si immergevano nei progetti. Non solo: a distanza di più di dieci anni, questi adolescenti erano ancora capaci di perseguire i propri obiettivi, rinviando la gratificazione.

I soggetti che a quattro anni non avevano resistito alla tentazione, che complessivamente ammontavano circa al 30 per cento del gruppo, tendevano però ad avere meno qualità di questo tipo, condividendo invece un profilo psicologico relativamente più inquieto. Durante l'adolescenza, era probabile che essi scansassero i contatti sociali a causa della timidezza; che fossero facilmente turbati dalle frustrazioni, testardi e indecisi; che pensassero a se stessi come «cattivi» o privi di valore; che regredissero o si paralizzassero di fronte allo stress; che fossero diffidenti e risentiti perché convinti di non «ottenere abbastanza»; ancora, era più probabile che questi giovani andassero soggetti alla gelosia e all'invidia e che reagissero all'irritazione in modo tagliente, innescando così liti e conflitti. Inoltre, nonostante fossero passati tutti quegli anni, essi erano ancora incapaci di rinviare le gratificazioni.

Ciò che traspare in tono minore già nei primi stadi di crescita, con gli anni si sviluppa in una vasta gamma di competenze nella sfera emotiva e sociale. La capacità di frenare i propri impulsi è alla base di moltissimi sforzi dell'adulto, dal mettersi a dieta al prendere la laurea in medicina. Alcuni bambini, anche a soli quattro anni, erano già padroni delle fondamentali tecniche di quest'abilità: sapevano interpretare la situazione sociale, riconoscendo che in quel caso specifico il rinvio era conveniente; sapevano come distogliere l'attenzione dalla tentazione proprio lì di fronte a loro; e, infine, riuscivano a distrarsi senza abbandonare l'obiettivo che si erano prefissi – le due caramelle.

Fatto ancora più sorprendente, quando i bambini del primo esperimento vennero nuovamente sottoposti a test, a distanza di anni, quando ormai adolescenti stavano terminando la scuola superiore, quelli che da piccoli avevano aspettato pazientemente si dimostrarono, *studenti* di gran lunga superiori a quelli che dieci anni prima avevano agito spinti dal capriccio. Secondo le valutazioni dei loro genitori, essi erano più competenti sul piano scolastico: sapevano esprimere verbalmente le proprie idee in modo più chiaro, usavano il ragionamento, sapevano concentrarsi, fare progetti e attenersi ad essi ed erano anche più avidi di apprendere. Fatto assai sorprendente, nei test Sat essi ottenevano punteggi molto superiori. Gli adolescenti che da bambini avevano afferrato subito la caramella avevano un punteggio medio di 524 nell'area verbale e di 528 in quella «matematica»; un terzo del campione dei soggetti che avevano saputo aspettare più a lungo aveva, rispettivamente, punteggi medi di 610 e 652, con una differenza nel punteggio totale di ben 210 punti.[8]

I risultati ottenuti dai bambini di quattro anni nel test sul rinvio della gratificazione costituiscono un fattore predittivo dei futuri punteggi Sat due volte più potente di quanto non sia, alla stessa età, il Qi; quest'ultimo diventa un fattore predittivo più potente solo dopo che i bambini hanno imparato a leggere.[9] Questo indica che la capacità di rinviare la gratificazione contribuisce in modo importante e indipendente dallo stesso Qi al potenziale intellettuale dell'individuo. (Una scarsa capacità di controllare i propri impulsi nell'infanzia è anche un potente fattore predittivo della delinquenza in anni successivi, e anche in questo caso si rivela più efficace del Qi.)[10] Come vedremo nella Quinta parte del libro, sebbene alcuni sostengano che il Qi sia immodificabile e che pertanto costituisca una limitazione insormontabile alle potenzialità del bambino, numerose prove dimostrano la possibilità di apprendere alcune abilità della sfera emotiva, quali ad esempio la capacità di controllare gli impulsi e di interpretare accuratamente una situazione sociale.

Quella che Walter Mischel, autore dello studio, descrive con l'espressione alquanto infelice «rinvio della gratificazione autoimposto e diretto a un fine» è forse l'essenza stessa dell'autoregolazione delle emozioni; la capacità di negare l'impulso in vista e al servizio di un obiettivo, indipendentemente dal fatto che si tratti di fare un affare, di risolvere un'equazione algebrica o di aggiudicarsi la Stanley Cup. Questi risultati sottolineano il ruolo dell'intelligenza emotiva in quanto meta-abilità che determina la misura in cui gli individui sono in grado di usare le loro altre capacità mentali.

Umor nero e pensieri confusi

Sono preoccupata per mio figlio. Ha appena cominciato a giocare con la squadra di football dell'università, e perciò qualche volta capiterà che si faccia male. È talmente snervante guardarlo mentre gioca, che ho smesso di andare alle sue partite. Sono sicura che a lui dispiace che non vado a vederlo giocare, ma è proprio chiedermi troppo.

Questa donna è in terapia per l'ansia e si rende conto che le sue continue preoccupazioni interferiscono con il tipo di vita che vorrebbe condurre.[11] Ma quando viene il momento di prendere una semplice decisione, ad esempio stabilire se andare o meno a vedere il figlio che gioca a football, la sua mente viene sommersa da un'ondata di pensieri catastrofici. Non è libera di scegliere; le preoccupazioni annientano la sua razionalità.

Come abbiamo visto, la preoccupazione è alla base degli effetti nocivi esercitati dall'ansia su tutti i tipi di prestazione mentale. Naturalmente, essa è, in un certo senso, una risposta utile mal gestita, una preparazione mentale troppo sollecita a una minaccia annunciata. Ma se questa attività mentale viene costretta su una monotona routine che imbriglia l'attenzione impedendo tutti i tentativi di concentrarla altrove, ecco che la preoccupazione diventa una disastrosa interferenza cognitiva.

L'ansia insidia l'intelletto. Immaginiamo, ad esempio, un lavoro stressante per il quale è necessaria la costante presenza intellettuale dell'individuo, come è quello del controllore del traffico aereo; in un'occupazione del genere, chi è costantemente afflitto da un elevato livello di ansia è quasi sicuramente destinato a fallire, o subito, già in fase di addestramento, o in seguito, sul campo. Rispetto agli altri, gli individui ansiosi hanno maggiori probabilità di fallire, anche se hanno punteggi superiori nei test d'intelligenza, come ha dimostrato uno studio su 1790 studenti che si stavano preparando come controllori del traffico aereo.[12] L'ansia può, inoltre, sabotare prestazioni scolastiche di tutti i tipi: 126 studi, effettuati su più di 36000 persone, hanno riscontrato che quanto più un individuo è soggetto all'ansia, tanto più scadenti sono le sue prestazioni scolastiche, indipendentemente da come si decida di misurarle – punteggi, medie di votazioni, o test di rendimento.[13]

Quando si chiede a individui inclini alla preoccupazione di eseguire un compito cognitivo, ad esempio di classificare oggetti ambigui in due categorie e di raccontare che cosa pensano mentre lo stanno facendo, i loro processi decisionali vengono disorganizzati da pensieri negativi come: «Non riuscirò mai a farlo», «Sono proprio negato per questo tipo di test», e simili. In realtà, quando si chiese a un gruppo di individui di controllo, poco inclini a preoccuparsi, di farlo intenzionalmente per quindici minuti, la loro capacità di svolgere lo stesso compito peggiorò nettamente. Viceversa, se si concedeva agli individui con tendenza alla preoccupazione un intervallo di quindici minuti per rilassarsi prima di intraprendere il compito assegnato – uno stratagemma che riduceva la loro agitazione – essi non avevano problemi nel portarlo a termine.[14]

L'ansia generata dai test venne studiata scientificamente per la prima volta negli anni Sessanta da Richard Alpert; egli mi confessò che il suo interesse per la materia era scaturito dal fatto che spesso, quando era studente, il nervosismo aveva abbassato il suo rendimento agli esami, mentre il suo collega Ralph Haber aveva constatato che la pressione che precedeva la prova lo aiutava a dare il meglio.[15] Insieme ad altri studi, la loro ricerca dimostrò che esistono due tipi di studenti ansiosi: quelli la cui ansia compromette la prestazione scolastica, e quelli che riescono a far bene nonostante lo stress – o, forse, proprio grazie ad esso.[16] L'aspetto paradossale dell'ansia da esame sta in questo: la stessa preoccupazione di far bene che costituisce un'efficace motivazione negli studenti come Haber, spronandoli a studiare molto per prepararsi e dare una buona prestazione, può rendere vani gli sforzi di altri. Per gli individui troppo ansiosi, come Alpert, l'ansia pre-esame interferisce con la capacità di pensare e la memoria indispensabili affinché lo studio risulti efficace, e durante il test sopprime la lucidità mentale essenziale per ben riuscire.

Il numero di preoccupazioni che gli individui riferiscono di avere durante un esame è un fattore predittivo diretto del fallimento della loro prova.[17] Le risorse mentali impiegate in un'attività cognitiva – la preoccupazione – vengono sottratte dalle risorse disponibili per elaborare altre informazioni: se durante un esame siamo preoccupati di fallire, presteremo meno attenzione alle risposte da dare. Le nostre preoccupazioni diventano così teorie che si autoverificano: in altre parole, non solo predicono il disastro, ma ci spingono verso di esso.

D'altro canto, le persone che sanno imbrigliare le proprie emozioni possono servirsi dell'ansia anticipatoria – causata, tanto per fare un esempio, da un discorso da tenere a breve, o da un esame imminente – come motivazione per prepararsi bene, e quindi per ben riuscire. I testi classici di psicologia descrivono il rapporto fra ansia e prestazione – compresa la prestazione intellettuale – come una curva a U rovesciata. Il picco della U corrisponde al rapporto ottimale fra ansia e prestazione, là dove un livello moderato di nervosismo serve da spinta verso un'ottima prestazione. Un livello di ansia troppo basso – il primo ramo della U – produce apatia o comunque una motivazione troppo scarsa per impegnarsi a fondo; un'ansia esagerata –

l'altro ramo della U – si traduce invece nel sabotaggio di qualunque tentativo di successo.

Un leggero stato di esaltazione – *ipomania*, come viene chiamata in gergo tecnico – sembra lo stato ottimale per l'attività degli scrittori e di altri individui impegnati in compiti creativi che richiedono fluidità di pensiero e fantasia; questa condizione mentale si trova in prossimità del picco della U rovesciata. Ma se l'euforia sfugge al controllo e sconfina decisamente nella mania – come accade nel caso delle oscillazioni di umore nei pazienti maniacodepressivi – l'agitazione compromette la capacità di pensare in modo abbastanza coerente da poter scrivere bene, nonostante le idee fluiscano liberamente (per la verità, troppo liberamente affinché se ne possa seguire anche una sola abbastanza lontano da ottenerne un prodotto finito).

Il buon umore, finché dura, aumenta la capacità di pensare in modo flessibile, consentendo di raggiungere livelli di complessità maggiori e semplificando la risoluzione di problemi, indipendentemente dal fatto che si tratti di questioni intellettuali o interpersonali. Ciò implica che per aiutare qualcuno a riflettere su un problema potremmo raccontargli una barzelletta. Una bella risata, come l'esaltazione, sembra aiutare l'individuo a pensare in modo più aperto e più libero, consentendogli di cogliere nessi che altrimenti gli sarebbero sfuggiti – una capacità mentale, questa, importante non solo nella creatività, ma anche nel riconoscimento di relazioni complesse e nella previsione delle conseguenze di una particolare decisione.

I benefici prodotti sull'intelletto da una buona risata sono più evidenti quando si deve risolvere un problema che richiede una soluzione creativa. In uno studio, si scoprì che i soggetti riuscivano a risolvere meglio un rompicapo, da tempo usato dagli psicologi per saggiare le potenzialità creative, se avevano appena guardato un video di «papere» televisive.[18] Nel test, ogni soggetto ha in dotazione una candela, dei fiammiferi e una scatola di puntine da disegno e deve attaccare la candela a una parete in modo da poterla poi accendere senza versare cera sul pavimento. Di fronte a questo problema, la maggior parte delle persone cade in quella che viene definita «fissità funzionale», ossia pensa di usare gli oggetti nel modo più convenzionale. Ma chi aveva appena visto il filmato divertente, aveva maggiori probabilità di escogitare un uso alternativo della scatola di puntine, e perciò proponeva una soluzione creativa, quella cioé di fissare la scatola alla parete utilizzando le puntine, e poi usarla come portacandela.

Anche i leggeri cambiamenti di umore possono far vacillare il pensiero. Quando fanno progetti o prendono decisioni, gli individui di buon umore tendono a percepire positivamente la situazione, il che li porta a essere più espansivi e ottimisti. Questo avviene in parte perché la memoria è una funzione specifica per ogni stato, e quindi quando siamo di buon umore ricordiamo un maggior numero di eventi positivi; se pensiamo ai pro e ai contro di una certa azione mentre ci sentiamo bene, la memoria orienta il nostro giudizio in una direzione positiva, ad esempio aumentando le possibilità che scegliamo una condotta leggermente avventurosa o rischiosa.

Per lo stesso motivo, il cattivo umore orienta la memoria in una direzione negativa, aumentando le probabilità che la scelta dell'individuo cada su un'opzione eccessivamente prudente dettata dalla paura. Quando sono completamente sbrigliate, le emozioni intralciano l'intelletto. Ma, come abbiamo visto nel capitolo 5, è comunque possibile riportarle sotto il nostro controllo; questa competenza è una capacità fondamentale, che facilita l'espressione di tutti gli altri tipi di intelligenza. Consideriamo alcuni esempi calzanti: i vantaggi comportati dalla speranza e dall'ottimismo e i momenti edificanti in cui l'individuo supera se stesso.

Il vaso di Pandora e Pollyanna: il potere del pensiero positivo

Nell'ambito di un test, alcuni studenti universitari vennero messi di fronte alla seguente situazione ipotetica:

> Sebbene vi foste posti l'obiettivo di prendere un B, quando vi restituiscono il punteggio del vostro primo esame, che inciderà sulla vostra votazione finale per un 30 per cento, ricevete un D. Adesso è passata una settimana da quando l'avete saputo. Che cosa fate?[19]

In questo caso, tutta la differenza sta nella capacità di sperare. La risposta data da studenti che possedevano un elevato livello di tale capacità fu che avrebbero studiato di più ed escogitato una serie di contromisure per aumentare la votazione finale. Gli studenti capaci di nutrire solo moderate speranze pensavano a vari modi con i quali alzare la propria media, ma erano molto meno determinati dei primi ad andare fino in fondo. Comprensibilmente, gli studenti poco inclini alla speranza rinunciavano a far conti, demoralizzati.

Il problema, d'altra parte, non è solo teorico. Quando C.R. Snyder, lo psicologo della Kansas University che fece questo studio, confrontò i reali risultati accademici delle matricole, scoprì che la loro naturale propensione alla speranza, classificata in due categorie, come elevata o scarsa, era un fattore predittivo delle votazioni del primo semestre più efficace del Sat (che è altamente correlato al Qi, e presumibilmente dovrebbe prevedere il successo universitario). Anche qui, in soggetti con capacità intellettuali pressappoco simili, erano le doti nella sfera emotiva a far pendere la bilancia da una parte o dall'altra.

La spiegazione di Snyder era la seguente: «Gli studenti più inclini alla speranza si prefiggono obiettivi più ambiziosi e sanno quanto devono impegnarsi per raggiungerli. Quando si confrontano i risultati accademici di studenti con doti intellettuali equivalenti, ciò che li distingue è proprio la speranza».[20]

Come narra la ben nota leggenda, Pandora, una principessa dell'antica Grecia, ricevette in dono dagli dèi invidiosi della sua bellezza un vaso misterioso. Sebbene fosse stata ammonita di non aprirlo mai, un giorno, sopraffatta dalla curiosità e dalla tentazione, Pandora sollevò il coperchio per sbirciarvi dentro; ma così facendo liberò all'esterno le grandi piaghe che affliggono il mondo – malattie, turbamenti, follia. Nel fondo del vaso rimase l'unico antidoto che può rendere sopportabili le miserie della vita al genere umano – la speranza, appunto.

I ricercatori moderni sono sempre più consapevoli del fatto che la speranza non si limita a offrire briciole di consolazione in una landa di dolore; essa ha invece un ruolo sorprendentemente potente nella nostra vita, in quanto costituisce un vantaggio in situazioni diverse, influenzando il rendimento scolastico o la capacità di sopportare impegni gravosi. La speranza, in senso tecnico, è qualcosa di più della visione solare di un futuro roseo. Snyder la definisce più specificamente come la «convinzione di avere sia la volontà che i mezzi per raggiungere i propri obiettivi, quali che siano».

Gli individui tendono a essere diversi gli uni dagli altri proprio per la loro tendenza a sperare nel senso specificato da Snyder. Alcuni si ritengono capaci di trarsi d'impiccio o di risolvere i problemi, mentre altri, semplicemente, non credono di possedere l'energia, la capacità o i mezzi per raggiungere gli obiettivi che si sono prefissi. Gli individui con un'elevata inclinazione alla speranza, ha constatato Snyder, hanno in comune alcuni aspetti fra i quali la capacità di automotivarsi, la sensazione di avere le risorse necessarie per raggiungere i propri obiettivi, l'abilità di rassicurare se stessi nei momenti difficili convincendosi che le cose andranno meglio, e una flessibilità sufficiente a escogitare modi diversi per raggiungere gli obiettivi prefissati o a modificarli se essi diventano impossibili; infine, la capacità di frantumare un compito di formidabile difficoltà in tanti più piccoli e maneggevoli.

Dal punto di vista dell'intelligenza emotiva, sperare significa non cedere a un'ansia tale da sopraffarci, non assumere atteggiamenti disfattisti o non arrendersi alla depressione di fronte a imprese difficili o all'insuccesso. In effetti, nel perseguire i propri obiettivi, le persone capaci di sperare sono meno soggette alla depressione, meno ansiose e soffrono meno sul piano emotivo.

Ottimismo: il grande fattore motivante

Gli americani appassionati di nuoto riponevano grandi speranze in Matt Biondi, membro della squadra statunitense alle Olimpiadi del 1988. Alcuni giornalisti sportivi avevano osannato Biondi, affermando che probabilmente avrebbe uguagliato il record di Mark Spitz, che nel 1972 si era aggiudicato sette medaglie d'oro. Ma nella sua prima gara, i 200 metri stile libero, Biondi ottenne uno straziante terzo posto, e nella gara successiva, i 100 metri farfalla, si vide soffiare l'oro nelle ultime bracciate.

I cronisti sportivi pensavano che le due batoste avrebbero demoralizzato Biondi compromettendo le gare successive. Ma l'atleta si riprese dalla sconfitta, e vinse l'oro nelle cinque gare che seguirono. Un osservatore che non rimase sorpreso dal successo di Biondi fu Martin Seligman, psicologo della Pennsylvania University che, al principio dell'anno, aveva sottoposto l'atleta ad alcuni test per saggiarne l'ottimismo. In un esperimento con Seligman, durante una manifestazione sportiva nella quale Biondi doveva testare al massimo le sue capacità, l'allenatore gli comunicò un tempo peggiore di quello ottenuto in realtà. Nonostante la notizia demoralizzante, quando si chiese a Biondi di riposare e di ritentare, la sua prestazione – che in realtà era già stata eccellente – fu ancora migliore. Ma quando si ripeté lo stesso esperimento con altri membri della squadra – dimostratisi pessimisti nell'ambito di altri test – le prestazioni al secondo tentativo furono peggiori.[21]

Essere ottimista, come pure essere inclini alla speranza, significa nutrire forti aspettative che, in generale, gli eventi della vita volgeranno al meglio nonostante i fallimenti e le frustrazioni. Dal punto di vista dell'intelligenza emotiva, l'ottimismo è un atteggiamento che impedisce all'individuo di sprofondare nell'apatia o nella depressione e di scivolare nella disperazione di fronte a situazioni difficili. Come nel caso della speranza, che è sua stretta parente, l'ottimismo si rivela fonte di grandi vantaggi (purché, naturalmente, si tratti di un ottimismo realistico; un ottimismo troppo ingenuo può essere disastroso).[22]

Seligman definisce l'ottimismo sulla base del modo in cui gli individui spiegano a se stessi i propri successi e i propri fallimenti. Gli ottimisti attribuiscono il fallimento a dettagli che possono essere modificati in modo da garantirsi buoni risultati nei futuri tentativi, mentre i pessimisti si assumono di persona la colpa dell'insuccesso, attribuendolo ad aspetti o circostanze durevoli che essi non hanno la possibilità di modificare. Queste diverse spiegazioni si ripercuotono profondamente sul modo in cui le persone reagiscono agli eventi della vita. Ad esempio, di fronte a una delusione (come il vedersi rifiutato per un impiego) gli ottimisti tendono a reagire attivamente e con un atteggiamento pieno di speranza, formulando un piano d'azione o cercando l'aiuto e il consiglio di qualcuno; essi considerano l'insuccesso come qualcosa alla quale si può rimediare. I pessimisti, invece, reagiscono a tali fallimenti dando per scontato il fatto di non poter far nulla affinché le cose vadano meglio la volta successiva; costoro pertanto non fanno nulla per risolvere il problema e attribuiscono l'insuccesso a qualche carenza personale che li affliggerà per sempre.

Come la speranza, anche l'ottimismo è un fattore predittivo del successo scolastico. In uno studio su cinquecento studenti appena immatricolati nel 1984 alla Pennsylvania University, i punteggi ottenuti in un test sull'ottimismo si rivelarono un miglior fattor predittivo delle votazioni del primo anno di quanto non fossero i punteggi conseguiti nei test Sat o le stesse votazioni di diploma. Seligman, che studiò questi soggetti, afferma: «Gli esami di ammissione all'università misurano il talento, mentre il modo in cui un individuo spiega i propri insuccessi può dirci se ha un atteggiamento rinunciatario. È la combinazione di un ragionevole talento con la capacità di resistere alla sconfitta che porta al successo. Quello che manca nei test di abilità è una misura della motivazione. È necessario sapere se un individuo continuerà ad andare avanti anche quando la situazione diventerà frustrante. La mia impressione è che, dato un determinato livello di intelligenza, il reale successo di un individuo sia funzione non solo del talento, ma anche della capacità di sopportare la sconfitta».[23]

Una delle dimostrazioni più eloquenti del potere dell'ottimismo come fattore motivante è stata ottenuta da uno studio di Seligman sugli agenti della compagnia assicurativa MetLife. In qualunque tipo di vendita è essenziale saper accogliere un rifiuto facendo buon viso a cattivo gioco, ma questa capacità diventa fondamentale quando si ha a che fare con un prodotto come le polizze assicurative, per le quali il rapporto fra rifiuti e contratti stipulati può essere tanto alto da scoraggiare. Per questo motivo circa tre quarti degli agenti assicurativi abbandonano il loro lavoro nell'arco dei primi tre anni. Seligman scoprì che, nei primi due anni di lavoro, fra i nuovi venditori, quelli che erano per loro natura ottimisti vendevano il 37 per cento in più rispetto ai colleghi pessimisti. E durante il primo anno, i pessimisti abbandonavano il lavoro con una frequenza doppia rispetto agli ottimisti.

Ma non basta: Seligman persuase la MetLife ad assumere un particolare gruppo di aspiranti agenti che aveva ottenuto un elevato punteggio in un test per l'ottimismo ma aveva fallito la normale selezione (in cui una gamma di capacità viene valutata confrontando le risposte degli aspiranti con un profilo standard basato sulle risposte fornite da agenti di successo). Nel primo e nel secondo anno di lavoro, le vendite concluse da questo particolare gruppo superarono quelle dei pessimisti rispettivamente del 21 e del 57 per cento. La ragione per cui l'ottimismo conferisce un così grande vantaggio in un lavoro di vendita è che si tratta di un atteggiamento intelligente dal punto di vista emozionale. Per un venditore, ogni rifiuto equivale a dover incassare una piccola sconfitta. Il modo in cui l'individuo reagisce emozionalmente a quella sconfitta è fondamentale per la capacità di darsi una motivazione sufficiente ad andare avanti. Quando gli insuccessi aumentano, il morale più deteriorarsi rendendo sempre più problematico il semplice gesto di alzare il telefono per la chiamata successiva. Il rifiuto è particolarmente difficile da sopportare per un individuo di indole pessimista, che lo interpreta dicendo a se stesso «Sono un vero fallimento in questo campo; non riuscirò a vendere nemmeno un chiodo» – un atteggiamento sicuramente destinato a suscitare apatia e disfattismo, se non anche depressione. Gli ottimisti, d'altro canto, dicono a se stessi «Sto usando l'approccio sbagliato» oppure «L'ultima persona che ho chiamato doveva essere di cattivo umore, tutto qui». Individuando la ragione del proprio fallimento non in se stessi, ma in qualche aspetto della circostanza, essi riescono a modificare il proprio approccio nella telefonata successiva. Mentre la disposizione mentale del pessimista conduce alla disperazione, quella dell'ottimista diffonde speranza.

La *forma mentis* positiva o negativa può benissimo dipendere dal temperamento innato; alcune persone tendono per natura verso l'uno o l'altro atteggiamento. Ma come vedremo anche nel capitolo 14, il temperamento può essere modificato dall'esperienza. L'ottimismo e la speranza – proprio come il senso di impotenza e la disperazione – possono essere appresi. Alla base di entrambi c'è una visione che gli psicologi chiamano *self-efficacy*, ossia la convinzione di avere il controllo sugli eventi della propria vita e di poter accettare le sfide nel momento in cui esse si presentano. Lo sviluppo di una competenza di qualunque tipo rafforza questa sensazione aumentando la disponibilità dell'individuo a correre dei rischi e a tentare imprese sempre più difficili. A sua volta, il superare queste difficoltà aumenta il senso di *self-efficacy*. Questo atteggiamento aumenta le probabilità che gli individui facciano il miglior uso delle proprie capacità – o che facciano quanto è necessario per svilupparle.

Albert Bandura, uno psicologo di Stanford che ha compiuto gran parte delle ricerche sulla *self-efficacy*, riassume bene questo concetto: «Le convinzioni che le persone nutrono sulle proprie capacità hanno un profondo effetto su queste ultime. La capacità non è una proprietà fissa; c'è un'enorme variabilità di prestazioni. Chi è dotato di *self-efficacy* si riprende dai fallimenti; costoro si accostano alle situazioni pensando a come fare per gestirle, senza preoccuparsi di ciò che potrebbe eventualmente andare storto».[24]

Il flusso, ossia la neurobiologia dell'eccellenza

Ecco come un compositore descrive i momenti in cui dà il meglio di sé nel proprio lavoro:

> Ti trovi in un tale stato di estasi che ti senti quasi come se non esistessi. L'ho sperimentato diverse volte di persona. La mia mano sembra non avere legami con me, e io non ho nulla a che fare con ciò che sta accadendo. Me ne sto semplicemente seduto lì a guardare, in uno stato di timore reverenziale e meraviglia. E tutto questo poi scorre via dileguandosi.[25]

Questa descrizione è eccezionalmente simile a quelle di centinaia di altri uomini e donne – scalatori, campioni di scacchi, chirurghi, giocatori di pallacanestro, ingegneri, dirigenti, e perfino archivisti – quando parlano di un momento nel quale hanno superato se stessi in un'attività che amano. Lo stato che essi descrivono è stato definito «flusso» da Mihaly Csikszentmihalyi, lo psicologo della Chicago University che nel corso di vent'anni di ricerche ha raccolto molte di queste descrizioni di prestazioni ad alto livello.[26] Gli atleti conoscono questo stato di grazia come «the zone» – la zona – là dove l'eccellenza non richiede sforzo, e la folla e gli avversari spariscono in uno stato di beato e costante assorbimento nell'attimo presente. Diane Roffe-Steinrotter, la sciatrice che colse un oro alle Olimpiadi invernali del 1994, dopo aver terminato la sua gara disse di non ricordarne nulla, tranne di essere sprofondata in uno stato di rilassamento: «Mi sentivo come una cascata».[27]

Riuscire a entrare nel flusso è la massima espressione dell'intelligenza emotiva; il flusso rappresenta forse il massimo livello di imbrigliamento e sfruttamento delle emozioni al servizio della prestazione e dell'apprendimento. Nel flusso le emozioni non sono solamente contenute e incanalate, ma positive, energizzate e in armonia con il compito cui ci si sta dedicando. Essere intrappolati nella noia della depressione o nell'agitazione dell'ansia significa essere fuori dal flusso. Ciò nonostante il flusso (o forse una sorta di microflusso) è un'esperienza che quasi tutti di tanto in tanto sperimentano, soprattutto quando le prestazioni uguagliano o superano i limiti personali. Il modo migliore per descrivere questo stato è forse quello di ricorrere alla metafora di due persone che fanno l'amore e sono colte dall'estasi – la fusione di due individui in un'unica entità, al tempo stesso fluida e armoniosa.

Questa esperienza è stupenda: la caratteristica del flusso è una sensazione di gioia spontanea, perfino di rapimento. Poiché il flusso ci fa sentire così bene, esso è di per se stesso gratificante. Si tratta di uno stato in cui la consapevolezza si fonde con le azioni e nel quale gli individui sono assorbiti in ciò che stanno facendo e prestano attenzione esclusivamente al loro compito. In verità, riflettere troppo su ciò che sta accadendo – lo stesso pensiero «sto facendo un lavoro fantastico» – può interrompere la sensazione del flusso. L'attenzione è talmente concentrata che gli individui sono consapevoli solo della ristretta gamma di percezioni immediatamente legate a ciò che stanno facendo, e perdono ogni cognizione dello spazio e del tempo. Un chirurgo, ad esempio, ricordava una difficile operazione nel corso della quale era entrato in uno stato di flusso; una volta terminato l'intervento, notò delle macerie sul pavimento della sala operatoria e chiese che cosa fosse accaduto. Rimase sorpreso nel sentire che mentre era intento al suo lavoro, parte del soffitto era crollata: al momento non ci aveva minimamente fatto caso.

Il flusso è uno stato in cui l'individuo si disinteressa di sé, l'opposto del rimuginare e del preoccuparsi. Invece di perdersi nella preoccupazione e nel nervosismo, gli individui sono talmente assorbiti da quanto stanno facendo che perdono completamente la consapevolezza di se stessi e si spogliano delle piccole preoccupazioni della vita quotidiana – salute, conti, e perfino l'ansia di far bene. In questo senso, i momenti di flusso sono privi di ego. Paradossalmente, l'individuo in stato di flusso mostra un controllo magistrale su ciò che sta facendo e le sue risposte sono perfettamente sincronizzate con le mutevoli esigenze della circostanza. Sebbene l'individuo in uno stato di flusso dia prestazioni al massimo livello, non è mai preoccupato di far bene, non indugia a pensare al successo o al fallimento: il puro e semplice piacere dell'atto in se stesso basta a motivarlo.

Ci sono diversi modi per entrare nel flusso. Uno è quello di concentrarsi esclusivamente e intenzionalmente su ciò che si sta facendo; uno stato di profonda concentrazione è l'essenza stessa del flusso. All'ingresso di questa zona, sembra esserci un circuito a *feedback*; forse, per trovare la calma e la concentrazione indispensabili per cominciare è necessario uno sforzo considerevole, un primo passo che richiede una certa disciplina. Ma una volta che la concentrazione comincia ad affermarsi, essa si autoalimenta, sia offrendo un sollievo dai turbamenti emotivi, sia consentendo di eseguire il compito senza sforzo.

L'individuo può entrare in questa «zona» anche quando trova un'attività nella quale è abile e vi si impegna a un livello che gli richiede un leggero sforzo. Come mi disse Csikszentmihalyi: «Gli individui sembrano concentrarsi in modo ottimale quando si richiede loro qualcosa in più del solito, ed essi sono in grado di darlo. Se si pretende troppo poco, si annoiano. Se devono tenere sotto controllo troppe cose, diventano ansiosi. Il flusso è possibile in quella fragile zona che si trova fra la noia e l'ansia».[28]

Il piacere spontaneo, la grazia e l'efficacia che caratterizzano il flusso sono incompatibili con i «sequestri» emozionali, nei quali gli impulsi provenienti dal sistema limbico tengono sotto sequestro, appunto, il resto del cervello. Nel flusso l'attenzione è rilassata pur essendo altamente concentrata. Si tratta di una concentrazione molto diversa da quella che si ottiene quando, stanchi o annoiati, si cerca di prestare attenzione a qualcosa; diversa da quando la nostra mente è messa sotto assedio da sentimenti invadenti e importuni quali l'ansia o la collera.

Il flusso è uno stato privo di interferenze emotive – se si esclude un leggero sentimento di estasi, irresistibile, e altamente motivante. Quell'estasi sembra essere un prodotto collaterale della concentrazione, quella stessa concentrazione che è un prerequisito del flusso. In verità, la letteratura sulle tradizioni contemplative classiche descrive stati di assorbimento mentale sperimentati come pura beatitudine: un flusso indotto da nulla più che un'intensa concentrazione.

Osservare qualcuno che si trova nello stato di flusso dà l'impressione che i compiti difficili siano facili; la prestazione ad altissimo livello sembra naturale e comune. Questa impressione riflette ciò che accade nel cervello, dove si ha un paradosso simile: i compiti più difficili sono eseguiti con un dispendio di energia mentale minimo. Il cervello in stato di flusso è «freddo»; lo stato di attivazione e di inibizione dei circuiti neurali è in perfetta armonia con quanto è richiesto dalle circostanze. Quando l'individuo si impegna in attività che attirano senza sforzo la sua attenzione mantenendola poi concentrata, il suo cervello si «calma», nel senso che si ha una riduzione dello stato di attivazione cerebrale.[29] Questa scoperta è notevole, dal momento che lo stato di flusso consente agli individui di affrontare le imprese più difficili, sia che si tratti di giocare contro un maestro di scacchi, sia che si debba risolvere un complesso problema matematico. Ci si aspetterebbe che queste imprese così impegnative richiedano una *maggiore* attività corticale, non il contrario. Ma uno degli aspetti chiave del flusso è proprio che esso si manifesta solo nell'intorno dell'eccellenza, là dove le capacità sono ben esercitate e i circuiti neurali più efficienti.

Una concentrazione forzata – alimentata dalla preoccupazione – produce un aumento dell'attività corticale. Ma la zona del flusso e della prestazione ottimale sembra essere un'oasi di efficienza corticale, nella quale viene consumato un minimo indispensabile di energia mentale. Questo è logico, forse, se si pensa al tipo di attività magistrale che consente all'individuo di entrare nel flusso: avendo la padronanza delle mosse necessarie per compiere una data impresa – di tipo fisico, come scalare una parete di roccia, o di tipo mentale, come programmare un computer – il cervello può essere più efficiente. I movimenti ben esercitati richiedono uno sforzo cerebrale molto inferiore di quelli appena appresi o ancora troppo difficili. Allo stesso modo, quando il cervello sta lavorando in modo meno efficiente a causa dell'affaticamento o del nervosismo, come accade, ad esempio, alla fine di una giornata lunga e stressante, si ha una riduzione della precisione corticale, accompagnata dall'attivazione di troppe aree; uno stato neurale che a livello soggettivo viene percepito come una notevole distrazione.[30] Lo stesso accade nel caso della noia. Ma quando il cervello funziona al massimo dell'efficienza, come nel flusso, c'è una precisa relazione fra le aree attive e le esigenze del compito che si sta svolgendo. In questo stato, anche il lavoro più gravoso invece di sfinirci sembra darci piacevolmente la carica.

Apprendimento e flusso: un nuovo modello di educazione

Poiché il flusso emerge nella «zona» in cui un'attività stimola l'individuo ad esprimere al meglio le proprie capacità, con l'aumentare di queste ultime, per entrare nel flusso saranno necessari maggiori stimoli. Se un compito è troppo semplice, risulta noioso; se è troppo difficile, genera ansia invece di guidarci nel flusso. Si può sostenere che la maestria è stimolata dall'esperienza del flusso – in altre parole, che la motivazione a fare qualcosa sempre meglio, si tratti di suonare il violino, di ballare o di compiere ricerche di genetica molecolare, consiste, almeno in parte, in uno stato di flusso durante l'esecuzione. In effetti, in uno studio compiuto su duecento artisti a distanza di diciott'anni dal momento in cui avevano lasciato la scuola d'arte, Csikszentmihalyi scoprì che erano diventati artisti veri solo quelli che da studenti avevano assaporato la gioia pura e semplice del dipingere. I soggetti che ai tempi dell'accademia avevano attinto le loro motivazioni nei sogni di fama e di denaro, in massima parte abbandonarono l'arte una volta preso il diploma.

Csikszentmihalyi conclude: «I pittori devono desiderare, sopra ogni altra cosa, dipingere. Se di fronte alla sua tela l'artista comincia a chiedersi a quanto potrà venderla, o che cosa ne penseranno i critici, egli non riuscirà ad aprire nuovi orizzonti. La realizzazione creativa dipende dalla dedizione totale a un unico scopo».[31]

Proprio come il flusso è un prerequisito per raggiungere l'eccellenza in un mestiere, in una professione o in un'arte, lo stesso vale anche per l'apprendimento. In modo assolutamente indipendente dalle potenzialità misurate dai test di rendimento scolastico, i giovani che quando studiano entrano in uno stato di flusso riescono meglio. Gli studenti di una scuola a indirizzo scientifico di Chicago – i cui allievi, sottoposti a un test avanzato di matematica si erano tutti classificati fra i migliori, e cioé in quel 5 per cento che costituiva la fascia superiore – vennero classificati dai loro insegnanti come soggetti ad alto o basso rendimento. Poi venne monitorato il modo in cui essi erano soliti passare il loro tempo; ogni studente portava con sé un cicalino che suonava a caso in diversi momenti della giornata; in corrispondenza del segnale gli studenti dovevano mettere per iscritto l'attività nella quale erano impegnati e specificare di quale umore fossero. Non deve sorprendere il fatto che i soggetti a «basso rendimento» passassero solo circa quindici ore alla settimana studiando a casa, molto di meno delle ventisette totalizzate dai loro compagni ad «alto rendimento». I soggetti a basso rendimento passavano la maggior parte delle ore non dedicate allo studio impegnandosi in attività di socializzazione, frequentando amici o familiari.

Quando si passò ad analizzare i loro stati d'animo, emerse un risultato significativo. Tutti i soggetti, a «basso» o «alto rendimento», passavano moltissimo tempo durante la settimana in attività che trovavano noiose, e che non stimolavano in alcun modo le loro capacità, ad esempio guardando la televisione. Questo, dopo tutto, è il destino dei *teenager*. Ma la differenza fondamentale stava nel loro modo di vivere l'esperienza dello studio. Ai soggetti ad «alto rendimento», esso procurava la stimolazione piacevole e coinvolgente tipica del flusso nel 40 per cento del tempo che vi dedicavano. Ma nel caso dei soggetti a «basso rendimento», lo studio produceva uno stato di flusso solo nel 16 per cento del tempo che vi veniva dedicato; molto spesso, invece, esso generava ansia, e l'impresa si rivelava superiore alle loro capacità. I soggetti a «basso rendimento» non provavano piacere né entravano nello stato di flusso mentre studiavano, ma quando si dedicavano alle attività di socializzazione. In breve, gli studenti che ottengono risultati pari o superiori al loro potenziale vengono attratti dallo studio perché questa attività li guida in uno stato di flusso. Purtroppo, i soggetti a «basso rendimento», non desiderando impegnarsi nelle attività che li avrebbero guidati al flusso, vengono privati della gioia dello studio e corrono il rischio di veder limitato il livello intellettuale delle attività che troveranno piacevoli in futuro.[32]

Howard Gardner, lo psicologo di Harvard che ha sviluppato la teoria delle intelligenze multiple, ritiene che il flusso, e gli stati positivi che lo caratterizzano, facciano parte del modo più salutare di insegnare ai bambini, quello cioé di dar loro una motivazione interiore, invece di spronarli con le minacce o con la promessa di una ricompensa. «Dovremmo usare gli stati mentali positivi dei bambini per attrarli verso l'apprendimento negli ambiti in cui essi possono sviluppare delle competenze» mi disse Gardner. «Il flusso è uno stato interiore che indica che il bambino è impegnato in modo corretto. Essi devono trovare qualcosa che gli piaccia, e farla. Quando si annoiano, i bambini diventano aggressivi e fanno capricci, mentre quando sono sopraffatti da un compito diventano ansiosi sul proprio rendimento scolastico. Ma quando c'è qualcosa che ci interessa veramente e riusciamo a trarre piacere dall'impegno che essa ci richiede, allora impariamo al meglio.»

La strategia adottata in molte scuole dove si sta mettendo in pratica il modello delle intelligenze multiple di Gardner è imperniata sull'identificazione del profilo di competenze naturali del bambino, facendo leva sui suoi punti di forza e puntellando i suoi lati deboli. Un bambino che abbia un talento naturale per la musica o il movimento, ad esempio, entrerà in uno stato di flusso più facilmente in quegli ambiti che non in altri nei quali è meno capace. La conoscenza del profilo del bambino può aiutare l'insegnante a presentargli un argomento nel modo a lui più congeniale, così da fornirgli una stimolazione ideale, sia che ci si trovi al livello di un corso di recupero, che a quello di un corso avanzato. In questo modo l'apprendimento diventa più piacevole, ben lontano dal risvegliare paure o dal suscitare la noia. «La nostra speranza è che, riuscendo a entrare in uno stato di flusso mentre apprendono, i bambini siano incoraggiati ad accettare sfide anche in altre aree» afferma Gardner, aggiungendo che, stando all'esperienza, effettivamente avviene proprio così.

Più in generale, il modello del flusso indica che il raggiungimento dell'eccellenza in una qualunque capacità o campo di conoscenze dovrebbe, in linea ideale, avvenire in modo naturale, quando il bambino viene attratto nelle aree che suscitano spontaneamente il suo interesse – essenzialmente in quelle che gli piacciono. Quando il bambino comprende che l'impegno in quel campo – non importa se si tratta della danza, della matematica o della musica – è fonte del piacere assicurato dallo stato di flusso, questa passione iniziale può rappresentare il punto di partenza per raggiungere elevati livelli di prestazione. E poiché il mantenimento dello stato di flusso comporta che si superino i limiti delle proprie abilità, ecco una motivazione fondamentale per fare sempre meglio – qualcosa che rende il bambino felice. Quello che abbiamo appena delineato, naturalmente, è un modello dell'apprendimento e dell'educazione più positivo di quello con cui la maggior parte di noi si è scontrata a scuola. Chi non ricorda la scuola, almeno in parte, come una serie di noiosissime interminabili ore disseminate qua e là da momenti di grande ansia? Cercare lo stato di flusso attraverso l'apprendimento è un modo più umano, naturale e probabilmente anche più efficace per mettere le emozioni al servizio dell'educazione.

In generale, tutto questo conferma quanto sia fondamentale la capacità di incanalare le emozioni verso il raggiungimento di un fine produttivo; essa può manifestarsi nel controllo degli impulsi e nel rinvio delle gratificazioni, nel regolare i nostri stati d'animo in modo che essi facilitino invece di ostacolare il pensiero razionale, nel trovare la motivazione per insistere e provare – provare ancora – nonostante gli insuccessi, oppure nel trovare i modi per entrare nello stato di flusso e dare quindi prestazioni ottimali: in ogni caso, tutti questi comportamenti indicano che, applicata ai nostri sforzi, l'emozione può rivelarsi un motore potente, capace di dare loro maggiore efficacia.

7

LE RADICI DELL'EMPATIA

Torniamo a Gary, il brillante chirurgo alessitimico che faceva tanto soffrire la fidanzata Ellen ignorando non solo i propri sentimenti, ma anche quelli di lei. Come la maggior parte degli alessitimici, egli mancava di empatia e di intuito. Se Ellen diceva di sentirsi giù, Gary non la capiva, né riusciva a condividere il suo stato; se lei parlava d'amore, lui cambiava argomento. Gary criticava in modo «costruttivo» le azioni di Ellen, senza rendersi conto che questo atteggiamento non la aiutava, ma la faceva sentire attaccata.

L'empatia si basa sull'autoconsapevolezza; quanto più aperti siamo verso le nostre emozioni, tanto più abili saremo anche nel leggere i sentimenti altrui.[1] Gli alessitimici come Gary, che non hanno alcuna idea di ciò che essi stessi provano, sono completamente perduti quando devono sapere che cosa senta chiunque altro intorno a loro. Dal punto di vista emotivo, è come se fossero sordi. Si lasciano sfuggire tutte le coloriture emotive delle parole e delle azioni altrui – un particolare tono di voce, un significativo cambiamento di posizione, un silenzio eloquente o un tremito rivelatore.

Confusi sui propri sentimenti, gli alessitimici sono ugualmente sconcertati quando altre persone esprimono i loro. Questa incapacità di registrare i sentimenti altrui è un gravissimo deficit dell'intelligenza emotiva ed è una tragica menomazione del nostro essere umani. In qualunque tipo di rapporto, la radice dell'interesse per l'altro sta nell'entrare in sintonia emozionale, nella capacità di essere empatici.

Questa capacità, che ci consente di sapere come si sente un altro essere umano, entra in gioco in moltissime situazioni, da quelle tipiche della vita professionale – si pensi alla giornata lavorativa di un venditore o un dirigente – a quelle della vita privata – le relazioni sentimentali e i rapporti fra genitori e figli – o ancora, nella compassione e nell'azione politica. Anche l'assenza di empatia è significativa: essa si osserva nei criminali psicopatici, negli stupratori e nei molestatori di bambini.

Raramente le emozioni dell'individuo vengono verbalizzate; molto più spesso esse sono espresse attraverso altri segni. La chiave per comprendere i sentimenti altrui sta nella capacità di leggere i messaggi che viaggiano su canali di comunicazione non verbale: il tono di voce, i gesti, l'espressione del volto, e simili. Insieme ai suoi studenti, Robert Rosenthal, uno psicologo di Harvard, è probabilmente l'autore delle ricerche più estese sulla capacità umana di leggere questi messaggi non verbali. Rosenthal ha messo a punto un test per saggiare l'empatia, il Pons (Profile of Nonverbal Sensitivity, Profilo della sensibilità non verbale); il test si avvale di una serie di videocassette nelle quali una giovane donna esprime sentimenti che vanno dall'ilarità all'amore materno.[2] Le scene spaziano dalla rappresentazione di una violenta gelosia alla richiesta di perdono, da una manifestazione di gratitudine a una seduzione. Il video è stato girato in modo da oscurare, in ciascun ritratto, uno o più canali di comunicazione non verbale; in alcune scene, ad esempio, oltre ad essere stato escluso l'audio, sono stati bloccati tutti gli altri canali, tranne quello rappresentato dall'espressione facciale. In altre scene, vengono mostrati solo i movimenti del corpo, e così via, per tutti i principali canali di comunicazione non verbale; in questo modo gli osservatori sono costretti a individuare l'emozione servendosi di un unico canale.

Nei test, condotti su più di settemila persone negli Stati Uniti e in altri diciotto paesi, la capacità di leggere i sentimenti altrui da indizi non verbali comportava diversi vantaggi, fra i quali una maggiore adeguatezza emotiva, simpatia, estroversione e – il che non dovrebbe sorprendere – una maggiore sensibilità. In generale, le donne sono più brave degli uomini in questo tipo di empatia. Gli individui la cui prestazione andava migliorando nel corso dei quarantacinque minuti del test – segno, questo, che erano in grado di fare appello all'empatia – avevano anche rapporti migliori con l'altro sesso. L'empatia aiuta nella vita sentimentale, e neanche questo dovrebbe sorprenderci.

In conformità con i risultati ottenuti relativamente ad altri elementi dell'intelligenza emotiva, fra i punteggi Pons assegnati all'acuità empatica e i punteggi Sat, il Qi o i test di rendimento scolastico vennero riscontrate solo correlazioni casuali. L'indipendenza dell'empatia dall'intelligenza accademica è stata confermata anche usando una versione del Pons ideata appositamente per i bambini. Nei test, eseguiti su 1011 bambini, i soggetti con attitudine a leggere i sentimenti espressi in modo non verbale erano fra i più amati dai loro compagni, e al tempo stesso quelli emotivamente più stabili.[3] Questi soggetti avevano inoltre un rendimento scolastico migliore, anche se, in media, i loro Qi non erano più alti di quelli di bambini meno abili nella lettura dei messaggi non verbali – il che mostra come l'empatia faciliti il buon rendimento scolastico (o anche, come porti gli insegnanti a preferire i soggetti empatici agli altri).

Se è vero che la normale modalità di espressione della mente razionale è la parola, quella delle emozioni è invece di natura non verbale. Quando le parole di un individuo non sono in armonia con quanto egli comunica con il tono di voce, i gesti o altri canali non verbali, la verità va ricercata nel *come* quell'individuo sta comunicando, non tanto in *ciò* che dice. Una regola empirica usata nella ricerca sulla comunicazione è che il 90 per cento o più di un messaggio emotivo viene comunicato attraverso canali non verbali. E tali messaggi – l'ansia che traspare dal tono di voce, l'irritazione tradita dalla rapidità di un gesto – sono quasi sempre recepiti in modo inconscio, senza prestare particolare attenzione alla natura del messaggio stesso, ma semplicemente ricevendolo e rispondendogli. Le capacità che ci consentono di fare ciò in modo più o meno efficace vengono, in massima parte, apprese in modo implicito.

Come si sviluppa l'empatia

Quando Hope, di soli nove mesi, vide un'altra bambina cadere, gli occhi le si riempirono di lacrime; la piccola arrancò carponi dalla mamma per farsi consolare, come se a farsi male fosse stata lei, e non l'amichetta. E Michael, di quindici mesi, andò a prendere il proprio orsacchiotto per darlo al suo amico Paul, che piangeva; poiché quello continuava a disperarsi, Michael andò a prendergli la copertina che usava per farsi coraggio. Entrambi questi piccoli atti di comprensione e premura vennero osservati da madri istruite a registrare tali episodi di empatia quando si verificavano.[4] I risultati dello studio indicano che è possibile rintracciare il germe dell'empatia fin nella prima infanzia. Praticamente, dal giorno stesso della nascita i neonati sono turbati dal pianto di un altro bambino – una reazione che alcuni considerano come il precursore dell'empatia.[5]

Gli psicologi dello sviluppo hanno scoperto che i bambini molto piccoli provano sentimenti di sofferenza simpatica prima di rendersi pienamente conto della propria esistenza come entità separata dalle altre. Anche a pochi mesi dalla nascita, i bambini reagiscono al turbamento altrui come a un turbamento proprio, ad esempio piangendo alla vista delle lacrime di un altro bambino. A circa un anno, in una situazione analoga, cominciano a rendersi conto che la sofferenza non appartiene a loro ma a qualcun altro, sebbene sembrino ancora confusi sul da farsi. In una ricerca condotta da Martin L. Hoffman alla New York University, ad esempio, un bambino di un anno portò la propria madre da un amichetto che piangeva affinché lo confortasse, ignorando la madre del bambino, che si trovava anch'essa nella stanza. Questa confusione si osserva anche quando, intorno a un anno di età, i bambini imitano la sofferenza altrui, forse per meglio comprendere ciò che l'altro sta provando; ad esempio, se una bambina si fa male alle dita, un'altra bimbetta di un anno potrebbe mettersi la mano in bocca per vedere se fa male anche a lei. Alla vista del pianto della sua mamma, un bambino si stropicciò gli occhi, sebbene non ci fossero lacrime da asciugare.

Questo *mimetismo motorio*, come viene chiamato, è il significato tecnico originale della parola *empatia*, nell'accezione in cui essa venne usata la prima volta negli anni Venti da E.B. Titchener, uno psicologo americano. Questo significato è leggermente diverso da quello con il quale la parola greca *empatheia*, «sentire dentro», venne originariamente introdotta nell'inglese: si trattava di un termine inizialmente usato dai teorici dell'estetica per indicare la capacità di percepire l'esperienza soggettiva altrui. Secondo la teoria di Titchener, l'empatia scaturiva da una sorta di imitazione fisica della sofferenza altrui, che poi evocava gli stessi sentimenti anche nell'imitatore. Egli cercava una parola che fosse distinta da *simpatia*, la benevola compassione che si può provare per la sofferenza altrui ma che non comporta alcuna condivisione. Il mimetismo motorio svanisce dal repertorio dei bambini intorno all'età di due anni e mezzo, quando essi capiscono che il dolore altrui è diverso dal proprio e riescono a consolare meglio gli altri. Ecco un tipico episodio, tratto dal diario di una madre:

> Il bambino di una vicina piange... e Jenny si avvicina e prova a dargli dei biscotti. Lo segue e comincia a piagnucolare anche lei. Poi cerca di accarezzargli i capelli, ma lui la respinge... Il bambino si calma ma Jenny sembra ancora preoccupata. Continua a portargli giocattoli e a battergli amichevolmente la manina sulla testa e le spalle.[6]

A questo punto del loro sviluppo i bambini cominciano a differire gli uni dagli altri per la loro sensibilità verso i turbamenti emotivi altrui; alcuni, come Jenny, ne sono acutamente consapevoli, mentre altri sembrano desintonizzarsi. Una serie di studi condotti da Marian Radke-Yarrow e Carolyn Zahn-Waxler al National Institute of Mental Health ha dimostrato che gran parte di questa differenza di empatia era legata al modo in cui i genitori riprendevano i propri figli. I bambini erano più empatici quando il rimprovero comprendeva un forte richiamo dell'attenzione sulla sofferenza e il disagio che il loro comportamento sbagliato aveva causato a qualcun altro. In altre parole, quando essi dicevano: «Guarda come l'hai fatta soffrire», invece di «È stata una cattiveria». Radke-Yarrow e Zahn-Waxler scoprirono inoltre che l'empatia dei bambini si forma osservando il modo in cui gli altri reagiscono alla sofferenza altrui; imitando ciò che vedono, i bambini sviluppano un repertorio di risposte empatiche, che usano soprattutto quando aiutano altre persone che stanno soffrendo.

Il bambino ben sintonizzato

Sarah aveva venticinque anni quando diede alla luce due gemelli, Mark e Fred. Mark, secondo lei, le somigliava di più, mentre Fred era più simile al padre. Questa percezione probabilmente fu all'origine della differenza, significativa sebbene appena percettibile, del suo modo di trattare i due bambini. Quando i gemelli ebbero tre mesi, Sarah cercava spesso di incrociare lo sguardo di Fred, e quando lui girava la faccia, lei cercava nuovamente di guardarlo negli occhi; Fred rispondeva allora voltandosi più enfaticamente. Quando la madre desisteva, Fred ricominciava a guardarla, e il ciclo di inseguimento e allontanamento ricominciava daccapo – spesso con il risultato di lasciare Fred in lacrime. Con Mark, invece, Sarah non cercò mai di imporre il contatto visivo come faceva con Fred. Mark poteva interrompere il contatto quando voleva, e lei non cercava di ristabilirlo. Una differenza piccola, certo, ma significativa. Un anno più tardi, Fred era considerevolmente più pauroso di Mark; uno dei modi in cui mostrava la sua paura era di interrompere il contatto visivo con le altre persone, proprio come faceva con la madre all'età di tre mesi, distogliendo lo sguardo o abbassandolo. Mark, d'altro canto, guardava la gente dritto negli occhi; quando voleva interrompere il contatto, girava leggermente la testa verso l'alto e poi di lato, con un sorriso di vittoria. Sarah e i suoi gemelli vennero osservati così meticolosamente nell'ambito di una ricerca condotta da Daniel Stern, uno psichiatra che allora lavorava alla facoltà di medicina della Cornell University.[7] Stern è affascinato dai piccoli, ripetuti scambi che hanno luogo fra genitori e figli; e crede che i fondamenti della vita emotiva vengano posti in questi momenti di grande intimità. Di tutti questi istanti, i più critici sono quelli che consentono al bambino di sapere che le sue emozioni incontrano l'empatia dell'altro, sono accettate e ricambiate, in un processo che Stern chiama *attunement* – «sintonizzazione». La madre dei gemelli era in sintonia emotiva con Mark, mentre non lo era con Fred. Stern sostiene che gli infiniti momenti di sintonizzazione e desintonizzazione fra genitori e figli plasmano le aspettative emotive che gli adulti immettono nel rapporto – forse molto di più di quanto non facciano gli eventi più drammatici dell'infanzia.

La sintonizzazione avviene tacitamente: viene inserita come un elemento ritmico della relazione. Stern ha studiato il processo con precisione microscopica videoregistrando per ore il comportamento delle madri con i propri bambini. Egli ha scoperto che attraverso la sintonizzazione, le madri comunicano ai figli di percepire i loro sentimenti. Supponiamo, ad esempio, che una bambina emetta un gridolino di piacere: la madre confermerà quella sensazione dondolandola leggermente, parlando amorevolmente con lei o intonando la propria voce su quella della piccola. Oppure, immaginiamo che un bambino scuota il suo sonaglio e che la madre gli risponda con un rapido dondolio. In questo tipo di interazione, il messaggio di conferma sta nel fatto che la madre presenta più o meno lo stesso livello di eccitazione del piccolo. Questi piccoli gesti finalizzati a entrare in sintonia con il proprio bambino danno a quest'ultimo la sensazione rassicurante di essere emotivamente collegato alla madre: Stern ha riscontrato che quando interagiscono con i figli le madri emettono questo messaggio circa una volta al minuto. La sintonizzazione è molto diversa dalla semplice imitazione. «Se imiti un bambino» mi disse Stern «questo dimostra solamente che sai quel che egli sta facendo, ma non come effettivamente si senta mentre lo fa. Se vuoi comunicargli che percepisci le sue sensazioni, devi riprodurgli i suoi sentimenti interiori in un altro modo. È solo allora che il bambino sa di essere compreso.»

Nella vita adulta, il fare l'amore è l'atto che forse si avvicina di più a questa sintonizzazione fra madre e figlio. Secondo Stern, l'atto sessuale «implica la percezione dello stato soggettivo dell'altro: la condivisione del desiderio, un'armonia di intenzioni, e un'attivazione reciproca sincronizzata»; le risposte degli amanti mostrano una sintonia che dà implicitamente la percezione di un rapporto profondo.[8] Nel migliore dei casi, fare l'amore è un atto di empatia reciproca; nel peggiore, invece, esso manca completamente di questa reciprocità emotiva.

Il prezzo della mancata sintonizzazione

Stern sostiene che il bambino, facendo riferimento a questi ripetuti momenti di sintonizzazione, comincia a sviluppare la percezione che gli altri possano e vogliano condividere i suoi sentimenti. Questa sensazione sembra emergere intorno agli otto mesi, quando il bambino comincia a capire di essere un'entità separata dagli altri, per poi continuare, durante tutta la vita, a formarsi attraverso le relazioni intime. Quando i genitori non sono in sintonia con il figlio, la situazione induce in lui un profondo turbamento. In un esperimento, Stern fece in modo che le madri rispondessero deliberatamente troppo o troppo poco ai propri bambini, invece di entrare in sintonia con loro; i bambini reagivano immediatamente con preoccupazione e disagio.

La prolungata assenza di sintonia fra genitori e figli impone al bambino un costo enorme in termini emozionali. Quando un genitore non riesce mai a mostrare alcuna empatia con una particolare gamma di emozioni del bambino – gioia, pianto, bisogno di essere cullato – questi comincia a evitare di esprimerle, e forse anche di provarle. In questo modo, presumibilmente, numerose emozioni cominciano ad essere cancellate dal repertorio delle relazioni intime, soprattutto se, anche in seguito durante l'infanzia, quei sentimenti continuano ad essere copertamente o apertamente scoraggiati.

Per lo stesso motivo, i bambini possono arrivare a preferire una gamma di emozioni infelici, a seconda di quali di esse vengono ricambiate dai genitori. Perfino i bambini piccolissimi «colgono» gli stati d'animo: i figli di madri depresse, ad esempio, a soli tre mesi rispecchiavano lo stato d'animo delle loro madri quando giocavano con loro, mostrando un maggior numero di sentimenti di collera e tristezza, e molta meno curiosità e interesse spontanei, rispetto ai bambini le cui madri non erano depresse.[9]

Nello studio di Stern una madre reagiva sempre a un livello inferiore a quello del proprio bambino, che alla fine imparò ad essere passivo. Stern sostiene che «un bambino trattato in quel modo impara a ragionare così: "quando sono eccitato non riesco a ottenere che anche mia madre si ecciti allo stesso modo, perciò tanto vale che non ci provi nemmeno"». Tuttavia, nelle relazioni «riparative» c'è speranza: «Le relazioni della vita – con amici o parenti, ad esempio, o nella psicoterapia – riplasmano in continuazione il modo di relazionarsi dell'individuo. Uno squilibrio insorto a un certo punto della vita può essere corretto più tardi; si tratta di un processo continuo che dura tutta la vita».

In verità, diverse teorie della psicoanalisi ritengono che la relazione terapeutica fornisca esattamente un correttivo emozionale di questo tipo, un'esperienza riparatrice di sintonizzazione. *Rispecchiare* è il termine usato da alcuni teorici della psicoanalisi per riferirsi al terapeuta che riflette al cliente la comprensione del suo stato interiore, proprio come fa una madre in sintonia con il proprio bambino. La sincronia emozionale è una consapevolezza cosciente esteriore, non formulata, sebbene un paziente possa bearsi nella sensazione di essere riconosciuto e profondamente compreso.

Nell'arco di tutta la vita, il prezzo da pagare per la mancanza di sintonia durante l'infanzia può essere molto alto – e non solo per il bambino. In uno studio su criminali che commisero i delitti più efferati e violenti si scoprì che essi avevano fatto la spola da una famiglia adottiva all'altra, o erano stati allevati in orfanotrofi: in altre parole, avevano delle biografie che lasciavano intuire trascuratezza emozionale e ben poche opportunità di entrare in sintonia con gli altri.[10]

Mentre la trascuratezza emozionale sembra smorzare l'empatia, nei soggetti sottoposti a violenze psicologiche intense e prolungate – ad esempio minacce crudeli e sadiche, umiliazioni e completa miseria – si osservano conseguenze paradossali. I bambini che sopportano tali abusi possono infatti diventare ipersensibili alle emozioni altrui; si tratta di una reazione derivante da una vigilanza post-traumatica agli indizi segnalanti una minaccia. Questa preoccupazione ossessiva per i sentimenti altrui è tipica dei bambini che subiscono abusi psicologici, i quali in età adulta vanno incontro a quegli alti e bassi emozionali, intensi e mercuriali, a volte diagnosticati come «disturbo borderline della personalità». Molti di tali pazienti riescono a percepire molto bene i sentimenti altrui, ed è assai comune che riferiscano di aver subito violenze psicologiche durante l'infanzia.[11]

La neurologia dell'empatia

Come accade tanto spesso in neurologia, la descrizione di casi stravaganti e bizzarri è stata il primo indizio verso la scoperta della base cerebrale dell'empatia. Un articolo pubblicato nel 1975, ad esempio, descriveva diversi casi di pazienti con particolari lesioni localizzate nel lobo frontale destro e che presentavano uno strano deficit: erano incapaci di comprendere i messaggi emozionali dal tono di voce, sebbene fossero perfettamente in grado di capirne le parole. Per loro, un «grazie» sarcastico, animato dall'irritazione o da sincera gratitudine era sempre portatore dello stesso significato neutrale. Nel 1979, un altro studio descrisse pazienti con lesioni localizzate in altre regioni dell'emisfero destro, che avevano un deficit diverso nella loro percezione emozionale. Questi soggetti erano incapaci di esprimere le proprie emozioni con il tono di voce e i gesti. Essi erano consapevoli di ciò che provavano, solo che non riuscivano a comunicarlo. Le regioni corticali oggetto delle lesioni descritte avevano forti connessioni con il sistema limbico, come non mancarono di osservare i diversi autori.

Questi studi furono passati in rassegna da Leslie Brothers, uno psichiatra del California Institute of Technology, che li analizzò per scrivere un importantissimo articolo sulla biologia dell'empatia.[12] Analizzando sia i dati neurologici, sia gli studi comparativi condotti sugli animali, Brothers indicò l'amigdala e le sue connessioni con le aree associative della corteccia visiva come parte di un circuito cerebrale fondamentale per l'empatia.

Gran parte della ricerca neurologica sull'argomento è stata condotta su animali, soprattutto su primati non umani. Il fatto che in questi animali esista l'empatia – o «comunicazione emozionale», come preferisce chiamarla Brothers – traspare in modo evidente non solo da diversi aneddoti, ma anche da numerosi studi. In uno di essi, coppie di scimmie rhesus vennero addestrate a temere un suono particolare che gli veniva sempre presentato in associazione a uno shock elettrico. Gli animali imparavano poi a evitare lo shock spingendo una leva ogni qualvolta udivano il suono. In seguito, i membri di ciascuna coppia vennero alloggiati in gabbie separate, e l'unica comunicazione permessa fra loro era una televisione a circuito chiuso, che consentiva a entrambe di vedere l'immagine della faccia dell'altra.

Poi, una sola delle due scimmie sentiva il suono temuto, che induceva in lei un'espressione di spavento. In quel momento, l'altro animale, vedendo la paura sulla faccia della compagna, spingeva la leva per evitarle lo shock – un atto che possiamo definire di empatia, se non proprio di altruismo.

Una volta accertato che i primati non umani leggono le emozioni sulla faccia dei propri simili, i ricercatori impiantarono elettrodi lunghi e sottili nel cervello delle scimmie, facendo attenzione a non causare lesioni. La registrazione, consentita da questi particolari elettrodi, dell'attività di singoli neuroni della corteccia visiva e dell'amigdala permise di dimostrare che, quando una scimmia vedeva la faccia dell'altra, l'informazione induceva una scarica neuronale dapprima nella corteccia visiva, e poi nell'amigdala. Questa via, naturalmente, è un percorso standard per le informazioni che inducono un'attivazione emozionale. Ma quel che era sorprendente, in questi risultati, è che essi permisero anche di identificare alcuni neuroni della corteccia visiva che sembrano scaricare *solo* in risposta a particolari espressioni facciali o a gesti specifici, come l'apertura minacciosa della bocca, una smorfia di paura, o un atteggiamento di docile sottomissione. Questi neuroni sono distinti da altri, pur presenti nella stessa regione, che rispondono alla vista di facce familiari. Tali dati sembrano indicare che il cervello è costruito fin dal principio per rispondere all'espressione di emozioni specifiche – in altre parole, che l'empatia è una premessa biologica.

Un'altra ricerca che ha dimostrato il ruolo chiave della via nervosa che connette l'amigdala alla corteccia nell'interpretazione delle emozioni e nella risposta ad esse è, secondo Brothers, quella condotta su scimmie allo stato selvatico, alle quali dette connessioni venivano resecate chirurgicamente. Quando gli animali operati si riunivano al proprio gruppo, erano ancora in grado di competere con gli altri nello svolgimento di compiti ordinari quali il foraggiamento e l'arrampicarsi sugli alberi. Ma queste povere scimmie avevano perso completamente la percezione di come rispondere emozionalmente agli altri membri del gruppo. Se un'altra scimmia tentava un approccio amichevole, gli animali operati scappavano via; essi finirono per condurre una vita da emarginati, eludendo il contatto con i membri del loro gruppo.

Le stesse regioni corticali nelle quali sono concentrati i neuroni specifici per le emozioni, sono anche, come osserva Brothers, quelle con il maggior numero di connessioni con l'amigdala; la lettura delle emozioni coinvolge il circuito fra amigdala e corteccia, che ha un ruolo fondamentale nell'orchestrare le risposte appropriate. Per i primati non umani, «il valore per la sopravvivenza di un tale sistema è ovvio», osserva Brothers. «La percezione dell'approccio di un altro individuo dovrebbe dare origine – molto velocemente – a una [risposta fisiologica] specifica fatta su misura, a seconda che l'intenzione sia quella di mordere, di accingersi a una tranquilla seduta di "bellezza", o di copulare.»[13]

La ricerca di Robert Levenson, psicologo della California University di Berkeley, indica come anche in noi esseri umani l'empatia possa avere una base fisiologica simile. Levenson ha studiato alcune coppie di coniugi i cui membri cercavano di indovinare ciò che provasse il partner durante un'accesa discussione.[14] Il metodo è semplice: la coppia viene videoregistrata e le reazioni fisiologiche dei due partner sono misurate mentre essi parlano di un penoso problema che grava sul loro matrimonio (a chi tocchi rimproverare i figli, le abitudini riguardanti le spese, e simili). Ogni partner, poi, rivede il nastro e spiega, momento per momento, quali fossero i suoi sentimenti durante la discussione. Poi lo stesso soggetto rivede una seconda volta la registrazione, cercando ora di leggere i sentimenti dell'*altro*.

La massima accuratezza empatica si osservava in quei coniugi che, guardando il partner, *ne mimavano la fisiologia*. In altre parole, quando la reazione del coniuge era un'abbondante sudorazione, anche loro reagivano in modo analogo; quando il partner presentava un calo della frequenza cardiaca, anche il cuore del coniuge rallentava. In breve, il loro corpo mimava, attimo per attimo, le impercettibili reazioni fisiche del partner. I soggetti che invece si limitavano a ripetere quella che era stata la loro risposta fisiologica durante l'interazione originale non riuscivano a immaginare ciò che avesse provato il partner. L'empatia era possibile solo quando il corpo dei membri della coppia era in sincronia.

Questo indica che quando il cervello emozionale sta scatenando una forte reazione – ad esempio, una collera violenta – l'empatia è scarsa o addirittura assente. Per essere empatico, il soggetto deve essere abbastanza calmo e recettivo da poter ricevere i sottili segnali emozionali emessi da un'altra persona e mimarli nel proprio cervello emozionale.

Empatia ed etica: le radici dell'altruismo

«E così non mandare mai a chiedere per chi suona la campana: essa suona per te»: ecco uno dei versi più famosi della letteratura inglese. Il sentimento di John Donne parla al nostro cuore del legame fra empatia e attenzione partecipe: il dolore altrui è dolore nostro. Provare un sentimento insieme a un altro essere umano significa essere emozionalmente partecipi. In questo senso, l'opposto di *empatia* è *antipatia*. Spesso l'atteggiamento empatico entra in gioco quando si formulano giudizi morali, in quanto i problemi etici comportano la presenza di vittime potenziali. Per non ferire i sentimenti di un amico, è giusto mentire? Dovreste mantenere la promessa di visitare un amico ammalato o accettare invece un invito a cena arrivato all'ultimo momento? In quali casi si deve mantenere in funzione l'apparecchiatura che tiene in vita qualcuno che altrimenti morirebbe?

Tali questioni morali sono state formulate da Martin Hoffman, un ricercatore che si occupa di empatia; egli sostiene che le radici della moralità siano da ricercarsi nell'empatia, dal momento che gli individui si sentono spinti ad aiutare gli altri – qualcuno che soffre, è in pericolo o patisce per una privazione – proprio perché empatizzano con queste potenziali vittime e quindi ne condividono la pena.[15] Al di là di questo legame immediato esistente fra empatia e altruismo nelle relazioni interpersonali, Hoffman propone che la stessa capacità di provare un affetto empatico, in altre parole di mettersi nei panni degli altri, induca la gente a seguire certi principi morali.

Hoffman ritiene che l'empatia vada sviluppandosi in modo naturale a partire dall'infanzia. Come abbiamo visto, a un anno di età un bambino si sente profondamente a disagio quando ne vede un altro cadere e comincia a piangere; il suo rapporto con l'altro è talmente forte e immediato da indurlo a mettersi il pollice in bocca e a seppellire la testa nel grembo della madre, come se si fosse fatto male lui stesso. Dopo il primo anno di vita, quando acquistano una maggior consapevolezza del fatto di essere entità distinte dagli altri, i bambini cercano di consolare attivamente un coetaneo che piange offrendogli, ad esempio, degli orsacchiotti. Già all'età di due anni, i bambini cominciano a rendersi conto che i sentimenti degli altri sono diversi dai loro, e perciò diventano più sensibili ai segnali che rivelano i sentimenti altrui; a questo punto, ad esempio, i bambini possono rendersi conto che il modo migliore di aiutare un altro che piange senza ferirne l'orgoglio non è certo quello di attirare un'inopportuna attenzione su di lui.

Verso la fine dell'infanzia emerge il livello più avanzato di empatia; i bambini, infatti, sono ora in grado di comprendere la sofferenza anche al di là della situazione contingente, e capiscono che la condizione o la posizione nella vita possono essere causa di uno stato di sofferenza cronico. A questo punto essi possono provare sentimenti di pena per un intero gruppo, ad esempio per i poveri, gli oppressi e gli emarginati. Questa comprensione, nell'adolescenza, può portare al radicarsi di convinzioni morali imperniate sul desiderio di alleviare l'infelicità e l'ingiustizia.

L'empatia è alla base di molti aspetti del giudizio e dell'azione morale. Uno di essi è la «collera empatica», che John Stuart Mill descriveva come «il sentimento naturale di vendetta [...] reso applicabile dall'intelletto e dalla simpatia a [...] quei mali che ci offendono perché feriscono gli altri»; Mill chiamò questo sentimento il «guardiano della giustizia». Un altro esempio nel quale l'empatia porta all'azione morale è quando lo spettatore di un evento si sente spinto a intervenire a favore della vittima; la ricerca dimostra che quanto maggiore è l'empatia provata dallo spettatore per la vittima, tanto più probabile sarà il suo intervento. Ci sono alcune prove del fatto che il livello di empatia provata dagli individui influenza anche i loro giudizi morali. Ad esempio, studi condotti in Germania e negli Stati Uniti hanno rivelato che quanto maggiore è l'empatia degli individui, tanto più essi approvano il principio secondo il quale le risorse dovrebbero essere distribuite in base alle reali esigenze della gente.[16]

La vita senza empatia – il molestatore e il sociopatico

Eric Eckardt fu implicato in un crimine infame: guardia del corpo della pattinatrice Tonya Harding, Eckardt aveva assoldato dei delinquenti affinché tendessero un agguato a Nancy Kerrigan, rivale della Harding per la medaglia d'oro nel pattinaggio artistico alle Olimpiadi del 1994. Nell'aggressione, la Kerrigan si fece male a un ginocchio, e questo la costrinse a starsene a riposo durante quelli che dovevano essere mesi fondamentali per il suo allenamento. Ma quando Eckardt vide la Kerrigan singhiozzante alla televisione, fu improvvisamente pervaso dal rimorso, e cercò un amico con il quale confidarsi, innescando così la sequenza di avvenimenti che portò all'arresto degli aggressori. Questo è il potere dell'empatia.

Di solito, però, essa è tragicamente assente in coloro che commettono i crimini più abietti. Una condotta psicologicamente disturbata è un tratto comune negli stupratori, nei molestatori di bambini, e in molti individui che scaricano la propria violenza sui familiari: essi sono incapaci di empatia. L'insensibilità verso il dolore delle proprie vittime consente a questi soggetti di mentire a se stessi, incoraggiando così il proprio comportamento criminale. Nel caso degli stupratori, la menzogna sarà «Le donne vogliono davvero essere violentate» oppure «Se resiste, è solo perché vuole fare un gioco duro»; nel caso dei molestatori «Non sto facendo del male alla bambina, sto solo dimostrandole amore», oppure «Questa non è che un'altra forma di affetto»; e in quello dei genitori fisicamente violenti con i figli «Non è che disciplina». Queste autogiustificazioni sono un campione fra quelle che individui in cura per questi problemi riferivano di aver detto a se stessi mentre brutalizzavano le loro vittime o si preparavano a farlo.

In questi individui, la cancellazione dell'empatia verso le proprie vittime fa quasi sempre parte di un ciclo emozionale che precipita i loro atti crudeli. Osserviamo la sequenza emozionale che porta solitamente a un crimine sessuale, ad esempio a una molestia nei confronti di una bambina.[17] Il ciclo comincia quando il molestatore si sente in qualche modo turbato: in collera, depresso o solo. Questi sentimenti possono essere innescati, ad esempio, dalla vista di una coppia felice alla TV, e quindi dalla depressione derivante dal sentirsi solo. Il molestatore cerca allora sollievo in una delle sue fantasie preferite, di solito imperniata sulla calda amicizia con una bambina; essa assume poi i contorni di una fantasia sessuale e si conclude con la masturbazione. In seguito, il molestatore prova un temporaneo sollievo dal suo abbattimento, ma si tratta di un fenomeno di breve durata; la depressione e la solitudine ritornano ancora più forti. Egli comincia allora a pensare di mettere in atto la propria fantasia, giustificando a se stesso il progetto dicendo «Non c'è nulla di male, se la bambina non avrà lesioni fisiche» e «Se una bambina davvero non vuole avere un rapporto sessuale con me, può fermarmi».

A questo punto il molestatore vede la vittima attraverso le lenti della sua fantasia perversa, senza empatizzare con i veri sentimenti di una bambina reale in quella situazione. Questo distacco emozionale caratterizza tutti gli eventi successivi – da quando egli escogita un piano per trovarsi da solo con la bambina, alla fase in cui ripercorre mentalmente nei minimi dettagli tutto quanto ha previsto, fino al momento dell'esecuzione materiale del piano. Tutto avviene come se la bambina coinvolta non avesse sentimenti suoi; piuttosto, il molestatore proietta su di lei l'atteggiamento cooperativo della bambina della sua fantasia. I sentimenti di lei – repulsione, paura, disgusto – non vengono registrati nella mente del molestatore: se lo fossero, «rovinerebbero» tutto.

Questa completa mancanza di empatia per le proprie vittime è al centro dei nuovi trattamenti messi a punto per i molestatori di bambini e altri criminali di questo tipo. In uno dei programmi di cura più promettenti, questi soggetti leggevano strazianti resoconti di crimini simili ai propri, raccontati dalla prospettiva della vittima. Essi guardavano anche un video in cui le vittime raccontavano fra le lacrime l'esperienza della molestia. I criminali poi dovevano scrivere qualcosa sul loro stesso atto di violenza dal punto di vista della vittima, immaginando che cosa avesse provato. Essi leggevano questo resoconto nel corso della loro terapia di gruppo, e cercavano di rispondere, immedesimandosi con la vittima, alle domande che venivano loro poste sull'aggressione. Infine, il criminale affrontava una messa in scena simulata del proprio crimine, stavolta però recitando la parte della vittima.

William Pithers, lo psicologo del carcere del Vermont che ha sviluppato questo tipo di terapia, mi disse: «L'empatia con la vittima modifica la percezione a tal punto che la negazione del dolore, anche nelle proprie fantasie, diventa difficile», e pertanto rafforza la motivazione a combattere i propri perversi impulsi sessuali. Gli autori di crimini sessuali che avevano partecipato a questo programma durante la carcerazione, dopo il rilascio incorrevano nello stesso reato in misura dimezzata rispetto a quelli non sottoposti al trattamento. Senza questa motivazione iniziale, ispirata dall'empatia, la parte restante del trattamento non funziona.

Sebbene possa esserci una piccola speranza di instillare un senso di empatia in personalità violente quali i molestatori di bambini, se ne può invece nutrire molta meno nei confronti di un altro tipo di criminale, lo psicopatico (più recentemente chiamato *sociopatico* come diagnosi psichiatrica). Gli psicopatici sono tipi interessanti, notoriamente del tutto privi di rimorso anche per gli atti più crudeli e spietati. La psicopatia, ossia l'incapacità di sentire empatia o compassione di sorta, e anche rimorsi di coscienza, è uno dei disturbi emozionali più sconcertanti. La freddezza dello psicopatico sembra essere imperniata su un'incapacità di spingersi oltre le connessioni emozionali più superficiali. I criminali più crudeli, ad esempio i serial killer che godono sadicamente della sofferenza delle proprie vittime prima della morte, sono l'incarnazione stessa della psicopatia.[18]

Gli psicopatici sono anche mentitori spregiudicati, disposti a dire qualunque cosa per ottenere ciò che vogliono, e manipolano le emozioni della vittima con lo stesso cinismo. Consideriamo Faro, un membro di una banda di Los Angeles che, durante una sparatoria in auto descritta più con orgoglio che con rimorso, ferì una madre con il suo bambino, rimasti poi paralizzati. Trovandosi in macchina con Leon Bing, che stava scrivendo un libro su bande di Los Angeles come quelle dei Crips e dei Bloods, Faro voleva mettersi in mostra. Disse allora a Bing che avrebbe fatto «la faccia del matto» ai «due damerini» che si trovavano nella macchina che li precedeva. Ecco il resoconto di Bing:

Il guidatore, sentendosi osservato, lancia un'occhiata alla mia auto. I suoi occhi entrano in contatto con quelli di Faro, e si spalancano per un istante. Poi interrompe il contatto, abbassa lo sguardo, lo rivolge altrove. E non ho dubbi su ciò che ho visto in quegli occhi: era paura.

Faro diede poi a Bing una dimostrazione dello sguardo che aveva lanciato all'autista:

Mi guarda diritto negli occhi e tutto, nella sua faccia, cambia e si modifica, come per effetto di un trucco in una ripresa al rallentatore. Diventa una faccia da incubo, una cosa paurosa. È un'espressione pregna di minaccia: se ricambierai lo sguardo, se lo sfiderai, sarà meglio per te che tu sia in grado di difenderti. Il suo aspetto tradisce che non gliene importa di nulla, né della tua vita, né della sua.[19]

Naturalmente, in un comportamento complesso come il crimine, ci sono molte spiegazioni plausibili che non fanno appello a meccanismi biologici. Ad esempio, una capacità emozionale perversa – quella di spaventare gli altri – potrebbe avere un valore di sopravvivenza nei quartieri violenti, come potrebbe anche averlo il ricorrere al crimine; in questi casi troppa empatia potrebbe rivelarsi controproducente. In verità, un'opportunistica mancanza di empatia potrebbe essere una «virtù» in molti ruoli della vita, ad esempio in quello del «poliziotto cattivo» durante gli interrogatori, o in quello del finanziere senza scrupoli. Uomini che hanno fatto i torturatori per governi dispotici, ad esempio, raccontano che appresero a dissociarsi dai sentimenti delle proprie vittime in modo da poter fare il loro «lavoro». Ci sono molte vie che portano alla manipolazione.

Uno dei modi più terribili in cui può manifestarsi questa mancanza di empatia è stato scoperto accidentalmente in uno studio sui più feroci mariti violenti. La ricerca ha rivelato un'anomalia fisiologica in molti di questi soggetti, che regolarmente picchiano le proprie mogli o le minacciano con coltelli o armi da fuoco: essi lo fanno in uno stato mentale freddo e calcolatore, e non perché in preda alla furia.[20] Quando la loro collera aumenta, ecco emergere l'anomalia: la loro frequenza cardiaca *diminuisce* invece di diventare sempre più alta, come accade normalmente quando la collera diventa rabbia violenta. Ciò significa che essi diventano più calmi dal punto di vista fisiologico, proprio nel momento in cui si fanno invece più bellicosi e violenti. La loro violenza sembra essere un atto di terrorismo calcolato, un metodo per controllare le loro mogli incutendo in loro il terrore.

Questi mariti freddamente brutali sono diversi dalla maggior parte degli altri uomini che picchiano le loro mogli. Intanto, è molto più probabile che essi siano violenti anche al di fuori delle mura domestiche, e che restino implicati in risse da bar e in liti fra colleghi o con altri membri della famiglia. E mentre la maggior parte degli uomini che diventano violenti con le proprie mogli lo fanno spinti dall'impulso, infuriati perché si sentono respinti o sono gelosi, o per la paura di essere abbandonati, questi violenti calcolatori si accaniscono invece contro le proprie mogli senza apparenti ragioni – e una volta che cominciano, non c'è nulla che la donna possa fare (nemmeno cercare di scappare) che sembri contenere la loro violenza.

Alcuni ricercatori che studiano i criminali psicopatici sospettano che la loro fredda capacità di manipolazione, ad esempio l'assenza di empatia o di attenzione per l'altro, possa a volte derivare da un difetto di natura neurale.* Una possibile base fisiologica dello spietato

* Un invito alla prudenza: se in certi tipi di criminalità sono in gioco dei meccanismi biologici – ad esempio un difetto neurale nell'empatia – ciò non significa che tutti i criminali abbiano dei problemi biologici, né che ci sia una sorta di

comportamento dello psicopatico è stata dimostrata in due modi; entrambi suggeriscono l'implicazione di vie neurali che portano al sistema limbico. In un caso, le onde cerebrali dei soggetti vengono misurate mentre essi cercano di decifrare alcune parole anagrammate. Le parole vengono mostrate molto velocemente, per appena un decimo di secondo o pressappoco. La maggior parte delle persone reagisce in modo diverso a parole neutrali come *sedia* e a parole con una forte valenza emozionale, come ad esempio *uccidere*; esse riescono a decidere più rapidamente se la parola anagrammata è una di quelle con valenza emozionale, e in risposta a tali parole il cervello mostra onde caratteristiche, che non compaiono in risposta alle parole neutrali. Ma gli psicopatici non presentano nessuna di queste due reazioni: il loro cervello non mostra le onde caratteristiche in risposta alle parole con valenza emozionale né costoro rispondono più rapidamente ad esse; ciò indica una disorganizzazione delle connessioni fra le aree corticali sede delle abilità verbali, che riconoscono la parola, e il sistema limbico, che le attribuisce l'emozione.

Robert Hare, lo psicologo della British Columbia University che ha compiuto questa ricerca, interpreta questi risultati ipotizzando che gli psicopatici abbiano una comprensione solo superficiale delle parole con valenza emozionale, un deficit che riflette la loro superficialità più generale in campo affettivo. La durezza degli psicopatici, secondo Hare, si basa in parte anche su un altro schema fisiologico che egli aveva scoperto in precedenti ricerche e che indica un'irregolarità nella funzione dell'amigdala e dei circuiti ad essa collegati: gli psicopatici sul punto di ricevere uno shock elettrico non mostrano alcun segno di paura, risposta che sarebbe peraltro ovvio attendersi nelle persone normali in procinto di provare dolore.[21] Poiché la prospettiva del dolore non innesca un'ondata di ansia, Hare sostiene che gli psicopatici non si preoccupano di essere puniti per ciò che fanno. E poiché essi stessi non sentono paura, non hanno empatia alcuna – né compassione – per la paura e il dolore delle proprie vittime.

marker biologico del crimine. Su questo problema è infuriata una controversia; la maggior parte degli studiosi concorda sul fatto che tale marker non esista, come sicuramente non c'è nemmeno un «gene per la criminalità». Anche se in alcuni casi la mancanza di empatia può avere una base biologica, ciò non significa assolutamente che tutti coloro che condividono questi tratti biologici debbano scivolare nel crimine; anzi, nella maggior parte dei casi, ciò non avverrà affatto. La mancanza di empatia dovrebbe essere considerata insieme a tutti quegli altri fattori – forze di ordine psicologico, economico e sociale – che contribuiscono a spingere l'individuo verso la criminalità.

8

LE ARTI SOCIALI

Come accade tanto spesso fra i bambini di cinque anni e i loro fratelli minori, Len ha perso la pazienza con Jay, il fratellino di due anni e mezzo che ha buttato alla rinfusa i pezzi del Lego con cui stavano giocando. Trasportato da un impeto di collera, Len morde Jay, che scoppia in lacrime. La madre, sentendo il pianto di Jay accorre e sgrida Len, ordinandogli di metter via gli oggetti della contesa – i pezzi del Lego. Messo di fronte a questa imposizione – che sicuramente dev'essergli sembrato un grossolano errore giudiziario – Len scoppia a sua volta in lacrime. Ancora indispettita, la madre si rifiuta di rincuorarlo.

Ma Len si vede offrire consolazione da una fonte alquanto improbabile: Jay, che sebbene originariamente fosse la parte lesa, adesso è preoccupato per il pianto del fratello maggiore e si dà da fare per calmarlo. Lo scambio fra i due si svolge pressappoco così:[1]

«Len, no» implora Jay. «Basta piangere, dài. Basta piangere.»

Ma Len continua. Vista fallire la sua perorazione diretta, Jay va a chiamare la mamma per conto di Len: «Len piange, mamma. Len piange. Guarda. Jay fa vedere. Len piange».

E tornando da Len, Jay adotta un atteggiamento materno, battendo amichevolmente sulla spalla del fratello in lacrime e rassicurandolo con fare consolatore: «Su, Len. Non piangere più».

Ma Len continua a singhiozzare, nonostante i tentativi di conforto. E allora Jay ripiega su un'altra tattica, offrendogli amichevolmente una mano a mettere via nella scatola i pezzi del Lego: «Ah, Len. Li metto via io per Lennie, eh?».

Anche così, le lacrime non si fermano. Jay, pieno di risorse, cerca allora un'altra strategia, la distrazione. Mostrando al fratello un'automobilina, Jay cerca di distogliere la sua attenzione dalla piccola tragedia che lo ha appena colpito. «C'è un omino dentro. Che cos'è Len? Che cos'è?»

Len non è interessato: è inconsolabile; le sue lacrime non hanno fine. Persa la pazienza, la madre ricorre alla classica minaccia dei genitori: «Vuoi che te le suoni?» alla quale Len risponde con un «No» scosso dai singulti.

«E allora smettila» conclude la madre con fermezza, forse un po' esasperata.

Attraverso i singhiozzi, Len farfuglia un patetico, affannoso «Ci sto provando».

Questo scatena lo stratagemma finale di Jay: presa a prestito la fermezza e l'autorità della madre, minaccia: «Basta piangere Len! Ti sculaccio sul sedere!».

Questo microdramma rivela l'eccezionale sofisticazione emotiva che un bimbetto di appena trenta mesi può mettere in atto nel tentativo di contenere le emozioni di qualcun altro. Nei suoi pressanti tentativi di consolare il fratello, Jay attinge da un vasto repertorio di strategie, che vanno da una semplice preghiera, al cercare un alleato nella mamma (da quella parte, però, nessun aiuto), al tentativo di confortare fisicamente il fratello, di dargli una mano e di distrarlo, per finire poi con le minacce e gli ordini diretti. Senza dubbio Jay può contare su un arsenale che a suo tempo dev'essere stato utilizzato con lui in analoghi momenti di tensione. Non importa: ciò che conta è che nonostante la sua tenerissima età, in caso di necessità Jay riesca a metterli prontamente in pratica.

Naturalmente, come sanno tutti i genitori di bambini piccoli, l'esibizione di empatia e di capacità consolatorie di cui si è reso protagonista Jay non è assolutamente universale. Forse, è altrettanto probabile che un bambino di quell'età intraveda nel turbamento del fratello una possibilità di vendetta, e che quindi faccia tutto quanto è in suo potere per rendere quel turbamento anche più profondo. Le stesse abilità, infatti, possono essere usate anche per stuzzicare o per tormentare un fratello. Ma anche questa meschinità rivela l'emergere di una capacità emozionale fondamentale, quella cioè di conoscere i sentimenti dell'altro e di agire in modo da modificarli. Essere in grado di gestire le emozioni altrui è un'abilità fondamentale nell'arte di trattare le relazioni interpersonali.

Per manifestare un tale potere, i bambini dell'età di Jay devono dapprima raggiungere un punto fermo nel proprio autocontrollo, cominciando a manifestare la capacità di smorzare la collera e la sofferenza e di attenuare impulsi ed eccitazione – anche se di solito si tratta ancora di una capacità vacillante. Per entrare in sintonia con gli altri è necessaria una certa calma interiore. I primi incerti segni di questa capacità di controllare le proprie emozioni emergono intorno ai due anni: in questo periodo i bambini cominciano a saper aspettare senza piagnucolare, a discutere o a usare la persuasione per ottenere ciò che vogliono, senza ricorrere alla forza bruta – anche se non sempre decidono di usare tale capacità. Almeno sporadicamente, in alternativa alle bizze, ecco emergere la pazienza. E verso i due anni fanno la loro comparsa anche i primi segni di empatia; è l'empatia – sorgente della compassione – che spinge Jay a provare con tanta insistenza a rasserenare Len, il fratello in lacrime. Riuscire a controllare le emozioni di qualcun altro – l'arte raffinata delle relazioni – richiede la maturità di altre due capacità emozionali, l'autocontrollo e l'empatia.

Con questa base, matura l'«abilità sociale». Queste sono le competenze sociali che contribuiscono all'efficacia dell'individuo nel trattare con gli altri; in questo campo, le lacune portano all'inettitudine nella sfera delle interazioni sociali o a ripetuti disastri interpersonali. In verità, è proprio la mancanza di queste capacità che può portare anche un individuo intellettualmente brillante a colare a picco nelle sue relazioni, rivelandosi arrogante, antipatico, o insensibile. Queste abilità sociali consentono all'individuo di plasmare un'interazione, di trovarsi bene nelle relazioni intime, di mobilitare, ispirare, persuadere e influenzare gli altri, mettendoli nel contempo a proprio agio.

Mostrare qualche emozione

Una delle competenze sociali fondamentali dell'individuo è la capacità di esprimere – bene o male – i propri sentimenti. Paul Ekman usa il termine *norme di espressione* per indicare il consenso sociale che prescrive quali sentimenti possano essere esibiti in modo appropriato, e quando. A volte le culture variano immensamente a tale proposito. Ad esempio, Ekman e colleghi hanno studiato le reazioni di alcuni studenti giapponesi a un film impressionante sulla circoncisione rituale degli adolescenti Aborigeni. Quando gli studenti giapponesi guardavano il film in presenza di una figura che rappresentava l'autorità, il loro volto tradiva solo leggerissimi segni di reazione. Ma quando quegli stessi giovani pensavano di essere da soli (in realtà erano filmati da una telecamera nascosta) i loro volti si contorcevano in un misto di disagio angoscioso, terrore e disgusto.

Esistono diversi tipi fondamentali di norme di espressione.[2] Una di esse sta nel *minimizzare* l'esibizione dell'emozione: questa è la norma della cultura giapponese, nel caso di sentimenti di sofferenza, qualora l'individuo sia in presenza di qualcuno che rappresenta l'autorità; la stessa norma, insomma, seguita dagli studenti studiati da Ekman, che mascherarono il loro turbamento assumendo un'espressione impassibile. Un'altra norma è quella di *esagerare* ciò che si sente, amplificando l'espressione dell'emozione; questa è la tattica adottata da una bambina di sei anni che storce con fare teatrale il volto in una patetica espressione corrucciata, con le labbra tremanti, e corre dalla madre a lamentarsi del fratello maggiore che l'ha stuzzicata. Una terza norma di espressione prevede la *sostituzione* di un sentimento con un altro; essa entra in gioco in alcune culture asiatiche nelle quali è maleducazione opporre un rifiuto, e viene quindi data un'assicurazione positiva, sebbene falsa. L'abilità nell'applicare queste strategie, e il saperlo fare al momento opportuno, sono fattori importanti dell'intelligenza emotiva.

Queste norme di espressione vengono apprese molto presto, in parte attraverso istruzioni esplicite. Quando diciamo a un bambino di non mostrarsi deluso, bensì di sorridere e di ringraziare se il nonno si presenta pieno di buone intenzioni con un regalo di compleanno orrendo, non stiamo insegnandogli altro che una norma di espressione. Questa educazione, però, avviene più spesso attraverso l'esempio: i bambini imparano quel che vedono fare dagli altri. Nell'educare i sentimenti, le emozioni sono al tempo stesso il mezzo e il messaggio. Se un bambino si sente dire «sorridi e di' grazie» da un genitore che in quel momento è duro, severo e freddo – che sibila il messaggio invece di suggerirlo con calore – probabilmente imparerà qualcosa di molto diverso, e risponderà al nonno con un'espressione corrucciata e un «grazie» secco e reciso. L'effetto sul nonno è molto diverso: nel primo caso, sebbene ingannato, sarà felice; nel secondo si sentirà ferito dal messaggio ambiguo.

L'esibizione delle emozioni, naturalmente, ha conseguenze immediate sull'impatto che esse hanno sulla persona che le riceve. Il bambino apprende una norma di espressione in qualche modo simile a questa: «Maschera i tuoi veri sentimenti quando essi possono ferire le persone che ami; sostituiscigli piuttosto un sentimento fasullo ma meno offensivo». Queste regole di espressione delle emozioni non sono solo gli elementi base per un comportamento sociale appropriato: esse stabiliscono il tipo di impatto che i nostri sentimenti avranno sugli altri. Seguire correttamente queste regole significa avere un impatto ottimale; farlo male significa invece fomentare il caos emozionale.

Gli attori, naturalmente, sono artisti dell'esibizione emozionale; è proprio la loro espressività a suscitare la risposta nel pubblico. E, senza dubbio, alcuni di noi vengono al mondo con doti naturali di attori. Ma poiché ciò che impariamo sulle norme di espressione varia a seconda dei modelli che abbiamo avuto, le nostre capacità finiscono per essere molto diverse.

Espressività e contagio emotivo

Accadde al principio della guerra del Vietnam, quando un plotone di soldati americani era acquattato in una risaia, nel pieno di un conflitto a fuoco con i Vietcong. All'improvviso, sei monaci cominciarono a camminare, in fila, lungo il passaggio che separava una risaia dall'altra. Perfettamente calmi e sereni, i monaci andavano verso la linea del fuoco.

«Non si guardavano né a destra né a sinistra. Camminavano dritto» ricorda David Busch, uno dei soldati americani. «Era veramente strano, perché nessuno gli sparò. E dopo che ebbero percorso il passaggio fra i campi, all'improvviso, mi passò tutta la voglia di combattere. Proprio non me la sentivo più, almeno per quel giorno. E doveva essere stato così anche per gli altri, perché tutti lasciarono perdere. Smettemmo di combattere.»[3]

Il potere pacificatore esercitato sui soldati nel pieno della battaglia dalla calma serena e coraggiosa dei monaci illustra un principio fondamentale della vita sociale: le emozioni sono contagiose. Sicuramente, questo racconto costituisce un esempio estremo. Nella maggior parte dei casi, gli episodi di contagio emotivo sono molto più sottili e fanno parte di un tacito scambio che si verifica in ogni interazione umana. Noi trasmettiamo e captiamo gli stati d'animo in una continua interazione reciproca – un'economia sotterranea della psiche – nella quale alcuni incontri si rivelano tossici, altri corroboranti. Questo scambio emotivo avviene solitamente a un livello quasi impercettibile; il modo in cui un commesso ci ringrazia può lasciarci con la sensazione di essere stati ignorati, offesi o veramente accolti e apprezzati come i benvenuti. I sentimenti degli altri ci contagiano proprio come se si trattasse di virus sociali.

In ogni interazione, noi inviamo segnali emozionali che influenzano le persone con le quali ci troviamo. Quanto più siamo socialmente abili, tanto meglio riusciamo a controllare i segnali che emettiamo; dopo tutto, il riserbo previsto dalla buona educazione non è che un mezzo per assicurarsi che nessuna «fuga» emozionale destabilizzi l'interazione (una regola sociale che, trasferita nell'ambito delle relazioni intime, è soffocante). L'intelligenza emotiva comporta la capacità di gestire questi scambi; «simpatico» e «affascinante» sono i termini che usiamo per indicare le persone con cui ci piace stare perché le loro capacità emozionali ci fanno star bene. Le persone capaci di aiutare le altre a placare i propri sentimenti hanno una dote sociale particolarmente apprezzata; sono queste le persone alle quali gli altri si rivolgono nei momenti di maggior bisogno. Tutti noi siamo parte della dotazione di cui ciascuno dispone, nel bene o nel male, per modificare le proprie emozioni.

Consideriamo un'eccezionale dimostrazione della facilità con la quale le emozioni passano da una persona all'altra. In un semplice esperimento, due volontari compilarono un elenco dei propri stati d'animo in quel momento, e poi stettero semplicemente seduti uno di fronte all'altro, aspettando tranquillamente che la sperimentatrice rientrasse nella stanza. Due minuti dopo ella tornò e chiese loro di compilare un'altra lista analoga. Le coppie di volontari venivano assortite appositamente in modo che uno dei due fosse molto espressivo riguardo alle proprie emozioni, e l'altro impassibile. Immancabilmente, l'umore del soggetto più espressivo si trasferiva nell'altro.[4]

Come avviene questa magica trasmissione? La risposta più probabile è che noi inconsciamente imitiamo le emozioni mostrate dagli altri attraverso una mimica motoria inconsapevole che coinvolge l'espressione facciale, i gesti, il tono di voce e altri segnali non verbali dell'emozione. Attraverso questa imitazione l'individuo ricrea in se stesso lo stato d'animo dell'altro – una sorta di versione in chiave minore del metodo Stanislavsky, nel quale gli attori ricordano gesti, movimenti e altre espressioni di un'emozione provata intensamente in passato, nell'intento di rievocarla.

Solitamente, l'imitazione dei sentimenti nelle interazioni quotidiane è estremamente sottile. Ulf Dimberg, un ricercatore svedese presso l'Università di Uppsala, scoprì che quando un individuo osserva un volto che sorride o esprime collera, la sua faccia riproduce quello stesso stato d'animo attraverso leggeri cambiamenti della muscolatura mimica. I cambiamenti sono evidenti grazie all'applicazione di sensori elettronici, ma solitamente non sono visibili a occhio nudo.

Quando due persone interagiscono, lo stato d'animo viene trasferito dall'individuo che esprime i sentimenti in modo più efficace, a quello più passivo. Alcune persone, tuttavia, sono particolarmente suscettibili al contagio emozionale; la loro sensibilità innata rende più facile l'innesco del loro sistema nervoso autonomo (un marker dell'attività emozionale). Questa labilità sembra rendere costoro più facilmente impressionabili; si tratta di persone che possono commuoversi fino alle lacrime per un annuncio pubblicitario sentimentale, o che si sentono incoraggiati da una rapida chiacchierata con un tipo allegro (un'interazione che potrebbe anche renderli più empatici, dal momento che costoro vengono facilmente toccati dai sentimenti altrui).

John Cacioppo, lo studioso di psicofisiologia sociale della Ohio State University che ha studiato questi impercettibili scambi emotivi, osserva: «Può bastare la vista di qualcuno che esprime un'emozione per evocare in noi quello stesso stato d'animo, indipendentemente dal fatto che ci si renda conto o meno di imitare l'espressione facciale dell'altro. Questo ci accade in continuazione – c'è una sorta di danza, di sincronia – una trasmissione di emozioni. È la sincronia degli stati d'animo che determina se l'individuo ha una percezione positiva o negativa dell'interazione in corso».

Il grado di comunicazione emozionale che l'individuo percepisce in un'interazione si rispecchia nella misura in cui i movimenti dei soggetti interagenti sono rigorosamente orchestrati mentre essi parlano – un indice, questo, solitamente inconsapevole, di vicinanza.

Una persona annuisce quando l'altra spiega qualcosa, o entrambi spostano la sedia nello stesso istante, oppure uno si sporge in avanti mentre l'altro si allontana. L'orchestrazione può essere impercettibile, come se le due persone stessero dondolandosi allo stesso ritmo su delle sedie girevoli. Proprio come osservò Daniel Stern a proposito della sincronia fra madri e figli, lo stesso tipo di reciprocità stabilisce un legame fra i movimenti di individui che sentono un contatto emozionale.

Questa sincronia sembra facilitare l'invio e la ricezione degli stati d'animo, anche quando questi ultimi sono negativi. Ad esempio, in uno studio sulla sincronia fisica, alcune donne depresse si recarono al laboratorio accompagnate dai loro partner per discutere di un problema esistente nella loro relazione. Quanto maggiore era la sincronia a livello non verbale fra i due partner, tanto peggio si sentivano i compagni delle donne depresse alla fine della discussione – le donne avevano, per così dire, attaccato il proprio cattivo umore ai loro compagni.[5] In breve, indipendentemente dal fatto che le persone siano ottimiste o demoralizzate, quanto maggiore è la sintonia fisica nelle loro relazioni sociali, tanto più simili tenderanno a diventare i loro stati d'animo.

La sincronia fra insegnanti e studenti indica quanto intensamente essi sentano il rapporto che li lega; studi condotti nelle aule scolastiche dimostrano che tanto più stretta è la coordinazione dei movimenti fra insegnante e studente, tanto più essi si sentono amici, felici, entusiasti e tolleranti durante l'interazione. In generale, in un'interazione un elevato livello di sincronia sta a significare che le persone che vi sono coinvolte si piacciono. Frank Bernieri, lo psicologo della Oregon State University che compì questi studi, mi disse: «Il modo in cui ti senti con qualcun altro, impacciato o a tuo agio, è in una certa misura una sensazione a livello fisico. Nell'interazione, i due partner devono avere ritmi compatibili, coordinare i movimenti, sentirsi a proprio agio. La sincronia riflette profondità di legame fra i partner; se essi sono molto legati, i loro stati d'animo cominciano a fondersi, indipendentemente dal fatto che siano positivi o negativi».

In breve, l'essenza di un rapporto sta nella coordinazione degli stati d'animo, che è poi la versione adulta della sintonizzazione di una madre con il suo neonato. Secondo Cacioppo, un fattore determinante affinché le relazioni interpersonali siano efficaci è l'abilità con la quale l'individuo attua questa sincronia emotiva. Se egli è capace di entrare in sintonia con gli stati d'animo altrui, o riesce facilmente a trascinare gli altri nella scia dei propri, allora, dal punto di vista emozionale, le interazioni procederanno in modo più tranquillo. La caratteristica che contraddistingue un leader carismatico o un grande esecutore sta proprio nella capacità di commuovere in questo modo il proprio pubblico. Per lo stesso motivo, Cacioppo sostiene che gli individui incapaci di ricevere e trasmettere emozioni sono destinati a relazioni interpersonali problematiche, dal momento che spesso gli altri si sentono a disagio con loro, pur non riuscendone a spiegare in modo articolato il perché.

Stabilire il registro emozionale di una interazione è, in un certo senso, un segno di dominanza a un livello intimo e profondo: significa poter orientare lo stato emozionale dell'altro. Questo potere di determinare l'emozione è simile a quello che in biologia è chiamato *zeitgeber* – un processo (come il ciclo giorno-notte o le fasi mensili della luna) che determina i ritmi biologici. Quando si tratta di interazioni fra persone, l'individuo dotato di maggiore espressività – o di maggior potere – è solitamente quello le cui emozioni trascinano l'altro. Il partner dominante parla di più, mentre quello subordinato passa più tempo a guardare il volto dell'altro – una situazione che facilita la trasmissione dell'affetto. Per lo stesso motivo, la forza di un bravo oratore – un politico o un predicatore – sta nel determinare e trascinare le emozioni del pubblico.[6] Ecco che cosa si intende con «Li tiene in pugno». Esercitare influenza sugli altri significa proprio trascinare le loro emozioni.

I rudimenti dell'intelligenza sociale

È l'ora della ricreazione alla scuola materna, e un gruppo di bambini sta correndo nel prato. Reggie inciampa, si fa male al ginocchio e comincia a piangere, ma gli altri bambini continuano imperterriti a correre – tranne Roger, che si ferma. Quando i singhiozzi di Reggie diminuiscono, Roger si abbassa e si strofina il ginocchio dichiarando «Mi sono fatto male anch'io!».

Roger è stato citato come un esempio di intelligenza interpersonale da Thomas Hatch, un collega di Howard Gardner al progetto Spectrum, la scuola basata sul concetto delle intelligenze multiple.[7] Sembra che Roger sia insolitamente bravo a riconoscere i sentimenti dei suoi compagni e a stabilire con essi connessioni facili e rapide. Fu solo Roger a notare la difficile situazione e il dolore di Reggie, e fu solo Roger a cercare di dargli un poco di sollievo, anche se tutto quel che riuscì a offrirgli fu di strofinare a sua volta il proprio ginocchio. Questo piccolo gesto tradisce un talento per i rapporti interpersonali, una capacità emozionale essenziale per la conservazione di forti relazioni – nell'ambito del matrimonio, dell'amicizia, o di un rapporto d'affari. Nei bambini in età prescolare, queste capacità sono gemme di talenti che andranno maturando durante tutta la vita.

Il talento di Roger esemplifica una delle quattro abilità distinte che Hatch e Gardner identificano come componenti dell'intelligenza interpersonale:

- *Capacità di organizzare i gruppi* – si tratta dell'abilità essenziale del leader, che comporta la capacità di coordinare gli sforzi di una rete di individui. Questo è il tipo di talento che si osserva nei registi e negli impresari teatrali, nei militari con mansioni di comando e nei capi efficienti di organizzazioni e unità di qualunque tipo. Il bambino dotato di questa abilità è quello che diventa il capitano di una squadra o che si assume la guida del gruppo decidendo quale gioco si farà.
- *Capacità di negoziare soluzioni* – questo è il talento del mediatore, capace di prevenire i conflitti o di risolvere quelli già in atto. Gli individui dotati di questo talento eccellono nelle trattative, riescono a far bene da arbitri o da mediatori nelle controversie e potrebbero fare carriera nella diplomazia, o nella legge, oppure come intermediari o mediatori. Nel caso si tratti di bambini, questi sono i soggetti capaci di sedare le liti che scoppiano durante il gioco.
- *Capacità di stabilire legami personali* – è questo il talento di Roger, la dote dell'empatia e del saper entrare in connessione con gli altri. Essa facilita l'inizio di un'interazione, il riconoscimento dei sentimenti e delle preoccupazioni degli altri e stimola la risposta adeguata – è l'arte stessa della relazione. Le persone che ne sono dotate sono buoni «giocatori di squadra», coniugi affidabili, buoni amici o partner d'affari; nel mondo del lavoro essi riescono bene come venditori o manager, e possono anche rivelarsi eccellenti insegnanti. I bambini come Roger vanno d'accordo praticamente con chiunque, riescono a inserirsi in un gruppo già impegnato nel gioco e sono felici di farlo. Questi bambini tendono ad essere bravissimi a leggere le emozioni dalle espressioni facciali e sono i più amati dai compagni di classe.
- *Capacità d'analisi della situazione sociale* – ossia la capacità di riconoscere e di comprendere i sentimenti, le motivazioni e le preoccupazioni altrui. Questa conoscenza del modo in cui si sentono gli altri può facilitare l'intimità e i rapporti. Nel caso migliore, questa abilità porta ad essere terapeuti o consulenti competenti – oppure, se combinata a un certo talento letterario, si confà a un romanziere o a un drammaturgo dotato.

Prese nel loro insieme, tutte queste abilità costituiscono l'essenza stessa della brillantezza nei rapporti interpersonali, gli ingredienti necessari per il fascino, il successo sociale – perfino per il carisma. Coloro che sono dotati dell'intelligenza sociale possono entrare in rapporto con gli altri con grandissima disinvoltura, sono abilissimi nel leggere le loro reazioni e i loro sentimenti, sanno fare da guide e da organizzatori, e riescono a comporre le dispute che sempre insorgono in qualunque attività umana. Essi sono per loro natura dei leader

– le persone che sanno esprimere i sentimenti impliciti della collettività e sanno articolarli in modo da guidare il gruppo al raggiungimento dei propri obiettivi. Questi individui sono il tipo di persona con i quali gli altri amano stare, perché sono corroboranti dal punto di vista emotivo – in altre parole, diffondono intorno a sé il buon umore, e portano gli altri ad esclamare che «È un piacere avere a che fare con gente così».

Queste capacità interpersonali si basano su altre intelligenze emotive. Gli individui che fanno un'eccellente impressione sociale, ad esempio, sono bravi a monitorare la propria espressione dell'emozione, e sono abili a sintonizzarsi sulle reazioni degli altri, in modo da adattare alla perfezione la propria prestazione sociale, regolandola al punto da essere sicuri di ottenere l'effetto desiderato. In questo senso, sono come attori consumati.

Tuttavia, se queste capacità interpersonali non sono bilanciate da un'acuta percezione delle proprie esigenze e dei propri sentimenti, come pure del modo per soddisfare entrambi, esse possono portare a un successo sociale privo di reale significato – una popolarità conquistata rinunciando alla propria soddisfazione. Questa è la tesi di Mark Snyder, uno psicologo della Minnesota University; egli ha studiato individui che grazie alle loro abilità erano diventati una sorta di camaleonti sociali, veri campioni nel fare una buona impressione.[8] Il loro credo psicologico potrebbe benissimo essere riassunto dalle parole di W.H. Auden quando affermava che l'immagine privata che egli aveva di se stesso «è molto diversa dall'immagine che cerco di creare nelle menti degli altri per fare in modo che essi mi amino». Tale compromesso si verifica quando le abilità sociali sono superiori alla capacità di conoscere e rispettare i propri sentimenti: per essere amati – o almeno per risultare graditi – i camaleonti sociali sono disposti a prendere le sembianze di qualunque cosa gli altri sembrino desiderare. Il segno che un individuo appartiene a questa categoria, secondo Snyder, è che fa sempre un'eccellente impressione, pur avendo poche relazioni intime stabili o comunque soddisfacenti. Uno schema più sano, naturalmente, è quello di bilanciare la fedeltà a se stessi con le abilità sociali, usandole con integrità.

Ai camaleonti sociali, però, non importa assolutamente nulla di dire una cosa e di farne un'altra, purché ciò arrechi loro l'approvazione sociale. Semplicemente, essi convivono con il divario fra volto pubblico e realtà privata. Helena Deutsch, una psicoanalista, definisce queste persone «personalità come-se» – personalità mutevoli dotate di un'eccezionale plasticità che raccolgono segnali tutt'intorno a sé. «In alcuni individui» mi disse Snyder «la personalità pubblica e quella privata si fondono armoniosamente, mentre in altri casi sembra esserci solo un caleidoscopico mutare di apparenze. Sono individui che, nel loro folle tentativo di adattarsi a qualunque persona con la quale si trovino, ricordano Zelig, il personaggio di Woody Allen.»

Prima di reagire, invece di dire semplicemente ciò che sentono davvero, queste persone cercano di analizzare minutamente l'altro alla ricerca di un indizio di ciò che egli desidera da loro. Per andare d'accordo con gli altri ed essere apprezzati, costoro sono disposti a far credere a coloro che detestano di essergli in realtà amici. Inoltre, essi usano queste abilità per plasmare le proprie azioni a seconda delle situazioni sociali più disparate, al punto da agire come persone molto diverse a seconda degli individui con cui stanno interagendo, oscillando da una socievolezza effervescente a una riservata chiusura in se stessi. Sicuramente, nella misura in cui questi comportamenti portano a gestire efficacemente l'impressione prodotta sugli altri, essi si rivelano altamente remunerativi in certe professioni, ad esempio in quelle dell'attore, del legale, del venditore, del diplomatico e del politico.

La differenza fra i camaleonti sociali, alla deriva nella continua ricerca di fare buona impressione su tutti, e coloro che usano la propria brillantezza sociale in modo più conforme ai propri sentimenti, sembra risiedere in un altro tipo di auto-monitoraggio, probabilmente più importante. Si tratta della capacità di essere autentici, «fedeli a se stessi», come si dice; un'abilità che consente di agire in armonia con i propri sentimenti e i propri valori più profondi, indipendentemente da quelle che potranno essere le conseguenze sociali del nostro atto. Tale integrità emozionale può benissimo portare l'individuo a provocare deliberatamente uno scontro per risolvere situazioni di doppiezza e negazione – una boccata d'ossigeno che un camaleonte sociale non si permetterebbe mai.

La formazione di un individuo socialmente incompetente

Senza dubbio Cecil era brillante; era un esperto a livello universitario di lingue straniere, superbo nella traduzione. Ma in certi altri aspetti fondamentali della vita era completamente inetto. Cecil sembrava privo delle più elementari abilità sociali. Era capacissimo di rovinare una banale conversazione durante il caffè e di annaspare se qualcuno gli chiedeva l'ora; per farla breve, sembrava incapace degli scambi sociali più comuni. Poiché questa sua mancanza di garbo sociale era più spiccata in presenza delle donne, Cecil approdò alla terapia chiedendosi se per caso non avesse «tendenze omosessuali latenti», come disse lui, sebbene non avesse mai avuto quel tipo di fantasia.

Il vero problema, come Cecil confidò al suo terapeuta, era il timore che nulla di quanto dicesse avrebbe mai potuto suscitare qualche interesse negli altri. Questa paura sotterranea non faceva che aggravare la sua profonda carenza di doti sociali. Il nervosismo di Cecil durante le interazioni personali lo portava a ridacchiare nei momenti meno opportuni, cosa che invece si guardava bene dal fare se qualcuno diceva qualcosa di davvero divertente. La goffaggine di Cecil, come ebbe egli stesso a confidare al suo terapeuta, risaliva all'infanzia; per tutta la vita egli si era sentito socialmente a suo agio solo con il fratello maggiore, che in qualche modo gli semplificava le cose. Ma quando quello lasciò la casa paterna, Cecil fu sopraffatto dalla propria inettitudine; dal punto di vista sociale, era paralizzato.

Questa storia è stata raccontata da Lakin Phillips, uno psicologo della George Washington University; egli ipotizzò che la difficile situazione di Cecil fosse derivata dalla sua incapacità di apprendere, da bambino, i più elementari principi dell'interazione sociale:

> Che cosa si sarebbe potuto insegnare a Cecil da piccolo? A parlare direttamente agli altri quando quelli gli rivolgevano la parola; a prendere iniziative nei contatti sociali, senza aspettare sempre che a farlo fossero gli altri; a sostenere una conversazione, senza ricorrere immancabilmente ai suoi «sì», «no», e ad altre risposte monosillabiche del genere; ad esprimere gratitudine verso gli altri e a cedere il passo davanti a una porta; ad aspettare che l'altro si sia servito [...] a ringraziare, a dire «per piacere», a condividere, e in genere, tutte le altre elementari interazioni che si cominciano a insegnare ai bambini a partire dall'età di due anni.[9]

Non è chiaro se il deficit di Cecil fosse dovuto all'incapacità di qualcuno di insegnargli i rudimenti della vita sociale o alla sua stessa incapacità di apprenderli. Ma quale ne fosse la causa, la storia di Cecil è istruttiva perché sottolinea la natura fondamentale degli infiniti insegnamenti che i bambini traggono dalla sincronia delle interazioni e dalle regole implicite dell'armonia sociale. L'effetto netto dell'incapacità di seguire queste regole è quello di mettere a disagio le persone intorno a noi. La funzione di tali regole, naturalmente, è quella di fare in modo che tutti siano coinvolti in uno scambio sociale nel quale si trovino a proprio agio; la goffaggine diffonde l'ansia. Gli individui che mancano di queste abilità sono inetti non solo per quanto riguarda le raffinatezze sociali, ma anche di fronte alle emozioni altrui; inevitabilmente si lasciano dietro una scia di disagio.

Tutti noi abbiamo conosciuto i nostri Cecil, persone con una fastidiosa mancanza di attitudini sociali – individui che sembrano ignorare quando interrompere una conversazione o una telefonata e che continuano a parlare, incuranti di tutti i segnali che vengono loro inviati affinché si ponga fine allo scambio salutandosi; individui la cui conversazione è perennemente centrata su loro stessi, senza il benché minimo interesse per nessun altro, e che ignorano ogni tentativo di cambiare argomento; ancora, individui che si intromettono o fanno domande «ficcanaso». Tutte queste deviazioni da una corretta traiettoria sociale tradiscono una carenza a livello degli elementi costruttivi fondamentali dell'interazione.

Gli psicologi hanno coniato il termine «dissemia» (dal greco *dys*, che indica difficoltà, e *semes*, per «segnale») per riferirsi a quella che sembra essere un'incapacità di apprendere i messaggi non verbali; circa un bambino su dieci presenta una o più difficoltà in questa sfera.[10] Il problema potrebbe essere in una scarsa percezione dello spazio personale, così che l'individuo sta troppo vicino agli altri mentre parla o semina le proprie cose nel territorio altrui; nella scarsa capacità di interpretare o di usare il linguaggio del corpo; nell'errata interpretazione, o nell'uso sbagliato, delle espressioni facciali – ad esempio la mancanza di contatto visivo; oppure, ancora, in uno scarso senso della prosodia (la qualità emozionale dell'eloquio) una carenza che porta questi soggetti a parlare in modo troppo petulante o eccessivamente piatto.

Molte ricerche si sono concentrate sull'obiettivo di individuare i bambini che mostrino segnali di carenze sociali, soggetti che vengono trascurati o rifiutati dai coetanei a causa della loro stessa goffaggine. Se si escludono i bambini respinti perché si comportano da prepotenti, immancabilmente quelli evitati dagli altri bambini sono soggetti carenti nei rudimenti dell'interazione faccia a faccia, soprattutto per quanto riguarda le regole implicite che governano gli scambi interpersonali. Se i bambini non sono abili nella sfera del linguaggio, si assume che essi non siano molto brillanti o siano stati male istruiti; ma quando essi non sono bravi nell'applicare le regole non verbali alle interazioni personali, finiscono per essere considerati «strani» e vengono evitati – in particolare dai compagni di gioco. Questi sono bambini che non sanno come fare per unirsi con garbo a un gioco già in corso, che toccano gli altri in un modo che genera disagio invece di familiarità – in breve, sono tipi «strani». Si tratta di bambini che non sono riusciti ad acquisire la padronanza del linguaggio non verbale delle emozioni, e che involontariamente inviano messaggi fonte di disagio.

Come afferma Stephen Nowicki, uno psicologo della Emory University che studia le capacità non verbali nell'infanzia: «I bambini che non sanno interpretare o esprimere le emozioni si sentono perennemente frustrati. Essenzialmente, non capiscono che cosa sta accadendo. Qualunque cosa tu stia facendo, la comunicazione non verbale è come un accompagnamento costante; non puoi smettere di mostrare l'espressione del tuo volto o la tua gestualità, né puoi nascondere il tono di voce. Se compi degli errori nell'invio dei messaggi emozionali, ti rendi conto che la gente reagirà a te sempre in modo strano – ti rimproverano e tu non sai perché. Se pensi di dare un'impressione di felicità ma in realtà sembri agitato o in collera, gli altri bambini se la prenderanno con te, e tu non capirai perché. Questi bambini perdono completamente il controllo sul modo in cui vengono trattati dagli altri e pensano che le proprie azioni non abbiano alcun impatto su ciò che accade loro. Ciò li porta a nutrire una sensazione di impotenza, lasciandoli depressi e apatici».

A parte il fatto che corrono il rischio di diventare degli emarginati sociali, questi bambini patiscono anche sul piano del rendimento scolastico. La classe, naturalmente, è allo stesso tempo una situazione sociale e scolastica: qui, nelle sue interazioni, il bambino socialmente goffo avrà la stessa probabilità di interpretare in modo errato e di rispondere inopportunamente sia a un insegnante che a un altro bambino. L'ansia e lo sconcerto che ne risultano possono essi stessi interferire con la capacità di questi soggetti di apprendere in modo efficace. In verità, come hanno dimostrato i test sulla sensibilità non verbale dei bambini, coloro che interpretano i segnali emozionali in modo errato tendono a dare prestazioni scolastiche scadenti rispetto a quanto ci si potrebbe aspettare stando al loro Qi.[11]

Il nuovo arrivato sulla soglia

L'inettitudine sociale è forse più dolorosa ed esplicita quando si manifesta in uno dei momenti più rischiosi della vita di un bambino piccolo, e cioè quando egli si trova sulla soglia di un gruppo che sta giocando e al quale vorrebbe unirsi. Si tratta di un momento rischioso, nel quale il fatto di essere o non essere apprezzati dagli altri, di far parte o meno di un gruppo, diventa una questione di dominio pubblico. Per tale motivo questo momento cruciale è stato oggetto di attente analisi da parte degli studiosi dello sviluppo infantile, e queste ricerche hanno rivelato un grande contrasto nelle strategie di approccio adottate dai bambini ben inseriti socialmente e da quelli emarginati. I risultati ottenuti evidenziano l'importanza, ai fini del raggiungimento della competenza sociale, di osservare, interpretare e rispondere ai messaggi emozionali ed interpersonali. Sebbene sia commovente vedere un bambino che tergiversa intorno al gruppo degli altri che stanno giocando, desiderando unirsi a loro ma rimanendo escluso, si tratta comunque di una situazione universalmente difficile. Anche i bambini più «simpatici» vengono a volte rifiutati – uno studio su bambini di seconda e terza elementare ha riscontrato che il 26 per cento delle volte i bambini più amati dai coetanei venivano comunque rifiutati quando cercavano di entrare in un gruppo che stava già giocando.

I bambini piccoli sono brutalmente sinceri per quanto riguarda il giudizio emozionale implicito in tali rifiuti. Osservate il seguente scambio, che si svolge fra bambini di quattro anni in una scuola materna.[12] Linda vuole unirsi a Barbara, Nancy e Bill, che stanno giocando con animali giocattolo e blocchetti per costruzioni. Linda sta lì a guardare per un minuto, poi fa il suo approccio, sedendo di fianco a Barbara e cominciando a giocare con gli animali. Barbara si volta verso di lei e dice: «Non puoi giocare!».

«Sì che posso» controbatte Linda: «Ho anche degli animali.»

«No, non puoi» dice Barbara senza mezzi termini. «Oggi non ci piaci.» Quando Bill protesta in difesa di Linda, Nancy si unisce all'attacco di Barbara: «Oggi la odiamo».

A causa del pericolo di sentirsi dire, più o meno esplicitamente, «Ti odiamo», tutti i bambini sono comprensibilmente prudenti quando sono sul punto di accostarsi a un gruppo già costituito. Probabilmente la loro ansia non è molto diversa da quella che prova un adulto a un cocktail party pieno di estranei, quando esita a inserirsi in un gruppo che sta animatamente chiacchierando e sembra costituito di amici intimi. Poiché questo momento difficile sulla soglia di un gruppo è così importante per un bambino, esso è anche, come ha detto un ricercatore «altamente diagnostico [...] in quanto rivela rapidamente le differenze nelle capacità sociali».[13]

Solitamente i nuovi arrivati se ne stanno a guardare per un po' e poi, dapprima in modo molto esitante, in seguito diventando gradualmente più sicuri, si uniscono al gruppo. Quel che importa di più ai fini dell'accettazione del nuovo arrivato è la misura in cui egli è capace di entrare nello spirito del gruppo, percependo il tipo di gioco in corso e individuando eventuali comportamenti inopportuni.

I due peccati capitali che quasi sempre portano al rifiuto del nuovo arrivato sono: cercare di assumere il comando troppo presto e non essere in sincronia con lo spirito del gruppo. Ma questo è esattamente ciò che tendono a fare i bambini «antipatici»: essi impongono il proprio stile al gruppo, cercando di cambiare gioco troppo presto o all'improvviso, oppure esprimono le proprie opinioni, o manifestano il proprio disaccordo in modo troppo diretto – tutti evidenti tentativi di attirare l'attenzione su di sé. Paradossalmente, questo comportamento si traduce nell'essere ignorati o rifiutati dal gruppo. Invece, i bambini «simpatici», prima di entrare nel gruppo passano un po' di tempo a osservarlo per capirne la dinamica e poi fanno un gesto qualunque per dimostrare la loro accettazione; prima di prendere iniziative e di suggerire quel che il gruppo dovrebbe fare, essi aspettano di avere un proprio status all'interno di esso.

Torniamo dunque a Roger, il bambino di quattro anni che Thomas Hatch riteneva dotato di un elevato livello di intelligenza interpersonale.[14] La tattica di Roger per inserirsi in un gruppo era dapprima quella di osservare, poi di imitare quello che stava facendo un altro bambino, e finalmente di parlargli e di unirsi completamente all'attività – una strategia vincente. L'abilità di Roger venne dimostrata quando, ad esempio, lui e Warren stavano giocando a mettere «bombe» (in realtà sassi) nei propri calzini. Warren chiede a Roger se vuole stare su un elicottero o su un aeroplano. Prima di impegnarsi, Roger si informa: «Tu sei su un elicottero?».

Questo scambio apparentemente innocuo rivela sensibilità per gli interessi degli altri, e la capacità di agire sulla base di quella conoscenza in modo da mantenere il collegamento con l'altro. Hatch commentava a proposito di Roger: «Egli fa un "controllo" con il suo compagno di giochi, in modo da conservare la connessione sia con lui che con il gioco. Ho osservato molti altri bambini che semplicemente entrano nel proprio elicottero o nel proprio aeroplano e, letteralmente e metaforicamente, volano via lontano gli uni dagli altri».

Un caso di talento emozionale

Se il test per scoprire l'abilità sociale è la capacità di calmare le emozioni fonte di turbamento negli altri, allora riuscire a controllare qualcuno che si trovi al culmine della collera più violenta è forse una misura di autentica maestria. I dati sull'autoregolazione della collera e sul contagio emozionale indicano che una strategia efficace potrebbe essere quella di distrarre la persona in collera, empatizzare con i suoi sentimenti e la sua prospettiva, e poi attirare l'individuo in modo da fargli considerare la circostanza da un'angolatura diversa, che lo metta in sintonia con una serie di sentimenti più positivi – una specie di judo emotivo.

Questa sofisticata abilità nella fine arte dell'influenza emozionale è forse illustrata al meglio da una storia che mi raccontò un vecchio amico, il compianto Terry Dobson, che negli anni Cinquanta fu uno dei primi americani a studiare l'arte marziale dell'aikido in Giappone. Un pomeriggio stava tornandosene a casa su un treno della metropolitana di Tokyo quando salì sulla vettura un operaio enorme, aggressivo, sporco e ubriaco fradicio. L'uomo, barcollando, cominciò a terrorizzare i passeggeri: bestemmiando, diede uno spintone a una donna che teneva un bambino in braccio, mandandola a cadere lunga distesa addosso a una coppia di persone anziane, che saltarono in piedi e si unirono al fuggi fuggi generale verso l'estremità opposta della vettura. L'ubriaco, assestando qualche altro ceffone (e, nella collera, mancando il bersaglio) afferrò il palo di metallo nel mezzo della vettura e con un ruggito cercò di estrarlo dal suo supporto.

A quel punto, Terry, che era all'apice della condizione fisica grazie agli allenamenti quotidiani di otto ore di aikido, si sentì chiamato a intervenire, altrimenti qualcuno si sarebbe fatto male sul serio. Ma ricordò le parole del suo maestro: «L'aikido è l'arte della riconciliazione. Chiunque abbia in mente di combattere ha spezzato i propri legami con l'universo. Se cerchi di dominare gli altri sei già sconfitto. Noi studiamo come risolvere il conflitto, non come accenderlo».

In verità, quando aveva cominciato a prendere le sue lezioni, Terry aveva promesso al suo maestro che non avrebbe mai provocato un combattimento, e che avrebbe usato le sue capacità nelle arti marziali solo a scopo di difesa. Ora, infine, si vedeva offerta la possibilità di saggiare la propria abilità nella vita reale, in quella che era sicuramente un'occasione legittima. Così, mentre tutti gli altri passeggeri se ne stavano paralizzati sui propri sedili, Terry si alzò in piedi, lentamente e con fare deciso.

Vedendolo, l'ubriaco ruggì: «Aha! Uno straniero! Ti ci vuole una bella lezione alla maniera giapponese!» e cominciò a ricomporsi per affrontare Terry.

Ma proprio quando l'ubriaco era sul punto di fare la sua mossa, qualcuno proruppe in un «Hey!» assordante e stranamente gioioso.

Il suono aveva il tono allegro di qualcuno che si fosse improvvisamente imbattuto in un carissimo amico. L'ubriaco, sorpreso, si girò e vide un minuscolo ometto giapponese, probabilmente sulla settantina, lì seduto avvolto nel suo kimono. Il vecchio guardava l'ubriaco con piacere e lo chiamò con un cenno leggero della mano e un allegro «Vieni qui».

L'ubriaco s'incamminò con un aggressivo «Perché diavolo dovrei parlare con te?». Nel frattempo, Terry si teneva pronto ad atterrare l'uomo in un momento al minimo accenno di violenza.

«Che cosa stai bevendo?» chiese il vecchio, con gli occhi fissi sull'uomo ubriaco.

«Bevo sake, e non sono affari tuoi» grugnì in tutta risposta.

«Oh, è fantastico, assolutamente fantastico» replicò il vecchio con tono cordiale. «Sai, anch'io amo il sake. Ogni sera, io e mia moglie (ha settantasei anni) scaldiamo una bottiglietta di sake e ce la portiamo fuori in giardino, e poi sediamo su una vecchia panca di legno...» E andò avanti parlando dell'albero di cachi che cresceva nel suo cortile, delle bellezze del suo giardino e del piacere di farsi un sake di sera.

La faccia dell'ubriaco cominciò a distendersi mentre ascoltava il vecchio; i pugni si aprirono. «Già... anche a me piacciono i cachi» disse, con la voce strascicata.

«Sì,» replicò il vecchio, con tono brioso «e sono sicuro che hai una moglie meravigliosa».

«No» disse l'operaio. «Mia moglie è morta...» Singhiozzando, si lanciò in un triste racconto spiegando come avesse perso la moglie, la casa e il lavoro, e di come si vergognasse di se stesso.

Proprio in quel momento il treno arrivò alla fermata di Terry, e mentre scendeva dalla vettura, egli udì l'uomo con il kimono invitare l'ubriaco a unirsi a lui e a raccontargli tutta la storia, mentre quello crollava sul sedile, con la testa appoggiata nel grembo del vecchio.

Questo è genio emozionale.

PARTE TERZA

INTELLIGENZA EMOTIVA APPLICATA

9
NEMICI INTIMI

Amare e lavorare, come ebbe a dire una volta Sigmund Freud al suo discepolo Erik Erikson, sono le due capacità che segnano il raggiungimento della piena maturità. Se fosse davvero così, la maturità, intesa come traguardo della vita, potrebbe essere in pericolo – e le attuali tendenze mostrate dai tassi di matrimonio e di divorzio farebbero dell'intelligenza emotiva una dote più importante che mai.

Consideriamo il tasso di divorzio: quando esso viene calcolato *per anno*, si vede che il suo valore si è più o meno stabilizzato. Tuttavia c'è un altro modo di calcolarlo, dal quale traspare invece una pericolosa ascesa: si tratta di valutare le probabilità che una certa coppia appena sposata *finisca* per divorziare. Sebbene il tasso complessivo di divorzio abbia smesso di aumentare, il *rischio* di divorzio per le coppie appena sposate è andato crescendo. Il fenomeno è più chiaro se si confrontano i tassi di divorzio per le coppie sposate in un dato anno. Dei matrimoni americani contratti nel 1890, circa il 10 per cento finirono nel divorzio. Il tasso salì a circa il 18 per cento per le coppie sposate nel 1920, e al 30 per quelle che sancirono la loro unione nel 1950. Le coppie sposatesi nel 1970 avevano la stessa probabilità di separarsi o di restare unite (50 per cento). Infine, per i matrimoni celebrati nel 1990, la probabilità che l'unione si concluda nel divorzio è stata stimata prossima a uno sconcertante 67 per cento![1] Se questa stima è valida, solo tre coppie su dieci, fra quelle recentemente convolate a nozze, possono contare di restar unite.

Si potrebbe osservare che gran parte di questo aumento non è dovuto tanto a una diminuzione di intelligenza emotiva, quanto a una costante erosione delle pressioni sociali che tenevano unite anche coppie pessimamente assortite – si pensi al marchio di infamia che circondava i divorziati, e alla dipendenza economica delle mogli dai loro mariti. Ma se le pressioni sociali non rappresentano più il cemento che tiene insieme un matrimonio, allora, per la sopravvivenza dell'unione, i vincoli emotivi fra moglie e marito diventano ancora più fondamentali.

Questi legami fra marito e moglie – e i comportamenti emotivamente sbagliati che possono spezzarli – sono stati recentemente studiati con una precisione senza precedenti. Forse il più grande passo avanti nella comprensione dei fattori che tengono insieme un matrimonio o lo mandano in pezzi è stato compiuto grazie all'uso di sofisticate misure fisiologiche che consentono di seguire, istante per istante, le sfumature emozionali nel corso di un'interazione fra i membri di una coppia. Gli scienziati sono oggi in grado di rilevare, in un marito, scariche di adrenalina e rialzi della pressione ematica altrimenti invisibili, e di osservare, in una moglie, microemozioni fugaci ma dense di significato cogliendole dal suo volto nell'istante in cui lo attraversano. Queste misure fisiologiche rivelano che alla base delle difficoltà di coppia c'è un elemento biologico nascosto, un livello fondamentale di realtà emozionale solitamente impercettibile e trascurato dagli stessi membri della coppia. Queste misure mettono a nudo le forze emozionali che tengono insieme o distruggono una relazione. Nella coppia, i comportamenti sbagliati dei partner hanno le loro più remote radici nelle differenze fra l'universo emozionale delle bambine e quello dei bambini.

Il matrimonio di lui e quello di lei: radici nell'infanzia

Qualche sera fa, mentre entravo in un ristorante, incrociai un giovane che ne usciva a grandi passi, con un'espressione dura e accigliata dipinta sul volto. Una giovane donna lo rincorreva seguendolo a ruota, tempestandogli di pugni la schiena e gridando. «Maledetto! Torna qui e sii gentile!» Questa energica richiesta, contraddittoria fino all'inverosimile, mirata a qualcuno che se ne va voltando le spalle, incarna un tipo di comportamento comunissimo nelle coppie in crisi. Lei cerca di riattaccare, lui si ritrae. I terapeuti della coppia hanno da tempo notato che quando i coniugi si risolvono a cercare una consulenza sono già caduti in questo schema di rincorsa-fuga, nel quale l'uomo si lamenta delle esigenze e degli scatti «irragionevoli» di lei, mentre la donna se la prende per l'indifferenza che lui ostenta verso ciò che sta dicendo.

Questo duello coniugale riflette il fatto che in una coppia esistono due realtà emozionali, quella di lui e quella di lei. Le radici di queste differenze emozionali, sebbene possano essere in parte biologiche, sono rintracciabili fin nell'infanzia, e hanno origine negli universi emozionali distinti del bambino e della bambina nel periodo dello sviluppo. Su questi mondi separati sono state fatte moltissime ricerche, e si è constatato che la barriera che li divide non è rinforzata solo dal diverso tipo di gioco preferito dai due sessi, ma anche dalla paura, tipica dei bambini piccoli, di essere derisi per il fatto di avere un «fidanzato» o una «fidanzata».[2] Uno studio sulle amicizie dei bambini mise in evidenza che, stando alle loro stesse dichiarazioni, a tre anni metà dei loro amici appartiene all'altro sesso; a cinque anni, la percentuale scende a circa il 20 per cento, e a sette quasi nessun bambino/a afferma di avere un'amicizia importante con un membro dell'altro sesso.[3] Questi universi sociali separati si intersecano raramente finché non cominciano i flirt dell'adolescenza.

Nel frattempo, maschi e femmine ricevono insegnamenti molto diversi sul come gestire le emozioni. Con la sola eccezione della collera, in genere i genitori discutono le emozioni più con le figlie che con i figli.[4] Per quanto riguarda le emozioni, le bambine sono esposte a un maggior numero di informazioni rispetto ai maschi: quando i genitori inventano delle storie da raccontare ai propri bambini in età prescolare, usano un maggior numero di parole riferite alle emozioni quando parlano alle figlie che non quando si rivolgono ai figli maschi; quando le madri giocano con i loro bambini molto piccoli, mostrano una gamma di emozioni più ampia alle femmine che non ai maschi; se parlano di sentimenti con le figlie, discutono più dettagliatamente gli stati emozionali di quando lo fanno con i figli maschi, sebbene con questi ultimi scendano in maggiori dettagli sulle cause e le conseguenze di emozioni come la collera (forse con intenti preventivi).

Leslie Brody e Judith Hall hanno analizzato e riassunto le ricerche condotte sulle differenze emozionali dei due sessi; essi ipotizzano che nelle bambine, lo sviluppo più precoce del linguaggio, le porti ad essere più esperte dei maschi nell'articolare i propri sentimenti e più abili nell'uso di parole che esplorano e sostituiscono reazioni emotive quali ad esempio gli scontri fisici; d'altra parte, essi osservano, «i bambini di sesso maschile, nei quali la verbalizzazione degli affetti è de-enfatizzata, possono diventare in larga misura inconsapevoli degli stati emozionali propri e altrui».[5]

All'età di dieci anni, nei due sessi c'è all'incirca la stessa percentuale di soggetti apertamente aggressivi e inclini al confronto diretto sotto l'impulso della collera. Ma a tredici anni, ecco emergere una significativa differenza: le femmine diventano più inclini a tattiche aggressive scaltre come l'ostracismo, il pettegolezzo maligno e le vendette indirette. Quando sono irritati, i maschi, in linea di massima, continuano a confrontarsi direttamente come prima, del tutto ignari di queste strategie più subdole.[6] Questo è solo uno dei molti aspetti nei quali i bambini – e più tardi gli uomini – sono meno sofisticati delle loro controparti femminili per quanto riguarda i recessi della vita emotiva.

Quando le bambine giocano insieme, lo fanno in piccoli gruppi in cui regna l'intimità, e dove si cerca attivamente di ridurre al minimo l'ostilità e di massimizzare la cooperazione; i giochi dei maschi, invece, si svolgono in gruppi più numerosi, nei quali viene dato massimo risalto alla competizione. Una differenza chiave fra i due sessi emerge quando i giochi in corso sono interrotti perché qualcuno si fa male. Quando l'incidente capita a un maschio, e l'infortunato si mette a piangere, gli altri si aspettano da lui che esca dall'azione e smetta di lamentarsi, in modo che il gioco possa proseguire. Se la stessa cosa accade in un gruppo di bambine, il *gioco si ferma* e tutte si raccolgono intorno all'amica che piange per aiutarla. Questa differenza a livello di gioco fra bambini e bambine incarna quello che, secondo Carol Gilligan, di Harvard, è una differenza fondamentale fra i due sessi: i maschi vanno orgogliosi di un'indipendenza e un'autonomia tipica del tipo duro e solitario, mentre le femmine si interpretano come elementi di una rete di connessioni. Pertanto, i bambini si sentono minacciati da qualunque cosa possa mettere in discussione la loro indipendenza, mentre le bambine lo sono di più da una rottura nelle loro relazioni interpersonali. Come ha affermato Deborah Tannen nel suo libro *You Just Don't Understand*, queste diverse prospettive indicano come uomini e donne vogliano, e si aspettino, cose molto diverse da una conversazione: i primi sono contenti se possono parlare di «fatti», le donne cercano invece nessi emozionali.

In breve, queste differenze nell'educazione delle emozioni finisce per alimentare capacità molto diverse: le bambine diventano «brave a leggere segnali emozionali verbali e non verbali, come pure a esprimere e a comunicare i propri sentimenti», mentre i maschi imparano a «minimizzare le emozioni che hanno a che fare con la vulnerabilità, il senso di colpa, la paura e il risentimento».[7] La letteratura scientifica contiene moltissimi dati a riprova di questi diversi atteggiamenti. Ad esempio, centinaia di studi hanno riscontrato che in media le donne sono più empatiche degli uomini, almeno per quanto riguarda la capacità di leggere i sentimenti altrui dall'espressione facciale, dal tono di voce o da altri indizi non verbali. Analogamente, in genere è più facile leggere i sentimenti sul volto di una donna che non su quello di un uomo. Fra bambini e bambine molto piccoli non c'è alcuna differenza nell'espressività del volto; ma negli anni della scuola elementare i maschi diventano sempre meno espressivi, e le femmine sempre di più. Questo può in parte riflettere un'altra differenza fondamentale: le donne, in media, sperimentano tutta la gamma delle emozioni con una maggiore intensità e transitorietà degli uomini – in questo senso, le donne sono più *emotive*.[8]

Tutto questo significa che, in generale, le donne arrivano al matrimonio già preparate al controllo delle emozioni, mentre gli uomini ci arrivano avendo compreso molto meno l'importanza di questo compito per la sopravvivenza di una relazione. Secondo uno studio condotto su 264 coppie, nelle donne – ma non negli uomini – l'elemento più importante per sentirsi soddisfatte della propria relazione è la percezione di avere «una buona comunicazione» con il partner.[9] Ted Huston, uno psicologo della Texas University che ha compiuto studi approfonditi sulla coppia, osserva: «Per le mogli, l'intimità significa parlare – soprattutto della relazione in se stessa. Gli uomini, in linea di massima, non capiscono che cosa vadano cercando le loro mogli. Essi dicono: "Io voglio fare delle cose con mia moglie, ma lei non vuole far altro che parlare".». Huston constatò che durante la fase del corteggiamento gli uomini erano molto più disposti a passare il tempo parlando, per adeguarsi al desiderio di intimità delle loro future mogli. Ma una volta sposati, con il passare del tempo, gli uomini – soprattutto nelle coppie più tradizionali – passavano sempre meno tempo a parlare in questo modo con le proprie mogli, senza più sentire il bisogno di discutere e trovando un sufficiente senso di intimità nella condivisione di alcune semplici occupazioni come potare le rose in giardino.

Questo silenzio crescente da parte dei mariti potrebbe essere in parte dovuto al fatto che gli uomini peccano di un ottimismo un po' troppo ingenuo riguardo allo stato del proprio matrimonio, mentre le mogli si concentrano di più sugli aspetti problematici della relazione: in uno studio sul matrimonio, gli uomini avevano una visione più rosea delle donne praticamente su tutti gli aspetti della loro relazione – dal rapporto sessuale, agli aspetti economici, i legami con i suoceri, la capacità di ascoltarsi l'un l'altro, il peso dei propri difetti.[10] Le mogli, in generale, sono più esplicite dei mariti nelle proprie lamentele, soprattutto nelle coppie infelici. Se si mette insieme la visione rosea del matrimonio tipica degli uomini e la loro avversione per il confronto emozionale, è chiaro perché le mogli si lamentino tanto spesso del fatto che i mariti cercano di eludere la discussione sugli aspetti problematici della loro relazione. (Naturalmente questa differenza fra i due sessi è una generalizzazione, e non vale in ogni caso; un mio amico psichiatra si lamentava del fatto che sua moglie fosse riluttante a discutere le questioni emozionali, e che toccasse sempre a lui il compito di sollevare quegli argomenti.)

L'inerzia degli uomini nell'affrontare i problemi di una relazione è senza dubbio aggravata dalla loro relativa incapacità di leggere le emozioni dalle espressioni facciali. Le donne, ad esempio, sono più sensibili a un'espressione triste sul volto di un uomo di quanto non lo siano gli uomini nel rilevare la tristezza dall'espressione di una donna.[11] Perciò, una donna deve essere davvero molto depressa perché un uomo cominci a notare i suoi sentimenti; non parliamo poi di quanto dovrebbe esserlo per indurlo a chiederle che cosa la renda così triste.

Consideriamo ora le implicazioni, a livello di coppia, di questa abissale differenza di genere nella sfera emozionale, ai fini del modo in cui vengono affrontati i risentimenti e i dissapori che inevitabilmente emergono in seno a qualunque relazione intima. In verità, ciò che davvero rinsalda o spezza un matrimonio, non è l'esistenza di problemi specifici come la frequenza del rapporto sessuale, il modo in cui educare i figli, il contenimento dei debiti o l'entità dei risparmi necessaria per sentirsi a proprio agio. Ciò che davvero conta per il destino del matrimonio, è il *modo* in cui la coppia discute queste dolenti note. Ai fini della sopravvivenza della relazione coniugale è fondamentale raggiungere un'intesa sul *come* non essere d'accordo; nell'affrontare difficili situazioni emozionali, uomini e donne devono superare le loro innate differenze di genere. Se non ci riescono, la coppia diventa vulnerabile a contrasti emozionali che possono finire per mandare in pezzi la loro relazione. Come vedremo, la probabilità che emergano tali contrasti sono di gran lunga maggiori se uno o entrambi i partner presentano particolari deficit dell'intelligenza emotiva.

Comportamenti coniugali sbagliati

Fred: Hai ritirato la mia roba in tintoria?
Ingrid: (Con tono di scherno) «Hai ritirato la mia roba in tintoria?» Vattela a prendere da te la tua maledetta roba. Che cosa sono, la tua serva?
Fred: Magari. Se lo fossi, almeno sapresti fare il bucato.

Se si trattasse di uno scambio di battute in una *sitcom*, potrebbe essere anche divertente. Ma questo dialogo dolorosamente caustico ebbe luogo in una coppia che (fatto non molto sorprendente) divorziò nel giro di pochi anni.[12] Teatro del loro scontro fu il laboratorio diretto da John Gottman, uno psicologo della Chicago University che ha compiuto l'analisi più dettagliata forse mai condotta sulle emozioni che cementano le unioni e sui sentimenti corrosivi che possono invece distruggerle.[13] Nel suo laboratorio, la conversazione dei due partner viene videoregistrata e poi sottoposta a ore e ore di microanalisi per rivelare eventuali correnti emozionali sotterranee. Questa mappatura dei comportamenti distruttivi che possono portare una coppia al divorzio dimostra l'importanza cruciale dell'intelligenza emotiva nella sopravvivenza di un matrimonio.

Negli ultimi vent'anni, Gottman ha monitorato gli alti e bassi di più di duecento coppie, alcune appena sposate, altre convolate a nozze da decenni. Gottman ha studiato l'ecologia emozionale del matrimonio con una tale precisione che in uno studio è stato in grado di prevedere – *con un'accuratezza del 94 per cento* – quali coppie, fra quelle osservate nel suo laboratorio (come Fred e Ingrid, la cui discussione sulla tintoria era stata così aspra) avrebbero divorziato nei tre anni successivi: una precisione mai vista negli studi sulle coppie!

Il potere dell'analisi di Gottman sta nel suo metodo meticoloso e nella precisione dei suoi sondaggi. Mentre i partner parlano, alcuni sensori registrano cambiamenti fisiologici anche minimi; un'analisi istante per istante delle loro espressioni facciali (usando il sistema per la lettura delle emozioni sviluppato da Paul Ekman) rileva le sfumature emozionali più fugaci e impercettibili. Dopo la seduta, ciascun partner ritorna da solo al laboratorio, rivede la registrazione della conversazione e racconta ciò che pensava durante i momenti più roventi dello scambio. Il risultato è simile a una radiografia emozionale del matrimonio.

Secondo Gottman, un atteggiamento aspramente critico da parte dei partner costituisce un segnale di avvertimento precoce del fatto che il matrimonio è in pericolo. In un matrimonio sano, marito e moglie si sentono liberi di dar voce a un rimprovero. Ma troppo spesso nella foga del momento, i rimproveri vengono espressi in modo distruttivo, come un attacco diretto alla personalità del coniuge. Consideriamo, ad esempio, questo caso: mentre il marito, Tom, si era recato in libreria, Pamela era andata in giro con la figlia per acquistare delle scarpe. Erano rimasti d'accordo che si sarebbero incontrati di fronte all'ufficio postale di lì a un'ora, per poi recarsi insieme al cinema. Al momento stabilito, Pamela era puntuale, ma non c'era traccia di Tom. «Ma dov'è? Il film comincia fra dieci minuti», si lamentò Pamela con la figlia. «Se c'è un solo modo per mandare a monte qualcosa, sta' tranquilla che tuo padre non se lo lascia sfuggire.»

Quando Tom comparve, dieci minuti dopo, tutto felice per aver incontrato un amico e scusandosi per il ritardo, Pamela lo attaccò sarcastica: «Non preoccuparti, va tutto bene: aspettando abbiamo avuto la possibilità di discutere della tua sorprendente abilità a mandare all'aria ogni progetto. Sei talmente menefreghista ed egocentrico!».

Il rimprovero di Pamela è qualcosa di più di una protesta: è l'assassinio di una personalità, una critica rivolta alla persona, non al suo operato. Dopo tutto, Tom si era scusato. Ma irritata dal suo errore, Pamela gli dà del «menefreghista ed egocentrico». Moltissime coppie, di tanto in tanto, passano attraverso momenti come questo, nei quali un rimprovero, invece di limitarsi a censurare l'azione di uno dei due partner, assume la forma di un attacco contro la sua persona. Ma queste aspre critiche personali hanno un impatto emozionale di gran lunga più corrosivo di quello di una protesta più ragionevole. E tali attacchi, comprensibilmente, diventano sempre più probabili quando un coniuge ha la sensazione che le proprie lamentele restino inascoltate o ignorate.

Le differenze fra una protesta e una critica personale sono semplici. In una protesta, la moglie indica specificamente che cosa l'ha infastidita e critica l'*azione* del marito, spiegando come essa l'abbia fatta sentire, senza scagliarsi direttamente contro di lui: «Il fatto che hai dimenticato di prendere i miei vestiti in tintoria mi ha dato la sensazione di essere trascurata». Questa è un'espressione di elementare intelligenza emotiva: sicura, senza aggredire né mostrare passività. Ma in una critica personale, la donna avrebbe usato la rimostranza specifica per lanciare al marito un attacco globale: «Sei così egoista e privo di attenzioni. Questo non fa che dimostrare che faccio bene a pensare che tu non ne possa mai combinare una giusta». Questo tipo di critica provoca in chi la riceve sentimenti di vergogna e di colpa, oltre alla sensazione di non essere amato – tutte percezioni che scateneranno con maggiori probabilità una reazione difensiva, e non un reale tentativo di migliorare le cose.

Questo è più che mai vero quando alle critiche va ad aggiungersi il disprezzo, un'emozione particolarmente distruttiva. Il disprezzo compare facilmente associato alla collera; di solito esso viene espresso non solo attraverso le parole usate, ma anche dal tono di voce e da un'espressione di collera. La sua forma più ovvia, naturalmente, è lo scherno o l'insulto – «scemo», «puttana», «smidollato». Ma il linguaggio corporeo che trasmette il disprezzo non ferisce certo di meno: si pensi soprattutto al sogghigno, o al labbro sollevato, che sono i segni facciali universali per esprimere il disgusto, oppure al gesto di alzare gli occhi al cielo, come per dire «Oh, Dio!».

L'espressione facciale caratteristica del disprezzo è una contrazione del muscolo che tende gli angoli della bocca verso i lati (di solito verso sinistra), mentre gli occhi ruotano verso l'alto. Quando uno dei due partner assume rapidamente questa espressione, l'altro, in un tacito scambio emozionale, va incontro a un aumento della frequenza cardiaca di due-tre battiti per minuto. Questa conversazione non verbale ha il suo prezzo; Gottman scoprì che se in una coppia il marito mostra regolarmente disprezzo, la moglie andrà più soggetta a tutta una serie di problemi di salute che vanno dai frequenti raffreddori e agli attacchi di influenza, alle infezioni vescicali, alla candidiasi, e ai sintomi di interesse gastroenterico. E se nel corso di una conversazione di quindici minuti il volto di una moglie assume quattro o cinque volte un'espressione di disgusto – un parente prossimo del disprezzo – questo è un tacito segnale del fatto che probabilmente quella coppia si separerà nel giro di quattro anni.

Naturalmente, l'esibizione occasionale di disprezzo o disgusto non compromette un matrimonio. Piuttosto, queste scariche emozionali hanno un ruolo simile, come fattori di rischio, a quello del fumo e del colesterolo alto per le cardiopatie – quanto più sono intense e prolungate, tanto maggiore è il pericolo. Sulla via che porta al divorzio, la presenza di uno di questi fattori lascia prevedere la comparsa del secondo, in un'escalation di infelicità. Un abituale atteggiamento critico, e il disprezzo o il disgusto, sono segni di pericolo perché indicano che il coniuge ha silenziosamente formulato un giudizio molto negativo sul proprio partner, che nei suoi pensieri è fatto oggetto di costante condanna. Questi pensieri negativi e ostili portano naturalmente ad attacchi che mettono chi li subisce sulla difensiva – o lo preparano a passare al contrattacco.

Nella reazione di combattimento o fuga, ciascuna delle due opzioni rappresenta un modo in cui un coniuge può rispondere all'attacco dell'altro. La soluzione più ovvia è quella di rispondere contrattaccando, con un'esplosione di collera. Questa via solitamente porta a uno scontro verbale violento e privo di frutti. Ma la risposta alternativa, la fuga, può essere ancora più pericolosa, soprattutto quando consiste nel ritirarsi in un silenzio ostile.

L'ostruzionismo è l'ultima difesa. L'ostruzionista è inespressivo, e si ritira dalla conversazione rispondendo con impassibilità e silenzio. In tal modo, invia un messaggio potente e snervante, qualcosa di simile a una combinazione di distacco glaciale, superiorità e disgusto. L'ostruzionismo compare soprattutto nei matrimoni che vanno verso la crisi; nell'85 per cento di questi casi il marito fa l'ostruzionismo in risposta a una moglie che lo attacca con disprezzo e atteggiamento critico.[14] Come risposta abituale, l'ostruzionismo è devastante per la salute di una relazione: esclude infatti ogni possibilità di ricomporre il disaccordo.

Pensieri tossici

I bambini si stanno scatenando e Martin, il padre, sta perdendo la pazienza. Si rivolge allora alla moglie, Melanie, e le dice con tono tagliente: «Cara, non pensi che i bambini potrebbero darsi una calmata?».

Ma in realtà pensa: «È troppo indulgente con i bambini».

Melanie, rispondendo all'irritazione di lui, sente montare la collera. Il suo volto si fa teso, le sopracciglia si aggrottano ed ella replica: «I bambini si stanno solo divertendo. Ad ogni modo, fra poco vanno a letto».

Il suo pensiero: «Eccolo qua, di nuovo a lamentarsi in continuazione».

Martin adesso è visibilmente furioso. Si protende in avanti minacciosamente, con i pugni serrati mentre sibila con voce irritata «Devo metterli a letto io, adesso?».

In realtà pensa: «Mi contraddice in tutto. Farei bene a riprendere in mano la situazione».

Melanie, improvvisamente spaventata dalla collera di Martin risponde con tono mansueto: «No, li metto a letto subito».

Sta pensando: «Ha perso il controllo – potrebbe fare male ai bambini. Meglio dargliela vinta».

Queste conversazioni parallele – lo scambio verbale e quello silenzioso – sono riportate da Aaron Beck, il padre della terapia cognitiva, che le cita come esempio del tipo di pensieri che possono avvelenare un matrimonio.[15] Il vero scambio emozionale fra Melanie e Martin è plasmato dai loro pensieri, e quelli, a loro volta, sono determinati da un altro fattore più profondo, che Beck chiama «pensiero automatico» – in altre parole, assunti su se stessi e gli altri che, estremamente transitori e simili a un rumore di fondo, riflettono i nostri più profondi atteggiamenti emotivi. Nel caso di Melanie, il pensiero di fondo era qualcosa come «Va in collera e fa sempre il prepotente con me». Per Martin, il pensiero chiave è «Non ha alcun diritto di trattarmi così». Nel matrimonio, Melanie si sente come una vittima innocente e Martin crede di provare una legittima indignazione per quello che ritiene un trattamento ingiusto.

Pensare di essere una vittima innocente, o provare una giusta indignazione sono atteggiamenti tipici di partner che vivono una crisi matrimoniale e alimentano continuamente la collera e il risentimento.[16] Una volta che essi diventano automatici, sono tali da autoconfermarsi: il partner che si sente vittima dell'altro sottolinea costantemente qualunque cosa faccia il coniuge, che possa confermare la sua idea di essere una vittima – al tempo stesso ignorando o tenendo in poco conto tutti gli atti di gentilezza che potrebbero invece mettere in discussione o smentire quell'idea.

Questi pensieri sono potenti; essi inceppano il sistema d'allarme neurale. Una volta che la convinzione di essere una vittima, nutrita dal marito, scatena un «sequestro» emozionale, egli ricorderà e rimuginerà tutta una lista di esempi che gli rammenteranno i numerosi modi in cui la moglie fa di lui una vittima innocente, senza ricordare nulla di ciò che, nell'arco di tutta la loro relazione, ella può aver fatto e che smentirebbe la sua idea. Questo mette la donna in una posizione perdente in partenza: qualunque cosa ella faccia per essere intenzionalmente gentile, osservata attraverso lenti così negative, può essere reinterpretata e liquidata come un debole tentativo di negare la verità, ossia che il marito è vittima della moglie.

I partner che non hanno idee di questo tipo, fonte peraltro di tanta sofferenza e disagio, possono interpretare in modo più benevolo le stesse situazioni, e così hanno meno probabilità di andare incontro a questi «sequestri» emozionali – o se gli capita, si riprendono più in fretta. In generale, i pensieri che fomentano o alleviano il disagio seguono il modello descritto dallo psicologo Martin Seligman per la concezione pessimista e quella ottimista (vedi capitolo 6). Chi assume un atteggiamento pessimista sostiene che il partner è di per se stesso in difetto, e che la situazione, immodificabile, garantisce infelicità: «È egoista e pensa solo a se stesso: è stato allevato così e sarà sempre così; si aspetta che lo serva di tutto punto e non potrebbe importargliene meno di come mi sento io». La concezione ottimistica, al contrario, potrebbe essere: «Adesso è molto esigente, ma in passato ha avuto molte attenzioni per me; può darsi che sia di cattivo umore – forse qualcosa lo ha contrariato sul lavoro». Questo è un modo di vedere le cose che non liquida il marito (o il matrimonio) come irrimediabilmente compromesso o senza speranza. Il primo atteggiamento porta a un continuo disagio; il secondo semplifica la situazione.

I partner che assumono la posizione pessimista sono estremamente soggetti a «sequestri» emozionali, vanno in collera, si offendono e comunque soffrono per il comportamento del coniuge; una volta che l'episodio è cominciato, permangono in uno stato di disturbo. Il loro disagio interiore, e il loro atteggiamento pessimista, naturalmente, rendono molto più probabile che essi ricorrano alle critiche e al disprezzo quando si confrontano con il partner; questo a sua volta aumenta la probabilità che l'altro si metta sulla difensiva e ricorra all'ostruzionismo.

Forse i più virulenti fra questi pensieri tossici sono quelli che passano per la mente dei mariti violenti nei confronti delle loro mogli. Uno studio sui mariti violenti condotto dagli psicologi della Indiana University trovò che questi uomini pensano come se fossero adolescenti prepotenti: scoprono un intento ostile anche nelle azioni neutrali delle loro mogli e usano questa errata interpretazione per giustificare a se stessi la propria violenza (gli uomini sessualmente aggressivi con le fidanzate hanno un comportamento simile, in quanto considerano le donne con sospetto e non si curano delle loro obiezioni.)[17] Come abbiamo visto nel capitolo 7, questi uomini si sentono particolarmente minacciati dalla percezione di indifferenza o di rifiuto, o anche quando vengono pubblicamente messi in imbarazzo dalle loro mogli. Negli uomini che picchiano le proprie mogli, solitamente i pensieri che «giustificano» la violenza sono innescati da scenari come questo: «Sei a un ricevimento e ti accorgi che nell'ultima mezz'ora tua moglie ha parlato e riso in continuazione con lo stesso uomo affascinante. Sembra che lui le stia facendo la corte». Quando questi uomini percepiscono un sintomo di rifiuto o di abbandono da parte delle proprie mogli, le loro reazioni passano rapidamente all'indignazione e all'offesa. Presumibilmente pensieri automatici del tipo «Vuole lasciarmi» scatenano un «sequestro» emozionale nel quale il marito reagisce impulsivamente con quelle che i ricercatori definiscono «risposte comportamentali incompetenti»: in altre parole, diventano violenti.[18]

Emozioni in piena: il matrimonio cola a picco

L'effetto netto di questi atteggiamenti negativi è quello di creare uno stato di crisi interminabile, dal momento che essi scatenano sempre più spesso «sequestri» emozionali e rendono più difficile riprendersi dalla collera e dal risentimento che ne risulta. Gottman usa il termine calzante di *inondazione* per indicare questa suscettibilità al frequente turbamento emotivo; in queste condizioni, i coniugi sono talmente sopraffatti dalla negatività del partner e dalle proprie reazioni ad essa che vengono «inondati» da sentimenti terribili, completamente sfuggiti a ogni controllo. Questi soggetti non possono udire alcunché senza distorcerlo, né reagire con lucidità; trovano difficile organizzare il proprio pensiero e fanno ricorso a reazioni primitive. Essi vorrebbero solo che tutto si fermasse, oppure vorrebbero fuggire o, ancora, a volte, restituire il colpo. L'«inondazione» è un «sequestro» emozionale che si autoperpetua.

In alcune persone la soglia per raggiungere questa condizione è elevata, ed esse resistono facilmente alla collera e al disprezzo; altre invece possono essere travolte dalla «piena» non appena il coniuge indirizza loro una leggera critica. Questa «piena» emozionale viene descritta tecnicamente in termini di aumento della frequenza cardiaca a partire dai livelli di riposo.[19] Nelle donne, a riposo, questo parametro si attesta intorno agli 82 battiti al minuto, mentre negli uomini è di circa 72 (la frequenza cardiaca specifica varia principalmente in base alla taglia corporea dell'individuo). L'«inondazione» comincia in corrispondenza di una frequenza cardiaca che superi quella a riposo di 10 battiti al minuto; se la frequenza raggiunge 100 battiti al minuto (cosa che può accadere facilmente in momenti di collera o quando si piange) l'organismo pompa adrenalina e altri ormoni in modo da prolungare questo stato di disagio per un certo periodo. L'importanza del «sequestro» emozionale traspare evidente dai valori della frequenza cardiaca: essa può aumentare di colpo di 10, 20 o perfino 30 battiti al minuto. I muscoli si tendono: la respirazione può sembrare difficile. C'è una vera e propria piena di sentimenti tossici, una spiacevole ondata di paura e di collera che sembra inevitabile e, soggettivamente, «ci mette una vita» ad andarsene. A questo punto – siamo nel mezzo di un «sequestro» emozionale – le emozioni dell'individuo sono talmente intense, le prospettive così limitate e il pensiero a tal punto confuso che non ci sono speranze di poter considerare il punto di vista dell'altro, né di ricomporre le cose in modo ragionevole.

Ovviamente, la maggior parte dei coniugi ha, di tanto in tanto, scontri di questa intensità quando entra in conflitto – è una cosa naturale. Per il matrimonio, i veri problemi cominciano quando uno dei due coniugi si sente quasi perennemente «in piena». In quel caso, il partner che si sente sopraffatto dall'altro è sempre sulla difensiva in quanto teme di essere vittima di un assalto o di un'ingiustizia; questo individuo si fa pertanto ipervigilante, pronto a rilevare il benché minimo segno di attacco, insulto o rimprovero, e reagirà sicuramente in modo esasperato al minimo accenno. Se un marito si trova in questo stato, il fatto che la moglie dica «Tesoro, dobbiamo parlare» può innescare il pensiero «Sta provocando un altro scontro», e questo scatena l'ondata di piena. In queste condizioni, diventa sempre più difficile riprendersi dallo stato di attivazione fisiologica; questo, a sua volta, rende più facile considerare uno scambio innocuo sotto una luce sinistra, innescando nuovamente l'inondazione.

Questo è forse il punto di svolta più pericoloso in un matrimonio, una tappa catastrofica nella relazione. Il partner «in piena», a questo punto, pensa in continuazione le cose peggiori del coniuge, interpretando tutte le sue azioni in una luce negativa. Piccoli problemi diventano gravi conflitti; i sentimenti vengono continuamente feriti. Con il tempo, il partner che si sente travolto comincia a considerare grave e irresolubile ogni singolo problema del matrimonio, in quanto ogni tentativo di sistemare le cose viene regolarmente sabotato dalle ondate di piena. Quando questa situazione si protrae, comincia a sembrare inutile parlarne, e i due partner cercano di mitigare la propria sofferenza ognuno per conto suo. Essi cominciano così a condurre vite parallele, essenzialmente isolati l'uno dall'altro e sentendosi soli all'interno del matrimonio. Fin troppo spesso, Gottman ha constatato, il passo successivo è il divorzio.

In questa traiettoria che porta alla separazione, le tragiche conseguenze della mancanza di competenze nella sfera emozionale sono fin troppo evidenti. Quando una coppia viene presa nel circolo vizioso della critica e del disprezzo, degli atteggiamenti di difesa o di ostruzionismo, dei pensieri negativi e delle ondate di «piena» emozionale, questo stesso ciclo riflette una disintegrazione dell'autoconsapevolezza e dell'autocontrollo emozionali, dell'empatia e delle capacità di calmare se stessi e gli altri.

Uomini: il sesso debole

Torniamo alle differenze di genere nella vita emotiva, che si dimostrano uno sprone nascosto nelle unioni coniugali. Anche dopo più di trentacinque anni di matrimonio, c'è una fondamentale distinzione fra mariti e mogli nel modo in cui essi considerano gli scontri emozionali. In genere, alle donne dà meno fastidio che agli uomini tuffarsi nella sgradevolezza di una lite coniugale. Questa conclusione, raggiunta da Robert Levenson della California University a Berkely, si basa sulla testimonianza di 151 coppie, tutte sposate da molti anni. Levenson scoprì che i mariti trovavano tutti spiacevole, perfino odioso, litigare durante una discussione, mentre le loro mogli non se ne dispiacevano troppo.[20]

I mariti vengono travolti «dalle piene» emozionali in corrispondenza di una negatività meno intensa rispetto a quella necessaria per «inondare» le loro mogli; fra coloro che reagiscono alle critiche del coniuge facendosi travolgere dall'inondazione, ci sono più uomini che donne. Una volta «sommersi», gli uomini secernono più adrenalina delle donne, e il flusso di questo ormone viene innescato da livelli di negatività inferiori a quelli necessari per attivare la stessa reazione nelle donne; inoltre, agli uomini è necessario più tempo per riprendersi dalla «piena» emozionale.[21] Tutti questi dati suggeriscono che forse la stoica imperturbabilità del maschio alla Clint Eastwood rappresenta una forma di difesa per non sentirsi sopraffatti dalle emozioni.

La ragione per cui è tanto probabile che gli uomini ricorrano all'ostruzionismo, secondo Gottman, è il tentativo di autoproteggersi dalle «piene» emozionali; la sua ricerca ha dimostrato che una volta intrapresa la strategia dell'ostruzionismo, la loro frequenza cardiaca scende di circa dieci battiti per minuto, il che comporta un sollievo soggettivo. Ma – e questo è un paradosso – quando gli uomini cominciano a fare l'ostruzionismo, è la frequenza cardiaca delle loro mogli a innalzarsi a livelli che segnalano un elevato disagio. Questa specie di tango del sistema limbico, nel quale ogni sesso cerca conforto con degli stratagemmi, porta ad atteggiamenti molto diversi verso gli scontri emozionali: gli uomini cercano di evitarli con lo stesso impegno che le donne mettono nel tentare di innescarli.

Proprio come è di gran lunga più probabile che siano gli uomini a rifugiarsi nell'ostruzionismo, è più facile che le donne ricorrano alla critica.[22] Questa asimmetria deriva dal fatto che le donne si assumono una funzione di controllo sulle emozioni. Quando cercano di alleviare e risolvere il disaccordo e le controversie, gli uomini sono più riluttanti a impegnarsi in quelle che sono destinate a diventare discussioni roventi. Non appena la moglie vede il marito che si ritira, alza il volume e l'intensità del rimprovero, cominciando a criticarlo. E quando egli si arrocca sulla difensiva o replica facendo l'ostruzionismo, la donna si sente frustrata e in collera, e così aggiunge all'interazione il proprio disprezzo, per sottolineare l'intensità della sua frustrazione. Accorgendosi di essere oggetto delle critiche e del disprezzo della moglie, l'uomo comincia a cadere nei pensieri da vittima innocente o da marito giustamente indignato che sempre più facilmente scatenano la «piena» emozionale. Per proteggersi da essa, egli si mantiene sempre più sulla difensiva o semplicemente si trincera in un ostruzionismo totale. Ma quando i mariti adottano questa strategia, essa innesca la «piena» emozionale nelle loro mogli che, come ricorderete, si sentono completamente osteggiate. E quando il circolo vizioso della lite coniugale si autoalimenta in questo modo, è fin troppo facile che possa sfuggire al controllo.

Matrimonio – consigli per lui e per lei

Date le gravi conseguenze del diverso modo dei due sessi di affrontare i sentimenti fonte di turbamento nelle loro relazioni, che cosa possono fare le coppie per proteggere l'amore e l'affetto che sentono reciprocamente – in breve, che cosa protegge un matrimonio? Osservando l'interazione di partner i cui matrimoni hanno prosperato per anni, i ricercatori danno consigli specifici agli uomini e alle donne, e qualche ammonimento generale a entrambi.

Gli uomini e le donne, in generale, hanno bisogno di una differente sintonizzazione emozionale. Agli uomini si consiglia di non evitare il conflitto, ma di comprendere che quando la moglie solleva una rimostranza o evidenzia un punto di disaccordo, potrebbe farlo come atto d'amore, cercando di mantenere la relazione sana e vitale (anche se possono esserci benissimo altri motivi dietro all'ostilità di una moglie). Quando i rancori covano sotto la cenere, si accrescono di intensità finché non esplodono; quando vengono elaborati e lasciati liberi, la pressione trova invece uno sfogo. Ma gli uomini devono comprendere che la collera o il disprezzo non sono sinonimi di un attacco personale – le emozioni delle loro mogli hanno semplicemente la funzione di evidenziare l'intensità dei loro sentimenti sull'argomento.

Gli uomini devono anche guardarsi dal tagliar corto durante la discussione offrendo troppo presto una soluzione pratica – solitamente, per la moglie, è più importante sentire che il marito ascolta le sue lamentele ed empatizza con i suoi *sentimenti* (anche se non deve necessariamente essere d'accordo con lei). La donna può interpretare l'offerta di una soluzione come un modo per liquidare rapidamente i suoi sentimenti tacciandoli di incoerenza. I mariti che invece di liquidare le loro proteste come insignificanti, riescono a sopportare gli scoppi di collera delle mogli, le aiutano a sentirsi ascoltate e rispettate. Soprattutto, le mogli vogliono vedere riconosciuti e rispettati i propri sentimenti, anche se il marito non è d'accordo con loro. Molto spesso, quando una moglie si rende conto che il suo punto di vista viene ascoltato e che il marito prende nota dei suoi sentimenti, si calma.

Per quanto riguarda le donne, il consiglio è assolutamente parallelo. Per gli uomini l'esagerata intensità con la quale le donne danno voce alle proprie proteste rappresenta un problema fondamentale; le donne, quindi, dovrebbero fare uno sforzo mirato per stare attente a non attaccare i propri mariti – a protestare per quello che hanno fatto, senza criticarli come persone o esprimere disprezzo verso di loro. Le proteste non sono attacchi alla personalità, ma piuttosto la dichiarazione che una particolare azione ci ha causato sofferenza. Quasi sicuramente, un collerico attacco personale porterà il marito a mettersi sulla difensiva o a ricorrere all'ostruzionismo, il che sarà quanto mai frustrante per la donna, e non farà che esacerbare lo scontro. È anche utile che le proteste della donna siano collocate in un contesto più ampio, nel quale lei rassicuri il marito del suo amore.

Lo scontro positivo

Il giornale del mattino ci offre una lezione su come non risolvere, nel matrimonio, le differenze di genere fra i coniugi. Si tratta del battibecco fra Marlene Lenick e suo marito Michael: lui voleva guardare la partita Dallas Cowboys-Philadelphia Eagles, lei preferiva il telegiornale. Non appena lui si mise comodo per godersi l'incontro, la signora Lenick gli dichiarò di «averne avuto abbastanza del suo football», andò in camera da letto a prendere una pistola calibro .38 e gli sparò due colpi mentre guardava la partita. La signora Lenick venne imputata di lesioni aggravate e liberata dietro pagamento di una cauzione di 50000 dollari; il signor Lenick fu dichiarato fuori pericolo e si riprese: i proiettili gli avevano colpito di striscio l'addome ed erano fuoriusciti perforandogli la scapola e il collo.[23]

Sebbene poche liti coniugali siano così violente – e dispendiose! – esse sono comunque occasioni fondamentali per portare l'intelligenza emotiva nel matrimonio. Ad esempio, nelle unioni di lunga durata, le coppie tendono a concentrarsi su un argomento dando fin dall'inizio a ciascun partner la possibilità di affermare il proprio punto di vista.[24] Ma questi coniugi compiono anche un ulteriore passo, dimostrando di sapersi ascoltare reciprocamente. Poiché spesso ciò che il partner offeso desidera è di vedere ascoltati i propri sentimenti, da un punto di vista emozionale un atto di empatia è un sistema magistrale per ridurre la tensione.

Nelle coppie la cui unione sfocia nel divorzio si osserva una notevole assenza di tentativi, da parte di entrambi i partner, di ridurre la tensione. Durante gli scontri coniugali, la presenza o l'assenza di modi per ricomporre gli screzi costituisce una differenza fondamentale fra le coppie che hanno un matrimonio sano e quelle che alla fine si separeranno.[25] I meccanismi di riparazione che impediscono a una discussione di degenerare in una tremenda esplosione sono semplici accorgimenti, quali ad esempio evitare le divagazioni, empatizzare con il partner e ridurre la tensione. Queste mosse fondamentali sono una sorta di termostato emozionale, e impediscono che i sentimenti espressi trabocchino sopraffacendo la capacità dei partner di concentrarsi sul problema.

Una strategia generale per far funzionare un matrimonio è quella di non concentrarsi su problemi specifici sui quali le coppie solitamente entrano in conflitto – l'educazione dei figli, il sesso, il denaro e i lavori di casa – ma piuttosto di coltivare un'intelligenza emotiva di coppia, aumentando così le probabilità di risolvere i problemi. Alcune competenze emozionali – soprattutto la capacità di calmarsi (e di calmare il partner), l'empatia e la capacità di ascoltare l'altro – possono aumentare le probabilità che una coppia riesca ad appianare efficacemente i propri screzi. Questo rende possibili quelle sane litigate – «gli scontri positivi» – che consentono al matrimonio di prosperare e contribuiscono al superamento delle negatività che, se lasciate crescere, possono distruggere l'unione.[26]

Naturalmente, nessuna di queste tendenze emozionali può cambiare nel giro d'una notte; come minimo, bisogna perseverare ed essere vigilanti. I partner riusciranno a compiere i necessari cambiamenti nella misura in cui saranno veramente motivati a provare. Se non la maggior parte, sicuramente molte delle risposte emozionali che vengono tanto facilmente innescate nel matrimonio sono state scolpite nell'individuo fin dall'infanzia: dapprima apprese nelle relazioni più intime o modellizzate dai genitori, esse vengono poi portate in dote nel matrimonio ormai già pienamente formate. E così, per quanto possiamo aver giurato che non avremmo mai agito come i nostri genitori, ci troviamo predisposti a determinate tendenze emozionali, ad esempio siamo pronti a reagire in modo esagerato a supposte mancanze di rispetto o a chiudere la saracinesca al primo segno di un confronto.

CALMARSI

Ogni forte emozione deriva da un impulso ad agire; controllare quegli impulsi è fondamentale ai fini dell'intelligenza emotiva. Questo, tuttavia, può rivelarsi particolarmente difficile nelle relazioni amorose, nelle quali la posta in gioco è tanto alta. In questo caso, le reazioni innescate toccano corde sensibilissime – il nostro profondo bisogno di essere amati e di sentirci rispettati, la paura dell'abbandono o di essere emozionalmente deprivati. Non c'è dunque da meravigliarsi se nelle liti coniugali ci comportiamo come se fosse in gioco la nostra stessa sopravvivenza.

Anche così, se il marito o la moglie sono nel bel mezzo di un «sequestro» emozionale, nulla può risolversi positivamente. Per i due partner, una fondamentale competenza coniugale è quella di imparare a tenere a freno i propri sentimenti negativi. Essenzialmente, ciò significa avere la capacità di riprendersi rapidamente dall'ondata di piena causata dal «sequestro». Poiché durante questi picchi emozionali la capacità di ascoltare, pensare e parlare con lucidità va perduta, quello di calmarsi è un passo fondamentale, senza il quale non può esserci ulteriore progresso nella risoluzione della disputa.

Durante scontri molto accesi, alcuni partner potrebbero imparare a monitorare la propria frequenza cardiaca circa ogni cinque minuti, sentendo le pulsazioni sulla carotide, qualche centimetro sotto il lobo dell'orecchio (chi fa ginnastica aerobica impara a farlo facilmente).[27] Contate le pulsazioni per quindici secondi e poi moltiplicate per quattro: avrete il numero di pulsazioni per minuto. Se lo fate quando siete calmi, otterrete un valore basale a riposo; se le vostre pulsazioni aumentano, diciamo, di dieci battiti al minuto al di sopra di quel valore, questo segnala l'inizio della «piena» emozionale. Nel caso di una reazione fisiologica così pronunciata, la coppia necessita di un intervallo di circa venti minuti, nel quale i due partner dovranno separarsi per calmarsi prima di riprendere la discussione. Sebbene possa sembrare sufficiente un intervallo di cinque minuti, il vero tempo di recupero fisiologico è più graduale. Come abbiamo visto nel capitolo 5, la collera residua innesca altra collera; un intervallo più lungo dà all'organismo più tempo per riprendersi dalla precedente attivazione fisiologica.

Per i partner che, comprensibilmente, trovano strano monitorare la frequenza cardiaca durante una lite, è più semplice accordarsi in anticipo, dando la possibilità a entrambi di chiedere una sospensione della discussione ai primi segni di «inondazione» emozionale in uno dei due. Durante questo intervallo, è possibile ritrovare la calma e riprendersi dal «sequestro» emozionale aiutandosi con una tecnica di rilassamento o un esercizio aerobico (o con uno qualunque dei metodi che abbiamo visto nel capitolo 5).

DETOSSIFICARE IL DISCORSO INTERIORE

Dal momento che la «piena» emozionale è innescata dai pensieri negativi riguardanti l'altro, può essere utile se il partner sconvolto da questi aspri giudizi riesce a bloccarli direttamente. Sentimenti come «Non ho intenzione di sopportare questa situazione un minuto di più» o «Non merito questo tipo di trattamento» sono gli slogan della vittima innocente o del partner giustamente indignato. Come sottolinea il fondatore della terapia cognitiva, Aaron Beck, un coniuge può cominciare a liberarsi dalla morsa di questi pensieri imparando a riconoscerli e a metterli in discussione, senza permetter loro di innescare una reazione di collera o di ferirlo.[28]

Per ottenere questo risultato, è necessario monitorare tali pensieri, capire che non bisogna credere in essi e compiere uno sforzo intenzionale per richiamare alla mente fatti o prospettive che li mettano in discussione. Ad esempio, una moglie che nella foga del momento pensi «Non gliene importa nulla delle mie necessità, è sempre talmente egoista» potrebbe mettere in discussione questo pensiero ricordando tutti gli atti del marito che, in effetti, erano segni di premura. Ciò le consente di reinquadrare il suo pensiero in questa forma: «A volte dimostra che gli importa di me, anche se ciò che ha appena fatto è stato irriguardoso e mi ha fatto andare fuori di me». La seconda formulazione offre una possibilità di cambiamento e consente di intravedere una soluzione positiva; la prima, invece, non fa che esacerbare la collera e il risentimento.

ASCOLTARE E PARLARE SENZA STARE SULLA DIFENSIVA

Lui: «Stai gridando!».

Lei: «Per forza! Non hai sentito una parola di quello che ho detto. Tu proprio non ascolti!».

La capacità di ascoltare tiene unite le coppie. Anche nella foga di una lite, quando i due partner sono nel pieno di un «sequestro» emozionale, uno dei due, e a volte entrambi, possono riuscire ad ascoltare e a rispondere ai gesti di riconciliazione del partner. Le coppie incamminate verso il divorzio, però, sono talmente assorbite dalla collera e si fissano a tal punto sui dettagli del problema contingente, che non riescono più ad ascoltare – meno che mai a ricambiare le eventuali offerte di pace che potrebbero essere implicite in ciò che sta dicendo il partner. Quando sta sulla difensiva, chi ascolta tende a ignorare o a respingere immediatamente le proteste del coniuge reagendo come se esse fossero un attacco diretto invece di un tentativo di correggere il comportamento. Naturalmente, in una lite, quello che un coniuge dice è spesso presentato in forma di un attacco, o viene detto con una tale carica negativa che è difficile riuscire a percepirvi qualcosa di diverso da un attacco.

Anche nel caso peggiore, però, i partner possono analizzare il messaggio, ignorando le parti ostili e negative dello scambio – il tono villano, l'insulto, le critiche che trasudano disprezzo – per coglierne il significato principale. A tal fine è utile che i partner cerchino di interpretare la negatività dell'altro come un'affermazione implicita della grande importanza attribuita al problema – come una richiesta di attenzione sulla questione. Se la donna strilla: «Vuoi *smetterla* di interrompermi, per la miseria!», il marito dovrebbe riuscire a dirle, senza reagire apertamente alla sua ostilità: «Va bene, va' avanti e finisci».

La forma più potente di ascolto, in un individuo che non assuma un atteggiamento difensivo, è, naturalmente, l'empatia, ossia la capacità di ascoltare davvero i sentimenti che si celano *dietro* alle parole. Come abbiamo visto nel capitolo 7, se un partner empatizza davvero con l'altro, significa che riesce a calmare le proprie reazioni al punto da essere abbastanza recettivo rispetto alla propria fisiologia, e da poter quindi rispecchiare i sentimenti dell'altro. Senza questa sintonia fisiologica, la percezione, da parte di un partner, delle emozioni dell'altro è completamente priva di fondamento. L'empatia si deteriora quando i sentimenti di un partner sono talmente forti da travolgere qualunque altra cosa, non consentendo un'armonizzazione fisiologica con l'altro.

Nella terapia di coppia viene comunemente usato un metodo per «ascoltare» efficacemente le emozioni che viene chiamato «rispecchiare». Quando un partner dà voce a una protesta, l'altro la ripete con le proprie parole, cercando di cogliere non solo il pensiero che la anima, ma anche i sentimenti che l'accompagnano. Il partner che sta «rispecchiando» l'altro controlla insieme a quello che la sua riformulazione non abbia mancato il bersaglio, e in tal caso, riprova finché non colpisce nel segno: sembra una cosa semplice, ma a farsi è sorprendentemente difficile.[29] Sul partner, l'effetto di essere «rispecchiato» accuratamente non è solo quello di sentirsi compreso, ma anche di essere in sintonia emozionale. A volte questa percezione può, di per se stessa, scongiurare un attacco imminente, e aiuta moltissimo a impedire che la discussione degeneri in uno scontro.

Nella coppia, l'arte di parlare senza stare sulla difensiva si basa sulla capacità di mantenere le proprie parole nell'ambito di una protesta specifica, senza sfociare in un attacco personale. Lo psicologo Haim Ginott, padre dei primi programmi di comunicazione efficace, affermava che il modo migliore per formulare una protesta fosse «Xyz»: «Quando hai fatto X, mi hai fatto sentire Y; avrei preferito che avessi fatto Z». Ad esempio: «Quando non mi hai telefonato per avvertirmi che eri in ritardo per la cena, mi sono sentita poco considerata e in collera. Quando fai tardi, vorrei che mi chiamassi» è da preferirsi a «Sei un bastardo egocentrico e senza riguardo». Fin troppo spesso, però, nei diverbi coniugali, il problema viene posto nel secondo modo. In breve, una comunicazione aperta non deve conoscere prepotenza, minacce o insulti. Né consente alcuna forma di atteggiamenti difensivi – scuse, negazione delle responsabilità, contrattacchi con critiche, e simili. Anche in questo caso l'empatia è uno strumento potente.

Infine, nel matrimonio, come in qualunque altra circostanza della vita, il rispetto e l'amore hanno l'effetto di disarmare l'ostilità. Un modo molto efficace per ricomporre un diverbio è quello di far capire al partner che è possibile vedere le cose da punti di vista diversi, i quali possono essere entrambi validi. Un altro sistema è quello di assumersi le proprie responsabilità e di scusarsi quando ci si rende conto di avere torto. Come minimo, riconoscendo la validità della prospettiva dell'altro, il partner gli comunica che lo sta ascoltando, e che riesce a comprendere le emozioni che esprime, anche se non è d'accordo con la sua tesi, «Mi rendo conto che sei sconvolto». E altre volte, quando non c'è una lite, il riconoscimento della posizione dell'altro assume la forma del complimento, trovando nel partner qualcosa che si apprezza davvero e dando così voce a un elogio. Questa strategia, naturalmente, è un modo per aiutare il coniuge a calmarsi, o per accantonare un capitale emozionale in forma di sentimenti positivi.

UN PO' DI ESERCIZIO

Poiché queste manovre dovranno servire nella foga di uno scontro, quando lo stato di attivazione emozionale è sicuramente elevato, devono essere apprese molto bene per essere eseguite nel momento più opportuno. In quei frangenti, infatti, il cervello emozionale attiva le routine apprese in precedenza durante ripetuti momenti di collera e di risentimento, ormai divenute dominanti. Poiché tanto la memoria quanto il tipo di risposta sono specifici per le singole emozioni, durante gli scontri le reazioni associate a momenti di maggiore calma sono meno facili da ricordare e da mettere in atto. Se abbiamo scarsa familiarità verso una risposta emozionale, per quanto essa sia vantaggiosa, è estremamente difficile riuscire a ricorrere ad essa quando si è sconvolti. Ma se ci si è esercitati al punto da farla diventare automatica, ci sono maggiori probabilità di riuscire ad esprimerla durante una crisi emozionale. Per queste ragioni, le strategie di cui abbiamo parlato devono essere sperimentate e ripassate non solo nella foga della battaglia, ma anche durante scambi privi di tensione: solo così facendo esiste una probabilità che esse divengano una risposta acquisita immediata (o almeno una seconda risposta non troppo ritardata) nel repertorio del circuito emozionale. Essenzialmente, questi antidoti contro la disintegrazione della coppia non sono altro che una sorta di intervento correttivo nella sfera dell'intelligenza emotiva.

10

DIRIGERE COL CUORE

Melbourn McBroom era un capo dal temperamento dominante il cui carattere intimidiva tutti quelli che lavoravano con lui. Questo fatto avrebbe potuto passare inosservato se McBroom avesse lavorato in un ufficio o in una fabbrica. Ma era un pilota di aeroplani.

Un giorno, nel 1978, l'aeroplano di McBroom stava avvicinandosi a Portland, nell'Oregon, quando egli si accorse di un problema al carrello. Così McBroom si mise in rotta d'attesa, volando in circolo ad alta quota e cercando intanto di sistemare il meccanismo.

Mentre McBroom era ossessionato dal carrello, le spie dei misuratori di livello del carburante si avvicinavano sempre più a fine corsa. Ma i copiloti erano talmente terrorizzati dalla collera di McBroom che non dissero nulla, anche quando il disastro ormai incombeva su di loro. L'aeroplano precipitò, e dieci persone rimasero uccise.

Oggi la storia di quell'incidente viene raccontata come aneddoto ammonitore nei corsi tenuti ai piloti di linea per addestrarli sulle norme di sicurezza.[1] Nell'80 per cento degli incidenti agli aerei di linea, i piloti compiono errori evitabili, soprattutto se l'equipaggio coopera in modo più armonioso. Nell'addestramento dei piloti, oltre alla perizia tecnica, oggi si dà grande importanza a fattori quali il lavoro di squadra, la possibilità di comunicare apertamente, la cooperazione, la capacità di ascoltare e di esprimere il proprio pensiero – insomma, ai rudimenti dell'intelligenza sociale. La cabina di pilotaggio è un microcosmo che può servire da modello di qualunque unità di lavoro organizzata. Ma in assenza del drammatico controllo operato dalla situazione reale, controllo che si traduce nella caduta dell'aeroplano, gli effetti distruttivi di un morale basso, della paura dei dipendenti o dell'arroganza dei superiori – o ancora di una qualunque delle decine di possibili espressioni delle carenze emozionali sul posto di lavoro – possono passare in larga misura inosservate da chi si trovi all'esterno della situazione. Tuttavia, i costi di tutto ciò traspaiono da segnali quali una diminuita produttività, un aumento di scadenze non rispettate, errori e incidenti, e un esodo di dipendenti verso ambienti di lavoro più congeniali. Inevitabilmente, sul lavoro, un basso livello di intelligenza emotiva comporta dei costi aggiuntivi. Quando questi costi sono incontrollati, le aziende possono collassare.

L'efficienza, in termini di costi, dell'intelligenza emotiva è un'idea relativamente nuova per le imprese, un concetto che alcuni dirigenti trovano probabilmente difficile da applicare. In uno studio condotto su 250 di loro è emerso che la maggior parte riteneva che il proprio lavoro richiedesse «testa, ma non cuore». Molti confessarono di temere che sentimenti di empatia o compassione per coloro con cui lavoravano avrebbero generato una situazione di conflitto rispetto agli obiettivi dell'organizzazione. Uno degli intervistati credeva che l'idea di empatizzare con i propri dipendenti fosse assurda – sarebbe stato, così disse, «impossibile trattare con le persone». Altri replicavano che se non fossero stati emotivamente indifferenti non sarebbero riusciti a prendere le decisioni «difficili» richieste dal loro lavoro – sebbene probabilmente sarebbero riusciti a comunicarle in modo più umano.[2]

Quello studio venne effettuato negli anni Settanta, quando l'ambiente del lavoro era molto diverso da oggi. La mia tesi è che tali atteggiamenti siano ormai superati, e vadano considerati un lusso dei tempi che furono; nelle imprese e sul mercato, una nuova realtà competitiva tiene l'intelligenza emotiva in grande considerazione. Come mi disse Shoshona Zuboff, una psicologa della Harvard Business School: «In questo secolo le aziende hanno vissuto una rivoluzione radicale, che è stata accompagnata da una corrispondente trasformazione del paesaggio emozionale. Ci fu un lungo periodo in cui la gerarchia aziendale era dominata da dirigenti che incarnavano il tipo di capo manipolativo, un'epoca in cui era premiato lo stile da guerriero della giungla. Ma negli anni Ottanta, quella rigida gerarchia cominciò a perder colpi sotto la doppia pressione della globalizzazione e della tecnologia dell'informazione. Il guerriero della giungla simbolizza il passato delle aziende; il virtuoso delle capacità interpersonali rappresenta il loro futuro».[3]

Le ragioni di questi cambiamenti di tendenza sono, almeno in parte, assolutamente ovvie – immaginate quali sarebbero le conseguenze per un gruppo di lavoro se uno dei suoi membri fosse incapace di evitare esplosioni di collera o non avesse sensibilità alcuna per ciò che provano le persone intorno a lui. Tutti gli effetti deleteri che l'agitazione può avere sul pensiero, passati in rassegna nel capitolo 6, possono manifestarsi anche sul posto di lavoro: quando gli individui sono turbati o sconvolti, non sono più in grado di ricordare, aspettare, imparare o prendere decisioni lucide. Come disse un consulente di organizzazione e direzione aziendale: «Lo stress rende la gente stupida».

D'altro canto, sul versante positivo, immaginate quali benefici comporterebbe, ai fini del lavoro, l'essere ben dotati di competenze emozionali – essere in sintonia con i sentimenti delle persone con le quali trattiamo, riuscire a gestire i diverbi in modo da non farli degenerare, avere la capacità di entrare in uno stato di flusso mentre lavoriamo. La leadership non è esercizio di potere, ma l'arte di persuadere le persone a lavorare per un obiettivo comune. In termini di gestione della propria carriera, poi, potrebbe non esserci nulla di più essenziale del saper riconoscere quali siano i nostri sentimenti più profondi riguardo ciò che facciamo – e quali cambiamenti potrebbero farci sentire più soddisfatti del nostro lavoro.

Alcune delle ragioni meno ovvie che spiegano come mai le capacità emozionali stiano assumendo una posizione di primo piano fra le doti ritenute importanti ai fini professionali riflettono importanti cambiamenti avvenuti nel mondo del lavoro. Vorrei spiegare questo punto mostrando quali grandi differenze possano comportare tre diverse applicazioni dell'intelligenza emotiva, e in particolare: essere capaci di presentare una critica in forma costruttiva; saper creare un'atmosfera nella quale la diversità sia qualcosa da apprezzare e non una fonte di attrito; e la capacità di lavorare con profitto come elementi di una rete di connessioni reciproche.

Le critiche nell'ambiente di lavoro – come pugni nello stomaco

Un ingegnere non più giovane, a capo di un progetto per lo sviluppo di un software, stava presentando i risultati di mesi di lavoro, suo e del proprio gruppo, al vicepresidente della compagnia. Gli uomini e le donne che avevano lavorato al progetto per giorni e giorni, una settimana dopo l'altra, erano là con lui, orgogliosi di presentare il frutto del proprio impegno. Ma quando l'ingegnere finì la sua presentazione, il vicepresidente si rivolse a lui e gli chiese con tono sarcastico: «Da quanto tempo si è laureato? Queste specifiche sono ridicole. Non hanno alcuna possibilità di passare oltre la mia scrivania».

L'ingegnere, estremamente imbarazzato e umiliato, sedette tristemente, ormai ridotto al silenzio, per il resto della riunione. I suoi collaboratori fecero alcuni tentativi – in parte sconnessi, in parte ostili – per difendere il proprio lavoro. Il vicepresidente venne poi chiamato altrove e la riunione si interruppe bruscamente, lasciando nei partecipanti un residuo di amarezza e di risentimento.

Nelle due settimane successive, l'ingegnere fu continuamente ossessionato dal ricordo dei commenti del vicepresidente. Demoralizzato e depresso, era convinto che l'azienda non gli avrebbe mai più affidato incarichi importanti, e nonostante il suo lavoro gli piacesse, stava pensando di licenziarsi.

Alla fine, egli si decise e andò a parlare con il vicepresidente; gli ricordò l'episodio della riunione, i suoi commenti critici e il loro effetto demoralizzante. Poi, l'ingegnere pose al vicepresidente una domanda attentamente formulata: «Ho le idee un po' confuse su ciò che lei intendeva ottenere. Non credo che stesse solo cercando di mettermi in imbarazzo – quale altro obiettivo aveva in mente?».

Il vicepresidente rimase sconcertato: non aveva idea alcuna del fatto che il suo commento – nei suoi intenti null'altro che una battuta – fosse stato così devastante. In realtà, egli pensava che il progetto del software fosse promettente ma necessitasse di altro lavoro; non aveva avuto alcuna intenzione di liquidarlo come qualcosa assolutamente priva di valore. Semplicemente non si era reso conto, egli disse, di aver espresso tanto male la propria reazione, né si era accorto di aver ferito i sentimenti altrui. Sebbene in ritardo, il vicepresidente si scusò.[4]

Spesso questi problemi sono una questione di feedback, ossia di riuscire a ottenere le informazioni essenziali per orientare correttamente i propri sforzi. Nella sua accezione originale, nella teoria dei sistemi, la parola inglese *feedback* indicava lo scambio di dati relativo al funzionamento di una parte del sistema, nella consapevolezza che il funzionamento di una parte influenza quello di tutte le altre, e nella convinzione che la deviazione di ognuna di esse dal funzionamento ottimale debba essere corretta in modo da assicurare le prestazioni migliori. In un'azienda ciascuno fa parte del sistema e quindi lo scambio di informazioni che consente agli individui di sapere se il loro lavoro va bene, necessita di leggere modifiche, va migliorato, o deve essere completamente riorientato – in altre parole, il feedback – è la linfa vitale dell'organizzazione. In assenza di feedback l'individuo brancola nel buio; non ha idea alcuna di come vadano le sue relazioni con i superiori e con i colleghi, né può sapere se sta soddisfacendo le aspettative degli altri; in tali condizioni, ogni problema potrà solo peggiorare con il passare del tempo.

In un certo senso, la formulazione di giudizi critici è uno dei compiti più importanti di un dirigente. Tuttavia è anche uno di quelli più temuti e fastidiosi: come il sarcastico vicepresidente della nostra storia, troppi dirigenti hanno una scarsa padronanza dell'importantissima arte del feedback. Questa carenza impone costi elevati: proprio come, nel caso di una coppia, la salute emozionale dipende dalla capacità dei due partner di dar voce correttamente alle loro proteste, analogamente l'efficienza, la soddisfazione e la produttività sul lavoro dipendono dal modo in cui vengono comunicate le informazioni su eventuali questioni sgradevoli. In verità, il modo in cui le critiche vengono formulate e ricevute è molto importante per determinare il grado di soddisfazione dell'individuo relativamente al proprio lavoro e alle persone con le quali lavora e a cui deve rispondere.

Il modo peggiore per motivare qualcuno

Gli eventi emozionali che abbiamo visto essere attivi nel matrimonio operano anche sul posto di lavoro, dove assumono forme simili. Anche qui, spesso le critiche vengono espresse come attacchi personali e non come proteste in base alle quali correggersi; ci sono poi accuse *ad hominem* con sprazzi di disgusto, sarcasmo e disprezzo; entrambi gli approcci inducono l'altro ad assumere atteggiamenti difensivi, ad evitare le responsabilità e, infine, a ricorrere all'ostruzionismo o a quella forma di resistenza passiva e amareggiata che deriva dal sentirsi trattati ingiustamente. Secondo un consulente di organizzazione e direzione aziendale, una delle forme di critica distruttiva più comune sul posto di lavoro consiste in un'affermazione aspecifica del tipo «Stai solo facendo casino», buttata lì con un tono aspro, sarcastico e irritato, senza offrire alcuna possibilità di rispondere né alcun suggerimento per far meglio. Dal punto di vista dell'intelligenza emotiva, questo tipo di critica dimostra che chi la fa ignora i sentimenti che essa scatenerà in coloro che la riceveranno, come pure gli effetti devastanti che quei sentimenti avranno sulla motivazione, l'energia e la sicurezza che costoro metteranno nello svolgere il proprio lavoro.

Questa dinamica distruttiva emerse evidente in un'inchiesta condotta su individui con incarichi manageriali, ai quali si chiedeva di ripensare alle volte in cui avevano rimproverato i loro impiegati e, nella foga del momento, li avevano attaccati personalmente.[5] Gli attacchi pieni di risentimento avevano effetti molto simili a quelli che avrebbero avuto in una coppia di coniugi: molto spesso, gli impiegati che ne erano fatti oggetto reagivano mettendosi sulla difensiva, giustificandosi o sfuggendo alla responsabilità. In altri casi, essi ricorrevano all'ostruzionismo – ossia, cercavano di evitare ogni contatto con il superiore che li aveva rimproverati. Se questi impiegati amareggiati fossero stati sottoposti alla stessa analisi microscopica che John Gottman aveva usato per le coppie di coniugi, senza dubbio sarebbe emerso che anch'essi si ritenevano vittime innocenti o si sentivano legittimamente indignati, proprio come accadeva nel caso dei coniugi che si consideravano attaccati slealmente. Se si fossero misurati i loro parametri fisiologici, probabilmente questi soggetti si sarebbero dimostrati anch'essi «inondati» dalla «piena» emozionale che rinforza tali pensieri. Tuttavia, queste reazioni non facevano che irritare e provocare ulteriormente i loro superiori: ciò sta a indicare l'innesco di un ciclo che si conclude nel licenziamento del dipendente o nel suo abbandono spontaneo del posto di lavoro – quello che, nel contesto aziendale, equivale a un divorzio.

In verità, in uno studio su 108 dirigenti e colletti bianchi, un atteggiamento critico poco costruttivo era precursore di sfiducia, conflitti di personalità e dispute relative al potere e alla paga come ragione di conflitto sul lavoro.[6] Un esperimento effettuato al Rensselaer Polytechnic Institute mostra quanto possa essere dannoso per le relazioni di lavoro un atteggiamento critico sferzante. In una simulazione, alcuni volontari vennero incaricati di creare una pubblicità per un nuovo shampoo. Stando alle apparenze, un altro volontario (d'accordo con gli sperimentatori) giudicava i lavori che essi proponevano; in realtà i volontari erano fatti oggetto di una critica, scelta fra due tipi accordati in precedenza. Il primo tipo di critica era riguardosa e specifica. Ma l'altra includeva minacce e incolpava dell'insuccesso le carenze insite nella persona, con commenti come: «Non doveva nemmeno tentare; sembra che non sappia fare nulla di buono» e «Probabilmente è proprio mancanza di talento. Dovrò cercare qualcun altro».

Comprensibilmente i volontari attaccati con questo secondo tipo di critica divennero tesi e irritati e assunsero un atteggiamento antagonistico, dicendo che si sarebbero rifiutati di collaborare a progetti futuri con la persona che aveva espresso le critiche. Molti dissero che avrebbero desiderato evitare del tutto ogni contatto – in altre parole, erano divenuti inclini all'ostruzionismo. Le critiche dure e sarcastiche demoralizzarono a tal punto coloro che le ricevettero da indurli a non impegnarsi più molto nel lavoro e da portarli ad affermare che non si sentivano più in grado di farlo bene, il che era forse più grave. L'attacco personale era stato devastante per il loro morale.

Molti dirigenti sono esageratamente pronti alle critiche, ma troppo parchi di elogi, lasciando ai loro sottoposti la sensazione che gli unici commenti che sarà loro dato di sentire saranno degli appunti in occasione di un errore. Questa propensione alla critica è ancora più grave se i dirigenti non forniscono ai propri sottoposti alcun feedback per lunghi periodi. «La maggior parte dei problemi riguardanti la prestazione di un dipendente non emerge all'improvviso, ma si sviluppa lentamente nel tempo», osserva J.R. Larson, uno psicologo della Illinois University di Urbana. «Quando il superiore non comunica immediatamente i propri sentimenti, il livello di frustrazione cresce lentamente. Poi, un giorno, egli esplode. Se le critiche fossero state fatte prima, il dipendente avrebbe potuto correggersi. Troppo spesso gli individui danno voce alle critiche solo quando la goccia ha fatto traboccare il vaso – quando sono ormai troppo irritati per contenersi. Ed è proprio allora che le critiche vengono formulate nel peggiore dei modi, con un tono di mordace sarcasmo, richiamando alla mente una lunga lista di proteste mai espresse, oppure facendo minacce. Tali attacchi tendono a ritorcersi: poiché vengono recepiti come un affronto, chi ne è oggetto si irrita a sua volta. Questo è il modo peggiore per motivare qualcuno.»

La critica costruttiva

Consideriamo ora l'alternativa.

Da parte di un dirigente, una critica abile può rivelarsi uno dei messaggi più utili. Ad esempio, il vicepresidente sprezzante della nostra storia avrebbe potuto dire all'ingegnere qualcosa come: «In questa fase, la difficoltà principale è che il vostro piano richiederebbe troppo tempo e quindi i costi lieviterebbero in modo esagerato. Vorrei che pensaste ancora alla vostra proposta, soprattutto alle specifiche del progetto per lo sviluppo del software, per vedere se riuscite a trovare un modo per fare lo stesso lavoro più rapidamente». Un messaggio del genere ha un impatto opposto rispetto alla critica distruttiva: invece di creare un senso di impotenza, collera e ribellione, fa affiorare la speranza di migliorare e suggerisce le prime mosse per farlo.

Una critica abile si concentra su quel che una persona ha fatto e può fare, senza voler vedere, in un lavoro scadente, il segno della personalità del suo autore. Come osserva Larson: «Un attacco alla personalità – dare a qualcuno dello stupido o dell'incompetente – è un'operazione che fallisce il bersaglio. In questo modo, infatti, l'altro si mette immediatamente sulla difensiva, e perciò non recepirà i suggerimenti che gli verranno offerti per migliorare». Questo consiglio, naturalmente, è esattamente lo stesso dato ai coniugi che esprimono i propri rancori.

In termini di motivazione, quando gli individui pensano che i loro fallimenti siano dovuti a un proprio difetto immodificabile, perdono la speranza e desistono da ogni tentativo. La fondamentale convinzione che porta ad essere ottimisti, lo ricorderete, è che le battute d'arresto e i fallimenti siano dovuti a circostanze che possono essere modificate e rese migliori.

Harry Levinson, uno psicoanalista diventato consulente aziendale, dà i seguenti consigli sull'arte della critica, che è strettamente legata a quella dell'elogio:

- *Essere specifici* – Prendiamo un incidente significativo, un evento che denoti un problema fondamentale per il quale siano necessarie delle modifiche, o che faccia emergere una carenza, ad esempio l'incapacità di fare bene determinate parti di un lavoro. Se l'individuo si sente semplicemente dire che sta facendo «qualcosa» di sbagliato, senza che nessuno gli spieghi i particolari, e quindi senza sapere che cosa debba cambiare, si demoralizzerà. Bisogna invece concentrarsi sulle specifiche, dire che cosa è stato fatto bene, che cosa è stato fatto male e come si potrebbe migliorare. Non bisogna mai menare il can per l'aia, o essere obliqui o evasivi; tale at-

teggiamento confonderebbe il messaggio reale. Questo consiglio, naturalmente, è simile a quello rivolto ai coniugi, di formulare le loro proteste secondo lo schema «Xyz»: dire esattamente qual è il problema, che cosa c'è di sbagliato nella situazione, o come essa vi fa sentire, e come potrebbe essere modificata.
«La specificità» sottolinea Levinson «è ugualmente importante, sia nell'elogio che nella critica. Non voglio dire che un elogio vago non avrà effetto, ma comunque non ne avrà molto, e non se ne potranno trarre insegnamenti.»[7]

- *Offrire una soluzione* – La critica, come ogni utile feedback, dovrebbe indicare un modo per risolvere il problema, altrimenti lascia chi la riceve frustrato, demoralizzato o demotivato. La critica può aprire la porta a possibilità e alternative che l'individuo non si rendeva conto esistessero, oppure semplicemente sensibilizzarlo sulle carenze che richiedono la sua attenzione; in ogni caso, comunque, dovrebbe includere qualche suggerimento sul come affrontare questi problemi.
- *Essere presenti* – Le critiche, come gli elogi, sono massimamente efficaci quando vengono comunicati in privato in un'interazione faccia a faccia. Le persone che si sentono a disagio nel fare una critica – o un elogio – probabilmente hanno la tendenza a rendere meno gravosa questa incombenza inviando tali messaggi a distanza – ad esempio per iscritto. Questo rende però troppo impersonale la comunicazione, e priva la persona criticata dell'opportunità di rispondere o di chiedere un chiarimento.
- *Essere sensibili* – Questo è un richiamo all'empatia, un invito ad essere in sintonia con l'altro e a percepire l'impatto di ciò che si dice e di come lo si dice sulla persona che riceve il messaggio. I dirigenti scarsamente empatici, sostiene Levinson, sono molto inclini a fornire il feedback in modo offensivo, come una raggelante umiliazione. L'effetto netto di queste critiche è distruttivo: invece di aprire la strada alla correzione dell'errore, generano una reazione emotiva negativa di risentimento e di amarezza, spingendo l'individuo a mettersi sulla difensiva e a tenere le distanze.

Levinson dà anche qualche consiglio a chi riceve le critiche. Uno è quello di considerarle non alla stregua di un attacco personale, ma come preziose istruzioni per migliorare. Un altro è quello di guardarsi dalla tentazione di mettersi sulla difensiva, invece di assumersi le proprie responsabilità. Se il colloquio dovesse diventare emozionalmente troppo difficile, Levinson consiglia di chiedere una breve sospensione – un intervallo per assorbire il messaggio e calmarsi un poco. Infine, egli consiglia di pensare alle critiche non come a una situazione di conflitto, ma come a un'opportunità per cooperare con chi le muove, al fine di risolvere il problema. Tutti questi consigli assennati, naturalmente, ricordano molto da vicino i suggerimenti per i coniugi che cercano di superare i propri rancori senza arrecare un danno permanente alla relazione. Ciò che vale per il matrimonio, va bene anche nell'ambiente di lavoro.

Alle prese con la diversità

Sylvia Skeeter, un'ex capitano dell'esercito sulla trentina, era capoturno a un ristorante della catena Denny's di Columbia, nel South Carolina. In un pomeriggio alquanto fiacco, un gruppo di clienti neri – un ministro del culto, un pastore e due cantanti di *gospel* in visita – entrarono per mangiare e rimasero lì seduti per moltissimo tempo, completamente ignorati dalle cameriere. Queste ultime, ricorda Skeeter «avevano un atteggiamento piuttosto ostentato e, con le mani sui fianchi, se ne stavano a chiacchierare nel retro, come se per loro un cliente di colore, a un metro e mezzo di distanza, non esistesse neppure».

Skeeter, indignata, affrontò le cameriere e protestò con il direttore, che minimizzò la cosa dicendo: «Sono state allevate così, e io non posso farci nulla». Skeeter – che è lei stessa di colore – si licenziò all'istante.

Se si fosse trattato di un incidente isolato, questo episodio di spudorato pregiudizio razziale avrebbe anche potuto passare inosservato. Ma Sylvia Skeeter fu una delle centinaia di persone che si offrirono di testimoniare contro un comportamento molto diffuso nei ristoranti Denny's; questo modo di fare era indice di pregiudizio razziale contro i neri, e si tradusse in un risarcimento di 54 milioni di dollari, stabilito nel corso dell'azione legale che fu intentata per conto di migliaia di clienti di colore che avevano subito questo trattamento indegno.

I querelanti comprendevano un gruppo di sette agenti afroamericani del servizio segreto che aspettarono per un'ora la colazione, mentre i loro colleghi bianchi, al tavolo vicino, furono serviti in quattro e quattr'otto – facevano tutti parte del programma di sicurezza per una visita del presidente Clinton alla United States Naval Academy di Annapolis. C'era anche una ragazza nera paralizzata alle gambe, di Tampa, in Florida, che una sera tardi, dopo una gita, dovette aspettare la sua cena due ore, seduta sulla sedia a rotelle. Il comportamento discriminatorio, venne sostenuto al processo, era dovuto all'idea diffusa nei ristoranti Denny's – soprattutto a livello dei direttori locali – che i neri non fossero buoni clienti. Oggi, in larga misura grazie all'azione legale e alla pubblicità che l'ha circondata, la catena di ristoranti Denny's sta facendo ammenda verso la comunità nera. Tutti i dipendenti, soprattutto se si tratta di dirigenti, devono frequentare dei seminari sui vantaggi di una clientela multirazziale.

In America, questi seminari sono diventati il pane quotidiano nei programmi aziendali di addestramento interno; infatti, i dirigenti sono sempre più consapevoli che, sebbene la gente porti con sé i propri pregiudizi anche sul lavoro, essa deve comunque imparare a comportarsi come se non ne avesse. Al di là delle norme umanitarie e del vivere civile, le ragioni di ciò sono pragmatiche. Una di esse è il cambiamento del volto della forza lavoro, nella quale i maschi bianchi, che un tempo erano il gruppo dominante, stanno diventando una minoranza. Un'inchiesta su diverse centinaia di aziende americane ha messo in luce come più di tre quarti dei nuovi dipendenti non siano bianchi – un cambiamento demografico che si riflette anche, in larga misura, in una diversa composizione razziale della clientela.[8] Un'altra ragione sta nella sempre maggiore esigenza, soprattutto nel caso di aziende internazionali, di avere dipendenti non solo in grado di mettere da parte qualunque pregiudizio, e di apprezzare culture (e mercati) diversi, ma capaci anche di trasformare quell'apprezzamento in un vantaggio competitivo. Una terza motivazione sta negli utili potenzialmente offerti dalla diversità in termini di maggior creatività ed energia imprenditoriale collettiva.

Tutto questo significa che, sebbene i pregiudizi possano sopravvivere a livello individuale, la cultura delle organizzazioni deve cambiare nel segno della tolleranza. Ma come può, un'azienda, mettere in pratica tutto questo? Il triste sta nel fatto che l'infinità di corsi di «addestramento alla diversità» (da tenersi in un giorno, in un weekend, tutti registrati su un'unica videocassetta) non sembrano modificare davvero i pregiudizi di quei dipendenti che li affrontano con profonda prevenzione contro l'uno o l'altro gruppo – sia che si tratti dei pregiudizi dei bianchi contro i neri, dei neri contro gli asiatici, o degli asiatici verso gli ispanici. In realtà, l'effetto netto di questi inutili corsi sulla diversità – quelli che alimentano false aspettative promettendo troppo, o che semplicemente creano un'atmosfera di confronto invece che di comprensione – può essere quello di aumentare la tensione che divide i gruppi sul posto di lavoro, attirando un'attenzione ancora maggiore sulle loro differenze. Per comprendere che cosa si *possa* fare, è utile prima di tutto comprendere la natura del pregiudizio.

LE RADICI DEL PREGIUDIZIO

Attualmente, lo psichiatra Vamik Volkan lavora alla Virginia University, ma ricorda bene l'esperienza di essere stato allevato da una famiglia turca nell'isola di Cipro, allora aspramente contesa fra greci e turchi. Da bambino, Volkan aveva sentito dire che i preti greci locali facevano un nodo alla loro cintura per ogni bambino turco che avevano strangolato, e ricorda molto bene il disprezzo col quale gli raccontarono che i suoi vicini greci mangiavano carne di maiale, che la cultura turca considerava un cibo impuro. Ora, come studioso dei conflitti etnici, Volkan si serve di questi ricordi della sua infanzia per dimostrare come l'odio fra i gruppi venga tenuto vivo e alimentato negli anni – quando ogni nuova generazione viene imbevuta e impregnata di pregiudizi ostili come questi.[9] Il prezzo psicologico della lealtà verso la propria gente può essere l'antipatia verso un altro gruppo, soprattutto quando fra di essi c'è una lunga storia di inimicizia.

I pregiudizi sono un tipo di insegnamento emozionale che viene impartito molto presto nella vita, il che li rende particolarmente difficili da sradicare, anche in persone che, una volta divenute adulte, capiscano quanto sia sbagliato sostenerli. «Le emozioni legate al pregiudizio si formano durante l'infanzia, mentre le convinzioni con cui l'individuo lo giustifica compaiono più tardi» spiega Thomas Pettigrew, studioso di psicologia sociale presso la California University di Santa Cruz, che ha lavorato per decenni sul pregiudizio. «Può darsi che in seguito, nella vita, l'individuo voglia liberarsi del suo pregiudizio, ma è di gran lunga più facile modificare le convinzioni intellettuali che non i sentimenti profondi. Molti americani degli stati del Sud mi hanno confessato, ad esempio, che sebbene nella loro mente non sentano più il pregiudizio contro i neri, provano ancora un senso di fastidio quando stringono loro la mano. Questi sentimenti sono il residuo di quanto venne loro insegnato in famiglia da bambini.»[10]

Il potere degli stereotipi che alimentano il pregiudizio dev'essere in parte attribuito a una dinamica più neutrale, grazie alla quale tutti gli stereotipi si autoconfermano.[11] Gli individui, infatti, ricordano più facilmente gli esempi a sostegno degli stereotipi, mentre tendono a tralasciare quelli che li mettono in discussione. Incontrando a un party un inglese cordiale ed espansivo che smentisce lo stereotipo del britannico freddo e riservato, ad esempio, la gente penserà fra sé e sé che quel tale è proprio un tipo insolito, o che forse «deve aver bevuto».

La tenacia dei pregiudizi può spiegare perché, nonostante nel corso degli ultimi quarant'anni gli atteggiamenti degli americani bianchi verso i neri siano diventati sempre più tolleranti, persistano tuttavia forme più subdole di pregiudizio. La gente rinnega gli atteggiamenti razzisti, ma agisce ancora guidata da velati pregiudizi.[12] Se interrogate, queste persone dichiarano di non essere assolutamente intolleranti, ma nelle situazioni ambigue si lasciano ancora guidare dal pregiudizio – sebbene spieghino il proprio comportamento in modo da non doverlo contemplare. Ad esempio, un dirigente anziano bianco – convinto di non avere pregiudizi – potrebbe rifiutare la domanda di lavoro di un nero (apparentemente non a causa della sua razza, ma perché la sua istruzione e la sua esperienza «proprio non si confanno» al tipo di lavoro) per assumere poi un candidato bianco che ha pressappoco la stessa formazione. Oppure, un venditore bianco potrebbe vedersi offrire l'opportunità di un *briefing* e di utili suggerimenti sul come fare una telefonata – possibilità negate al suo collega nero o ispanico.

NESSUNA TOLLERANZA PER L'INTOLLERANZA

Se è vero che i pregiudizi di antica data non possono essere sradicati tanto facilmente, quel che invece *può* essere modificato è ciò che la gente *fa* per combatterli. Da Denny's, ad esempio, le cameriere o i direttori locali che discriminavano la clientela nera venivano messi in discussione solo raramente, se mai lo erano. Anzi, sembra che alcuni dirigenti li abbiano, almeno tacitamente, incoraggiati ad assumere un atteggiamento discriminante, anche dando loro dei suggerimenti, come quello di farsi pagare anticipatamente il pasto solo dai clienti neri, negando loro i pranzi di compleanno gratuiti (peraltro ampiamente pubblicizzati) o ancora, chiudendo il locale proprio quando entra un gruppo di clienti di colore. John P. Relman, l'avvocato che intentò la causa contro la catena Denny's per conto degli agenti di colore del servizio segreto spiega: «La direzione di Denny's chiudeva un occhio di fronte al comportamento del personale. Dev'esserci stato qualche messaggio... che in qualche modo autorizzò i direttori locali ad agire spinti dai loro impulsi razzisti».[13]

Ma tutto quello che sappiamo sulle radici del pregiudizio e sul modo di combatterlo efficacemente indica che è proprio questo atteggiamento – quello cioè di chiudere un occhio di fronte ad atti di pregiudizio – a permettere il dilagare della discriminazione. In questo contesto, non fare nulla è già di per sé una presa di posizione importante, che lascia diffondere indisturbato il virus del pregiudizio. Una misura più efficace dei seminari sulla diversità – o forse essenziale affinché essi abbiano un maggior effetto – sta nel cambiare radicalmente le norme di un gruppo, prendendo una posizione attiva contro ogni atto di discriminazione, dai dirigenti di grado più alto ai dipendenti di più basso livello. Può darsi che i pregiudizi non cambino, ma se il clima muta, è possibile stroncare gli atti da essi ispirati. Come disse un dirigente dell'Ibm: «Noi non tolleriamo in alcun modo mancanze di rispetto o insulti; il rispetto per l'individuo è fondamentale nella cultura dell'Ibm».[14]

Se la ricerca sul pregiudizio ha qualcosa da insegnarci sul come rendere più tollerante la cultura aziendale, tale lezione sta nell'incoraggiare gli individui a denunciare atti di discriminazione o molestie anche in chiave minore – ad esempio il raccontare barzellette offensive o l'attaccare in ufficio calendari con donnine nude che possano umiliare le colleghe. Uno studio scoprì che quando le persone appartenenti a un gruppo sentivano qualcuno fare affermazioni calunniose a sfondo etnico, ciò induceva gli altri a fare lo stesso. Il semplice atto di chiamare il pregiudizio con il suo nome o di censurarlo immediatamente stabilisce un'atmosfera sociale che lo scoraggia; non dire nulla ha invece l'effetto di un condono.[15] In questa impresa, gli individui che occupano posizioni di autorità hanno un ruolo fondamentale: la loro mancata condanna di atti di pregiudizio invia il tacito messaggio che tali atti siano accettabili. Un rimprovero invia invece un potente messaggio, chiarendo che il pregiudizio non è cosa banale, ma ha conseguenze reali e negative.

Anche qui le capacità dell'intelligenza emotiva comportano un vantaggio, soprattutto nell'avere l'abilità sociale di sapere non solo quando, ma anche *come* parlare proficuamente contro il pregiudizio. Questo feedback dovrebbe essere espresso con tutta l'arte raffinata della critica efficace, in modo che possa essere ascoltato senza che vengano innescati atteggiamenti difensivi. Se nell'ambiente di lavoro questo feedback diventa un'abitudine, innata o appresa che sia, è molto probabile che gli incidenti attribuibili al pregiudizio diminuiscano.

I corsi sulla diversità più efficaci hanno stabilito una nuova regola esplicita fondamentale, che vieta, a livello di organizzazione, ogni forma di pregiudizio e pertanto incoraggia gli individui che ne siano stati testimoni o spettatori silenziosi a dar voce al proprio imbarazzo e alle proprie obiezioni. Un altro principio attivo è quello di assumere il punto di vista altrui, un atteggiamento che incoraggia l'empatia e la tolleranza. Nella misura in cui gli individui arrivano a comprendere il dolore di chi si sente discriminato, è più probabile che si schierino contro la discriminazione.

In breve, è più pratico adoperarsi per sopprimere l'espressione del pregiudizio, piuttosto che cercare di eliminare il pregiudizio stesso; gli stereotipi cambiano molto lentamente, se mai cambiano. Il semplice mettere insieme persone appartenenti a gruppi diversi contribuisce ben poco, o per nulla, a ridurre l'intolleranza, come dimostrano i casi di de-segregazione scolastica, nei quali l'ostilità fra gruppi aumentò invece di diminuire. Ai fini dei moltissimi programmi di addestramento alla diversità che stanno circolando nel mondo delle aziende, ciò significa che un obiettivo realistico potrebbe essere quello di cambiare le *norme* con le quali un gruppo esprime il pregiudizio o la molestia; tali programmi possono fare molto per instillare nella consapevolezza collettiva l'idea che l'intolleranza e le molestie non sono accettabili e non saranno tollerate. Ma aspettarsi che essi sradichino profondi pregiudizi è poco realistico.

Tuttavia, poiché il pregiudizio è una varietà di apprendimento emozionale, *è* possibile modificarlo, sebbene ciò richieda tempo e comunque non ci si possa aspettare un risultato del genere da un seminario sulla diversità svolto in un'unica seduta. Quel che può davvero fare la differenza, però, è un rapporto cameratesco prolungato, come pure lo sforzo quotidiano teso al raggiungimento di un obiettivo comune, da parte di persone di diverso sfondo etnico. In questo caso, l'insegnamento ci viene dalla de-segregazione in ambito scolastico: quando i gruppi non riescono a mescolarsi socialmente, formando invece cricche ostili, gli stereotipi negativi si intensificano. Ma quando gli studenti lavorano insieme alla pari per raggiungere un obiettivo comune, come accade nello sport o nelle bande, ecco che i loro stereotipi si spezzano – cosa che ovviamente può accadere anche sul posto di lavoro, quando gli individui lavorano insieme da pari a pari per anni.[16]

Ma limitarsi a combattere il pregiudizio sul posto di lavoro significa perdere una maggiore opportunità: quella cioè di trarre vantaggio dalle possibilità creative e imprenditoriali che una forza lavoro eterogenea può offrire. Come vedremo, un gruppo di lavoro con doti e prospettive diverse, purché riesca a operare in armonia, raggiungerà probabilmente soluzioni migliori, più creative ed efficaci di quelle ottenute dai suoi stessi membri quando lavorano isolati.

Buon senso aziendale e Qi del gruppo

Alla fine del secolo, un terzo della forza lavoro americana sarà costituito da *knowledge workers*, persone la cui produttività sarà caratterizzata dalla grande importanza attribuita all'informazione – cioè analisti del mercato, scrittori, o programmatori di computer. Peter Druckers che coniò per primo questa espressione afferma che la competenza di questi lavoratori è altamente specializzata e che la loro produttività dipende dal coordinamento degli sforzi dei singoli come parte di un gruppo organizzato: gli scrittori non sono editori; i programmatori di computer non sono distributori di software. Sebbene le persone abbiano sempre lavorato in tandem, osserva Drucker, nel caso del lavoro imperniato sulla conoscenza e l'informazione, «i gruppi diventano l'unità di lavoro al posto dell'individuo».[17] Questo spiega perché l'intelligenza emotiva – ossia l'insieme delle capacità che aiutano le persone a interagire armoniosamente – dovrebbe acquistare sempre maggior valore negli anni a venire, rappresentando un vero e proprio asso nella manica di cui avvalersi sul luogo di lavoro.

Forse la forma più rudimentale di lavoro di gruppo organizzato è l'incontro – il meeting – quella parte inevitabile del destino di un dirigente, indipendentemente dal fatto che abbia luogo in una sala riunioni, al telefono o nell'ufficio di qualcuno. Le riunioni di più persone nella stessa stanza non sono che l'esempio più ovvio e in un certo senso antiquato, del modo in cui è possibile condividere il lavoro. Le reti elettroniche, la posta elettronica, le teleconferenze, i gruppi di lavoro, le reti informali, e altre simili realtà, stanno emergendo come nuove funzioni nelle organizzazioni. Proprio come la gerarchia esplicita rappresentata da un organigramma è lo scheletro di un'azienda, questi punti di contatto umani sono il suo sistema nervoso centrale.

Ogni qualvolta gli individui si riuniscono per collaborare, che si tratti di una riunione di programmazione esecutiva, o dell'incontro di un gruppo di persone che lavorano a un prodotto comune, è molto realistico affermare che, in un certo senso, il gruppo ha un suo Qi, equivalente alla somma totale dei talenti e delle capacità di tutte le persone coinvolte. E il livello di eccellenza che esse raggiungeranno nel realizzare il compito che si sono prefisse sarà determinato dal valore di quel Qi. L'elemento più importante dell'intelligenza di gruppo, non è risultato essere il Qi medio nel senso accademico del termine, bensì quello che descrive l'intelligenza emotiva. La chiave per ottenere un elevato Qi di gruppo è l'armonia sociale all'interno di esso. È questa capacità di funzionare armonicamente che, a parità di tutte le altre, renderà un gruppo particolarmente dotato, produttivo e coronato dal successo mentre un altro renderà poco pur essendo costituito da membri che per altri aspetti hanno talenti e abilità simili.

L'idea che esista un'intelligenza di gruppo è venuta da Robert Sternberg, uno psicologo di Yale, e da Wendy Williams, una specializzanda, che stavano cercando di comprendere come mai alcuni gruppi sono di gran lunga più efficienti di altri.[18] Dopo tutto, quando le persone si riuniscono per lavorare insieme come gruppo, ciascuno porta in dote determinati talenti – ad esempio una grande capacità verbale, creatività, empatia o competenza tecnica. Sebbene un gruppo non possa essere «più intelligente» della somma totale di tutte queste capacità specifiche, può risultare invece molto più ottuso se il suo funzionamento interno non consente agli individui di mettere in comune con gli altri i propri talenti. Questo principio divenne evidente quando Sternberg e Williams reclutarono i volontari per costituire dei gruppi ai quali affidare il compito di ideare una buona campagna pubblicitaria per un dolcificante artificiale che sembrava promettente cone sostituto dello zucchero.

Un risultato sorprendente fu che gli individui *troppo* desiderosi di prendere parte all'attività collettiva si dimostrarono di intralcio per il gruppo, abbassandone il livello della prestazione complessiva; questi tipi zelanti tendevano ad esercitare un controllo o un potere esagerato. Tali individui sembravano mancare di un elemento fondamentale dell'intelligenza sociale, ossia della capacità di riconoscere che cosa sia più o meno giusto nei rapporti di dare e avere. Un altro fattore negativo era rappresentato dalla presenza di pesi morti, ossia di membri che non partecipavano.

Il fattore più importante nel massimizzare la qualità del prodotto di un gruppo era la capacità dei suoi membri di creare uno stato di armonia interna, che gli consentiva di sfruttare proficuamente tutti i talenti disponibili. Nei gruppi capaci di tale armonia, la prestazione complessiva poteva avvalersi del fatto di avere un membro di particolare talento; i gruppi caratterizzati da più attrito, invece, erano molto meno abili nel trarre vantaggio dalla presenza di membri molto capaci. Nei gruppi disturbati da un notevole rumore di fondo emozionale e sociale – indipendentemente dal fatto che ciò derivi dalla paura o dalla collera, dalle rivalità o dal risentimento – gli individui non possono dare il meglio di sé. L'armonia, invece, consente a un gruppo di trarre il massimo vantaggio dalle capacità dei suoi membri più creativi e di talento.

Sebbene la morale di questo discorso sia chiara nel caso dei gruppi di lavoro, essa ha comunque anche implicazioni più generali per chiunque operi all'interno di un'organizzazione. Molto di quanto le persone fanno sul lavoro dipende dalla loro capacità di fare appello a una rete di colleghi; la necessità di svolgere compiti diversi può implicare l'esigenza di rivolgersi a membri diversi della rete. In effetti, questo crea la possibilità di costituire gruppi ad hoc, ciascuno configurato in modo da offrire una gamma ottimale di talenti, competenze e assegnazione di mansioni. Il fatto che le persone riescano a «elaborare» una rete – in pratica che sappiano fare di essa una squadra temporanea ad hoc – è un fattore cruciale nel successo sul lavoro.

Consideriamo, ad esempio, uno studio compiuto su persone in grado di dare prestazioni ottimali, presso i Bell Labs, nei pressi di Princeton, una banca di idee famosa in tutto il mondo. I laboratori sono frequentati da scienziati e ingegneri che hanno tutti raggiunto i massimi punteggi nei test per la valutazione del Qi. Ma all'interno di questo *pool* di talenti, alcuni elementi emergono come vere e proprie stelle, mentre la produzione di altri è solo mediocre. Ciò che fa la differenza, fra le stelle e gli altri, non è il Qi riferito all'intelligenza accademica, ma il loro Qi *emozionale*. Le «stelle» sono più abili nel motivare se stesse e nell'elaborare le proprie reti informali facendone squadre di lavoro ad hoc.

Questi soggetti di spicco furono argomento di uno studio, che si occupò in particolare di quelli che lavoravano in un settore del laboratorio per la progettazione degli interruttori elettrici per il controllo dei sistemi telefonici – un prodotto di ingegneria elettronica altamente sofisticato e complesso.[19] Poiché questo tipo di lavoro è al di là delle capacità di qualunque singolo individuo, esso viene svolto in squadre costituite da un numero di ingegneri compreso fra 5 e 150. Nessun singolo ingegnere conosce abbastanza da poter compiere tutto il lavoro da solo; per arrivare al prodotto è necessario attingere anche dalle competenze altrui. Al fine di scoprire le caratteristiche che differenziavano i soggetti altamente produttivi da quelli che lo erano in modo solo mediocre, Robert Kelley e Janet Caplan chiesero a dirigenti e altri membri del personale di nominare il 10-15 per cento degli ingegneri che a loro parere si staccavano dal gruppo, emergendo come «stelle».

Inizialmente, quando i ricercatori confrontarono questi soggetti con gli altri ingegneri, il risultato più impressionante fu la scarsa differenza fra i due gruppi. «Sulla base di un'ampia gamma di misure cognitive e sociali – dai test standard per la misura del Qi ai profili della personalità – ci sono poche differenze significative nelle capacità innate» scrissero Kelley e Caplan sulla Harvard Business Review. «Come si vede, il talento accademico non era un buon fattore predittivo della produttività sul lavoro» – né lo era il Qi.

Ma dopo colloqui dettagliati, emersero differenze critiche nelle strategie interne ed esterne adottate dalle «stelle» per portare a termine il proprio lavoro. Una delle più importanti si rivelò essere il loro rapporto con una rete di persone chiave. Se le cose per gli individui eccezionali vanno meglio che per gli altri, è perché essi investono parte del loro tempo nel coltivare buoni rapporti con persone i cui servizi potrebbero essere necessari per costituire rapidamente una squadra ad hoc in grado di risolvere un problema o gestire una crisi. «Un ingegnere dei Bell Labs, classificato come esecutore mediocre, raccontava di essere in difficoltà a causa di un problema tecnico» osservarono Kelley e Caplan. «Egli chiamò allora diligentemente diversi esperti e poi aspettò, perdendo tempo prezioso mentre le telefonate non ricevevano risposta e i messaggi inviati con la posta elettronica rimanevano lettera morta. Le "stelle", invece, raramente si trovavano ad affrontare situazioni simili perché si costruivano reti affidabili ancor prima di averne realmente bisogno. Quando costoro chiamano qualcuno per un consiglio, ricevono quasi sempre una risposta più rapida.»

Le reti informali sono utili soprattutto per gestire problemi imprevisti. «L'organizzazione formale è congegnata per gestire problemi facilmente anticipabili» si osserva in uno studio su queste reti. «Ma quando insorgono problemi inattesi, l'organizzazione informale è chiamata a fare la sua parte: ogni volta che i colleghi comunicano fra loro si forma una complessa trama di legami sociali, che nel tempo si solidifica configurando reti sorprendentemente stabili, altamente adattative e informali, che si muovono diagonalmente ed ellitticamente, saltando intere funzioni per arrivare all'obiettivo.»[20]

L'analisi delle reti informali dimostra come il solo fatto che alcuni individui lavorino insieme dalla mattina alla sera non significhi che debbano confidarsi informazioni delicate (come il desiderio di cambiare lavoro o il risentimento per il comportamento di un superiore o di un collega), né che si debbano interpellare reciprocamente nei momenti di crisi. In verità, una concezione più sofisticata delle reti informali dimostra che ne esistono almeno tre varietà: le reti di comunicazione – chi parla con chi; le reti di competenza, basate sulle persone alle quali ci si può rivolgere per una consulenza; e le reti di fiducia. Trovarsi a livello di un nodo principale, in una rete di competenza, significa essere una persona con una reputazione di grande *expertise* tecnico, il che spesso porta a una promozione. Ma praticamente non c'è alcuna relazione fra l'essere un esperto e l'essere considerato una persona alla quale poter confidare i segreti, i dubbi e punti deboli che ci assillano. Pur essendo molto competenti, un meschino capufficio tiranno o un micromanager possono ispirare talmente poca fiducia da essere esclusi dalle reti informali e veder compromesse le proprie capacità come dirigenti. Le «stelle» di un'organizzazione sono spesso coloro che hanno forti legami su tutte le reti, siano esse di comunicazione, di competenza o di fiducia.

Oltre alla padronanza di queste reti essenziali, altre forme di buon senso aziendale che le «stelle» dei Bell Labs avevano dimostrato di possedere, comprendevano le seguenti capacità: coordinare in modo efficace i propri sforzi nel lavoro di gruppo; assumersi la leadership nella costruzione del consenso; essere in grado di vedere le cose dalla prospettiva degli altri, ad esempio dei clienti o degli altri membri di un gruppo di lavoro; ancora, questi individui possedevano capacità di persuasione e sapevano promuovere la cooperazione evitando conflitti. Tutte queste abilità fanno riferimento a capacità della sfera sociale; le «stelle», però, mostravano anche un altro tipo di capacità, erano cioè in grado di prendere l'iniziativa – in altre parole, erano abbastanza motivati da assumersi responsabilità anche al di là del lavoro assegnato – e sapevano autogestire proficuamente il proprio tempo e i propri impegni di lavoro. Tutte queste abilità, naturalmente, sono aspetti dell'intelligenza emotiva. Ci sono forti segnali del fatto che ciò che vale ai Bell Labs sia importante per il futuro di tutte le altre aziende, in un domani in cui le abilità fondamentali dell'intelligenza emotiva saranno sempre più importanti nel lavoro di squadra, nella cooperazione e nell'aiutare i singoli ad apprendere insieme modalità di lavoro improntate a una maggiore efficienza. Poiché i servizi basati sulla conoscenza e l'informazione come pure le risorse intellettuali diventano sempre più importanti per le aziende, il miglioramento della cooperazione fra individui sarà uno dei modi principali per mettere a frutto le risorse intellettuali a disposizione, a tutto beneficio della propria competitività. Per prosperare, se non anche per sopravvivere, le aziende farebbero bene a potenziare la propria intelligenza emotiva di gruppo.

11

MENTE E MEDICINA

> «Che cosa ne pensa dottore?»
> La replica giunse immediata.
> «Sta soffrendo.»
> ALBERT CAMUS, *La peste*

Era stato un vago dolore all'inguine a spedirmi dal dottore. Sembrava non ci fosse nulla di insolito, finché il medico non vide i risultati delle analisi delle urine. C'erano tracce di sangue.

«Voglio che vada in ospedale a fare qualche test... funzione renale, esame citologico...» elencò in tono professionale.

Non ho la più pallida idea di quel che disse dopo. La mia mente si era come paralizzata sulla parola *citologico*. Cancro.

Ho un ricordo molto confuso della spiegazione del dottore sul quando e il dove fare i test diagnostici. Si trattava di istruzioni semplicissime, ma dovetti chiedergli di ripetermele tre o quattro volte. *Esame citologico* – la mia mente si era come avvinghiata a quelle due parole e non aveva intenzione di lasciare la presa; mi sentivo come se avessi appena subito un'aggressione proprio sulla porta di casa mia.

Perché una reazione così forte? Il mio medico stava solo facendo il suo lavoro in modo scrupoloso e competente, controllando tutti i rami dell'albero logico che lo avrebbe portato alla diagnosi. La probabilità che il mio vero problema fosse un cancro era remota. Ma quest'analisi razionale, in quel momento, era irrilevante. Nel mondo del malato, le emozioni regnano sovrane; la paura è lì, a un passo. La grande fragilità emotiva del malato dipende dal fatto che il nostro benessere mentale si basa in parte sull'illusione di essere invulnerabili. La malattia – soprattutto se grave – manda in pezzi quest'illusione, sferrando un duro attacco alla nostra rassicurante convinzione di un mondo tutto nostro, protetto e sicuro. Improvvisamente ci sentiamo deboli, impotenti e vulnerabili.

Il problema si presenta quando medici e infermieri ignorano le reazioni *emotive* dei pazienti, anche quando si prendono gran cura delle loro condizioni fisiche. Questa indifferenza verso la realtà emozionale della malattia ignora i dati, sempre più numerosi, che dimostrano come lo stato emotivo possa avere a volte un ruolo significativo nella vulnerabilità dell'individuo alla malattia e nel decorso della convalescenza. Troppo spesso l'assistenza sanitaria moderna manca di intelligenza emotiva.

Per il paziente, ogni interazione con un'infermiera o con un medico può rappresentare un'occasione per ricevere informazioni rassicuranti, conforto e sollievo – oppure, se lo scambio è gestito in modo infelice, può tradursi in un invito alla disperazione. Ma troppo spesso medici e infermieri sono frettolosi o indifferenti al disagio e alla sofferenza dei pazienti. Sicuramente, ci sono fra loro persone compassionevoli che trovano il tempo di rassicurare e informare oltre a quello di somministrare medicine. Ma la tendenza corrente sembra portare a un universo professionale nel quale il personale sanitario sia del tutto ignaro della vulnerabilità dei pazienti, o comunque troppo sotto pressione per occuparsene. Dovendosi confrontare con la dura realtà di un sistema sanitario nel quale i tempi sono sempre più spesso scanditi da contabili e ragionieri, le cose sembrano andare peggiorando.

Al di là delle argomentazioni umanitarie affinché i medici offrano attenzioni e non solo cure, altre ragioni convincenti inducono a considerare la realtà psicologica e sociale dei pazienti non separatamente, ma come un elemento del quadro di interesse medico. Oggi si può dimostrare scientificamente che – curando lo stato emotivo degli individui insieme alla loro condizione fisica – è possibile ritagliare un margine di efficacia in termini *medici*, sia a livello di prevenzione che di trattamento. Naturalmente questo non vale in ogni caso o per qualsiasi condizione. Tuttavia, l'analisi dei dati raccolti in centinaia e centinaia di casi, dimostra come in media si riscontrino – in termini medici – miglioramenti sufficienti per ritenere che l'intervento a livello *emotivo* debba costituire, nelle malattie gravi, una normale componente dell'assistenza medica.

Storicamente, nella società moderna la medicina ha identificato la sua missione nella cura della *patologia* – il disturbo fisico – trascurando *l'esperienza della malattia* – l'esperienza umana. I pazienti, facendo proprio questo approccio al problema, contribuiscono anch'essi a ignorare le proprie reazioni emotive alla malattia – o a liquidarle come irrilevanti ai fini del suo decorso. Questo atteggiamento è rinforzato da un modello medico contrario completamente all'idea che la mente possa influenzare il corpo in modo consequenziale.

All'altro estremo, tuttavia, troviamo una scuola di pensiero ugualmente sterile: mi riferisco al concetto che gli individui possano curare da soli anche le più temibili malattie, semplicemente imponendosi di essere allegri o alimentando pensieri positivi; oppure che essi siano in qualche modo responsabili del fatto di essersi ammalati. Il risultato di questa retorica, secondo la quale «l'atteggiamento mentale cura qualunque malattia», è stato quello di creare una grande confusione e molti fraintendimenti sull'entità dell'influenza che la mente può esercitare sulla malattia; inoltre – e questo è forse ancora più grave – tale posizione ha a volte generato nei pazienti sensi di colpa riguardo alle loro malattie, come se il cattivo stato di salute fosse un segno di sbandamento morale o di indegnità spirituale.

La verità si trova in qualche punto fra questi due estremi. Analizzando e vagliando i dati scientifici, intendo chiarire le contraddizioni e sostituire alle stupidaggini una più lucida comprensione del ruolo delle nostre emozioni – e dell'intelligenza emotiva – nella salute e nelle malattie.

Il «cervello del corpo» – Importanza delle emozioni per la salute

Nel 1974 una scoperta effettuata alla School of Medicine and Dentistry della Rochester University, ridisegnò la mappa della biologia dell'organismo: Robert Ader, uno psicologo, scoprì che anche il sistema immunitario, proprio come il cervello, era capace di apprendere. Questo risultato fu uno shock; fino ad allora, uno dei principali insegnamenti della medicina era stato che solo il cervello e il sistema nervoso centrale erano in grado di rispondere all'esperienza modificando il proprio comportamento. La scoperta di Ader aprì la strada alla ricerca sui diversi modi – rivelatisi numerosissimi – attraverso i quali il sistema nervoso centrale e il sistema immunitario comunicano fra loro – in altre parole, aprì la strada allo studio delle vie biologiche che rendono la mente, le emozioni e il corpo entità non separate, ma intimamente interconnesse.

Nei suoi esperimenti, Ader aveva somministrato ad alcuni ratti un farmaco che riduceva artificialmente la quantità delle cellule T circolanti, che difendono l'organismo dalle malattie. Ogni volta che ricevevano il farmaco, i ratti lo assumevano insieme ad acqua contenente saccarina. Ma Ader scoprì che se somministrava ai ratti solo l'acqua con la saccarina, senza il farmaco, otteneva ugualmente un abbassamento della conta delle cellule T, abbassamento tanto consistente che alcuni animali si ammalarono e morirono. Il sistema immunitario dei ratti di Ader aveva imparato a reagire alla somministrazione di acqua saccarinata con la soppressione delle cellule T. Stando alle più aggiornate conoscenze scientifiche del tempo, questo non sarebbe dovuto accadere.

Il neuroscienziato Francisco Varela, della École Polytechnique di Parigi, ha chiamato il sistema immunitario «cervello del corpo», in quanto esso definisce il senso del sé dell'organismo – distinguendo ciò che gli appartiene da ciò che gli è estraneo.[1] Le cellule immunitarie viaggiano nel sangue circolante in tutto il corpo, e pertanto possono entrare in contatto con qualunque altra cellula. Quando riconoscono le cellule in cui si imbattono, le lasciano stare; ma se non le riconoscono, le attaccano. L'attacco consiste dunque o in una difesa contro virus, batteri e cellule cancerose, oppure in una malattia autoimmune come le allergie o il lupus, qualora le cellule immunitarie attacchino per errore altre cellule dell'organismo non avendole riconosciute come tali. Finché Ader non fece la sua scoperta fortunata e inattesa, ogni anatomista, ogni medico e ogni biologo credette che il cervello (con i suoi collegamenti in tutto il corpo) e il sistema immunitario fossero entità separate, e che nessuno dei due fosse in grado di influenzare il funzionamento dell'altro. Non c'era alcuna via che collegasse i centri cerebrali (che monitoravano quel che il ratto assaggiava) con le aree del midollo osseo (che producono le cellule T). Quanto meno, per un secolo questa era stata l'opinione corrente.

Da allora, anno dopo anno, muovendo dalla limitata scoperta di Ader, siamo stati costretti a riesaminare i legami fra sistema immunitario e sistema nervoso centrale. La psiconeuroimmunologia o Pni, che studia tali legami, è diventata oggi una scienza medica di frontiera. Il suo stesso nome riconosce l'esistenza di quei legami: «psico» sta per mente; «neuro» per sistema neuroendocrino (che comprende il sistema nervoso e quello endocrino); «immunologia», infine, sta per sistema immunitario.

Gli stessi messaggeri chimici che operano in modo estremamente esteso sia nel cervello che nel sistema immunitario sono anche quelli più frequenti nelle aree neurali che regolano le emozioni.[2] Alcune delle prove più convincenti dell'esistenza di una via diretta che permette alle emozioni di avere un impatto sul sistema immunitario sono state fornite da David Felten, un collega di Ader. Felten partì dall'osservazione che le emozioni hanno un effetto potente sul sistema nervoso autonomo, che regola le funzioni più disparate, dalla quantità di insulina secreta dal pancreas, al livello della pressione ematica. Felten, lavorando con la moglie Suzanne e altri colleghi, individuò poi il punto in corrispondenza del quale il sistema nervoso autonomo comunica direttamente con linfociti e macrofagi, ossia con le cellule del sistema immunitario.[3]

In alcuni studi di microscopia elettronica, questi ricercatori scoprirono strutture simili a sinapsi, là dove le terminazioni del sistema nervoso autonomo entrano in contatto diretto con queste cellule immunitarie. Questo punto di contatto fisico consente alle cellule nervose di liberare i neurotrasmettitori necessari alla regolazione delle cellule immunitarie; in effetti, il segnale può viaggiare nei due sensi. La scoperta è rivoluzionaria. Nessuno aveva mai sospettato che le cellule immunitarie potessero essere bersaglio dei messaggi nervosi.

Per verificare l'importanza di queste terminazioni nervose nel funzionamento del sistema immunitario, Felten si spinse un passo più avanti. In alcuni esperimenti condotti nell'animale da laboratorio, egli denervò milza e linfonodi – organi nei quali le cellule immunitarie vengono immagazzinate o prodotte – e poi stimolò il sistema immunitario inoculando negli animali sospensioni virali. Il risultato fu un'enorme diminuzione della risposta immunitaria contro il virus. Felten concluse che in assenza di quelle terminazioni nervose il sistema immunitario non risponde come dovrebbe allo stimolo rappresentato da un'invasione virale o batterica. In breve, il sistema nervoso non solo è collegato a quello immunitario, ma è essenziale per una funzione immunitaria appropriata.

Un'altra fondamentale via di collegamento fra emozioni e sistema immunitario si esplica nell'influenza esercitata dagli ormoni liberati in condizioni di stress. Le catecolamine (adrenalina e noradrenalina), il cortisolo e la prolattina, come pure gli oppiacei naturali beta-endorfina ed encefalina, vengono tutti liberati in quello stato di attivazione fisiologica che segue allo stress. Ciascuna di queste sostanze ha un forte impatto sulle cellule immunitarie. Sebbene le relazioni siano complesse, l'influenza principale di questi ormoni, mentre la loro concentrazione aumenta nell'organismo, è quella di inibire la funzione delle cellule immunitarie: almeno temporaneamente, lo stress sopprime la resistenza immunitaria, forse per risparmiare l'energia necessaria a far fronte all'emergenza immediata, alla quale viene riconosciuta la priorità e che potrebbe essere più urgente per la sopravvivenza. Ma se lo stress è costante e intenso, tale soppressione può protrarsi a lungo.[4]

I microbiologi e altri scienziati stanno scoprendo un numero sempre maggiore di queste connessioni fra cervello e sistema immunitario e cardiovascolare; in primo luogo, comunque, hanno dovuto accettare la nozione della loro stessa esistenza, un tempo di per sé rivoluzionaria.[5]

Emozioni tossiche: dati clinici

Nonostante tali dimostrazioni, molti medici, forse la maggior parte, sono ancora scettici sull'importanza clinica delle emozioni. Ciò si spiega in parte se si pensa che, sebbene molti studi abbiano dimostrato che lo stress e le emozioni negative indeboliscono l'efficienza delle cellule immunitarie, essi non hanno sempre chiarito se la portata di tale indebolimento sia tale da comportare una differenza significativa da un punto di vista *clinico*.

Ciò nonostante, sempre più medici riconoscono il ruolo delle emozioni in medicina. Ad esempio, Camran Nezhat, un insigne chirurgo specializzato in laparoscopie ginecologiche che lavora alla Stanford University, afferma: «Se devo operare una donna e quella mi dice che è nel panico e che per quel giorno non se la sente, io cancello l'operazione». Nezhat spiega: «Ogni chirurgo sa che un individuo estremamente spaventato è un pessimo paziente chirurgico. Sanguina troppo, è più soggetto a infezioni e complicazioni. Ha una convalescenza più difficile. È molto meglio un paziente calmo».

La ragione è semplice: il panico e l'ansia aumentano la pressione ematica e i vasi sanguigni, distesi dalla pressione, sanguinano più profusamente quando vengono tagliati dal bisturi del chirurgo. L'eccessivo sanguinamento è una delle complicazioni chirurgiche più serie, che a volte risulta fatale.

Al di là di questi aneddoti, le prove dell'importanza *clinica* delle emozioni aumentano costantemente. I dati forse più convincenti sulla significatività delle emozioni provengono da un'analisi di massa nella quale sono confluiti i risultati di 101 studi più piccoli, generando un'unica inchiesta su diverse migliaia di soggetti di entrambi i sessi. Lo studio conferma che fino a un certo punto – le emozioni fonte di sofferenza sono negative per la salute.[6] Le persone che hanno sperimentato stati cronici di ansia, lunghi periodi di tristezza e pessimismo, continua tensione o costanti sentimenti di ostilità, implacabile cinismo o sospettosità, corrono un rischio *doppio* di ammalarsi di patologie quali asma, artrite, emicrania, ulcera gastrica, e cardiopatie (ciascuna delle quali è rappresentativa di grandi e importanti categorie patologiche). Questo riscontro quantitativo, di un tale ordine di grandezza, fa delle emozioni negative un fattore di rischio importante come, ad esempio nel caso delle cardiopatie, il fumo di sigarette o un elevato livello di colesterolo – in altre parole, le inquadra come una grave minaccia per la salute.

Sicuramente si tratta di un legame statistico generico: esso non significa assolutamente che chiunque abbia questi sentimenti cronici sarà facile preda di una malattia. D'altra parte, le prove del potente impatto esercitato dalle emozioni sulla patologia sono di gran lunga più numerose di quanto faccia pensare quest'unico studio. Analizzando in modo più dettagliato i dati relativi a emozioni specifiche, soprattutto alle tre emozioni maggiori – collera, ansia e depressione – si possono chiarire alcune modalità specifiche attraverso le quali i sentimenti sono clinicamente significativi, sebbene i meccanismi biologici attraverso i quali le emozioni esercitano il loro effetto debbano ancora essere compresi del tutto.[7]

QUANDO LA COLLERA È SUICIDA

Bastò un attimo, disse l'uomo, e un urto sulla fiancata della sua auto diede inizio a una battaglia inutile e frustrante. Dopo infinite lungaggini burocratiche con l'assicurazione e con diversi carrozzieri che peggiorarono il danno, si ritrovava ancora con un debito di 800 dollari. E non era nemmeno stata colpa sua. A tal punto ne aveva abbastanza, che ogni volta, entrando in macchina, veniva sopraffatto dal disgusto. Alla fine, spinto dalla frustrazione vendette l'auto. A distanza di anni, questi ricordi avevano ancora il potere di farlo illividire per il risentimento.

Questi amari ricordi vennero deliberatamente richiamati alla mente durante uno studio sulla collera nei pazienti cardiaci, compiuto presso la Stanford University Medical School. Proprio come l'uomo amareggiato del racconto, tutti i pazienti che presero parte allo studio avevano già avuto un primo attacco di cuore; l'interrogativo al quale si voleva rispondere era se la collera potesse avere un qualunque impatto significativo sulla loro funzione cardiaca. L'effetto emerse evidente: mentre i pazienti raccontavano gli episodi che li avevano fatti uscire di sé, l'efficienza della loro pompa cardiaca diminuì di cinque punti percentuali.[8] Alcuni pazienti andarono incontro a un calo di efficienza cardiaca pari o superiore al 7 per cento – un ordine di grandezza che i cardiologi ritengono segno di ischemia miocardica, ossia di una pericolosa diminuzione del flusso ematico al cuore.

La diminuzione dell'efficienza della pompa cardiaca non veniva osservata in associazione ad altri sentimenti penosi – ad esempio all'ansia – né durante gli sforzi fisici; sembra che la collera fosse l'unica emozione in grado di far tanto danno al cuore. I pazienti affermavano che mentre ricordavano l'episodio che li aveva fatti adirare, la loro collera era solo circa la metà di quella che avevano provato quando era accaduto il fatto; questo faceva pensare che durante il vero e proprio attacco di collera il loro cuore avesse avuto difficoltà ben maggiori.

Questa scoperta fa parte di una serie più ampia di prove emerse da decine di studi, tutte indicanti la capacità della collera di arrecar danno al cuore.[9] La vecchia idea, secondo la quale individui con personalità di Tipo A (frenetica e con alta pressione) fossero da ritenersi ad alto rischio per le patologie cardiache, non ha retto; da quella teoria sbagliata, però, è emerso un nuovo riscontro: ciò che mette davvero a rischio l'individuo è l'ostilità.

Molti dati sull'ostilità provengono dalle ricerche di Redford Williams, della Duke University.[10] Ad esempio, Williams scoprì che i medici che avevano ottenuto i massimi punteggi in un test sull'ostilità quando ancora frequentavano la facoltà di medicina, avevano una probabilità sette volte maggiore, rispetto ai colleghi i cui punteggi di ostilità erano bassi, di morire entro i cinquant'anni; in altre parole, essere soggetti alla collera era un fattore predittivo di morte prematura più potente di quanto non lo fossero fattori di rischio riconosciuti come il fumo, l'ipertensione e un elevato livello ematico di colesterolo. I risultati ottenuti da un collega, John Barefoot della University of North Carolina, dimostrano inoltre che nei pazienti cardiaci sottoposti ad angiografia – un esame nel corso del quale un catetere viene inserito nell'arteria coronaria al fine di individuarne eventuali lesioni – i punteggi ottenuti in un test sull'ostilità erano correlati alla misura e alla gravità della patologia coronarica.

Naturalmente, nessuno sta dicendo che la collera da sola possa causare una coronaropatia; essa non è che uno dei numerosi fattori interagenti. Come mi spiegò Peter Kaufman, del Behavioral Medicine Branch of the National Heart, Lung and Blood Institute: «Non siamo in grado di distinguere se la collera e l'ostilità abbiano un ruolo causale nelle prime fasi dello sviluppo della coronaropatia, se intensifichino il problema una volta che la cardiopatia sia già insorta, o – ancora – se abbiano entrambi gli effetti. Immaginiamo comunque un ventenne che abbia ripetuti attacchi di collera. Ogni episodio sottopone il cuore a uno stress ulteriore, aumentando la frequenza cardiaca e la pressione sanguigna. Se ciò si ripete molte volte può arrecare danno», soprattutto perché la turbolenza del sangue che fluisce nell'arteria coronaria in corrispondenza di ciascuna sistole «può causare delle microlacerazioni vasali, nelle quali poi si svilupperà la placca. Se, a causa del suo abituale stato di collera, la frequenza cardiaca e la pressione ematica di questo individuo fossero superiori alla norma, dopo i trent'anni ciò potrebbe causare un accumulo più veloce della placca, e portare quindi alla coronaropatia».[11]

Una volta che si è instaurata la cardiopatia, il meccanismo scatenato dalla collera influenza l'efficienza della pompa cardiaca, come era già stato dimostrato nello studio sui ricordi che innescavano l'ira nei pazienti cardiaci. Le conclusioni sono che la collera è un'emozione particolarmente nociva per chi è già cardiopatico. Ad esempio, uno studio condotto dalla Stanford University Medical School su 1012 uomini e donne che vennero seguiti per otto anni dopo un primo attacco cardiaco, dimostrò che l'eventualità di un secondo attacco mostrava la massima frequenza fra gli uomini più aggressivi e ostili.[12] Risultati simili vennero ottenuti in uno studio della Yale School of Medicine condotto su 929 uomini sopravvissuti ad attacchi cardiaci e seguiti per dieci anni.[13] La probabilità di morte per arresto cardiaco era di tre volte superiore nei soggetti ritenuti inclini alla collera rispetto a quelli giudicati più equilibrati. Se i soggetti presentavano anche un elevato livello ematico di colesterolo, il temperamento collerico comportava un rischio aggiuntivo di cinque volte superiore.

I ricercatori di Yale sottolinearono la possibilità che il rischio di morte per attacco cardiaco sia aumentato non solo dalla collera, ma da un'intensa emotività negativa di qualunque tipo, che sommerga regolarmente l'organismo con ondate di ormoni dello stress. Nel complesso, però, la correlazione più forte fra emozioni e cardiopatia riguarda la collera: in uno studio della Harvard Medical School venne chiesto a più di cinquecento persone di entrambi i sessi, tutte sopravvissute ad attacchi cardiaci, di descrivere il loro stato emotivo prima dell'attacco. La collera aumentava il rischio di arresto cardiaco portandolo a più del doppio nei soggetti già cardiopatici; il rischio, così aumentato, persisteva per circa due ore dopo che la collera era stata risvegliata.[14]

Questi risultati non vogliono dire che dovremmo cercare di sopprimere la collera quando è nella giusta misura. Anzi, ci sono dati che indicano come il tentativo di sopprimere completamente quest'emozione, nella foga del momento si traduca in realtà in un'amplificazione dell'agitazione fisica e probabilmente in un aumento della pressione ematica.[15] D'altra parte, come abbiamo visto nel capitolo 5, sfogando la collera ogni volta che la si prova non si fa che alimentarla, aumentando la probabilità di reagire in questi termini a qualunque situazione fastidiosa. Williams risolve il paradosso concludendo che l'aspetto cronico della collera non è meno importante del fatto che essa venga espressa oppure no. Una sporadica esibizione di ostilità non fa male alla salute; il problema nasce quando essa diventa talmente costante da alimentare un atteggiamento antagonistico dell'individuo – un atteggiamento contrassegnato da costanti sentimenti di sfiducia e cinismo, dalla propensione a far commenti umilianti e maligni, come pure ad accessi più espliciti di rabbia e collera violenta.[16]

Fortunatamente la collera cronica non deve essere necessariamente interpretata come una sentenza di morte: l'ostilità è un'abitudine che può essere modificata. Alcuni pazienti sopravvissuti ad attacchi cardiaci vennero arruolati dalla Stanford University Medical School affinché partecipassero a un programma ideato per aiutarli a smorzare la loro tendenza all'irascibilità. Questo addestramento al controllo della collera si tradusse in un'incidenza del secondo attacco cardiaco del 44 per cento più bassa rispetto a quella osservata in coloro che non avevano cercato di attenuare la propria ostilità.[17] Un programma messo a punto da Williams ha avuto analoghi effetti benefici.[18] Anch'esso, come quello della Stanford, insegna gli elementi fondamentali dell'intelligenza emotiva, soprattutto l'attenzione alla collera quando essa comincia a montare, la capacità di contenerla una volta che è stata innescata, e l'empatia. Quando si accorgono di averne, i pazienti devono mettere per iscritto i loro pensieri cinici o ostili. Se tali pensieri persistono, essi cercano di troncarli dicendo (o pensando) «Basta!». I pazienti vengono incoraggiati a sostituire intenzionalmente, nei momenti difficili, i pensieri cinici e sfiduciati con altri più ragionevoli; ad esempio, se l'ascensore tardasse, dovrebbero cercare di spiegarselo con una giustificazione benevola, senza covare risentimento verso un immaginario individuo menefreghista responsabile del contrattempo. Nel caso di interazioni frustranti, i pazienti devono imparare a vedere le cose dalla prospettiva dell'altro – l'empatia è un vero balsamo per la collera.

Come mi disse Williams: «L'antidoto contro l'ostilità sta nello sviluppare un cuore più fiducioso. Ci vuole solo la giusta motivazione. Quando le persone si rendono conto che l'ostilità può portarle alla tomba in anticipo, ecco, in quel momento sono mature per provare».

STRESS: QUANDO L'ANSIA È SPROPORZIONATA E FUORI POSTO

Mi sento sempre ansiosa e tesa. È cominciato tutto alle superiori. Ero una studentessa modello, costantemente preoccupata: per i voti, per il fatto di piacere agli altri ragazzi e agli insegnanti o di essere puntuale alle lezioni – cose insomma di questo tipo. I miei genitori mi facevano moltissime pressioni perché andassi bene a scuola e fossi un buon modello di ruolo... Credo che sia stata tutta quella pressione a farmi crollare, perché i miei problemi di stomaco cominciarono durante il secondo anno delle superiori. Da allora, ho dovuto fare molta attenzione al caffè e ai cibi speziati. Ho notato che quando mi sento preoccupata o tesa mi brucia lo stomaco, e poiché in genere sono sempre preoccupata per qualcosa, ho perennemente la nausea.[19]

L'ansia – la sofferenza provocata dalle pressioni della vita – è forse l'emozione il cui legame con l'insorgenza delle malattie e con il decorso della convalescenza è documentato dalla maggior mole di dati scientifici. Quando serve per prepararci ad affrontare qualche pericolo (la sua presunta funzione durante l'evoluzione), allora l'ansia è utile. Ma nella vita moderna essa si rivela più spesso sproporzionata e fuori posto: il disagio si presenta in situazioni costruite dalla nostra mente o con le quali dobbiamo necessariamente convivere, e non di fronte a pericoli reali con i quali confrontarsi veramente. Ripetuti attacchi d'ansia sono indicativi di elevati livelli di stress. La donna a cui le costanti preoccupazioni causavano i problemi gastrointestinali è un esempio da manuale di come l'ansia e lo stress possano esacerbare problemi di natura fisica.

Nel 1993 la rivista *Archives of Internal Medicine* pubblicò un'analisi critica su diverse ricerche effettuate per chiarire il legame stress-malattia; in essa, lo psicologo di Yale Bruce McEwen osservava un ampio spettro di effetti: la compromissione della funzione immunitaria al punto da accelerare la formazione di metastasi tumorali; l'aumento della vulnerabilità alle infezioni virali; l'aumento della formazione della placca, che porta all'aterosclerosi; la coagulazione del sangue che porta all'infarto miocardico; l'accelerazione dell'instaurarsi del diabete di Tipo I e del decorso del diabete di Tipo II; e, infine, il peggioramento o l'innesco degli attacchi d'asma.[20] Lo stress può anche portare all'ulcerazione del tratto gastrointestinale, causando i sintomi della colite ulcerosa e del morbo di Crohn. Anche il cervello è suscettibile agli effetti a lungo termine dello stress prolungato, e può riportare danni all'ippocampo con conseguente compromissione della memoria. In generale, McEwen afferma che «ci sono prove sempre più numerose del fatto che il sistema nervoso è soggetto a "logorio ed usura" in seguito a esperienze stressanti».[21]

Dimostrazioni particolarmente convincenti dell'impatto del disagio e della sofferenza psicologica sulla salute fisica provengono da studi su malattie infettive come il raffreddore, l'influenza e le infezioni erpetiche. Il nostro organismo è costantemente esposto a questi virus, ma di solito riesce a sconfiggerli grazie all'intervento del sistema immunitario; quando siamo sotto stress emotivo, però, le nostre difese spesso falliscono. Negli esperimenti in cui si è valutata direttamente l'efficienza del sistema immunitario, si è scoperto che lo stress e l'ansia lo indeboliscono, ma nella maggior parte dei casi non è chiaro se il livello di indebolimento sia tale da avere un significato clinico – in altre parole, se esso possa aprire la strada alle malattie.[22] Per questa ragione i più forti legami fra stress e ansia da una parte e vulnerabilità fisica dall'altra, sono stati scientificamente dimostrati nel corso di studi prospettici, ossia di quelle indagini che partono con soggetti sani nei quali viene dapprima monitorato un aumento della sofferenza psicologica, seguito poi da un indebolimento del sistema immunitario e dall'instaurarsi della malattia.

In uno degli studi più convincenti dal punto di vista scientifico, Sheldon Cohen, uno psicologo della Carnegie-Mellon University, che lavorava a Sheffield con alcuni scienziati in un'unità di ricerca specializzata sul raffreddore, dapprima valutò attentamente quanto stress gli individui percepissero nella propria vita, e poi li espose sistematicamente al virus del raffreddore. Questa esposizione non si tradusse per tutti nella malattia; un sistema immunitario robusto è in grado di resistere al virus – e lo fa costantemente. Cohen scoprì che quanto più stressante era la vita di un individuo, tanto maggiore era la probabilità che si ammalasse di raffreddore. Dopo l'esposizione al virus, si ammalò il 27 per cento delle persone poco stressate e il 47 per cento di quelle che avevano una vita molto stressante – una prova diretta, questa, del fatto che lo stress di per se stesso può indebolire le difese immunitarie.[23] (Sebbene questo possa essere uno di quei risultati scientifici che confermano ciò che tutti hanno da sempre osservato o sospettato, esso è comunque considerato una pietra miliare per il rigore della ricerca con il quale venne ottenuto.)

Analogamente, le coppie sposate che per tre mesi tennero un diario dei battibecchi e di altri eventi spiacevoli nella vita coniugale, presentavano una notevole regolarità: tre o quattro giorni dopo eventi particolarmente spiacevoli, si ritrovavano con un raffreddore o un'infezione delle vie aeree superiori. Il periodo di latenza coincideva esattamente con quello di incubazione di molti comuni virus del raffreddore, a indicazione del fatto che l'esposizione, avvenuta quando erano preoccupati o sconvolti, li aveva trovati particolarmente vulnerabili.[24]

Lo stesso collegamento costante fra stress e infezione vale anche nel caso dell'herpes virus – sia il tipo che causa le piaghe sulle labbra, sia quello che provoca le lesioni genitali. Una volta che l'herpes virus è entrato in contatto con l'organismo, vi resta in uno stato di latenza, riattivandosi di tanto in tanto. L'attività dell'herpes virus può essere rilevata misurando il livello di anticorpi nel sangue. In tale modo è stato possibile riscontrare la sua riattivazione in studenti di medicina prossimi agli esami di fine anno, in donne appena separate e in persone costantemente sotto pressione per il fatto di doversi prender cura di un familiare affetto da morbo di Alzheimer.[25]

Il prezzo dell'ansia non sta solo nel fatto che essa abbassa la risposta immunitaria; altre ricerche dimostrano anche i suoi effetti negativi sul sistema cardiovascolare. Nutrire costantemente sentimenti di ostilità e andare incontro a ripetuti episodi di collera sembrano essere importantissimi fattori di rischio di cardiopatia per gli uomini; nelle donne, invece, le emozioni più letali sono probabilmente l'ansia e la paura. In una ricerca condotta dalla Stanford University School of Medicine su più di mille uomini e donne che avevano avuto un primo attacco di cuore, le donne che in seguito ne ebbero un secondo si distinguevano per elevati livelli di ansia e paura. In molti casi, la paura prendeva la forma di fobie paralizzanti: dopo il loro primo attacco le pazienti smettevano di guidare, lasciavano il proprio lavoro ed evitavano di uscire.[26]

Gli insidiosi effetti fisici dello stress e dell'ansia – quelli prodotti da professioni o stili di vita ad alta pressione, come quello di una madre single che si sobbarchi la cura del figlio piccolo e il peso di un impiego – vengono oggi analizzati a livello molto dettagliato dal punto di vista anatomico. Ad esempio, Stephen Manuck, uno psicologo della Pittsburgh University, sottopose trenta volontari maschi a un test severo e rigoroso in un contesto ansiogeno; l'esperimento aveva luogo in laboratorio, monitorando i parametri ematici dei volontari, e dosando nel loro sangue una sostanza secreta dalle piastrine, chiamata adenosintrifosfato o Atp, che può innescare cambiamenti vasali tali da portare ad attacchi cardiaci e ictus. Quando i volontari erano sottoposti allo stress intenso, i loro livelli di Atp, come anche la frequenza cardiaca e la pressione ematica, salivano bruscamente.

Comprensibilmente, i rischi per la salute sembrano massimi nel caso di occupazioni che comportino grande «tensione»: ad esempio, il dover dare elevatissime prestazioni quando si ha uno scarso controllo – o addirittura nessun controllo – sulle modalità di svolgimento del lavoro (una difficile situazione, questa, che giustifica l'elevata incidenza di ipertensione riscontrata, ad esempio, fra gli autisti di autobus). In uno studio su 569 pazienti affetti da cancro del colonretto e su un gruppo di controllo omogeneo, i soggetti che affermarono di aver sperimentato gravi problemi sul lavoro nei dieci anni precedenti avevano una probabilità di cinque volte e mezza superiore di sviluppare il cancro di quelli che non avevano patito quel tipo di stress.[27]

Poiché il prezzo fisico della sofferenza psicologica è tanto grande, le tecniche di rilassamento – che si oppongono direttamente all'attivazione fisiologica causata dallo stress – vengono usate clinicamente per allentare la sintomatologia di un'ampia gamma di patologie croniche. Esse includono le malattie cardiovascolari, alcuni tipi di diabete, l'artrite, l'asma, i disturbi gastrointestinali e il dolore cronico, tanto per nominarne solo qualcuna. Nella misura in cui ogni sintomo può peggiorare in presenza di stress e di sofferenza psicologica, aiutare i pazienti ad essere più rilassati e a gestire i propri sentimenti turbolenti può spesso offrire un certo sollievo.[28]

IL PREZZO FISICO DELLA DEPRESSIONE

A questa donna era stata appena diagnosticata la metastasi di un tumore al seno: una recidiva, a distanza di diversi anni da quella che lei aveva ritenuto una soluzione chirurgica definitiva del problema. Il suo medico non sapeva che cure suggerirle, e la chemioterapia, nel caso migliore, poteva offrirle solo qualche mese in più. Comprensibilmente, la donna era depressa – a tal punto che ogni volta che andava dal suo oncologo, a un certo punto si ritrovava in lacrime. E ogni volta lo specialista le chiedeva di lasciare immediatamente il suo studio.

A parte il carattere offensivo della freddezza dell'oncologo, il suo rifiutarsi di affrontare la costante tristezza della paziente poteva avere un peso a livello medico? Una volta che una malattia è diventata così virulenta, è poco probabile che una qualunque emozione possa influire in modo apprezzabile sul suo decorso. Sebbene la depressione della donna abbia sicuramente peggiorato la qualità della sua vita negli ultimi mesi che le restavano, la dimostrazione del fatto che la malinconia possa influenzare clinicamente il decorso del cancro è tuttora controversa.[29] A parte il cancro, però, un piccolo numero di studi indica che la depressione potrebbe avere un ruolo in molte altre patologie, soprattutto rendendole più serie una volta che siano insorte. Ci sono sempre più prove del fatto che, nei pazienti affetti da gravi malattie in preda alla depressione, la cura di quest'ultimo problema possa comportare un vantaggio anche sul piano strettamente fisico.

Una complicazione, nella cura della depressione in pazienti affetti da altre patologie, è che i suoi sintomi, compresi la perdita dell'appetito e la letargia, vengono facilmente scambiati per segni di altre malattie, soprattutto dai medici che abbiano scarsa esperienza con la diagnosi psichiatrica. Questa incapacità di diagnosticare la depressione può di per se stessa complicare il problema; infatti essa comporta che la depressione di un paziente – come quella della donna malata di cancro e incline al pianto citata in apertura di paragrafo – passi inosservata e pertanto non venga curata. Nelle malattie gravi, questa incapacità diagnostica e il mancato trattamento che ne consegue aumentano il rischio di morte.

Ad esempio, su 100 pazienti che ricevettero il trapianto di midollo osseo, dei 13 affetti da depressione, 12 morirono nell'arco del primo anno dall'operazione; dei restanti 87, invece, 34 erano ancora vivi due anni dopo.[30] Nei pazienti con insufficienza renale cronica sottoposti a dialisi, quelli ai quali era stata diagnosticata una grave depressione avevano una maggiore probabilità di morire nell'arco dei due anni successivi; la depressione si rivela dunque un fattore predittivo di morte più potente di qualunque altro segno.[31] Qui, la natura del collegamento fra l'emozione e le condizioni fisiche non era biologica ma dipendeva dall'atteggiamento mentale dei pazienti: i soggetti depressi si attenevano molto meno bene degli altri alle prescrizioni dei medici – ad esempio, baravano sulla dieta, il che li metteva in una condizione di maggior rischio.

La depressione sembra esacerbare anche la cardiopatia. In uno studio su 2832 uomini e donne di mezza età, monitorati per 12 anni, il gruppo di quelli che si sentivano costantemente disperati e scoraggiati presentava una maggior frequenza di morte per cardiopatia.[32] E nel gruppo dei soggetti più gravemente depressi, che ammontava al 3 per cento del totale, la frequenza di morte per cardiopatia, rispetto a quella riscontrata nel gruppo di soggetti non depressi, era di quattro volte più alta.

La depressione sembra comportare un rischio particolarmente serio per i pazienti sopravvissuti a un attacco cardiaco.[33] In uno studio condotto sui pazienti di un ospedale di Montreal, dimessi dopo un primo attacco, gli individui depressi avevano un rischio nettamente superiore di morire nell'arco dei sei mesi successivi. I pazienti seriamente depressi erano uno su otto; in questo gruppo, la mortalità era cinque volte superiore a quella riscontrata in soggetti non depressi con patologie simili; in altre parole, la depressione aveva un effetto paragonabile a quello dei principali fattori di rischio di morte per cardiopatia, quali la disfunzione del ventricolo sinistro o un'anamnesi di precedenti attacchi. Fra i possibili meccanismi che potrebbero spiegare come mai la depressione aumenti tanto le probabilità di un successivo attacco, troviamo i suoi effetti sulla frequenza cardiaca, che comportano un aumento del rischio di aritmie fatali.

È stato anche scoperto che la depressione crea complicazioni durante la convalescenza della frattura dell'anca. In uno studio su diverse migliaia di donne anziane con frattura dell'anca, venne formulata una diagnosi psichiatrica all'atto del ricovero. Rispetto alle pazienti non depresse con lesioni ortopediche simili, le donne alle quali era stata diagnosticata la depressione rimasero in ospedale in media per otto giorni in più, e la probabilità che potessero tornare a camminare era un terzo di quella delle altre pazienti. Tuttavia, le donne depresse alle quali, oltre all'assistenza medica, venne offerto l'aiuto di uno psichiatra per alleviare la depressione, necessitarono di meno cure fisioterapiche per tornare a camminare ed ebbero bisogno di un minor numero di ulteriori ricoveri nei tre mesi che seguirono la prima dimissione dall'ospedale.

Analogamente, in uno studio su pazienti la cui condizione era così grave da collocarli nel 10 per cento della popolazione che faceva maggior ricorso ai servizi sanitari – spesso perché affetti da patologie multiple, ad esempio da cardiopatie e diabete – circa uno su sei soffriva di grave depressione. Quando questi pazienti furono curati, il numero di giorni di malattia per anno scese da 79 a 51 nel caso dei soggetti con depressione maggiore, e da 62 a soli 18 per quelli curati per una depressione leggera.[34]

I benefici fisici dei sentimenti positivi

Le prove crescenti degli effetti avversi della collera, dell'ansia e della depressione sulla salute sono dunque convincenti. Sia la collera che l'ansia, quando sono croniche, possono rendere l'organismo più suscettibile a tutta una serie di malattie. E sebbene forse la depressione non renda gli individui più vulnerabili, sembra però ostacolarne la guarigione e aumentare il rischio di morte, soprattutto nel caso dei pazienti più fragili affetti da gravi patologie.

Ma se è vero che, nelle sue molteplici forme, uno stato cronico di sofferenza psicologica è tossico, è vero anche che, fino a un certo punto, le emozioni opposte possono avere un effetto tonificante. Questo non significa assolutamente che l'emozione positiva abbia un valore terapeutico, o che una semplice risata o la felicità da sola cambieranno il decorso di una grave malattia. Il vantaggio delle emozioni positive sembra quasi impercettibile; tuttavia, se si fa riferimento a studi effettuati su moltissimi soggetti, è possibile isolarlo dalla massa di complesse variabili che influenzano il decorso della malattia.

IL PREZZO DEL PESSIMISMO E I VANTAGGI DELL'OTTIMISMO

Come nel caso della depressione, anche il pessimismo impone il suo pedaggio in termini di salute fisica, mentre l'ottimismo ha un effetto benefico. In uno studio venne valutato il livello di ottimismo o pessimismo di 122 uomini, sopravvissuti a un primo attacco di cuore. Otto anni dopo, dei 25 uomini più pessimisti, 21 erano morti; dei 25 più ottimisti, ne erano morti solo 6. La loro predisposizione mentale fu rivelatrice della loro possibilità di sopravvivenza più di qualunque altro fattore di rischio, compresa l'estensione della lesione subita durante il primo infarto, il grado di ostruzione delle arterie, il livello di colesterolo o la pressione ematica. E in un'altra ricerca, rispetto ai pazienti più pessimisti, quelli più ottimisti che affrontavano lo stesso intervento di bypass coronarico, ebbero una convalescenza molto più rapida e meno complicazioni sia durante che dopo l'intervento.[35]

La speranza, come l'ottimismo, che è suo parente prossimo, ha anch'essa un potere risanatore. Comprensibilmente, gli individui pieni di speranza sopportano meglio le situazioni difficili, comprese quelle di ordine medico. In uno studio su persone rimaste paralizzate a causa di lesioni al midollo spinale, gli individui più inclini alla speranza riuscirono a riacquistare un maggiore livello di mobilità fisica rispetto a quelli che, pur avendo lesioni analoghe, erano meno sereni. La capacità di sperare, nei pazienti paralizzati a causa di lesioni del midollo spinale, è un dato molto significativo: questa tragedia infatti solitamente colpisce un giovane che resta paralizzato a vent'anni in seguito a un incidente, e che rimarrà in quelle condizioni per il resto della sua vita. Le reazioni emotive di questo individuo avranno pesanti rispercussioni sulla sua disponibilità a compiere gli sforzi che potrebbero fargli recuperare una maggiore funzionalità, sia a livello fisico che sociale.[36]

Il fatto che un atteggiamento mentale ottimista o pessimista abbia conseguenze sulla salute si presta a moltissime spiegazioni. Una teoria sostiene che il pessimismo porti alla depressione, la quale a sua volta interferisce con la resistenza del sistema immunitario ai tumori e alle infezioni – un'ipotesi attualmente non ancora dimostrata. Oppure, potrebbe darsi che gli individui pessimisti tendano a trascurarsi – alcuni studi hanno evidenziato che, rispetto agli ottimisti, questi soggetti fumano e bevono di più, fanno meno attività fisica, e sono generalmente molto meno attenti per quanto riguarda abitudini che potrebbero avere ripercussioni sulla salute. Un'altra possibilità, è che un giorno gli aspetti fisiologici della speranza possano dimostrarsi biologicamente utili nella lotta dell'organismo contro le malattie.

L'AIUTO DEGLI AMICI – BUONA SALUTE E RELAZIONI PERSONALI

Alla lista dei rischi per la salute da attribuirsi a problemi emotivi, va aggiunto il suono del silenzio – la solitudine – e a quella dei fattori che proteggono il benessere, il poter contare su legami stretti. Studi compiuti nell'arco di vent'anni, ai quali hanno preso parte più di trentasettemila persone, hanno dimostrato che l'isolamento sociale – la sensazione di non aver nessuno con cui condividere i propri sentimenti più intimi o con cui avere uno stretto contatto – raddoppia le probabilità di malattia o di morte.[37] Come recitava nelle sue conclusioni un articolo pubblicato su *Science* nel 1987, di per se stesso, l'isolamento «è significativo ai fini della mortalità esattamente come il fumo, l'ipertensione, un elevato livello ematico di colesterolo, l'obesità e la mancanza di attività fisica». Per essere precisi, il fumo aumenta il rischio di mortalità di un fattore pari a 1.6, mentre l'isolamento sociale lo moltiplica di un fattore 2.0, distinguendosi come uno dei principali fattori di rischio.[38]

L'isolamento è più difficile da sopportare per gli uomini che per le donne. Gli uomini isolati avevano una probabilità di morte dalle due alle tre volte superiore rispetto a quella di uomini con stretti legami sociali; nel caso delle donne isolate, invece, il rischio era di una volta e mezza superiore rispetto a quello di soggetti meglio integrati socialmente. Il diverso impatto dell'isolamento nei due sessi potrebbe essere dovuto al fatto che le relazioni delle donne tendono a essere più intime, dal punto di vista emotivo, di quelle degli uomini; per una donna, anche pochi di questi legami sociali possono risultare più confortanti di uno stesso numero di amicizie nel caso di un uomo.

Naturalmente, la solitudine non equivale all'isolamento; molte persone che vivono da sole o hanno pochi amici sono soddisfatte e sane. Piuttosto, a comportare il rischio è la sensazione soggettiva di essere tagliati fuori dal mondo degli altri e di non avere nessuno a cui rivolgersi. Alla luce dell'aumentato isolamento generato dall'abitudine di guardare la TV da soli e dalla graduale scomparsa, nelle moderne società urbane, di consuetudini sociali come i club e le visite, questo riscontro è di cattivo presagio e conferisce un valore ancora più grande – quali comunità surrogate – ai gruppi di auto-aiuto come quello degli alcolisti anonimi.

Nello studio, già citato, sui 100 pazienti sottoposti a trapianto di midollo osseo, è emerso il potere dell'isolamento come fattore di rischio ai fini della mortalità, insieme al potere risanatore dimostrato dalla presenza di stretti legami affettivi.[39] Fra i pazienti che sentivano di poter contare su un forte sostegno emozionale da parte del coniuge, della famiglia o degli amici, il 54 per cento era ancora in vita a due anni dall'intervento, mentre fra quelli che ritenevano di non avere questo sostegno, i sopravvissuti, sempre a due anni, erano solo il 20 per cento. Analogamente, gli anziani che soffrono di attacchi cardiaci, ma hanno due o più persone sulle quali sanno di poter contare, hanno una probabilità più che doppia, rispetto a chi non gode di tale aiuto, di essere ancora in vita a distanza di più di un anno da un attacco.[40]

La testimonianza forse più significativa del potere risanatore dei legami affettivi è quella fornita da uno studio svedese pubblicato nel 1993.[41] A tutti gli uomini che vivevano nella città svedese di Göteborg e che erano nati nel 1933, venne offerto un controllo medico gratuito; sette anni dopo, i 752 uomini che si erano presentati per la visita vennero ricontattati. Di questi, 41 nel frattempo erano morti.

Nel gruppo di uomini che in occasione della prima visita avevano dichiarato di essere sottoposti a un intenso stress emozionale, la mortalità era tre volte superiore rispetto a quanto rilevato nel gruppo di soggetti che giudicavano la propria vita calma e tranquilla. La sofferenza psicologica era dovuta a situazioni come un grave dissesto finanziario, l'insicurezza sul lavoro, l'essere stati esclusi da un incarico, l'avere in corso una causa legale o un divorzio. Il fatto di avere tre o più di questi problemi nell'anno precedente la visita costituiva un fattore predittivo di morte nei sette anni successivi più potente dell'ipertensione, dell'ipertrigliceridemia o dell'ipercolesterolemia.

Tuttavia, fra gli uomini che avevano detto di poter contare su una rete di relazioni intime – una moglie, amici fidati, e simili, *non si osservò alcuna correlazione* fra elevati livelli di stress e mortalità. Il fatto di avere delle persone alle quali rivolgersi e con le quali parlare, persone che potessero offrir loro sollievo, aiuto e consigli, li aveva protetti dal mortale impatto con i traumi e le asperità della vita.

La qualità delle relazioni di un individuo, oltre alla quantità, sembra essere un fattore chiave per tamponare lo stress. Le relazioni negative hanno un costo. Le liti coniugali, ad esempio, hanno un impatto negativo sul sistema immunitario.[42] Uno studio condotto su studenti universitari che condividevano la stessa camera mise in evidenza che quanto più essi si detestavano, tanto più suscettibili diventavano a raffreddori e influenze, e tanto più spesso si recavano dal medico. John Cacioppo, lo psicologo della Ohio State University che effettuò lo studio, mi disse: «La relazione davvero fondamentale per il tuo benessere è quella più importante, quella con la persona che vedi dalla mattina alla sera. E più questa relazione è significativa nella tua vita, più essa sarà importante per la tua salute».[43]

IL POTERE RISANATORE DEL SOSTEGNO PSICOLOGICO

In *The Merry Adventures of Robin Hood*, Robin consiglia un giovane seguace: «Raccontaci i tuoi problemi e parla liberamente. Un fiume di parole allevia sempre le pene del cuore; è come aprire lo scarico quando la chiusa del mulino è troppo piena». Questo frammento di saggezza popolare è molto vero; alleggerire un cuore oppresso dalla preoccupazione sembra essere davvero una buona medicina. La conferma scientifica della validità del consiglio di Robin ci viene da James Pennebaker, uno psicologo della Southern Methodist University; in una serie di esperimenti, egli ha dimostrato che, parlando dei problemi che lo assillano, l'individuo può trarre benefici effetti in termini medici.[44] Il metodo di Pennebaker è eccezionalmente semplice: egli chiede al soggetto di scrivere, per quindici o venti minuti al giorno, e per circa cinque giorni, qualcosa che riguardi «l'esperienza più traumatica di tutta la sua vita», oppure una preoccupazione contingente molto pressante. Se le persone che partecipano allo studio lo desiderano, i loro scritti possono rimanere interamente privati.

L'effetto di questa confessione è eccezionale: in particolare, si sono riscontrati un aumento della funzione immunitaria, una significativa diminuzione del numero delle visite agli ambulatori medici nei sei mesi successivi, un minor numero di giorni lavorativi perduti, e perfino un miglioramento dell'attività degli enzimi epatici. Inoltre, i soggetti i cui scritti davano prova dei sentimenti più irrequieti erano quelli che ricavavano i maggiori benefici a livello di funzione immunitaria. Emerse così che il modo più «sano» per sfogare sentimenti penosi era in primo luogo quello di esprimere intensamente tali sentimenti, quali che fossero – tristezza, ansia, collera; poi, nel corso dei giorni successivi, intessere un intreccio, alla ricerca di un significato nel trauma o nel travaglio emotivo.

Questo processo, naturalmente, sembra simile a ciò che accade quando l'individuo esplora i suoi problemi nell'ambito della psicoterapia. In verità, i risultati di Pennebaker offrono una possibile chiave di lettura dei risultati ottenuti in altri studi, nei quali è stato dimostrato che i pazienti sottoposti non solo a intervento chirurgico o a trattamento con farmaci per patologie diverse, ma anche a psicoterapia, spesso presentano un *decorso clinico più favorevole* di quelli che ricevono solo il trattamento farmacologico o chirurgico.[45]

Forse la dimostrazione più convincente del potere clinico del conforto psicologico proviene dai gruppi per le donne con cancro al seno in fase di avanzata metastasi, istituiti presso la Stanford University Medical School. Dopo un trattamento iniziale, che spesso comprendeva l'operazione, i tumori di queste donne si erano riformati e si stavano diffondendo in tutto l'organismo. Dal punto di vista clinico, la loro morte per cancro era solo questione di tempo. David Spiegel, che condusse lo studio, rimase egli stesso stupefatto dai risultati, come lo fu del resto tutta la comunità scientifica: le donne con cancro al seno in fase avanzata che si recavano agli incontri settimanali del gruppo avevano un tempo di sopravvivenza *doppio* rispetto alle pazienti oncologiche in analoghe condizioni che si trovavano ad affrontarle da sole.[46]

Tutte le pazienti ricevevano un trattamento medico standard; la sola differenza era che alcune si recavano anche alle riunioni dei gruppi, dove avevano la possibilità di trovare conforto parlando con altre donne che comprendevano ciò che stavano affrontando ed erano disposte ad ascoltare le loro paure, il loro dolore e la loro rabbia. Spesso questo era l'unico luogo nel quale le donne potevano essere esplicite su queste emozioni; le altre persone presenti nella loro vita, infatti, erano terrorizzate all'idea di parlare con loro del cancro e della morte imminente. Le donne che frequentavano i gruppi vissero in media altri trentasette mesi, mentre quelle che non li frequentarono si spensero, in media, nell'arco di diciannove; queste cifre parlano di un guadagno, in termini di speranza di vita, che va ben oltre la portata di qualunque trattamento farmacologico o di altro tipo offerto dalla medicina. Jimmie Holland, lo psichiatra che segue i pazienti oncologici allo Sloan-Kettering Memorial Hospital, un centro per la cura del cancro di New York, mi disse: «Ogni paziente oncologico dovrebbe essere inserito in gruppi come questi». Effettivamente, se a produrre un simile allungamento della speranza di vita fosse stato un nuovo farmaco, le aziende farmaceutiche avrebbero ingaggiato una competizione serrata per aggiudicarsene la produzione.

Arricchire l'assistenza medica con l'intelligenza emotiva

Il giorno in cui un controllo di routine rilevò la presenza di sangue nelle mie urine, il medico mi mandò a fare un esame diagnostico nel quale mi venne iniettato un tracciante radioattivo. Ero disteso su un tavolo mentre una macchina per i raggi X sopra di me prendeva immagini successive per documentare la progressione del tracciante nei miei reni e nella vescica. Mentre facevo il test, ero in compagnia: un mio carissimo amico, medico egli stesso, era capitato da me per una visita di qualche giorno e si era offerto di accompagnarmi all'ospedale. Stava seduto nella stessa stanza dove la macchina per i raggi X, seguendo una traiettoria prefissata, ruotava per ottenere diverse proiezioni, emetteva un ronzio e scattava; ruotava, ronzava e scattava.

Per completare l'esame ci volle un'ora e mezza. Alla fine un nefrologo entrò in fretta e furia nella stanza, si presentò sbrigativamente e scomparve per analizzare le lastre, guardandosi bene dal tornare a dirmi che cosa mostrassero.

Mentre stavamo lasciando la sala raggi, io e il mio amico incrociammo il nefrologo. Scosso e un po' intontito per via del test, non ebbi la presenza di spirito di chiedergli l'unica cosa che mi aveva tormentato per tutta la mattina. Ma il mio accompagnatore lo fece per me: «Dottore,» disse «il padre del mio amico morì per un cancro alla vescica, e lui vorrebbe sapere se le lastre mostrano segni di cancro».

«Nessuna anomalia» fu la concisa risposta del nefrologo, che doveva affrettarsi a visitare il paziente successivo.

La mia incapacità di chiedere la cosa che in quel momento più mi premeva emerge migliaia di volte ogni giorno negli ospedali e nelle cliniche di tutto il mondo. Uno studio constatò che quando i pazienti si trovano nella sala d'aspetto del medico hanno in media tre o più domande da porgli. Ma quando lasciano l'ambulatorio, di quelle domande, in media, solo una e mezza ha trovato risposta.[47] Questa è l'ennesima conferma che le esigenze psicologiche dei pazienti non vengono soddisfatte dalla medicina odierna. Le domande lasciate senza risposta alimentano l'incertezza, la paura, la tendenza ad avere pensieri catastrofici. E portano i pazienti a rifiutarsi di proseguire cure che non comprendono completamente.

La medicina può ampliare la propria concezione della salute ed includervi le realtà emotive della malattia in molti modi. Intanto, i pazienti potrebbero ricevere normalmente informazioni più complete, essenziali per prendere le necessarie decisioni relative alla loro salute; oggi esistono alcuni servizi che offrono a chiunque li interpelli la ricerca computerizzata della letteratura medica più aggiornata sulle diverse patologie; maggiori conoscenze consentono al paziente di stabilire un rapporto più paritario con i propri medici, e di prendere decisioni a ragion veduta.[48] Un altro approccio è quello di istituire programmi che, nell'arco di qualche minuto, insegnano al paziente a porre domande efficaci al proprio medico; in tal modo, se in sala d'aspetto il paziente ha in mente tre domande, dovrebbe uscire dall'ambulatorio con tre risposte.[49]

I momenti nei quali i pazienti affrontano interventi chirurgici o esami invasivi e dolorosi sono sempre temuti con angoscia – e sono un'occasione fondamentale per trattare la dimensione emozionale. Alcuni ospedali hanno sviluppato programmi di addestramento preoperatorio rivolti ai pazienti, in modo da aiutarli a lenire le loro paure e a gestire il proprio disagio – ad esempio insegnando loro le tecniche di rilassamento, rispondendo alle loro domande prima dell'operazione e dicendo loro con diversi giorni di anticipo e in termini chiari quello che probabilmente proveranno durante la convalescenza. Il risultato di questi interventi è che i tempi di recupero post-operatorio si accorciano di due o tre giorni.[50]

Il ricovero può essere un'esperienza di grande solitudine e impotenza. Alcuni ospedali, però, hanno cominciato a progettare le camere per la degenza in modo che i familiari possano stare con i pazienti, cucinando per loro e accudendoli come se fossero a casa – un passo avanti verso una situazione che, paradossalmente, è pratica comune in tutto il Terzo Mondo.[51]

Le tecniche di rilassamento possono aiutare i pazienti a superare parte della sofferenza derivante dalla loro sintomatologia, come pure a gestire le emozioni che probabilmente la stimolano o la acuiscono. Un modello esemplare è quello della Stress Reduction Clinic di Jon Kabat-Zinn, presso il Medical Center della Massachusetts University, che offre ai pazienti un corso di meditazione e yoga di dieci settimane; l'obiettivo è quello di riuscire a essere presenti a se stessi e consapevoli degli episodi emotivi nel loro svolgersi, e di coltivare un esercizio quotidiano che generi uno stato di profondo rilassamento. Alcuni ospedali hanno prodotto videocassette di questo corso – molto più adatte, dal punto di vista psicologico, al paziente costretto a letto, di quanto non lo siano le solite soap opera da quattro soldi.[52]

Le tecniche di rilassamento e lo yoga sono anche al centro di un programma innovativo, comprendente una dieta a basso tenore lipidico, sviluppato da Dean Ornish per curare le cardiopatie.[53] Dopo aver seguito questo programma per un anno, i pazienti la cui cardiopatia era grave al punto da richiedere un bypass coronarico, mostrarono un'inversione nella loro tendenza a depositare la placca nelle arterie. Ornish mi ha spiegato che la tecnica di rilassamento è una delle parti più importanti del suo programma. Come quello di Kabat-Zinn, anche il programma di Ornish trae vantaggio da quella che Herbert Benson chiama la «risposta di rilassamento»: l'opposto fisiologico di quello stato di attivazione indotto dallo stress che contribuisce a una gamma tanto vasta di disturbi.

Infine, il fatto di avere medici e infermieri empatici, in sintonia con i pazienti, capaci di ascoltarli e di farsi ascoltare, comporta un altro vantaggio: significa cioè alimentare un'«assistenza centrata sulla relazione» – in altre parole, riconoscere che il rapporto fra medico e paziente è esso stesso un fattore significativo. Questo rapporto potrebbe essere coltivato più facilmente se la formazione dei medici comprendesse alcuni strumenti essenziali dell'intelligenza emotiva, in particolare l'autoconsapevolezza e le arti dell'empatia e dell'ascolto.[54]

Verso una medicina più umana

Questi sono solo i primi passi. Ma se vogliamo che la medicina allarghi i propri orizzonti per arrivare a comprendere anche l'impatto delle emozioni, è necessario tenere ben presenti due vaste implicazioni dei risultati scientifici:

1. *Aiutare gli individui a gestire meglio i sentimenti negativi – la collera, l'ansia, la depressione, il pessimismo e la solitudine – è una forma di prevenzione.* Poiché i dati dimostrano che la tossicità di queste emozioni, quando sono croniche, è pari a quella del fumo di sigaretta, aiutare le persone a gestirle meglio potrebbe comportare, in termini strettamente medici, un vantaggio simile a quello che si ottiene quando un forte fumatore si libera del suo vizio. Pertanto, per avere effetti di vasta portata sulla salute pubblica, bisognerebbe insegnare le più elementari abilità dell'intelligenza emotiva ai bambini, perché divengano in loro inclinazioni ben radicate. Un'altra strategia molto remunerativa sarebbe quella di insegnare il controllo delle proprie emozioni anche a coloro che stanno raggiungendo l'età della pensione; infatti, il benessere psicologico è

uno dei fattori che determinano il rapido declino o il buono stato di forma di un anziano. Un terzo gruppo individuabile per questo tipo di interventi potrebbe essere quello delle cosiddette popolazioni a rischio (i molto poveri, le madri single che lavorano, gli abitanti di quartieri con una criminalità diffusa); si tratta di individui che vivono costantemente sottoposti a pressioni straordinarie e che quindi potrebbero trarre giovamento se li si aiutasse a ridurre il costo psicologico di questi stress.

2. *Molti pazienti possono trarre un beneficio misurabile quando le loro esigenze psicologiche sono oggetto di cura insieme a quelle strettamente fisiche.* Sebbene il fatto che un medico o un'infermiera offrano conforto e consolazione a un paziente sofferente sia già un primo passo verso un'assistenza più umana, è possibile fare di più. Tuttavia, la medicina, nel modo in cui viene oggi praticata, si lascia troppo spesso sfuggire l'occasione di intervenire anche sulla sfera emotiva del paziente; l'assistenza psicologica è una specie di punto cieco dell'arte medica. Nonostante i dati sempre più numerosi sull'utilità, ai fini medici, dell'attenzione prestata alle esigenze emotive dei pazienti, e nonostante le dimostrazioni dei collegamenti fra i centri cerebrali che elaborano le emozioni e il sistema immunitario, molti medici restano scettici sulla possibilità che le emozioni dei loro pazienti possano avere un peso clinico; essi liquidano tutte queste prove come banali aneddoti, come «marginali», o peggio ancora, come le esagerazioni di alcuni individui che intendono promuovere se stessi.

Sebbene sempre più pazienti desiderino una medicina più umana, essa è minacciata. Naturalmente, ci sono medici e infermieri che offrono con abnegazione ai propri pazienti un'assistenza affettuosa e sensibile. Ma il cambiamento culturale che sta avendo luogo nella stessa professione medica, sempre più improntata all'imperativo del profitto, rende difficile l'impresa di trovare un'assistenza come quella che abbiamo prospettato.

D'altra parte, non bisogna dimenticare che una medicina più umana potrebbe portare anche un vantaggio in termini di profitto: i primi dati raccolti indicano che la cura delle sofferenze psicologiche dei pazienti può aiutare a risparmiare denaro – soprattutto in quanto evita o ritarda l'insorgere di una malattia o aiuta i pazienti a guarire più rapidamente. In uno studio su pazienti anziani con frattura dell'anca condotto alla Mt. Sinai School of Medicine di New York, e alla Northwestern University, quelli che oltre alle normali cure ortopediche ricevevano anche una terapia contro la depressione lasciavano l'ospedale mediamente due giorni prima; il risparmio totale, moltiplicato per i circa cento pazienti dello studio, ammontava a 97361 dollari di spese sanitarie.[55]

Con un'assistenza di questo tipo, inoltre, i pazienti sono più soddisfatti del loro medico e delle cure. Nell'emergente mercato sanitario, in cui i pazienti possono spesso scegliere la loro cura fra varie alternative, il livello di soddisfazione entra senza dubbio a far parte dell'equazione che determina queste decisioni molto personali – le esperienze spiacevoli indurranno i pazienti a cercare in futuro assistenza altrove, mentre quelle positive si tradurranno in una conferma della fiducia.

Infine, questo approccio probabilmente si impone anche per questioni di etica medica. Un editoriale comparso sul *Journal of the American Medical Association*, commentava un dato secondo il quale la depressione aumenterebbe di cinque volte la probabilità di morte dopo un attacco cardiaco; l'editorialista osservava: «La chiara dimostrazione del fatto che i pazienti coronarici ad alto rischio si distinguono dagli altri per fattori psicologici come la depressione e l'isolamento sociale implica che sarebbe immorale non cominciare a curare anche questi fattori».[56]

Se le scoperte del legame fra emozioni e salute hanno un significato, esso è il seguente: non è più possibile considerare adeguata un'assistenza medica che trascuri i *sentimenti* dei pazienti che stanno combattendo la loro battaglia contro una malattia grave o cronica. È tempo che la medicina tragga vantaggio in modo più sistematico dal legame esistente fra emozione e salute. Quello che è oggi l'eccezione potrebbe – e dovrebbe – diventare parte della prassi dominante; in tal modo tutti potrebbero disporre di una medicina più attenta. Quanto meno, ciò renderebbe la medicina più umana e nel caso di alcuni pazienti potrebbe accelerare la guarigione. «La compassione» scrisse un paziente in una lettera aperta al suo chirurgo «non è semplice imposizione delle mani. È buona prassi medica.»[57]

PARTE QUARTA

UN'OCCASIONE DA COGLIERE

12
IL CROGIOLO FAMILIARE

Quella che segue è una tragedia familiare in chiave minore. Carl e Ann stanno mostrando a Leslie, la loro bambina di soli cinque anni, il funzionamento di un nuovo videogioco. Ma non appena Leslie comincia a provare, i tentativi palesemente impazienti dei genitori di «aiutarla» sembrano metterla in difficoltà. Ordini contraddittori si incrociano in tutte le direzioni.

«A destra, a destra – ferma. Ferma. FERMA!» Ann, la madre, la incalza, con la voce che diventa più decisa e ansiosa mentre Leslie, mordendosi il labbro e con gli occhi spalancati davanti allo schermo, lotta per seguire le sue istruzioni.

«Guarda, non sei allineata... mettilo a sinistra! A sinistra!» ordina bruscamente Carl, il padre della bambina.

Nel frattempo Ann, con gli occhi levati al cielo per la frustrazione, strilla il suo consiglio: «Ferma! Ferma!».

Leslie, incapace di compiacere il padre o la madre, fa una smorfia per la tensione e sbatte le palpebre con gli occhi pieni di lacrime.

I genitori di Leslie cominciano allora a litigare fra loro, ignorando gli occhi umidi della figlia. «Non sta muovendo *abbastanza* il comando!» Ann dice a Carl esasperata.

Quando le lacrime cominciano a scendere lungo le guance di Leslie, i genitori non battono ciglio per dimostrare che se ne sono accorti o se ne dispiacciono. Quando Leslie alza la mano per asciugarsi gli occhi, il padre le dice bruscamente: «Va bene, rimetti la mano sul comando... preparati a colpire. Dai!». E la madre abbaia di rimando «Dai! muovilo appena appena!».

Ma adesso Leslie sta singhiozzando sommessamente, sola con la sua angoscia.

In momenti come questi, i bambini captano insegnamenti molto profondi. Una delle conclusioni che Leslie potrebbe trarre da questo spiacevole scambio di battute è che nessuno dei suoi genitori, né se è per questo qualcun altro, ha veramente a cuore i suoi sentimenti.[1] Se, durante l'infanzia, momenti simili a questo si ripetono all'infinito, finiscono per comunicare ai bambini alcuni messaggi fondamentali – messaggi che possono determinare il corso di una vita. La vita familiare è la prima scuola nella quale apprendiamo insegnamenti riguardanti la vita emotiva; è nell'intimità familiare che impariamo come dobbiamo sentirci riguardo a noi stessi e quali saranno le reazioni degli altri ai nostri sentimenti; che cosa pensare su tali sentimenti e quali alternative abbiamo per reagire; come leggere ed esprimere speranze e paure. L'educazione emozionale opera non solo attraverso le parole e le azioni dei genitori indirizzate direttamente al bambino, ma anche attraverso i modelli che essi gli offrono mostrandogli come gestiscono i propri sentimenti e la propria relazione coniugale. Alcuni genitori sono insegnanti di talento, altri un vero disastro.

Centinaia di studi dimostrano che il modo in cui i genitori trattano i bambini – con dura disciplina o con comprensione empatica, con indifferenza o con calore, e così via – ha conseguenze profonde e durevoli per la loro vita emotiva. Tuttavia, solo recentemente sono stati acquisiti dati seri che dimostrano come il fatto di avere genitori intelligenti dal punto di vista emotivo è di per se stesso una fonte di grandissimo beneficio per il bambino. Il modo in cui i membri di una coppia gestiscono i propri sentimenti reciproci – oltre al loro modo di trattare direttamente con il bambino – costituisce una fonte di insegnamenti profondi per i figli, che sono alunni svegli, pronti a cogliere i più sottili scambi emozionali in seno alla famiglia. Quando alcuni gruppi di ricerca guidati da Carole Hooven e John Gottman, della Washington University, compirono una microanalisi delle interazioni all'interno delle coppie concentrata sul modo in cui i partner trattavano i propri figli, scoprirono che le coppie che meglio vivevano le emozioni all'interno del matrimonio erano anche quelle più abili nell'aiutare i bambini a superare i propri alti e bassi psicologici.[2]

Le famiglie vennero osservate una prima volta quando uno dei figli aveva solo cinque anni, e poi ancora quando ne aveva nove. Oltre ad osservare i genitori che parlavano fra di loro, i ricercatori studiarono anche i nuclei familiari (compreso quello di Leslie) mentre il padre o la madre cercava di mostrare al bambino come far funzionare un nuovo videogioco – un'interazione apparentemente innocua, ma estremamente significativa per quanto riguarda le correnti emotive fra genitori e figlio.

Alcune madri e certi padri somigliavano ad Ann e Carl: autoritari, perdevano la pazienza di fronte all'inettitudine del bambino, alzavano la voce per il disgusto o l'esasperazione, alcuni addirittura tacciando il figlio di essere «stupido» – per farla breve, cadendo preda di quelle stesse tendenze verso il disprezzo e il disgusto che abbiamo visto avere effetti corrosivi sul matrimonio. Altri, tuttavia, di fronte agli errori del proprio bambino, erano pazienti e lo aiutavano a comprendere il gioco a modo suo senza imporre la propria volontà. Il test del videogioco costituiva uno strumento sorprendentemente sensibile per misurare il modo di gestire le proprie emozioni dei genitori.

I tre comportamenti inadeguati più comuni nei genitori sono:

- *Ignorare completamente i sentimenti* – Questi genitori trattano il turbamento emotivo del bambino come se fosse una cosa banale o una seccatura della quale aspettare la naturale estinzione. Essi non riescono ad approfittare dei momenti carichi di valenze psicologiche per avvicinarsi al bambino o per aiutarlo ad apprendere alcune competenze emozionali.
- *Assumere un atteggiamento troppo incline al laissez-faire* – Questi genitori notano i sentimenti del bambino, ma ritengono che qualunque strategia egli adotti per gestire la sua tempesta interiore – anche lo scontro fisico – vada bene. Come quelli che ignorano i sentimenti del bambino, anche questi genitori raramente intervengono per cercare di mostrare al proprio figlio una risposta alternativa. Essi cercano di calmare ogni turbamento e pur di ottenere che il bambino smetta di essere triste o in collera, si metteranno a mercanteggiare e ricorreranno alle lusinghe.
- *Essere sprezzanti, mostrando di non avere rispetto alcuno per i sentimenti del bambino* – Questi genitori solitamente hanno un atteggiamento di disapprovazione e sono duri sia nelle critiche che nelle punizioni. Ad esempio, possono proibire al bambino di mostrare ogni segno di collera e diventare punitivi al minimo segno di irritabilità. Questo è il tipo di genitore che, quando il figlio cerca di spiegare la propria versione dei fatti, gli grida irritato: «E non permetterti di rispondermi!».

Infine, ci sono i genitori che colgono l'opportunità di un turbamento del figlio per agire come una sorta di «allenatore» o di guida psicologica. Essi prendono i sentimenti del proprio bambino abbastanza sul serio da cercare di comprendere esattamente i motivi del suo turbamento («Sei arrabbiato perché Tommy ha ferito i tuoi sentimenti?») e da tentare di aiutarlo a trovare un modo positivo per calmarsi («Invece di prenderlo a pugni, perché non trovi qualcosa con cui divertirti da solo finché non ti torna la voglia di giocare ancora con lui?»).

Per riuscire ad essere bravi «allenatori», i genitori devono avere essi stessi una buona conoscenza dell'intelligenza emotiva. Ad esempio, uno dei fondamentali insegnamenti emozionali per un bambino è il saper distinguere i diversi sentimenti; ma un padre troppo desintonizzato dalla propria tristezza non potrà aiutare il figlio a comprendere la differenza fra il dolore per una perdita, il sentirsi malinconici quando si guarda un film lacrimoso, e la tristezza che assale il bambino quando accade qualcosa a una persona che ama. Oltre a questa distinzione, c'è anche una comprensione più profonda, ad esempio il fatto che la collera è molto spesso causata dal sentirsi feriti.

Crescendo, i bambini non solo sono pronti a ricevere vari insegnamenti emozionali specifici, ma ne hanno bisogno. Come abbiamo visto nel capitolo 7, l'insegnamento dell'empatia comincia nella primissima infanzia, quando i genitori entrano in sintonia con i sentimenti del neonato. Sebbene alcune capacità emozionali vengano affinate con gli amici nel corso degli anni, i genitori capaci possono fare molto per infondere nei propri figli le basi dell'intelligenza emotiva: in altre parole, possono aiutarli ad apprendere come riconoscere, dominare e imbrigliare i propri sentimenti; insegnar loro ad essere empatici; e, ancora, a controllare i sentimenti nelle loro relazioni.

Sui bambini, l'impatto di genitori di questo tipo è radicale.[3] Il gruppo della Washington University ha scoperto che quando i genitori sono capaci da questo punto di vista, i bambini comprensibilmente – vanno meglio d'accordo con loro, gli dimostrano maggiore affetto, e la relazione genitori-figli è caratterizzata da meno tensioni di quando i genitori hanno una scarsa capacità di controllare i sentimenti. Ma non basta: questi bambini sono anche più bravi a gestire le proprie emozioni, sanno meglio come calmarsi quando sono turbati – e comunque si turbano meno spesso. Essi sono anche più rilassati dal punto di vista *biologico* e presentano livelli inferiori di ormoni dello stress e di altri indicatori fisiologici dell'attivazione emozionale (una situazione che, se si prolunga per tutta la vita, può essere di buon auspicio per una migliore salute fisica, come abbiamo visto nel capitolo 11). Altri vantaggi sono di natura sociale: questi bambini sono più simpatici e più amati dai loro coetanei, e i loro insegnanti li considerano più abili nella sfera sociale. Genitori e insegnanti ritengono che questi bambini abbiano meno problemi comportamentali, quali ad esempio la tendenza alla scortesia e all'aggressività. Infine, i benefici sono anche cognitivi; questi bambini riescono a concentrarsi meglio degli altri, e pertanto sono allievi più capaci. A parità di QI, i bambini i cui genitori erano bravi «allenatori» avevano un migliore rendimento in aritmetica e nella lettura, una volta arrivati in terza elementare (il che costituirebbe un potente argomento a favore dell'insegnamento delle abilità emozionali per preparare i bambini non solo alla vita, ma anche all'apprendimento). Pertanto, il beneficio di cui godono i bambini di genitori capaci è una sorprendente – quasi eccezionale – gamma di vantaggi che interessano tutto lo spettro dell'intelligenza emotiva e si spingono anche al di là di essa.

«Heart start»

L'impatto del comportamento dei genitori sulla competenza dei figli nella sfera emotiva comincia dalla culla. T. Berry Brazelton, l'insigne pediatra di Harvard, si serve di un semplice test diagnostico per valutare l'atteggiamento di un bambino nei confronti della vita. Egli offre due pezzi di un gioco di costruzioni a una bambina di diciotto mesi e poi le mostra come vuole che vengano assemblati. Secondo Brazelton, una bambina con un atteggiamento pieno di speranza verso la vita, che ha fiducia nelle proprie capacità,

> prenderà uno dei pezzi, se lo metterà in bocca, lo strofinerà sui capelli, lo lascerà cadere sul lato del tavolo, stando a vedere se glielo raccogliete. Se lo fate, completerà il compito richiestole – metterà insieme i due pezzi. Poi vi guarderà con occhi luminosi pieni di aspettativa, come se dicesse: «Dimmi quanto sono stata brava!».[4]

Nella loro vita, bambini come questa hanno avuto una buona dose di approvazione e incoraggiamento da parte degli adulti, e si aspettano di riuscire nelle piccole imprese in cui si imbattono. Al contrario, bambini che provengono da famiglie troppo tetre, caotiche o trascurate affronteranno lo stesso piccolo compito in un modo che rivela all'osservatore la loro aspettativa di fallimento. Non è che questi bambini non riescano a mettere insieme i due pezzi del gioco di costruzioni; essi comprendono benissimo le istruzioni e hanno la coordinazione necessaria per attenervisi. Ma anche quando lo fanno, racconta Brazelton, hanno un'aria da «cane bastonato», un aspetto che pare dire: «Non sono bravo. Vedi, non ci riesco». È probabile che questi bambini affrontino la vita con una prospettiva disfattista, senza aspettarsi alcun incoraggiamento o interesse da parte degli insegnanti; per loro la scuola sarà un luogo senza gioia, e forse finiranno per abbandonarla.

La differenza fra le due prospettive – quella dei bambini fiduciosi e ottimisti e quella dei loro coetanei che si aspettano di fallire – comincia a prendere forma nei primissimi anni di vita. Brazelton sostiene che i genitori «devono comprendere come le loro azioni possano contribuire a generare fiducia, curiosità, piacere nell'apprendimento e nella comprensione dei limiti» – tutte cose che aiutano i bambini a riuscire nella vita. Il suo consiglio si basa su dati, sempre più numerosi, che dimostrano come il successo scolastico dipenda in misura sorprendente dalle caratteristiche emotive formatesi negli anni precedenti all'ingresso del bambino nella scuola. Come abbiamo visto nel capitolo 6, ad esempio, la capacità dei bambini di quattro anni di controllare l'impulso di afferrare una caramella consentiva di prevedere che di lì a quattordici anni essi avrebbero conseguito punteggi Sat mediamente superiori di 210 punti a quelli degli altri individui. La prima opportunità di dar forma ai germi dell'intelligenza emotiva si presenta nei primissimi anni di vita, sebbene tali capacità continuino a formarsi anche negli anni della scuola. Le capacità che i bambini acquisiscono più tardi, nella vita, vanno ad aggiungersi a quelle apprese nella prima infanzia. E queste abilità, come abbiamo visto nel capitolo 6, costituiscono una base essenziale per tutto l'apprendimento. Un rapporto del National Center for Clinical Infant Programs afferma che spie efficaci del successo scolastico non sono il patrimonio nozionistico o l'abilità precoce nella lettura, quanto piuttosto la misura di capacità emotive e sociali – essere sicuri di sé e interessati; sapere quale tipo di comportamento ci si aspetta da noi e come trattenersi dall'impulso di comportarsi male; essere capaci di aspettare, di seguire istruzioni e di rivolgersi agli insegnanti per chiedere aiuto; ed esprimere le proprie esigenze pur andando d'accordo con altri bambini.[5]

Quasi tutti gli studenti che vanno male a scuola, afferma il rapporto, mancano in uno o più di questi elementi dell'intelligenza emotiva (indipendentemente dal fatto che abbiano anche difficoltà cognitive quali, ad esempio, un'incapacità di apprendimento). Le dimensioni del problema non sono di poco conto; in alcuni stati, quasi un bambino su cinque deve ripetere la prima elementare, e con il passare degli anni resta sempre più indietro rispetto ai suoi coetanei, accumulando un senso di scoraggiamento, risentimento e disorganizzazione.

Il fatto che un bambino sia più o meno pronto per la scuola dipende dalla più fondamentale di tutte le conoscenze, ossia quella di *come* imparare. Il rapporto elenca i sette ingredienti fondamentali di questa capacità importantissima – tutti collegati all'intelligenza emotiva:[6]

1. *Fiducia.* Un senso di controllo e padronanza sul proprio corpo, sul proprio comportamento e sul proprio mondo; la sensazione, da parte del bambino, di avere maggiori probabilità di riuscire in ciò che intraprende di quante non ne abbia invece di fallire, e che comunque gli adulti lo aiuteranno.
2. *Curiosità.* La sensazione che la scoperta sia un'attività positiva e fonte di piacere.
3. *Intenzionalità.* Il desiderio e la capacità di essere influenti e perseveranti. Questa capacità è collegata al senso di competenza, alla sensazione di essere efficaci.
4. *Autocontrollo.* La capacità di modulare e di controllare le proprie azioni in modo appropriato all'età; un senso di controllo interiore.

5. *Connessione*. La capacità di impegnarsi con gli altri, basata sulla sensazione di essere compresi e di comprendere gli altri.
6. *Capacità di comunicare*. Il desiderio e la capacità di scambiare verbalmente idee, sentimenti e concetti con gli altri. Questa abilità è legata a una sensazione di fiducia negli altri e di piacere nell'impegnarsi con loro, adulti compresi.
7. *Capacità di cooperare*. L'abilità di equilibrare le proprie esigenze con quelle degli altri in un'attività di gruppo.

Il fatto che un bambino arrivi al suo primo giorno di scuola con queste capacità dipende moltissimo dal fatto che i suoi genitori gli abbiano dato o meno quel tipo di attenzioni che equivalgono a un «Heart Start» – l'equivalente, nella sfera emotiva, dei programmi «Head Start».

L'abbecedario dell'intelligenza emotiva

Supponiamo che una bambina di due mesi si svegli alle tre di notte e cominci a piangere. La madre va da lei e, per la mezz'ora successiva, allatta la piccola tenendola fra le braccia, guardandola con affetto e raccontandole quanto sia felice di vederla, sia pure nel bel mezzo della notte. La bambina, soddisfatta dell'amore della madre, risprofonda nel sonno.

Ora immaginiamo un altro bambino di due mesi, che si svegli anche lui piangendo nel cuore della notte, ma che si scontri invece con una madre tesa e irritabile, che si era addormentata solo un'ora prima dopo aver litigato con il marito. Il bambino comincia a entrare in tensione nel momento stesso in cui la madre lo prende bruscamente in braccio dicendogli «Sta' buono – Ci mancava solo questa! Andiamo, facciamola finita». Mentre allatta il bambino, la madre è come pietrificata: non lo guarda in faccia, ripensa al litigio con il marito e diventa sempre più agitata via via che rimugina sull'accaduto. Il bambino, percependo la sua tensione, si dimena, si irrigidisce e smette di succhiare. «Tutta qui la tua gran fame?!» dice la madre. «E allora basta!» Con lo stesso fare brusco, lo rimette nella culla ed esce dalla stanza lasciandolo piangere finché quello, esausto, non si riaddormenta.

Le due scene sono presentate nel rapporto del National Center for Clinical Infant Programs come esempi di interazioni che, se ripetute all'infinito, istillano in un bambino sentimenti molto diversi riguardo a se stesso e alle sue relazioni più strette.[7] La bambina del primo esempio sta imparando che può confidare nel fatto che gli altri si accorgano delle sue esigenze, che può contare su di loro per essere aiutata e che sa ottenere l'aiuto che le serve; il secondo bambino, invece, sta scoprendo che a nessuno importa molto di lui, che non si può contare sugli altri, e che i suoi sforzi per ottenere conforto sono destinati a scontrarsi con il fallimento. Naturalmente, la maggior parte dei bambini ha almeno un assaggio di entrambi i tipi di interazione. Ma nella misura in cui una o l'altra è tipica del modo con cui i genitori trattano il proprio figlio nell'arco di anni, tutto questo finirà per impartire al bambino alcuni fondamentali insegnamenti su quanto egli debba sentirsi sicuro e capace nel mondo e su quanto possa fidarsi del prossimo. Secondo Erik Erikson, questo impatto con i genitori determina se un bambino arriverà a nutrire un sentimento di fondamentale «fiducia» o «sfiducia».

Questo apprendimento emozionale comincia nei primi istanti di vita, e continua per tutta l'infanzia. Tutti i piccoli scambi fra genitori e bambino hanno un fondo emozionale, e nella ripetizione di questi messaggi per anni, i bambini si formano un nucleo di prospettive e capacità emotive. Immaginiamo una bambina che trovi frustrante un puzzle e chieda alla madre, molto occupata, di darle una mano; il messaggio sarà ben diverso se la risposta è l'evidente piacere della madre alla richiesta della piccola, o se è un brusco: «Non mi seccare – devo fare un lavoro importante». Quando questi scambi fra genitore e bambino diventano la regola, finiscono per forgiare le aspettative del piccolo riguardanti le relazioni con gli altri e creano prospettive che daranno sapore, nel bene e nel male, alle sue prestazioni in tutti i campi della vita.

I rischi sono maggiori nel caso di quei bambini i cui genitori sono grossolanamente incapaci – individui immaturi, che fanno uso di droghe, depressi o cronicamente in collera – oppure semplicemente persone senza scopo che conducono vite caotiche. È assai improbabile che genitori di questo tipo prestino un'attenzione adeguata alle esigenze emozionali del proprio bambino – meno che mai, poi, ci si può aspettare che siano in sintonia con lui. È stato scoperto che la semplice trascuratezza può essere più dannosa dei maltrattamenti veri e propri.[8] In un'inchiesta sui bambini maltrattati è stato accertato che quelli trascurati se la passavano peggio di tutti: erano i più ansiosi e apatici, incapaci di prestare attenzione, a volte aggressivi e chiusi in se stessi. In questo gruppo di bambini, il 65 per cento dei soggetti ripeteva la prima elementare.

I primi tre o quattro anni di vita sono un periodo nel quale il cervello del bambino cresce per arrivare a circa due terzi delle dimensioni definitive, e si evolve in complessità a una velocità di gran lunga superiore a quella che caratterizzerà lo sviluppo successivo. Durante questo periodo, alcuni tipi fondamentali di apprendimento hanno luogo più facilmente che nella vita successiva – fra di essi, in primo piano è proprio l'apprendimento emozionale. In questa fase, uno stress grave può compromettere i centri dell'apprendimento cerebrale (e quindi può avere effetti dannosi sull'intelletto). Sebbene, come vedremo, le esperienze successive possano in parte rimediare a tali danni, l'impatto di questo apprendimento precoce è profondo. Come è stato detto, l'insegnamento emozionale fondamentale dei primi quattro anni di vita ha importantissime conseguenze durature:

> Un bambino che non è in grado di concentrare la propria attenzione, che invece di essere fiducioso è sospettoso, invece di essere ottimista è triste o collerico, invece di avere un atteggiamento rispettoso è distruttivo e sopraffatto dall'ansia, preoccupato da fantasie spaventose e generalmente infelice di se stesso – ecco, un bambino come questo ha in assoluto pochissime, certo non pari, opportunità di considerare alla propria portata le possibilità offerte dal mondo.[9]

Come allevare un prepotente

Studi longitudinali come quello effettuato su 870 bambini della parte settentrionale dello stato di New York, che vennero seguiti dall'età di otto anni fino a quella di trenta, possono insegnarci moltissimo sull'effetto a lungo termine di genitori inadeguati – soprattutto ai fini dell'aggressività.[10] I bambini più bellicosi – quelli più pronti allo scontro fisico e che solitamente ricorrono alla forza per fare a modo loro – erano quelli con le maggiori probabilità di abbandonare la scuola e, raggiunti i trent'anni, di avere un passato segnato dal crimine e dalla violenza. Sembrava inoltre che essi avessero la capacità di trasmettere alla discendenza la loro propensione alla violenza: i loro figli si distinguevano, alle elementari, per gli stessi comportamenti rissosi e attaccabrighe che, a suo tempo, avevano caratterizzato i genitori.

Il passaggio dell'aggressività da una generazione all'altra deve far riflettere. A parte eventuali propensioni ereditarie, i tipi rissosi, da adulti, si comportavano in modo da trasformare la famiglia in una vera e propria scuola di aggressività. Da bambini, i tipi rissosi avevano genitori che li punivano con severità spietata e arbitraria; una volta divenuti genitori, non facevano che attenersi a quel modello. Questo valeva indipendentemente dal fatto che il genitore altamente aggressivo fosse stato il padre o la madre. Le bambine aggressive crescevano e diventavano madri arbitrarie e duramente punitive, proprio come accadeva alle loro controparti maschili. E sebbene questi genitori punissero i loro figli con particolare severità, per altri versi si interessavano pochissimo alla loro vita, ignorandoli per gran parte della giornata. Allo stesso tempo, questi genitori offrivano ai propri figli un esempio di aggressività violenta, un modello che i bambini si portavano poi dietro a scuola e al campo giochi, e che non avrebbero mancato di seguire per tutta la vita. Questi genitori non erano necessariamente dei tipi spregevoli, né si può negare che desiderassero il meglio per i propri figli; piuttosto, sembravano semplicemente ricalcare lo stile di rapporto genitore/figlio del quale i loro stessi genitori erano stati un modello.

In questo clima di violenza, i bambini venivano puniti in modo arbitrario: se i genitori erano di cattivo umore, sarebbero stati puniti severamente; altrimenti l'avrebbero fatta franca. Pertanto la punizione non dipendeva dall'azione del bambino, ma dallo stato d'animo del genitore in quel particolare momento. Questa è una buona ricetta per scatenare sentimenti di inutilità e impotenza, insieme alla convinzione che le minacce siano in agguato ovunque e possano colpirci in qualunque momento. Visto alla luce della vita familiare che lo genera, l'atteggiamento combattivo e provocatorio di questi bambini nei confronti del mondo in senso lato ha una sua logica, sia pur infelice. Quel che è scoraggiante è constatare quanto presto queste lezioni deprimenti possano essere apprese e quanto spietato possa essere il loro costo per la vita emotiva del bambino.

Maltrattamento: l'estinzione dell'empatia

Nei giochi turbolenti dell'asilo nido, Martin, di soli due anni e mezzo, sfiora passando una bambina piccola che, inesplicabilmente, scoppia a piangere. Martin allunga la mano per prendere quella della bambina, ma quando quella, in lacrime, si ritrae, le dà un ceffone sul braccio.

Poiché il pianto continua, Martin distoglie lo sguardo e grida «Finiscila! *Finiscila!*», ripetendo l'ordine all'infinito, ogni volta più velocemente e a voce più alta.

Quando Martin fa un altro tentativo di accarezzare la bambina, quella resiste ancora. Stavolta Martin scopre i denti come un cane ringhioso, sibilando all'indirizzo della piccola, che continua a singhiozzare.

Martin ricomincia ad accarezzare la bambina che piange, ma i buffetti affettuosi sulla schiena di lei si tramutano ben presto in colpi più forti, ed egli va avanti a tempestare di pugni la povera piccola, a dispetto delle sue grida.

Questo scontro, così turbolento, testimonia come i maltrattamenti – in particolare l'essere ripetutamente percossi secondo il capriccio di un genitore – distorcano la naturale inclinazione all'empatia tipica del bambino.[11] La risposta bizzarra e quasi brutale di Martin al disagio della sua compagna di gioco è tipica dei bambini come lui, che sono stati essi stessi vittime di percosse e altri maltrattamenti fin dalla più tenera età. La risposta è in nettissimo contrasto con i tentativi di consolare i compagni, dettati dalla simpatia, che solitamente si osservano nei bambini piccoli e dei quali abbiamo parlato nel capitolo 7. È probabile che la risposta violenta di Martin rispecchi fedelmente gli insegnamenti che egli ha ricevuto in famiglia per quanto riguarda lacrime e angoscia: la prima risposta al pianto è un gesto di consolazione offerto in modo perentorio; se le lacrime non si fermano, però, si passa alle occhiatacce e alle grida, per arrivare infine ai ceffoni e alle vere e proprie percosse. Fatto forse più negativo, Martin sembra già mancare del tipo più primitivo di empatia, l'istinto di interrompere l'aggressione contro qualcuno che sta male. A due anni e mezzo egli mostra, in germe, gli impulsi morali di un bruto sadico e crudele.

Lo squallore morale mostrato da Martin in luogo dell'empatia è tipico di altri bambini come lui, che portano già, alla loro tenera età, le cicatrici di gravi maltrattamenti, fisici e psicologici, inferti loro in famiglia. Martin faceva parte di un gruppo di nove di questi bambini, di età compresa fra uno e tre anni, tenuti in osservazione per un periodo di due ore presso l'asilo nido. I bambini maltrattati venivano confrontati con altri nove piccini che frequentavano il nido e che, provenendo anch'essi da ambienti familiari meschini e caratterizzati da alta tensione, non venivano però maltrattati fisicamente. Il modo in cui i bambini appartenenti ai due gruppi reagivano quando un loro compagno si faceva male o era turbato era completamente diverso. Nel corso di ventitré di tali episodi, cinque bambini su nove, nel gruppo di quelli non maltrattati, risposero alla sofferenza di un compagno mostrando preoccupazione, tristezza o empatia. Ma nei ventisette casi in cui i bambini maltrattati avrebbero potuto fare altrettanto, nessuno di loro mostrò la minima preoccupazione; piuttosto, essi reagirono al pianto del loro coetaneo con espressioni di paura, con la collera o, come Martin, con l'attacco fisico.

Una bambina maltrattata, ad esempio, assunse un'espressione feroce di minaccia verso un'altra che era scoppiata a piangere. Thomas, un bambino di un anno, che faceva parte anche lui del gruppo dei piccoli maltrattati, restò paralizzato dal terrore quando sentì un bambino che piangeva nella stanza; sedette completamente immobile, la paura dipinta sul volto, la schiena rigida e dritta, sempre più teso via via che il pianto continuava – come se stesse affrontando lui stesso un attacco. Kate, di ventotto mesi, anch'essa maltrattata, era quasi sadica: cercando di attaccar briga con Joey, un bambino più piccolo, lo fece inciampare col piede e mentre quello era sul pavimento lungo disteso, lo guardò teneramente e cominciò a carezzarlo con dolcezza sulla schiena – ma le carezze si fecero via via più intense fino a diventar percosse sempre più violente, nella più completa indifferenza per la sofferenza di Joey. Kate continuò a farlo cadere per poi chinarsi su di lui a picchiarlo altre sei o sette volte, finché il bimbetto non decise di andarsene via carponi.

Questi bambini maltrattati, naturalmente, trattano gli altri come sono stati trattati essi stessi. La loro durezza è semplicemente una versione più estrema di quella osservata nei bambini con genitori troppo critici, minacciosi e severi nelle loro punizioni. Essi hanno anche la tendenza a non preoccuparsi quando i loro compagni di gioco si fanno male o piangono; sembrano rappresentare l'estremo di un continuum di freddezza che ha il suo picco nella brutalità dei bambini maltrattati. Nella vita, questi soggetti hanno, come gruppo, una maggiore probabilità di avere difficoltà cognitive nell'apprendimento, di essere aggressivi e di non incontrare le simpatie dei loro coetanei (il che non dovrebbe meravigliare, se la durezza che mostrano ai tempi dell'asilo è un segno premonitore del loro carattere futuro); questi soggetti sono anche più vulnerabili alla depressione, e, da adulti, hanno maggiori probabilità di avere problemi con la legge e di commettere crimini violenti.[12]

A volte, per non dire spesso, questa mancanza di empatia si ripresenta da una generazione all'altra, in una catena nella quale genitori brutali sono stati essi stessi, da bambini, brutalizzati dai propri genitori.[13] Questa situazione è in netto contrasto con l'empatia solitamente mostrata dai bambini di genitori che educano i propri figli incoraggiandoli a mostrare preoccupazione per il prossimo e a comprendere come la loro meschinità possa far star male gli altri. Non avendo ricevuto tali insegnamenti sull'empatia, i bambini maltrattati sembrano non apprenderla affatto.

Il dato forse più negativo riguardo ai bambini maltrattati è la grande precocità con cui imparano a comportarsi come vere e proprie copie in miniatura dei genitori violenti. Data la loro dieta quotidiana a base di percosse, gli insegnamenti emozionali che possono trarne sono fin troppo chiari. Il lettore ricorderà che è proprio nei momenti in cui le passioni sono più intense o quando una crisi incombe su di noi, che le inclinazioni primitive dei centri del sistema limbico assumono un ruolo preponderante. In quei momenti, le inclinazioni che il cervello emozionale ha ripetutamente appreso diventeranno, nel bene o nel male, dominanti.

L'osservazione di come lo stesso cervello venga plasmato dalla brutalità – o dall'amore – indica che l'infanzia rappresenta un'occasione importante da cogliere per impartire ai bambini gli insegnamenti emozionali. I bambini maltrattati sono stati nutriti fin dalla più tenera età, e con grande costanza, con una dieta a base di traumi. Forse il modello più istruttivo per comprendere l'insegnamento emozionale impartito a questi piccini sta nel constatare come il trauma possa lasciare un segno duraturo sul cervello – e come anche queste cicatrici possano essere curate.

13

EMOZIONI E SUPERAMENTO DEI TRAUMI

Quando i suoi figli – rispettivamente di sei, nove e undici anni le chiesero di comprar loro un AK-47 giocattolo, Som Chit, una rifugiata cambogiana, rifiutò di accontentarli. Le armi giocattolo servivano per fare un gioco chiamato «Purdy» con gli altri bambini della scuola. In questo gioco, Purdy, il cattivo, usa un fucile mitragliatore per massacrare un gruppo di bambini, poi lo rivolge contro se stesso. A volte, però, i bambini modificano il finale: sono loro a uccidere Purdy.

«Purdy» era la macabra messa in scena, effettuata da alcuni dei sopravvissuti, dei catastrofici eventi che ebbero luogo il 17 febbraio 1989, alla Cleveland Elementary School di Stockton, in California. Nella tarda mattinata, durante la ricreazione dei bambini delle prime, seconde e terze classi, Patrick Purdy – che circa vent'anni prima aveva frequentato la stessa scuola – si appostò al margine del campo giochi e, una raffica dopo l'altra, fece fuoco sparando proiettili da 7.22 mm sulle centinaia di bambini intenti al gioco. Per sette minuti Purdy seminò proiettili sul campo giochi, poi si puntò una pistola alla testa e sparò. Quando arrivò la polizia, a terra c'erano cinque bambini morenti e ventinove feriti.

Nei mesi successivi, «Purdy» fece spontaneamente la sua comparsa nei giochi degli alunni, maschi e femmine, della Cleveland Elementary: un segno – uno dei molti – che quei sette minuti, e le loro conseguenze, erano rimasti impressi nella loro memoria come un marchio a fuoco. Quando visitai la scuola, non molto distante dalla zona dove ero cresciuto io stesso, nei dintorni della University of the Pacific, erano passati cinque mesi da quando Purdy aveva trasformato quella ricreazione in un incubo. La sua presenza era ancora palpabile, anche se le tracce più orrende della sparatoria – fori di proiettili a sciami, pozze di sangue, brandelli di carne, pelle e capelli – erano già stati fatti sparire la mattina stessa del fatto, e tutto era stato lavato e riverniciato.

Ma le ferite più profonde, alla Cleveland Elementary, non erano certo quelle inferte all'edificio, bensì quelle aperte nella psiche dei bambini e dei dipendenti dell'istituto – che stavano tutti cercando di riprendere la loro vita normale.[1] Ciò che colpiva di più, forse, era il modo in cui qualsiasi dettaglio avesse anche la minima somiglianza con un particolare di quel giorno, riuscisse a ravvivare il ricordo di quei pochi istanti. Ad esempio, un'insegnante mi raccontò di come un'onda di terrore pervase la scolaresca all'annuncio che il giorno di St.Patrick era imminente; alcuni bambini si erano fatta in qualche modo l'idea che la giornata fosse in onore del killer – Patrick Purdy, appunto.

«Ogni volta che sentiamo un'ambulanza correre a sirene spiegate diretta alla casa di riposo in fondo alla strada, tutto si blocca» mi spiegò un'altra insegnante. «I bambini tendono l'orecchio per capire se si fermerà qui da noi, o proseguirà.» Per diverse settimane molti bambini erano terrorizzati dagli specchi dei bagni; nella scuola correva la voce che vi si annidasse in agguato la «Bloody Virgin Mary», una sorta di mostro fantastico. A distanza di settimane dalla sparatoria, una bambina si precipitò di corsa, come impazzita, dalla direttrice della scuola, Pat Busher, gridando: «Sento degli spari! Sento degli spari!». Il suono era quello di una catena che dondolava e sbatteva contro un palo.

Molti bambini divennero ipervigilanti, come se stessero continuamente in guardia, aspettandosi una replica della tragedia; alcuni alunni, durante la ricreazione, gironzolavano nei pressi della porta della classe, senza osare avventurarsi all'aria aperta, nel campo giochi dove aveva avuto luogo il massacro. Altri giocavano solo in piccoli gruppi, assegnando a qualcuno il ruolo di sentinella. Per mesi, molti bambini continuarono a evitare le aree «maledette» dove erano morti i loro compagni.

I ricordi sopravvissero anche nella forma di sogni importuni, che si insinuavano nella mente dei bambini quando, dormendo, abbassavano la guardia. Oltre ad avere incubi che in qualche modo ripetevano la scena della sparatoria, i bambini erano travolti da sogni angosciosi dai quali emergevano con il terrore che la loro morte fosse imminente. Alcuni bambini cercarono di dormire con gli occhi aperti per sfuggire ai sogni.

Tutte queste reazioni sono ben note agli psichiatri, in quanto rappresentano i sintomi fondamentali del disturbo da stress posttraumatico, o Ptsd. Al centro del problema, spiega Spencer Eth, uno psichiatria specializzato nella cura di bambini con Ptsd, è il «ricordo, invadente e molesto, dell'azione violenta: il colpo finale, sferrato con un pugno; un coltello che affonda; il bagliore di un'arma da fuoco. I ricordi sono esperienze percettive intense – la vista, il suono e l'odore pungente dello sparo; le urla o l'improvviso silenzio della vittima; gli spruzzi di sangue; le sirene della polizia».

Oggi i neuroscienziati affermano che questi momenti così intensi e terrificanti diventano ricordi incastonati nei circuiti del cervello emozionale. I sintomi del Ptsd, in effetti, tradiscono un'iperattività dell'amigdala che incalza questi intensi ricordi del trauma costringendoli a varcare la soglia della consapevolezza. In quanto tale, il ricordo del trauma diventa un sensibilissimo meccanismo scatenante – una sorta di grilletto neurale – pronto a far scattare un allarme al minimo indizio dell'imminente ripresentarsi dell'evento tanto paventato. Questo fenomeno è caratteristico di tutti i traumi emotivi, compresi quelli derivanti dai ripetuti maltrattamenti fisici durante l'infanzia.

Ogni evento traumatizzante può imprimere nell'amigdala questi ricordi innescanti: può trattarsi di un incendio o di un incidente automobilistico, di una catastrofe naturale come un terremoto o un uragano, di una violenza o un'aggressione. Ogni anno, centinaia di migliaia di persone si trovano a dover sopportare tali disastri, e molte di esse, forse la maggior parte, ne escono con ferite psicologiche che lasciano il segno sul loro cervello.

Gli atti violenti sono più pericolosi di catastrofi naturali come un uragano, perché, a differenza delle vittime di un disastro naturale, quelle della violenza umana sentono di essere state prescelte come bersaglio di un intenzionale atto malvagio. Questa sensazione manda in frantumi tutti gli assunti sulla fidatezza delle persone e sulla sicurezza delle relazioni interpersonali, assunti che le catastrofi naturali lasciano invece intatti. Nel giro di un istante, il mondo, inteso come luogo sociale, diventa pericoloso, popolato com'è di persone che rappresentano potenziali minacce alla sicurezza.

La memoria delle vittime della crudeltà umana resta in qualche modo segnata ed esse considerano con paura qualunque elemento ricordi loro anche solo vagamente l'assalto subito. Un tale che era stato colpito alla nuca, e non aveva mai visto in faccia il suo aggressore, era talmente spaventato che cercava di camminare sempre davanti a un'anziana signora, in modo da sentirsi sicuro di non essere colpito di nuovo.[2] Una donna, precedentemente aggredita da un uomo che, salito con lei su un ascensore, l'aveva costretta a scendere a un piano disabitato dell'edificio, per settimane continuò a sprofondare nel terrore non solo quando doveva salire su un ascensore, ma anche se si recava in metropolitana o in qualunque altro spazio chiuso dove avrebbe potuto sentirsi in trappola; un giorno, in banca, vide un uomo infilarsi la mano nella giacca come aveva fatto il suo aggressore, e scappò via.

Uno studio condotto sui sopravvissuti all'Olocausto ha messo in evidenza che i segni lasciati nella memoria dall'orrore, e l'ipervigilanza che ne deriva, possono durare una vita intera. A distanza di quasi cinquant'anni dai tempi in cui avevano patito la fame e assistito al macello dei loro cari vivendo nel costante terrore dei campi di concentramento nazisti, i ricordi tormentosi di questi sopravvissuti erano ancora ben vivi nella loro memoria. Un terzo di essi disse di sentirsi in genere pauroso. Quasi tre quarti raccontarono di cadere ancora preda dell'ansia in presenza di qualcosa che ricordasse loro le persecuzioni naziste, ad esempio alla vista di un'uniforme, al suono di un colpo battuto alla porta, all'abbaiare dei cani o alla vista del fumo che si leva da un camino. Circa il 60 per cento di questi soggetti disse di pensare all'Olocausto quasi tutti i giorni, anche a distanza di mezzo secolo; fra coloro che mostravano sintomi attivi, circa otto su dieci soffrivano ancora di ripetuti incubi notturni. Come disse un sopravvissuto: «Se sei stato ad Auschwitz e non hai incubi, allora non sei normale».

L'orrore cristallizzato nella memoria

Ecco le parole di un veterano del Vietnam, oggi quarantottenne, circa ventiquattro anni dopo aver vissuto un momento spaventoso in una terra lontana:

> Non riesco a levarmi questi ricordi dalla mente! Le immagini tornano come un'onda, vivide, richiamate dalle cose più irrilevanti, come lo sbattere di una porta, la vista di una donna dai tratti orientali, la sensazione che si prova a toccare una stuoia di bambù, o il profumo del maiale fritto. Ieri notte sono andato a letto, e tanto per cambiare mi stavo facendo una bella dormita. Poi, nelle prime ore del mattino, passò da queste parti il fronte di una burrasca e fu tutto un fragore di tuoni. Mi svegliai immediatamente, raggelato dalla paura. Ecco, sono di nuovo in Vietnam, nel bel mezzo della stagione dei monsoni, al mio posto di guardia. Sono sicuro che alla prossima scarica mi colpiranno e sono convinto che morirò. Ho le mani gelate, e tutto il corpo fradicio di sudore. Sento drizzarmisi ogni pelo sul collo. Non riesco a prendere fiato, e il cuore mi batte forte. Sento il mio odore – un tanfo di zolfo bagnato. All'improvviso vedo quel che resta del mio amico Troy... su un piatto di bambù, rispeditoci al campo dai Vietcong... Il bagliore del lampo e il fragore del tuono successivo mi fanno sobbalzare al punto che cado dal letto.[3]

Questo ricordo orribile, intenso e particolareggiato nonostante risalga a più di vent'anni prima, ha ancora il potere di scatenare nell'ex soldato la stessa paura provata quel giorno fatidico. Il Ptsd comporta un pericoloso abbassamento della soglia neurale che fa scattare l'allarme; l'individuo reagisce quindi ai normali eventi della vita come se si trattasse di emergenze. Il circuito responsabile del «sequestro» neurale, discusso nel capitolo 2, sembra avere un ruolo fondamentale nell'imprimere questo marchio a fuoco nella memoria; quanto più gli eventi che scatenano il «sequestro» da parte dell'amigdala sono orrendi, brutali e scioccanti, tanto più indelebile è il loro ricordo. La base neurale di questi ricordi sembra risiedere in un'estesa alterazione nella chimica del cervello, messa in moto da un'unica esperienza di insostenibile terrore.[4] Sebbene il Ptsd insorga solitamente a causa dell'impatto di un singolo episodio, risultati simili possono aversi anche in seguito a crudeltà inflitte nell'arco di anni, come avviene nel caso dei bambini maltrattati o violentati dal punto di vista fisico, sessuale o psicologico.

Lo studio più dettagliato su queste modificazioni a livello cerebrale è quello in corso presso il National Center for Post-Traumatic Stress Disorder, che coordina una serie di centri di ricerca con sede presso gli ospedali della Veterans' Administration; in questi luoghi sono ospitati molti veterani del Vietnam e di altre guerre sofferenti di Ptsd. È proprio a studi su veterani come questi che dobbiamo gran parte delle nostre conoscenze sul disturbo da stress posttraumatico. Le conoscenze così acquisite, tuttavia, si applicano anche ai bambini vittime di gravi traumi psicologici, ad esempio quelli della Cleveland Elementary.

«Le vittime di traumi devastanti non saranno mai più le stesse dal punto di vista biologico» mi disse Dennis Charney.[5] Psichiatra di Yale, Charney è primario di neuroscienze cliniche al National Center. «Non importa se il trauma sia stato il terrore incessante del combattimento, della tortura, o i ripetuti maltrattamenti patiti durante l'infanzia, o ancora l'esperienza di un singolo evento, come l'essere intrappolati da un uragano o scampare alla morte per miracolo in un incidente d'auto. Tutti gli stress incontrollabili hanno lo stesso impatto biologico.»

La parola chiave, qui, è proprio *incontrollabile*. Se in una situazione catastrofica un individuo pensa di poter far qualcosa, di poter esercitare un certo controllo, non importa se limitato, sta psicologicamente meglio di chi si sente del tutto impotente. È l'impotenza che ci fa sentire *soggettivamente* sopraffatti da un particolare evento. Come mi disse John Krystal, direttore del Laboratory of Clinical Psychopharmacology del National Center, «immaginiamo che una persona aggredita con un coltello sappia come difendersi e reagisca, mentre un'altra, nella stessa difficile situazione, pensi "sono spacciato". L'individuo che si sente impotente è quello più vulnerabile al Ptsd. Il cervello comincia ad alterarsi proprio nel momento in cui hai la sensazione che la tua vita sia in pericolo e sai *che non puoi far nulla per salvarti*».

Il fatto che la sensazione di essere impotenti sia una sorta di jolly che scatena il Ptsd è stato dimostrato nel corso di decine di studi effettuati su coppie di ratti; gli animali venivano alloggiati ciascuno in una gabbia diversa, dove ognuno di essi subiva un'identica scarica elettrica: una stimolazione leggera, ma molto stressante per l'animale. In ogni coppia, solo uno dei due ratti aveva, nella gabbia, una leva; spingendola, l'animale poteva bloccare la somministrazione dello shock a se stesso e al partner. Con il passare dei giorni e delle settimane, entrambi i ratti ricevevano esattamente lo stesso numero di scariche elettriche. Ma il ratto che aveva la possibilità di evitare lo shock usciva dall'esperimento senza mostrare segni permanenti di stress, che comparivano solo nell'animale messo in condizioni di impotenza.[6] Per un bambino fatto bersaglio di una sparatoria durante l'ora di ricreazione, la vista dei compagni sanguinanti e morenti – o nel caso di un insegnante, l'impossibilità di metter fine al massacro – questa sensazione di impotenza deve essere stata palpabile.

Il Ptsd come disturbo del sistema limbico

Erano passati quattro mesi da quando un violento terremoto l'aveva scaraventata giù dal letto urlante di paura a cercare il suo bambino di quattro anni nella casa immersa nel buio. Stettero per ore nel freddo della notte di Los Angeles, stipati insieme ad altra gente al riparo di un portone, inchiodati lì senza cibo, acqua o luce mentre le scosse di assestamento, una dopo l'altra, scuotevano la terra sotto i loro piedi. Ora, mesi dopo, la donna si era in gran parte ripresa dalla tendenza agli attacchi di panico che l'avevano tenuta in scacco i primi giorni dopo la catastrofe, quando bastava lo sbattere di una porta per farla rabbrividire di paura. Il solo sintomo restio a scomparire era l'insonnia, un problema che la tormentava solo nelle notti in cui il marito era fuori casa – proprio come la notte del terremoto.

I principali sintomi di questa paura appresa – compresi quelli più intensi, ossia il Ptsd – si spiegano considerando le alterazioni che hanno luogo nei circuiti del sistema limbico concentrati in modo particolare nell'amigdala.[7] Alcune delle alterazioni più importanti hanno luogo nel locus ceruleus, una struttura che regola la secrezione cerebrale delle *catecolamine*, ossia dell'adrenalina e della noradrenalina. Questi due neurotrasmettitori mobilitano l'organismo preparandolo all'emergenza; queste stesse sostanze fanno sì che i ricordi si imprimano nella memoria con particolare intensità. Nei pazienti con Ptsd questo sistema diventa iperreattivo, secernendo dosi eccezionalmente elevate di catecolamine in risposta a situazioni che in realtà comportano minacce insignificanti – o addirittura inesistenti – ma che in qualche modo ricordano il trauma originale; questo era proprio ciò che accadeva quando i bambini della Cleveland Elementary School cadevano in preda al panico al suono della sirena di un'ambulanza simile a quelle che avevano udito subito dopo la sparatoria.

Il locus ceruleus e l'amigdala sono in stretto collegamento fra loro e con altre strutture del sistema limbico, come l'ippocampo e l'ipotalamo; i circuiti catecolaminergici si estendono poi nella corteccia. Si ritiene che alla base dei sintomi del Ptsd – che comprendono ansia, paura, ipervigilanza, inclinazione al turbamento e a uno stato di attivazione, prontezza al combattimento o alla fuga e l'indelebile memoria di intensi ricordi carichi di emotività – ci siano alcune alterazioni di questi circuiti.[8] In uno studio è stato scoperto che i veterani del Vietnam affetti da Ptsd avevano una quantità di recettori bloccanti le catecolamine (alfa-2) inferiore del 40 per cento rispetto a uomini che non presentavano i sintomi del Ptsd; ciò indicava che il cervello dei soggetti con Ptsd era andato incontro ad alterazioni permanenti caratterizzate da uno scarso controllo sulla secrezione di catecolamine.[9]

Altre modificazioni hanno luogo nel circuito che collega il sistema limbico alla ghiandola pituitaria, una struttura che regola la liberazione del Crf, ossia del principale ormone dello stress secreto dall'organismo per innescare la risposta di combattimento o fuga. Le alterazioni della pituitaria portano a un'ipersecrezione di questo ormone – soprattutto nell'amigdala, nell'ippocampo e nel locus ceruleus – che mette l'organismo in uno stato di allerta scatenato da un'emergenza che in realtà non esiste.[10]

Come mi disse Charles Nemeroff, uno psichiatra della Duke University, «troppo Crf ti rende iperreattivo. Ad esempio, se sei un veterano del Vietnam con Ptsd e nel parcheggio di un centro commerciale vedi un'auto andare a fuoco, è l'innesco della secrezione del Crf che ti inonda con gli stessi sentimenti che provasti al momento del trauma originale: cominci a sudare, sei terrorizzato, tremi e rabbrividisci, forse hai dei flashback. Le persone con ipersecrezione di Crf hanno un'eccessiva tendenza a trasalire. Ad esempio, se ti nascondi dietro a qualcuno e all'improvviso batti le mani, la prima volta vedrai sussultare l'altro per la sorpresa; questo non accadrà più, però, alla terza o alla quarta ripetizione. Ma le persone con livelli troppo alti di Crf non si abituano: rispondono al quarto stimolo esattamente come hanno reagito al primo».[11]

Una terza serie di alterazioni avviene a livello del sistema degli oppiacei, ossia nelle strutture che secernono le endorfine per attutire la sensazione del dolore: anch'esso diventa iperreattivo. L'amigdala partecipa anche a questo circuito neurale, stavolta insieme a una regione della corteccia cerebrale. Gli oppiacei sono sostanze chimiche che generano torpore, proprio come l'oppio e gli altri narcotici chimicamente affini. Quando l'individuo ha un elevato livello di oppiacei («la morfina del cervello») presenta un'aumentata tolleranza al dolore, un effetto riscontrato dai chirurghi che operavano sui campi di battaglia, che notarono come i soldati con ferite gravissime avessero bisogno di dosi di anestetici inferiori rispetto a quelle necessarie per i civili con ferite molto meno gravi.

Qualcosa di simile sembra accadere nei pazienti con Ptsd.[12] Le alterazioni dei livelli di endorfine aggiungono una nuova dimensione al cocktail neurale scatenato dalla riesposizione al trauma, e cioè l'*ottundimento* di certi sentimenti. Questo sembra spiegare una serie di sintomi psicologici «negativi» da lungo tempo osservati nel Ptsd: l'anedonia (ossia l'incapacità di provare piacere), un generale torpore emozionale, la sensazione di essere tagliati fuori dalla vita e di non provare interesse per i sentimenti degli altri. Chi sta vicino a questi pazienti può sperimentare la loro indifferenza come una mancanza di empatia. Un altro effetto possibile può essere la dissociazione, compresa l'incapacità di ricordare fasi cruciali dell'evento traumatico, della durata di minuti, ore o perfino giorni.

Le alterazioni neurali che hanno luogo nel Ptsd sembrano anche rendere l'individuo più suscettibile a ulteriori traumi. Numerosi studi effettuati sull'animale hanno messo in evidenza che quando essi venivano esposti a stress anche *leggeri* da giovani, diventavano molto più vulnerabili, rispetto agli animali di controllo, alle alterazioni cerebrali indotte dai traumi (il che indica la necessità urgente di curare i bambini affetti da Ptsd). Questo sembra spiegare anche come mai una persona sviluppi il Ptsd e un'altra no, pur essendo entrambe esposte alla stessa catastrofe: l'amigdala, infatti, è programmata per individuare il pericolo, e quando gli eventi della vita la mettono nuovamente di fronte a un rischio reale, il suo allarme suona più forte.

Tutte queste alterazioni neurali offrono vantaggi a breve termine per affrontare le emergenze atroci e spietate che ne sono la causa. Nelle situazioni difficili, essere altamente vigilanti, attivati, disposti a tutto, resistenti al dolore, con il corpo pronto a sforzi fisici prolungati e – per il momento – indifferente a quelli che in altre circostanze potrebbero rappresentare eventi notevolmente spiacevoli, ha un evidente valore adattativo. Questi vantaggi immediati, però, sul lungo termine possono diventare veri e propri problemi se il cervello si altera al punto da fare di essi delle predisposizioni – come una macchina con il cambio perennemente bloccato in quarta. Quando, nel corso di un evento intensamente traumatico, l'amigdala e le regioni del cervello ad essa connesse vengono per così dire ritarate, questa alterazione dell'eccitabilità – questo potenziamento della tendenza a scatenare «sequestri» neurali – comporta che tutta la vita sia sempre sull'orlo dell'emergenza, e che anche un evento neutrale possa scatenare un'esplosione di terrore.

Ri-apprendere reazioni emotive normali

Questi ricordi traumatici sembrano restare radicati nella funzione cerebrale, in quanto interferiscono con il successivo apprendimento – anzi, più precisamente, con il ri-apprendimento di una risposta più normale agli eventi traumatizzanti. Quando la paura è acquisita, come accade nel Ptsd, i meccanismi dell'apprendimento e della memoria si sono inceppati; anche in questo caso, è l'amigdala, fra tutte le regioni cerebrali coinvolte, ad avere un ruolo fondamentale. Per vincere la paura acquisita, però, è fondamentale la neocorteccia.

Condizionamento della paura: questa è l'espressione che gli psicologi usano per indicare il processo grazie al quale una cosa assolutamente innocua finisce per essere temuta in quanto viene associata, nella mente del soggetto, a qualcosa di spaventoso. Quando queste paure vengono indotte negli animali di laboratorio, osserva Charney, possono durare per anni.[13] Nel cervello, la struttura chiave che apprende, memorizza e mette in atto queste risposte di paura è il circuito che connette il talamo, l'amigdala e il lobo prefrontale – quello stesso circuito responsabile dei «sequestri» neurali.

Di solito, quando si impara a temere qualcosa attraverso il condizionamento, la paura con il tempo svanisce. Questo fenomeno sembra dovuto a un ri-apprendimento naturale, che ha luogo quando il soggetto si ri-imbatte nell'oggetto temuto, in assenza di alcunché di veramente spaventoso. Ad esempio, una bambina che abbia acquisito la paura dei cani perché inseguita da un pastore tedesco ringhiante, a poco a poco e spontaneamente si libererà di quella paura se, ad esempio, il suo vicino di casa possiede un cane affettuoso e la bimba passa il suo tempo a giocare con lui.

Nel Ptsd questo ri-apprendimento spontaneo non ha luogo. Charney ipotizza che ciò sia dovuto al fatto che le alterazioni cerebrali tipiche del Ptsd sono talmente forti che l'amigdala può scatenare un «sequestro» ogni qualvolta si presenti qualcosa di anche solo vagamente simile al trauma originale, rafforzando così la via neurale della paura. Questo significa che l'oggetto della paura non viene mai associato a un sentimento di calma – l'amigdala non ri-apprende più una reazione smorzata. «L'estinzione» della paura, osserva Charney, «sembra implicare un processo di apprendimento attivo» che negli individui con Ptsd è compromesso, il che «porta così all'anormale persistenza dei ricordi carichi di valenze emotive».[14]

Ma se si offrono all'individuo le esperienze giuste, anche il Ptsd può allentare la sua morsa; con il tempo, gli intensi ricordi emozionali, e i pensieri e le reazioni che essi scatenano, *possono* modificarsi. Questo ri-apprendimento, ipotizza Charney, è di natura corticale. La paura originale, che ha messo profonde radici nell'amigdala, non sparisce mai del tutto; piuttosto, la corteccia prefrontale sopprime attivamente i segnali che l'amigdala invia al resto del cervello per innescare la risposta di paura.

«Il vero problema è: quanto ci vuole per liberarsi della paura appresa?» si chiede Richard Davidson, lo psicologo della Wisconsin University che scoprì il ruolo della corteccia prefrontale sinistra come ammortizzatore della sofferenza. In un esperimento di laboratorio, i soggetti apprendevano un'avversione nei confronti di un forte rumore; questa reazione serviva da modello della paura appresa e come parallelo in chiave minore del Ptsd; Davidson scoprì che gli individui con una maggiore attività a livello della corteccia prefrontale sinistra superavano più velocemente questa paura acquisita, il che suggeriva ancora una volta che la corteccia avesse una funzione nel liberare l'individuo dalla sofferenza appresa.[15]

Rieducare i circuiti delle emozioni

Una delle scoperte più incoraggianti sul Ptsd è emersa da uno studio compiuto sui sopravvissuti all'Olocausto, in circa tre quarti dei quali, a distanza di mezzo secolo, vennero riscontrati sintomi attivi di Ptsd. La scoperta positiva fu che un quarto dei sopravvissuti, un tempo tormentati da tali sintomi, ora non ne avevano più; in qualche modo, gli eventi naturali della vita avevano antagonizzato il problema. Gli individui che ancora presentavano i sintomi mostravano le tipiche alterazioni del sistema catecolaminergico che si riscontrano nel Ptsd – ma quelli che si erano ripresi non presentavano modificazioni di sorta.[16] Questa scoperta, e altre come questa, lasciano intendere che le alterazioni cerebrali caratteristiche del Ptsd non siano irreversibili e che gli individui possano riprendersi anche dal più tremendo *imprinting* emotivo – in breve, indicano la possibilità di rieducare i circuiti neurali che elaborano le emozioni. Il dato confortante, dunque, è che anche traumi profondi come quelli che causano il Ptsd possono guarire e che la via che porta a tale guarigione passa attraverso il riapprendimento.

Almeno nei bambini, una delle vie che portano a questo risanamento psicologico spontaneo passa proprio attraverso giochi come «Purdy» che, ripetuti molte volte, consentono di rivivere il trauma in modo sicuro – come un gioco, appunto. Questo apre due vie alla guarigione: da un lato, il ricordo si ripete in un contesto caratterizzato da un basso livello di ansia, tale da portare a una desensibilizzazione e da permettere l'associazione con risposte non traumatizzate. Un'altra via per la guarigione è quella che consente ai bambini, almeno nella loro mente, come per magia, di dare alla tragedia un altro finale, migliore: a volte, giocando a «Purdy», i bambini lo uccidono, il che aumenta il loro senso di padronanza su quel traumatico momento di impotenza.

Giochi come «Purdy» sono prevedibili nei bambini più piccoli che abbiano sperimentato atti di violenza così tremendi. Nei bambini traumatizzati, questi giochi macabri vennero notati per la prima volta da Lenore Terr, una psichiatra infantile di San Francisco.[17] Ella li osservò nei bambini di Chowchilla (California) – cittadina della Central Valley a poco più di un'ora da Stockton, teatro dello scempio di Purdy – che nel 1973 furono rapiti su un autobus che li riportava a casa da una giornata passata al campeggio estivo. I rapitori nascosero l'autobus seppellendolo con i bambini e tutto il resto, in quello che fu un tormento durato ventisette ore.

Cinque anni dopo, Terr scoprì che le vittime, nei loro giochi, mettevano ancora in scena il rapimento. Le bambine, ad esempio, facevano giochi in cui le loro Barbie erano vittime di rapimenti simbolici. Una bambina era rimasta particolarmente nauseata dalla sensazione, sulla propria pelle, dell'urina dei suoi compagni di sventura, terrorizzati e ammassati insieme a lei durante il rapimento; in seguito, continuava a lavare e rilavare la sua Barbie. Un'altra piccola giocava a «Traveling Barbie»; in questo gioco Barbie va da qualche parte – non importa dove – e ritorna sana e salva, il che è ciò che veramente conta. Il gioco preferito di un'altra bambina si svolgeva in uno scenario in cui la bambola restava bloccata in una buca e soffocava.

Mentre gli adulti che hanno attraversato traumi tremendi possono andare incontro a un intorpidimento psichico, nel quale escludono ricordi o sentimenti relativi alla catastrofe, la psiche dei bambini spesso gestisce il trauma in modo diverso. Poiché si servono della fantasia, del gioco e dei sogni a occhi aperti per richiamare e ripercorrere mentalmente i propri tormenti, secondo Terr i bambini diventano insensibili al trauma meno spesso degli adulti. Questo rimettere volontariamente in scena il trauma sembra bloccare la necessità di arginarlo sotto forma di ricordi vividissimi che più tardi possono esplodere come flashback. Se il trauma è di entità minore, come quello di andare dal dentista per farsi otturare una carie, potrà bastare rimetterlo in scena una o due volte. Ma se si tratta di un trauma spaventoso, il bambino dovrà ripeterlo infinite volte, seguendo un rituale tetro e monotono.

Un modo per arrivare alla scena rimasta congelata nell'amigdala è attraverso l'arte, che di per se stessa è un mezzo dell'inconscio. Il cervello emozionale è in sintonia con i significati simbolici e con la modalità che Freud chiamava il «processo primario» – in altre parole, con i messaggi della metafora, della storia, del mito, dell'arte. Spesso, per trattare i bambini traumatizzati, si ricorre a questa via. A volte l'arte può consentire ai bambini di parlare di un momento di orrore al quale non oserebbero accennare altrimenti.

Spencer Eth, lo psichiatra infantile di Los Angeles che è specializzato nel trattare questi casi, racconta di un bambino di cinque anni che era stato rapito insieme alla madre dall'ex amante di lei. L'uomo li portò nella stanza di un motel, dove ordinò al bambino di nascondersi sotto una coperta mentre egli batteva a morte la madre. Comprensibilmente, il piccolo era riluttante a parlare con Eth del massacro che aveva visto e udito da sotto la coperta. Perciò Eth gli chiese di fare un disegno – un disegno qualunque.

Il disegno rappresentava un pilota di un'auto da corsa con un paio di occhi enormi. Eth ritiene che essi facessero riferimento all'audacia del bambino mentre sbirciava il killer da sotto la coperta. Nella produzione artistica dei bambini traumatizzati non mancano quasi mai questi riferimenti nascosti alla scena traumatica; quando ha a che fare con bambini come questi, la prima mossa di Eth sta proprio nell'esortarli a fare un disegno. I ricordi prepotenti che assillano il bambino si insinuano nella sua produzione artistica proprio come nei suoi pensieri. Al di là di questo, l'atto stesso del disegnare è terapeutico, in quanto dà inizio al processo nel corso del quale il bambino arriva a dominare il trauma.

Ri-apprendimento e guarigione

Irene si era recata a un appuntamento che era finito in un tentativo di violenza carnale. Sebbene ella si fosse liberata dell'aggressore difendendosi, quello continuava a tormentarla: la molestava con telefonate oscene, la minacciava di violenza, la chiamava nel mezzo della notte, la pedinava e osservava ogni sua mossa. Una volta, quando cercò di farsi aiutare dalla polizia, questa donna sentì liquidare il suo problema come una cosa banale, dal momento che «in realtà non era accaduto nulla». Quando iniziò la terapia, Irene aveva ormai i sintomi del Ptsd, aveva rinunciato completamente alla vita sociale e si sentiva prigioniera in casa sua.

Il caso di Irene viene citato da Judith Lewis Herman, una psichiatra di Harvard la cui ricerca pionieristica ha indicato i passaggi principali nella guarigione da un trauma. Herman riconosce tre stadi: la conquista di un senso di sicurezza, il ricordo dei dettagli del trauma e il dolore per la perdita che esso ha comportato, e infine il ripristino di una vita normale. Nella sequenza di questi stadi, come vedremo, c'è una logica biologica: essa sembra riflettere il modo in cui il cervello emozionale ri-apprende che la vita non deve essere considerata come un'emergenza incombente.

Il primo passo, che si traduce nel riacquisire il senso di sicurezza, presumibilmente consiste nel trovare il modo di calmare i circuiti neurali generalmente iperreattivi e troppo inclini alla paura, al punto da consentire loro di ri-apprendere reazioni più normali.[18] Per ottenere questo, spesso si comincia aiutando i pazienti a comprendere che la loro eccitabilità e i loro incubi notturni, l'ipervigilanza e il panico, sono parte dei sintomi del Ptsd – una consapevolezza che basta a rendere quegli stessi sintomi meno spaventosi. Un altro passo iniziale è quello di aiutare i pazienti a riacquistare un certo senso di controllo sugli eventi della vita, ossia a dimenticare la lezione di impotenza che il trauma aveva impartito loro. Irene, ad esempio, mobilitò i propri amici e i propri familiari affinché costruissero un cordone di isolamento fra lei e il suo pedinatore, e riuscì a ottenere l'intervento della polizia.

L'«insicurezza» dei pazienti di Ptsd va ben oltre la paura che il pericolo sia in agguato intorno a loro; essa ha origini più intime, nella sensazione di non avere alcun controllo su quello che sta accadendo al proprio corpo e alle proprie emozioni. Questo è comprensibile, dato che ipersensibilizzando i circuiti dell'amigdala, il Ptsd crea un sensibile meccanismo di innesco dei «sequestri» neurali.

Il trattamento farmacologico rappresenta uno dei modi per ripristinare nei pazienti la convinzione che non sia affatto inevitabile essere alla mercé degli allarmi neurali che li «inondano» con un'ansia inesplicabile, li tengono insonni, o popolano il loro sonno di incubi. I farmacologi sperano un giorno di confezionare farmaci su misura in grado di colpire con precisione gli effetti del Ptsd sull'amigdala e sui circuiti neurali ad essa collegati. Per adesso, tuttavia, ci sono farmaci che antagonizzano solo alcune di tali alterazioni: in particolare, gli antidepressivi agiscono sul sistema serotoninergico, e i beta-bloccanti come il propanololo bloccano l'attivazione del sistema nervoso simpatico. I pazienti possono anche apprendere tecniche di rilassamento con le quali opporsi efficacemente alla tensione e al nervosismo. L'ottenimento di uno stato di calma fisiologica consente ai circuiti emozionali traumatizzati di riscoprire che la vita non è una minaccia e permette ai pazienti di riacquisire parte della sicurezza che avevano prima del trauma.

Nella guarigione, il passo successivo comporta poi il ri-raccontare e il ri-costruire la storia del trauma al riparo della sicurezza appena riacquisita, permettendo ai circuiti neurali che elaborano le emozioni di comprendere il ricordo del trauma e di reagire ad esso e ai fattori che lo scatenano in modo nuovo e più realistico. Quando i pazienti raccontano gli orribili dettagli del trauma, il ricordo comincia a trasformarsi, sia nel suo significato psicologico che nei suoi effetti sul cervello emozionale. Il ritmo di questo ri-raccontare è una questione delicata; in linea teorica, esso imita quello naturale che si osserva negli individui in grado di riprendersi da soli dal trauma senza andare incontro al Ptsd. In questi casi sembra spesso esserci una sorta di orologio interno che fa rivivere il trauma all'individuo «somministrandogli» i ricordi tormentosi, intervallandoli con periodi di settimane o mesi durante i quali essi non hanno praticamente ricordo alcuno dei terribili eventi traumatici.[19]

Questa alternanza di immersioni e di tregue sembra permettere una riconsiderazione spontanea del trauma e un ri-apprendimento della reazione emozionale ad esso. Nel caso dei pazienti con Ptsd più grave, secondo Herman, ri-raccontare la storia del trauma può a volte scatenare paure sconvolgenti; in tal caso il terapeuta dovrebbe allentare il ritmo in modo da mantenere le reazioni del paziente in un ambito sopportabile, che non abbiano un effetto distruttivo sul ri-apprendimento.

Il terapeuta incoraggia il paziente a ri-raccontare gli eventi traumatici nel modo più intenso possibile, come in un film dell'orrore, ricordando tutti i dettagli sordidi. Ciò comporta non solo la narrazione, nei particolari, di ciò che i pazienti hanno visto, udito, odorato e sentito, ma anche le loro reazioni: il terrore, il disgusto, la nausea. L'obiettivo qui è di trasporre l'intero ricordo in parole, catturando cioè le parti eventualmente dissociate e pertanto assenti dal ricordo cosciente. Esprimendo a parole sentimenti e sensazioni fisiche, probabilmente i ricordi vengono riportati sotto il controllo della neocorteccia, dove le reazioni che essi scatenano possono essere più comprensibili e pertanto più facilmente gestibili. A questo punto, il ri-apprendimento emozionale viene effettuato in larga misura rivivendo gli eventi e le emozioni ad essi legate, ma stavolta in un ambiente sicuro, in compagnia del terapeuta di fiducia. In questo modo si comincia a insegnare qualcosa di significativo ai circuiti emozionali – e cioè che insieme al ricordo del trauma è possibile sperimentare una sensazione di sicurezza, e non solo terrore senza pace.

Il bambino di cinque anni che, dopo aver assistito all'orrendo assassinio della propria madre, aveva disegnato gli occhi giganteschi, non fece altri disegni dopo quel primo; egli fece invece dei giochi con il suo terapeuta, Spencer Eth, creando così un legame con lui. Solo lentamente, poi, il piccolo cominciò a ri-raccontare la storia dell'omicidio, dal principio in modo stereotipato, recitando ogni particolare sempre esattamente nello stesso modo. Gradualmente, però, la sua narrazione divenne più aperta e libera, e mentre raccontava il suo corpo era meno teso. Allo stesso tempo gli incubi notturni, nei quali rivedeva la scena, si presentarono meno spesso – un'indicazione, secondo Eth, di un certo «controllo del trauma». Gradualmente i discorsi del bambino e del terapeuta si spostarono dalle paure lasciate in lui dal trauma, per soffermarsi di più sugli eventi della vita quotidiana, dopo che si era trasferito in una nuova casa con il padre. E infine, via via che la morsa del trauma si allentava, il piccolo fu in grado di parlare solo della sua vita quotidiana.

Infine, Herman pensa che i pazienti debbano esprimere il proprio dolore per la perdita che il trauma ha comportato – si tratti di una ferita, della morte di una persona cara, della rottura di una relazione, del rimorso per non aver fatto qualcosa per salvare qualcuno, o anche solo dell'infrangersi della convinzione che gli altri meritino la nostra fiducia. Il dolore che segue il racconto degli eventi dolorosi ha una funzione cruciale: segna la capacità di lasciar fuoriuscire, in una certa misura, il trauma. Significa che invece di essere costantemente prigionieri di quel tragico momento del passato, i pazienti possono cominciare a guardare avanti, perfino a sperare e a ricostruirsi una nuova vita, libera dalla morsa del trauma. È come se, per i circuiti emozionali, il costante riciclare e rivivere il terrore del trauma fosse un incantesimo che infine può essere infranto. Non è necessario che il suono di ogni sirena ci travolga con un'ondata di paura; né che il minimo rumore nella notte scateni un flashback di terrore.

Spesso, le conseguenze del trauma o un'occasionale ricorrenza dei sintomi persistono, afferma Herman; tuttavia, ci sono prove specifiche del fatto che esso, in larga misura, è stato superato. Questi segni comprendono la riduzione dei sintomi fisiologici a un livello accettabile e la capacità di sopportare i sentimenti legati al ricordo. Soprattutto, è significativo che i ricordi del trauma non erompano più in momenti incontrollabili: l'individuo è adesso in grado di rivisitarli e – cosa forse più importante – di metterli da parte volontariamente, proprio come accade per tutti gli altri ricordi. Infine, ciò implica il dare spazio a una nuova vita, con relazioni forti e fidate e un sistema di convinzioni capace di trovare significati anche in un mondo in cui possono accadere grandi ingiustizie.[20] Tutte queste non sono che testimonianze del successo nella rieducazione del cervello emozionale.

La psicoterapia come guida

Fortunatamente, nel corso della vita di ciascuno di noi, i momenti catastrofici nei quali i ricordi traumatici vengono impressi nella psiche sono rari. Tuttavia, gli stessi circuiti che fissano così marcatamente i ricordi traumatici sono presumibilmente all'opera anche nei momenti più tranquilli della vita. Le sofferenze più comuni dell'infanzia, ad esempio l'essere costantemente ignorati e deprivati dell'attenzione o della tenerezza da parte di un genitore, l'abbandono o la perdita, o ancora l'essere respinti socialmente, possono non raggiungere mai il livello del trauma, ma sicuramente lasciano il segno sul cervello emozionale, creando distorsioni – lacrime e collera – nelle successive relazioni intime dell'individuo. Se è possibile guarire il Ptsd, altrettanto si può dire delle cicatrici psicologiche meno appariscenti che moltissimi di noi si portano dentro; questo è proprio il compito della psicoterapia. In generale, l'intelligenza emotiva entra in gioco proprio nel momento in cui si deve apprendere a gestire abilmente queste reazioni cariche di valenze psicologiche.

L'interazione dinamica fra l'amigdala da una parte e le reazioni più completamente informate della corteccia prefrontale dall'altra può offrirci un modello neuroanatomico per spiegare in che modo la psicoterapia riplasmi modelli emotivi radicati ma ormai privi di valore adattativo. Come ipotizza Joseph LeDoux, il neuroscienziato che ha scoperto il ruolo chiave dell'amigdala come sensibile sistema di innesco nelle esplosioni emotive: «Una volta che il tuo sistema emozionale impara qualcosa, sembra che non la dimentichi più. Quel che la terapia riesce a insegnarti è come controllarlo – insegna alla neocorteccia come inibire l'amigdala. L'inclinazione all'atto viene così soppressa, mentre l'emozione fondamentale rimane in forma attenuata».

Data l'architettura cerebrale alla base del ri-apprendimento emozionale, quel che sembra restare, anche dopo una psicoterapia coronata dal successo, è una reazione vestigiale, un residuo della sensibilità o della paura originale alla base di una problematica reattività emotiva.[21] La corteccia prefrontale può perfezionare gli impulsi provenienti dall'amigdala oppure frenarli, ma non può impedirle di reagire. Perciò, sebbene non possiamo decidere *quando* avere un'esplosione emozionale, possiamo controllare meglio la sua *durata*. Un tempo di ripresa più breve, dopo tali esplosioni, può essere un segno di maturità emotiva.

Nel corso della terapia, nel complesso, ciò che sembra cambiare sono le *risposte* dell'individuo una volta che è stata scatenata una reazione emotiva – tuttavia, la tendenza ad avere una reazione immediata non scompare completamente. Le prove di ciò provengono da una serie di studi di psicoterapia condotti da Lester Luboorsky e colleghi presso l'Università della Pennsylvania. Essi analizzarono i principali conflitti di relazione che portavano decine di pazienti a ricorrere alla psicoterapia – problemi come il desiderio profondo di essere accettati o di trovare intimità, o la paura di fallire, o di essere eccessivamente dipendenti. Essi quindi analizzarono attentamente le tipiche risposte (sempre autofrustranti) che i pazienti presentavano quando tali desideri e paure venivano attivati nelle loro relazioni – ad esempio, l'essere troppo esigenti, che crea una sfavorevole reazione di irritazione o freddezza nell'altra persona; oppure l'arroccarsi sulla difensiva anticipando una mancanza di premura da parte dell'altro, a sua volta offeso dall'apparente rifiuto. Durante queste sfortunate interazioni, i pazienti, comprensibilmente, si sentivano in preda a sentimenti negativi – mancanza di speranza e tristezza, risentimento e collera, tensione e paura, senso di colpa e autoaccusa, e così via. Quale che fosse il particolare modello di ciascun paziente, esso sembrava ripresentarsi nella maggior parte delle sue relazioni importanti: con il coniuge o con l'amante, con un figlio o un genitore, o ancora con i colleghi e i superiori nell'ambiente di lavoro.

Nel corso di una terapia a lungo termine, tuttavia, questi pazienti andavano incontro a due tipi di cambiamenti: la loro reazione emotiva agli eventi scatenanti diveniva meno dolorosa, facendosi addirittura calma o confusa, e le loro risposte esplicite diventavano sempre più efficaci nel far loro ottenere ciò che realmente desideravano dalla relazione. Quello che non cambiava, tuttavia, era il loro desiderio o la loro paura di base, e il dolore iniziale. Quando ai pazienti rimanevano ormai poche sedute di terapia, le interazioni delle quali parlavano, dimostravano che essi avevano ormai solo la metà delle reazioni negative che esibivano quando avevano appena cominciato la cura, e avevano una probabilità doppia di ottenere dall'altro la risposta positiva che desideravano profondamente. Ma quello che non cambiava affatto era la particolare sensibilità alla base di tali esigenze.

In termini cerebrali, possiamo ipotizzare che il sistema limbico continui a inviare segnali di allarme in risposta alle avvisaglie di un evento temuto, mentre la corteccia prefrontale e le zone ad essa collegate hanno appreso una risposta nuova, più sana. In breve, le reazioni emotive apprese – anche quelle più radicate perché acquisite durante l'infanzia – possono essere riplasmate. Questo tipo di apprendimento dura tutta la vita.

14

IL TEMPERAMENTO NON È DESTINO

Abbiamo dunque visto quanto sia difficile alterare le reazioni emotive apprese. Ma che dire di quelle risposte scolpite nel nostro patrimonio genetico – che dire, ad esempio, sulla possibilità di modificare le reazioni abituali di chi per sua natura è molto incostante o spaventosamente timido? Queste sfumature emotive fanno parte del temperamento – un rumore di fondo tipico del nostro carattere. Possiamo definire il temperamento in termini di stati d'animo che caratterizzano la vita emotiva. In una certa misura, ciascuno di noi dispone di una gamma di sfumature emotive preferita; il temperamento è un tratto innato – un elemento di quella sorta di roulette genetica che ha un impatto così irresistibile sulla nostra vita. Ogni genitore sa benissimo che, fin dalla nascita, un bambino può essere calmo e placido, o irritabile e difficile. Il problema, qui, è quello di stabilire se questa configurazione emotiva determinata dalla biologia possa essere modificata dall'esperienza. Ma allora, per quanto riguarda la vita emotiva, la nostra biologia ci impone un destino, oppure anche un bambino per natura timido crescendo può diventare un adulto più sicuro di sé?

La risposta più chiara a questa domanda proviene dal lavoro di Jerome Kagan, l'insigne studioso di psicologia infantile della Harvard University.[1] Kagan postula che esistano almeno quattro tipi fondamentali di temperamento – quello timido, quello spavaldo, quello allegro e quello malinconico – e che ciascuno di essi sia riconducibile a un diverso tipo di attività cerebrale. Probabilmente, esistono infinite differenze nel temperamento di ognuno di noi, ciascuna a sua volta basata su differenze innate nei circuiti emozionali; gli individui possono differire per la facilità con la quale ogni data emozione viene scatenata, per la sua durata e per l'intensità che può raggiungere. Il lavoro di Kagan si concentra su una di queste dimensioni del temperamento, e precisamente su quella che va dalla spavalderia alla timidezza.

Per decenni alcune madri hanno portato i propri bambini – piccini di pochi mesi o che sapevano al massimo muovere qualche passo – al Laboratory for Child Development di Kagan, situato al quattordicesimo piano della William James Hall di Harvard, dove essi prendevano parte agli studi dello psicologo sullo sviluppo del bambino. Fu là che Kagan e i suoi colleghi ricercatori osservarono i primi segni di timidezza in un gruppo di bambini di ventun mesi portati per l'osservazione sperimentale. Nel gioco libero con i coetanei, alcuni bambini erano effervescenti e spontanei, e giocavano con gli altri senza la minima esitazione. Altri, invece, erano incerti e titubanti, esitavano aggrappati alle madri, e se ne stavano tranquilli a osservare gli altri giocare. Quasi quattro anni dopo, il gruppo di Kagan rintracciò e osservò nuovamente questi stessi bambini, che ormai si preparavano a fare il loro ingresso a scuola. In quei quattro anni intercorsi dalla prima osservazione, nessun bambino estroverso era diventato timido, mentre due terzi dei soggetti timidi mostravano ancora un comportamento reticente.

Kagan ritiene che i bambini eccessivamente sensibili e timorosi diventino adulti timidi e paurosi; per usare una sua espressione, alla nascita, circa il 15-20 per cento dei bambini è «inibito dal punto di vista comportamentale». Nei primi mesi di vita, questi bambini sono intimiditi da tutto quanto non gli è familiare. Ciò li rende schizzinosi e recalcitranti quando assaggiano cibi nuovi, riluttanti ad avvicinarsi ad animali mai visti o a entrare in luoghi sconosciuti, e timidi con gli estranei. Tutto questo si traduce anche in un altro tipo di sensibilità: questi bambini sono inclini ai sensi di colpa e ai rimorsi. Si tratta di soggetti che diventano così ansiosi nelle situazioni sociali da rimanere come paralizzati; questo accade in classe, al campo giochi o quando incontrano nuove persone – insomma, ogni qualvolta si sentano sotto il riflettore. Da adulti, questi soggetti hanno la tendenza a diventar tipi da tappezzeria, e hanno una paura morbosa di dover tenere un discorso in pubblico o di esibirsi in altro modo.

Tom, uno dei bambini che avevano partecipato allo studio di Kagan, era il classico tipo timido. Ogni volta che venne osservato durante l'infanzia – e precisamente a due, cinque e sette anni – venne classificato fra i bambini più timidi. Quando fu intervistato a tredici anni, Tom era teso e rigido, si mordeva le labbra e si torceva le mani, con la faccia impassibile che si apriva appena in un sorriso solo quando parlava della «fidanzata»; le sue risposte erano brevi, i modi sottomessi.[2] Tom ricordava di essere stato spaventosamente timido fino all'età di undici anni – ad esempio cominciava a sudare ogni volta che doveva avvicinare i compagni di gioco. Era anche tormentato da grandi paure: temeva che la sua casa fosse rasa al suolo da un incendio, o di doversi tuffare in piscina o, ancora, di restare da solo al buio. Nei suoi frequenti incubi notturni era attaccato da mostri. Sebbene negli ultimi due anni avesse cominciato a sentirsi un po' meno timido, era ancora ansioso nelle relazioni con altri bambini, e le sue preoccupazioni erano adesso incentrate sul profitto scolastico, nonostante rientrasse nel 5 per cento dei migliori allievi della classe. Figlio di uno scienziato, Tom riteneva attraente una carriera in quel campo, perché la relativa solitudine dello studioso si confaceva alla sua innata introversione.

Ralph, al contrario, era stato a tutte le età uno dei bambini più spavaldi ed estroversi. Sempre rilassato e loquace, a tredici anni sedeva appoggiandosi allo schienale e mettendosi a proprio agio sulla sedia, senza mostrare manierismi imputabili al nervosismo, e parlava con fare fiducioso e amichevole come se l'intervistatore fosse stato un suo coetaneo – c'era in realtà una differenza di venticinque anni. Durante l'infanzia egli aveva avuto solo due paure, quella dei cani e quella del volo, entrambe di breve durata; la prima era comparsa dopo che un grosso cane gli era saltato addosso quando aveva tre anni, e la seconda quando sentì, all'età di sette anni, i resoconti di alcuni disastri aerei. Socievole e simpatico agli altri, Ralph non aveva mai pensato a se stesso come a un tipo timido.

I bambini timidi sembrano venire al mondo con un circuito neurale che li rende iperreattivi perfino nei confronti degli stress leggeri – fin dalla nascita, in risposta a situazioni strane o nuove, il loro cuore batte più velocemente di quello degli altri bambini. A ventun mesi, quando i bambini reticenti esitavano a buttarsi nel gioco, la loro frequenza cardiaca tradiva un cuore troppo frettoloso, incalzato dall'ansia. Quest'ultima, che veniva suscitata tanto facilmente, sembrava essere alla base della loro timidezza per tutta la vita: essi trattavano ogni persona o situazione nuova come una potenziale minaccia. Forse per questo, quando le si confronta con coetanee più estroverse, le donne di mezza età che ricordano di essere state particolarmente timide da bambine, tendono ad avere una vita più fittamente costellata di paure, preoccupazioni e sensi di colpa, e a soffrire di più per problemi legati allo stress, quali i mal di testa emicranici, il colon irritabile, e altri disturbi di interesse gastroenterico.[3]

La neurochimica della timidezza

Secondo Kagan, la differenza fra Tom il prudente e Ralph lo spavaldo, sta nell'eccitabilità di un circuito neurale che ha come centro l'amigdala. Egli ipotizza che persone come Tom, tanto soggette alla paura, siano nate con una neurochimica che rende facilmente attivabile il circuito corrispondente; ciò li porta a evitare quanto è poco familiare, a ritrarsi intimiditi dalle situazioni incerte e a soffrire d'ansia. Coloro che, come Ralph, hanno un sistema nervoso calibrato in modo che la soglia per il risveglio dell'amigdala sia molto più alta, si spaventano meno facilmente, sono per loro natura più estroversi e desiderosi di esplorare nuovi luoghi e di conoscere nuove persone.

Un indizio precoce, che permette di capire a quale dei due modelli – Tom o Ralph – assomigli un bambino, è la misura del suo nervosismo e della sua irritabilità a pochi mesi di vita, come pure il disagio che prova di fronte a qualcosa o qualcuno non familiare. Mentre circa un bambino su cinque è compreso nella categoria dei timidi, due su cinque – per lo meno alla nascita – hanno un temperamento spavaldo.

Parte dei dati di Kagan provengono da osservazioni compiute su gatti insolitamente timidi. Nei gatti domestici, circa un animale su sette presenta questo stile timoroso, simile a quello dei bambini timidi: essi si ritraggono dalle novità (invece di mostrare la proverbiale curiosità dei felini) e sono riluttanti a esplorare nuovi territori. Non solo: questi gatti timidi attaccano solo i roditori più piccoli, essendo troppo paurosi per prendersela con quelli più grossi, che i loro colleghi più coraggiosi inseguirebbero ben volentieri. L'esame del cervello di questi gatti timidi ha dimostrato la presenza di porzioni dell'amigdala insolitamente eccitabili, soprattutto quando, ad esempio, odono l'urlo minaccioso emesso da un altro gatto.

La timidezza dei gatti si sviluppa intorno a un mese di età, e cioè quando l'amigdala raggiunge un livello di maturazione sufficiente per controllare i circuiti cerebrali responsabili di comportamenti quali l'affrontare o l'evitare determinate situazioni. Nella maturazione del cervello del gattino, un mese equivale a otto nella specie umana; ed è proprio a otto-nove mesi, osserva Kagan, che nei bambini fa la sua comparsa la paura dell'«estraneo»; ad esempio, se la mamma lascia la stanza ed è presente uno sconosciuto, il piccolo scoppia in lacrime. I bambini timidi, ipotizza Kagan, hanno probabilmente ereditato livelli cronicamente elevati di noradrenalina o di altri neurotrasmettitori cerebrali che attivano l'amigdala e che – facilitandone l'innesco – creano pertanto una bassa soglia di eccitabilità.

Un segno di questa aumentata sensibilità si osserva, ad esempio, quando soggetti giovani di entrambi i sessi, tutti molto timidi da bambini, vengono monitorati in laboratorio mentre sono esposti a stress particolari, come un odore sgradevole; in tali condizioni la loro frequenza cardiaca resta elevata più a lungo di quanto si osserva invece nei coetanei più estroversi – un segno del fatto che la noradrenalina eccita l'amigdala e, attraverso i circuiti neurali connessi, mantiene il sistema nervoso simpatico in uno stato di attivazione.[4] Kagan ha scoperto che il maggior livello di reattività dei bambini timidi emerge da tutti i parametri del sistema nervoso simpatico; questi soggetti presentano ad esempio un valore superiore della pressione ematica a riposo, una maggiore dilatazione delle pupille, e concentrazioni urinarie superiori dei marker della noradrenalina.

Il silenzio è un altro metro della timidezza. Ogni volta che il gruppo di Kagan osservava i bambini – timidi o spavaldi che fossero – in un ambiente naturale (ad esempio all'asilo, con altri bambini che non conoscevano o a colloquio con un intervistatore) i tipi timidi erano quelli che parlavano meno. Se interpellato da un compagno, a cinque anni un bambino timido taceva e passava la maggior parte della giornata semplicemente guardando gli altri giocare. Kagan ipotizza che un timido silenzio di fronte alla novità o alla percezione di una minaccia segnali l'attività di un circuito neurale che collega il proencefalo, l'amigdala e le strutture del sistema limbico che controllano la vocalizzazione (questo stesso circuito è quello che ci fa «restare senza fiato» quando siamo sotto stress).

Quando frequenteranno la sesta o la settima classe, questi bambini sensibili saranno soggetti ad alto rischio per disturbi legati all'ansia, come gli attacchi di panico. In uno studio su 754 bambini di entrambi i sessi che frequentavano quelle classi, emerse che 44 di essi avevano già avuto un episodio di panico, o almeno dei sintomi preliminari. Questi episodi d'ansia erano solitamente scatenati dai comuni allarmi della prima adolescenza, ad esempio dal primo appuntamento, o da un esame importante – tutte situazioni che la maggior parte dei bambini gestisce senza andare incontro a problemi più seri. Ma gli adolescenti timidi per natura e insolitamente spaventati per una nuova situazione mostravano i sintomi del panico (ad esempio palpitazioni cardiache, respiro corto, una sensazione di soffocamento, e il presagio che gli stesse per accadere qualcosa di orribile, come impazzire o morire). Sebbene gli episodi non fossero abbastanza significativi per formulare la diagnosi psichiatrica di «disturbo da panico», i ricercatori ritenevano che essi segnalassero tuttavia come questi giovanissimi fossero soggetti da ritenersi ad alto rischio negli anni successivi; molti adulti che soffrono di attacchi di panico affermano che essi cominciarono a presentarsi all'inizio dell'adolescenza.[5]

L'insorgere degli attacchi d'ansia era strettamente legata alla pubertà. Le bambine con scarsi segni di pubertà non avevano tali attacchi, ma l'8 per cento di quelle che ne avevano già varcata la soglia affermò di averli sperimentati. Una volta avuto un primo attacco, esse tendevano a sviluppare quel terrore anticipatorio che spinge chi soffre di questi disturbi a ritrarsi dalla vita.

Nulla mi turba: il temperamento allegro

Quando era giovane, negli anni Venti, mia zia June lasciò la sua casa di Kansas City e si avventurò a Shangai – un viaggio pericoloso, in quegli anni, per una donna sola. In quel centro internazionale di traffici e intrighi, zia June incontrò e sposò un detective inglese della polizia coloniale. Quando i giapponesi presero Shangai, al principio della seconda guerra mondiale, mia zia e suo marito vennero internati in un campo di prigionia – lo stesso descritto nel libro *L'impero del sole* e nel film che ne fu tratto. Dopo essere sopravvissuti a cinque anni spaventosi nel campo di prigionia, lei e il marito avevano, letteralmente, perso tutto. Senza un penny, vennero rimpatriati nella Columbia Britannica.

Ricordo, da bambino, quando incontrai per la prima volta zia June, un'esuberante donna anziana la cui vita aveva avuto un corso eccezionale. Negli ultimi anni della sua vita, ebbe un ictus che la lasciò in parte paralizzata; dopo una convalescenza lunga e difficile, riacquisì la capacità di camminare, sebbene zoppicando. In quegli anni, ricordo di essere andato a fare una passeggiata con zia June, che allora era sulla settantina. In qualche modo, ella si staccò dal gruppo e dopo diversi minuti sentii un lamento flebile – era lei, che essendo caduta e non riuscendo a rialzarsi da sola, chiedeva aiuto. Mi precipitai ad aiutarla e quando lo feci, invece di lamentarsi o di compiangersi, June rise della sua difficile condizione. Il suo solo commento fu un allegro «Beh, almeno riesco ancora a camminare!».

Per natura, le emozioni di alcune persone, come nel caso di mia zia, sembrano gravitare verso il polo positivo; queste persone sono spontaneamente allegre e bonarie, mentre le altre sono cupe e malinconiche. Questa dimensione del temperamento – l'esuberanza a un estremo e la malinconia all'altro – sembra essere legata al rapporto fra l'attività delle aree prefrontali destra e sinistra, i centri superiori del cervello emozionale. Questa intuizione è emersa in larga misura dalle ricerche di Richard Davidson, uno psicologo della University of Wisconsin. Egli scoprì che le persone con una maggiore attività del lobo frontale sinistro sono allegre per temperamento; esse solitamente traggono piacere dal contatto umano e da ciò che la vita offre loro, e si riprendono dai rovesci proprio come fece mia zia June. Gli individui con un'attività maggiore a livello del lobo frontale destro, invece, sono propensi alla negatività e all'umor nero, e vengono facilmente turbati dalle difficoltà della vita; in un certo senso, le loro sofferenze sembrano dovute all'impossibilità di «spegnere» i circuiti delle preoccupazioni e della depressione.

In uno degli esperimenti di Davidson, i volontari con l'attività più pronunciata a livello delle aree frontali sinistre vennero confrontati con quindici soggetti che presentavano una maggiore attività a destra. Questi ultimi, se sottoposti a un test sulla personalità, presentavano alcuni tratti negativi ben definiti: erano i classici tipi messi in caricatura dai personaggi di Woody Allen – l'allarmista che vede la catastrofe anche nelle inezie, soggetto a paure e a instabilità di umore, sospettoso nei confronti di un mondo ritenuto pieno di difficoltà schiaccianti e pericoli in agguato. In netto contrasto con le loro controparti malinconiche, gli individui con un'attività frontale più intensa a sinistra, vedevano il mondo in modo molto diverso. Socievoli e allegri, avevano una grande fiducia in se stessi, e si sentivano coinvolti nella vita in maniera gratificante. I loro punteggi nei test psicologici suggerivano un minor rischio di depressione e altri disturbi emozionali.[6]

Rispetto a chi non era mai stato depresso, gli individui con una storia di depressione clinica, scoprì Davidson, presentavano un livello di attività rispettivamente inferiore nel lobo frontale sinistro, e superiore a destra. Egli scoprì la stessa situazione in pazienti ai quali era stata appena diagnosticata la depressione. Davidson ipotizza che gli individui che superano la depressione abbiano imparato ad aumentare il livello di attività nel lobo prefrontale sinistro, un'ipotesi che è in attesa di conferma sperimentale.

Sebbene la ricerca di Davidson riguardi quel 30 per cento o pressappoco di individui che si trovano agli estremi del continuum, in pratica chiunque può essere classificato come più tendente verso l'uno o l'altro tipo, in base alle proprie onde cerebrali. Il contrasto fra il temperamento del tipo «musone» e di quello allegro si manifesta in molti modi, più o meno appariscenti. Ad esempio, in un esperimento i volontari guardavano dei brevi filmati. Alcuni erano divertenti – un gorilla che faceva il bagno, un cucciolo che giocava. Altri, come un film didattico per infermiere che mostrava spaventosi dettagli della chirurgia, erano assolutamente sconvolgenti. I tipi tristi con prevalenza dell'attività nell'emisfero destro, trovavano il filmato allegro appena divertente, mentre provavano paura e disgusto estremi alla vista del sangue nel documentario sull'operazione chirurgica. Il gruppo caratterizzato dal temperamento allegro presentava invece reazioni minime al filmato didattico: le reazioni più forti di questi soggetti erano quelle di piacere alla vista dei filmati allegri.

Sembra pertanto che il temperamento ci spinga a rispondere alla vita esibendo un registro emozionale negativo o positivo. La tendenza a un temperamento malinconico o allegro – come anche verso la timidezza o la spavalderia – emerge nell'arco del primo anno di vita, il che indica in modo convincente la possibilità che anch'esso sia determinato geneticamente. Come la maggior parte del cervello, nei primi mesi di vita i lobi frontali stanno ancora maturando e pertanto la loro attività non può essere misurata in modo attendibile fino a circa dieci mesi. Tuttavia, in bambini tanto piccoli, Davidson trovò che il livello di attività dei lobi frontali consentiva di prevedere se essi avrebbero pianto nel caso in cui la loro madre avesse lasciato la stanza. La correlazione era pressoché del 100 per cento: su decine di bambini sottoposti al test, tutti quelli che piangevano presentavano una maggiore attività cerebrale sul lato destro, mentre tutti quelli che non piangevano avevano un emisfero sinistro più attivo.

Ciò nondimeno, quand'anche questa dimensione fondamentale del temperamento venisse stabilita fin dalla nascita, o subito dopo, non è detto che chi si ritrova, per così dire, con la configurazione malinconica sia condannato a vivere immerso nei pensieri tristi e in uno stato di irritabilità. Gli insegnamenti emozionali impartiti durante l'infanzia possono avere un impatto profondo sul temperamento, amplificando o mettendo a tacere una predisposizione innata. La grande plasticità del cervello durante l'infanzia implica che le esperienze fatte durante quegli anni possano avere un impatto duraturo sulla formazione delle vie neurali. Forse, la migliore spiegazione del tipo di esperienze che possono modificare il temperamento in senso positivo è un'osservazione emersa nella ricerca di Kagan sui bambini timidi.

Calmare un'amigdala ipereccitabile

L'incoraggiante conclusione prospettata dagli studi di Kagan è che non tutti i bambini pieni di paure crescano esitando e ritraendosi di fronte alla vita – in altre parole, il temperamento non è destino. Con le esperienze adatte, è possibile calmare un'amigdala ipereccitabile. Ciò che fa davvero la differenza sono le risposte emotive che i bambini apprendono mentre crescono. Per il bambino timido, ciò che conta, al principio, è il modo in cui viene trattato dai genitori, e quindi il modo in cui impara a gestire la propria naturale timidezza. I genitori che escogitano per i propri figli graduali esperienze incoraggianti offrono loro quello che può considerarsi un duraturo rimedio per le loro paure.

Un anno prima di fare il suo ingresso alla scuola dell'obbligo, circa un bambino su tre, fra quelli venuti al mondo con tutti i segni di un'amigdala ipereccitabile, si è ormai liberato della propria timidezza.[7] Osservando questi soggetti un tempo paurosi nel loro ambiente domestico, è chiaro che i genitori, e soprattutto le madri, hanno un ruolo fondamentale nel determinare se un bambino per natura timido con il tempo diventerà più spavaldo o continuerà ad esitare ritraendosi dalle novità e turbandosi di fronte agli stimoli. Il gruppo di ricerca di Kagan ha scoperto che alcune madri credevano di dover proteggere i propri bambini timidi da qualunque cosa potesse turbarli; altre, invece, pensavano che fosse più importante aiutare il figlio, incline alla timidezza, a imparare a far fronte a questi momenti difficili, e quindi ad adattarsi alle piccole lotte della vita. La convinzione protettiva sembrava favorire le paure dei bambini, probabilmente privandoli dell'opportunità di imparare a superare i propri timori. La filosofia dell'«imparare ad adattarsi», invece, sembrava aiutare i bambini paurosi a farsi coraggio.

Le osservazioni compiute nelle case quando i bambini avevano circa sei mesi di età misero in evidenza che le madri protettive, cercando di tranquillizzare i propri piccini, li prendevano in braccio quando erano nervosi o piangevano, tenendoli più a lungo di quanto facessero le madri che cercavano di aiutare i figli a superare da sé i momenti difficili. Il rapporto fra le volte che i bambini venivano tenuti in braccio mentre erano calmi e mentre erano turbati dimostrava che le madri protettive li tenevano in braccio molto più a lungo quando erano turbati.

Un'altra differenza emerse quando i piccini raggiunsero circa l'anno di età: se i bambini facevano qualcosa di potenzialmente pericoloso, ad esempio si mettevano in bocca un oggetto che avrebbero potuto ingoiare, le madri protettive erano più indulgenti e indirette nello stabilire i limiti. Le altre madri, invece, erano enfatiche, stabilivano limiti fermi, davano comandi diretti e bloccavano le azioni del bambino insistendo per essere obbedite.

Perché mai la fermezza dovrebbe portare a una riduzione della paura? Kagan ipotizza che quando un bambino vede interrompere la propria marcia carponi verso un oggetto interessante (ma potenzialmente pericoloso) dall'ammonimento della madre – «Via di lì!» – impara una lezione, essendo improvvisamente costretto a far fronte a una leggera incertezza. La ripetizione di questa situazione per centinaia e centinaia di volte nel corso del primo anno di vita permette al bambino di ripassare continuamente l'impatto con l'inatteso, prendendolo a piccole dosi. Questo è proprio il tipo di esperienza che i bambini paurosi devono imparare a dominare, e gli assaggi a piccole dosi sono l'ideale per assimilare la lezione. Quando l'incontro del bambino con l'incertezza avviene sotto la guida di genitori che, per quanto affettuosi, non si precipitano a prendere in braccio il figlio e a consolarlo a ogni minimo turbamento, il bambino gradualmente impara a controllare da sé queste situazioni. All'età di due anni, quando questi bambini un tempo paurosi venivano riportati al laboratorio di Kagan, era molto meno probabile che scoppiassero in lacrime quando un estraneo li guardava aggrottando le sopracciglia, o se uno sperimentatore si accingeva a misurar loro la pressione.

Secondo Kagan, allora, «sembra che le madri che proteggono i loro bambini altamente reattivi dalla frustrazione e dall'ansia nella speranza di ottenere un buon risultato in realtà esacerbino l'incertezza del bambino e producano l'effetto contrario».[8] In altre parole, la strategia protettiva fallisce privando i bambini timidi dell'opportunità di imparare a calmarsi di fronte a ciò che non è familiare e impedendo loro di acquisire quindi un certo controllo sulle proprie paure. A livello neurologico, presumibilmente, ciò significa che i circuiti prefrontali di questi soggetti perdono l'opportunità di imparare reazioni alternative alla loro paura riflessa; invece, la loro tendenza alla paura incontrollata può uscire rafforzata dalla semplice ripetizione.

Kagan mi disse che invece «i genitori dei bambini diventati meno timidi verso i cinque anni sembravano aver esercitato su di loro una delicata pressione spingendoli ad essere più estroversi. Sebbene questo tratto del temperamento sembri un poco più difficile degli altri da modificare – probabilmente a causa della sua base fisiologica – nessuna qualità umana è completamente refrattaria al cambiamento».

Nell'arco dell'infanzia, alcuni bambini timidi diventano via via più spavaldi, in quanto l'esperienza continua a plasmare e riplasmare i loro circuiti neurali. Uno dei segni dai quali si può prevedere che un bambino timido ha buone probabilità di superare la propria naturale inibizione è il suo eventuale elevato livello di competenza sociale: in altre parole, la sua capacità di cooperare e di andare d'accordo con gli altri bambini; di essere empatico, premuroso, disposto a dare e a condividere; infine, la sua capacità di costruirsi delle solide amicizie. Questi tratti distinguevano effettivamente un gruppo di bambini che, identificati a quattro anni per il loro temperamento timido, all'età di dieci se ne erano ormai liberati.[9]

Al contrario, i bambini che a quattro anni erano timidi e che nei sei anni successivi non andarono incontro a modificazioni importanti del temperamento, tendevano ad essere meno abili nella sfera emotiva; sotto stress, ad esempio, era più facile vederli piangere o crollare; erano emotivamente inadeguati; avevano paura, erano imbronciati e inclini al pianto; reagivano a lievi frustrazioni con una collera esagerata; non riuscivano a rinviare le gratificazioni; erano eccessivamente sensibili alle critiche, o sospettosi. Naturalmente, questi problemi della sfera emotiva significano che probabilmente i rapporti di questi bambini con i loro coetanei saranno difficili – sempre che essi riescano a superare la loro iniziale riluttanza a impegnarsi in una relazione.

Invece, è facile comprendere come mai i bambini più competenti dal punto di vista emotivo – per quanto possano essere timidi per temperamento – riescano a superare il proprio limite. Essendo più abili socialmente, hanno maggiori probabilità di sperimentare una successione di esperienze positive nelle loro relazioni con gli altri bambini. Tanto per fare un esempio, per quanto fossero esitanti a parlare con un nuovo compagno di giochi, questi soggetti, una volta rotto il ghiaccio, riuscivano a brillare socialmente. La regolare ripetizione, per molti anni, di questi successi sociali tende naturalmente a rassicurare i tipi timidi.

Questi progressi verso la baldanza sono incoraggianti: essi suggeriscono che perfino le inclinazioni emotive innate possano, in una certa misura, essere modificate. Un bambino venuto al mondo con la predisposizione a spaventarsi facilmente, può imparare ad essere più calmo – addirittura estroverso – di fronte a ciò che non gli è familiare. L'inclinazione alla paura – o qualunque altro tipo di temperamento – può essere una delle basi innate della nostra vita emotiva; ciò nonostante, noi non siamo necessariamente costretti ad attenerci a un repertorio emozionale specifico impostoci dai nostri tratti ereditari. Anche all'interno dei vincoli genetici esiste tutta una gamma di possibilità. Come spiegano i genetisti, i geni da soli non bastano a codificare il comportamento; il modo in cui una predisposizione del temperamento si esprime nella vita è determinato dal nostro ambiente, soprattutto da ciò che sperimentiamo e apprendiamo mentre cresciamo. Le nostre capacità emotive innate non sono definitive, ma possono essere migliorate con l'apprendimento, purché ci vengano impartite le lezioni giuste. Ciò si spiega tenendo presenti le modalità di maturazione del cervello umano.

Infanzia, una finestra di opportunità

Alla nascita, il cervello umano è ben lontano dall'essere completamente formato. Sebbene lo sviluppo più intenso avvenga durante l'infanzia, il cervello continua comunque a forgiarsi per tutta la vita. I bambini vengono al mondo con molti più neuroni di quelli che resteranno poi nel loro cervello maturo; grazie a un processo noto come «pruning» («potatura») il cervello perde effettivamente le connessioni neuronali meno usate, formandone di molto forti in quei circuiti sinaptici rivelatisi i più usati. Questo processo, eliminando le sinapsi irrilevanti, migliora il rapporto segnale-rumore rimuovendo la causa del «rumore»; si tratta di un processo costante e veloce, in quanto le connessioni sinaptiche possono formarsi nel giro di ore o giorni. L'esperienza, soprattutto nell'infanzia, scolpisce il cervello.

La dimostrazione, divenuta ormai classica, dell'impatto dell'esperienza sullo sviluppo del cervello venne effettuata dai neuroscienziati Thorsten Wiesel e David Hubel, entrambi vincitori del Premio Nobel.[10] Essi dimostrarono che nel gatto e nella scimmia c'è un periodo critico, nei primissimi mesi di vita, per lo sviluppo delle sinapsi che trasportano i segnali provenienti dall'occhio alla corteccia visiva, dove vengono poi interpretati. Se durante quel periodo si chiude chirurgicamente un occhio dell'animale, il numero di sinapsi che portano i segnali da quell'occhio alla corteccia visiva diminuisce, mentre vanno moltiplicandosi quelle dell'altro occhio (aperto). Se, terminato il periodo critico, l'occhio viene riaperto, esso resta comunque funzionalmente cieco. Sebbene l'organo non abbia niente in sé che non funzioni, i circuiti diretti da quell'occhio alla corteccia visiva sono troppo pochi perché i segnali possano essere interpretati.

Negli esseri umani il periodo critico corrispondente, per la visione, si estende durante i primi sei mesi di vita. In questo periodo una normale attività visiva stimola la formazione di circuiti neurali sempre più complessi che originano dall'occhio e terminano nella corteccia visiva. Se l'occhio di un bambino viene tenuto chiuso anche solo per poche settimane, ciò produce nella sua capacità visiva un deficit misurabile. Se l'occhio viene tenuto chiuso per diversi mesi, e viene riaperto solo una volta superato il periodo critico, la visione del dettaglio resterà compromessa.

Gli studi sui ratti allevati in ambienti «ricchi» o «poveri» forniscono un'efficace dimostrazione dell'impatto dell'esperienza sul cervello in via di sviluppo.[11] I ratti allevati in ambienti «ricchi» vivevano in piccoli gruppi in gabbie attrezzate con moltissimi passatempi, ad esempio scale a pioli e ruote. I ratti stabulati in ambienti «poveri», invece, vivevano in gabbie simili ma prive di stimoli e di passatempi. Nell'arco di alcuni mesi, la neocorteccia dei ratti «ricchi» sviluppò reti di circuiti sinaptici di gran lunga più complesse; al confronto, i circuiti neuronali dei ratti «poveri» erano scarsi. La differenza era talmente significativa che i cervelli dei ratti «ricchi» erano più pesanti e questi animali erano molto più abili dei loro colleghi «poveri» a districarsi dai labirinti – il che forse non ci deve sorprendere. Esperimenti simili, effettuati con le scimmie, hanno confermato queste differenze fra gli animali con esperienze «ricche» e «povere», e sicuramente lo stesso effetto si verifica anche negli esseri umani.

La psicoterapia – ossia il ri-apprendimento sistematico di emozioni normali – mostra in che modo l'esperienza possa modificare le inclinazioni emotive innate e forgiare il cervello. La dimostrazione più impressionante proviene da uno studio effettuato su persone in cura per Ocd (disturbo ossessivo-compulsivo).[12] Una delle compulsioni più comuni è quella di lavarsi le mani, un atto che in questi pazienti può essere ripetuto talmente spesso – addirittura centinaia di volte al giorno – che la pelle finisce per spaccarsi. Studi di scansione con la Pet (tomografia a emissione di positroni) dimostrano che i soggetti con disturbo ossessivo-compulsivo presentano nei lobi prefrontali un'attività superiore alla norma.[13]

Metà dei pazienti dello studio erano in cura con il trattamento farmacologico standard, la fluoxetina, e metà erano sottoposti a terapia del comportamento. I soggetti di questo secondo gruppo erano sistematicamente esposti all'oggetto della loro ossessione o compulsione, senza però avere la possibilità di compiere l'atto; ad esempio, i pazienti con la compulsione di lavarsi le mani venivano messi di fronte a un lavandino, ma si vietava loro di lavarsi. Allo stesso tempo, essi imparavano a mettere in discussione le paure e i timori che li spingevano alla compulsione – ad esempio il timore che se non si fossero lavati si sarebbero ammalati e sarebbero morti. Gradualmente, dopo mesi di queste sedute, le compulsioni diminuirono, proprio come venne riscontrato nel gruppo di pazienti ai quali era stato somministrato il farmaco.

Il risultato eccezionale, però, era che le scansioni Pet mostravano, nei pazienti curati con terapia comportamentale, proprio come in quelli trattati con la fluoxetina, una diminuzione significativa dell'attività del nucleo caudato, una struttura fondamentale del cervello emozionale. La loro esperienza aveva modificato la funzione cerebrale – e alleviato i sintomi – con la stessa efficacia del trattamento farmacologico!

Periodi critici

Il cervello degli esseri umani è quello che impiega di più per maturare completamente. Se è vero che durante l'infanzia ogni area del cervello si sviluppa a velocità diversa, l'inizio della pubertà segna, invece, uno dei periodi di più drastica «potatura». Fra le aree cerebrali più lente a maturare, ce ne sono diverse fondamentali per la vita emotiva. Mentre le aree sensoriali maturano nella prima infanzia, e il sistema limbico entro la pubertà, i lobi frontali – sede dell'autocontrollo emotivo, della comprensione e della reazione corticale perfezionata – continuano a svilupparsi fino alla fine dell'adolescenza, a volte fino a un periodo compreso fra i sedici e i diciotto anni di età.[14]

Le abitudini di controllo emozionale, che si esprimono moltissime volte durante l'infanzia e gli anni dell'adolescenza, contribuiscono anch'esse a forgiare questi circuiti. Ciò fa dell'infanzia un'opportunità fondamentale per modellare inclinazioni emotive destinate a durare tutta la vita; le abitudini acquisite da bambini vengono installate nella cablatura sinaptica fondamentale dell'architettura neurale, e in seguito sono più difficili da modificare. Data l'importanza dei lobi prefrontali nel controllo delle emozioni, l'esistenza di un periodo critico molto lungo per la «scultura» sinaptica di questa regione può benissimo significare che, nel disegno generale del cervello, le esperienze di un bambino possono, nel corso degli anni, forgiare connessioni durature nei circuiti regolatori del cervello emozionale. Come abbiamo visto, le esperienze critiche comprendono il livello di dedizione e di sensibilità che i genitori mostrano nei confronti delle esigenze dei figli, le opportunità e la guida offerte al bambino per imparare a gestire i propri turbamenti e a controllare gli impulsi, e l'esercizio dell'empatia. Per lo stesso motivo, la trascuratezza o i maltrattamenti, la de-sintonizzazione di un genitore troppo egoista o indifferente, o ancora, una brutale disciplina, possono lasciare il segno sui circuiti emozionali.[15]

Una delle abilità più essenziali nella sfera emotiva, appresa nella primissima infanzia e poi perfezionata negli anni successivi, è il sapere come calmarsi quando si è sconvolti. Nel caso dei bambini piccolissimi, la funzione consolatoria viene svolta da coloro che se ne prendono cura: quando la madre sente piangere il piccolo, ad esempio, lo prende in braccio, lo stringe e lo culla finché non si è calmato. Questa sintonizzazione biologica, secondo alcuni teorici, aiuta il bambino ad apprendere come ottenere lo stesso risultato da sé.[16] Durante un periodo critico, collocabile fra i dieci e i diciotto mesi, l'area orbitofrontale della corteccia prefrontale forma rapidamente le connessioni con il sistema limbico, diventando così un interruttore fondamentale per innescare o disinnescare la sofferenza. Il bambino che va incontro a infiniti episodi di consolazione da parte di altri viene aiutato ad apprendere come calmarsi e, secondo quest'ipotesi, rafforzerà le connessioni di questo circuito delegato al controllo della sofferenza; pertanto, nei momenti difficili della vita, egli sarà più abile nell'arte dell'auto-conforto.

Sicuramente, quest'arte viene acquisita dopo molti anni, e avvalendosi di molti nuovi mezzi, in quanto la graduale maturazione del cervello offre al bambino strumenti emozionali sempre più sofisticati. Come ricorderete, i lobi frontali, tanto importanti nella regolazione degli impulsi del sistema limbico, maturano nell'adolescenza.[17] Un altro circuito fondamentale che continua a forgiarsi per tutta l'infanzia comprende il nervo vago, che non si limita a regolare la funzione del cuore e di altri organi, ma trasmette i segnali provenienti dalle ghiandole surrenali all'amigdala, preparandola a secernere le catecolamine che scatenano la risposta di combattimento o fuga. Un gruppo della University of Washington che studiava l'impatto delle cure parentali sui bambini, scoprì che il fatto stesso di avere genitori capaci dal punto di vista emozionale favoriva un miglioramento della funzione vagale.

Come spiega John Gottman, lo psicologo che ha diretto la ricerca: «I genitori modificano il tono vagale dei propri figli,» – una misura della sensibilità del nervo vago agli stimoli – «guidandoli nella loro vita emotiva: parlando ai bambini dei propri sentimenti e spiegando loro come comprenderli, evitando di essere critici e di emettere giudizi, risolvendo i problemi posti da difficili situazioni emotive, guidandoli sul da farsi, mostrando quali siano le alternative allo scontro fisico, o al chiudersi in se stessi quando si è tristi». Quando i genitori svolgono bene questo compito, i bambini si comportano meglio, in quanto riescono a sopprimere più efficacemente l'attività vagale che induce l'amigdala a preparare l'organismo al combattimento o alla fuga con una scarica ormonale.

È ovvio che esiste un periodo critico per ognuna delle abilità fondamentali dell'intelligenza emotiva – periodo che si estende per diversi anni durante l'infanzia. Ognuno di tali periodi rappresenta un'opportunità per fare in modo che il bambino prenda abitudini emozionali positive – oppure, se si perde quest'occasione, per rendere difficilissimo ogni successivo intervento di correzione. La massiccia attività di formazione e «potatura» dei circuiti neurali che ha luogo durante l'infanzia può spiegare come mai i traumi e le sofferenze emotive abbiano effetti tanto duraturi e pervasivi nell'età adulta. Essa può anche spiegare perché la psicoterapia spesso impieghi tanto tempo per modificare alcuni di questi comportamenti – e perché, come abbiamo visto, anche dopo la terapia, quei comportamenti tendano comunque a rimanere in forma di propensioni latenti (sebbene con un rivestimento di nuove intuizioni e di risposte ri-apprese).

Sicuramente, il cervello resta plastico per tutta la vita, sebbene non nella misura spettacolare tipica dell'infanzia. Ogni tipo di apprendimento implica una modificazione a livello cerebrale, un rafforzamento di connessioni sinaptiche. Nei pazienti con disturbo ossessivo-compulsivo, le modificazioni cerebrali ottenute con la terapia dimostrano che, con uno sforzo prolungato, le inclinazioni emotive restano malleabili per tutta la vita, anche a livello neurale. Ciò che accade nel cervello dei pazienti con Ptsd (o anche durante la terapia) è analogo – nel bene o nel male – agli effetti di una qualunque esperienza emotiva ripetuta o molto intensa.

Il bambino riceve alcuni degli insegnamenti emozionali più significativi dai genitori. Essi instillano in lui inclinazioni emotive diversissime a seconda che il loro livello di sintonizzazione indichi il riconoscimento e la soddisfazione delle esigenze emotive del bambino, e un atteggiamento empatico anche nell'imporre la disciplina – o se si tratti di genitori egoisti che ignorano la sofferenza del bambino o lo puniscono arbitrariamente, alzando la voce e percuotendolo. Gran parte della psicoterapia è, in un certo senso, un rimedio per ciò che in precedenza è stato alterato o completamente trascurato. Ma perché non fare invece tutto ciò che è in nostro potere per prevenire quel bisogno, dando ai bambini tutta la guida e gli insegnamenti necessari per coltivare fin dall'inizio le loro abilità emozionali essenziali?

PARTE QUINTA

ALFABETIZZAZIONE EMOZIONALE

15

IL COSTO DELL'ANALFABETISMO EMOZIONALE

Iniziò come una discussione da poco, ma si trasformò in un contrasto sempre più grave. Ian Moore, studente all'ultimo anno della scuola superiore Thomas Jefferson di Brooklyn, e Tyrone Sinkler, più giovane, avevano litigato con un amico, il quindicenne Khalil Sumpter. Poi avevano cominciato a tormentarlo e a minacciarlo. Alla fine la situazione esplose.

Khalil, temendo che Ian e Tyrone volessero picchiarlo, un mattino si recò a scuola portando con sé una pistola calibro 38 e, a cinque metri di distanza da una guardia di sicurezza della scuola, sparò a entrambi a bruciapelo, uccidendoli nell'atrio della scuola.

Il fatto di sangue, così agghiacciante, può essere letto come un altro segnale del bisogno disperato di lezioni su come gestire le emozioni, comporre i contrasti in maniera pacifica e imparare ad andare d'accordo. Gli insegnanti, da sempre preoccupati che gli studenti non restino indietro nello studio delle materie scolastiche tradizionali, incominciano a capire che esiste un diverso tipo di lacuna, assai più pericolosa: l'analfabetismo emozionale.[1] E mentre si compiono sforzi lodevoli per alzare il livello della preparazione nelle materie scolastiche, questa nuova e inquietante lacuna non viene affrontata nei programmi scolastici regolari. Come afferma un insegnante di Brooklyn, attualmente nelle scuole «ci preoccupiamo di insegnare agli alunni a leggere e a scrivere bene molto di più che di sapere se saranno o non saranno vivi la prossima settimana».

I segnali di questa manchevolezza possono essere scorti in episodi di violenza, come l'uccisione di Ian e Tyrone, che diventano sempre più frequenti nelle scuole americane. Ma non si tratta di fatti isolati. L'aumento della turbolenza fra gli adolescenti e delle difficoltà nei bambini può essere riscontrato negli Stati Uniti – indicatore primario delle tendenze mondiali – grazie alle seguenti statistiche.[2]

Nel 1990, prendendo come campione i vent'anni precedenti, gli Stati Uniti hanno conosciuto la percentuale più alta di arresti di minorenni per reati di violenza; gli arresti di adolescenti per stupro sono raddoppiati; gli omicidi compiuti da minorenni sono quadruplicati, per lo più a seguito di sparatorie.[3] Durante i vent'anni di cui si è detto, il tasso di suicidi fra gli adolescenti è triplicato, come pure il numero di ragazzi sotto i quattordici anni vittime di un omicidio.[4]

Un numero più elevato di adolescenti, a un'età sempre più bassa, sono rimaste incinte. Nei cinque anni precedenti al 1993 il tasso delle nascite da madri adolescenti di età compresa fra i dieci e i quattordici anni è cresciuto costantemente – ci si riferisce a questo fenomeno parlando di «madri-bambine» –, come pure sono aumentate la percentuale di gravidanze indesiderate fra le adolescenti e la tendenza ad avere rapporti sessuali per la pressione psicologica esercitata dai coetanei. Negli ultimi trent'anni è triplicata la percentuale delle malattie veneree contratte dagli adolescenti.[5]

Queste cifre sono certo sconfortanti, ma se si concentra l'attenzione sui giovani afro-americani, soprattutto nei quartieri residenziali degradati dei centri urbani, le statistiche sono addirittura desolanti: tutte le percentuali risultano di gran lunga più alte, talvolta doppie, triple o ancora più elevate rispetto alla media. Per esempio, l'uso di eroina e cocaina fra i giovani bianchi è triplicato nei vent'anni precedenti al 1990; ma nei giovani afro-americani è balzato a una percentuale incredibile, *13 volte* più alta di quella dei vent'anni precedenti.[6]

Fra gli adolescenti la causa più comune di infermità è la malattia mentale. Sintomi più o meno gravi di depressione colpiscono fino a un terzo degli adolescenti; per le ragazze l'incidenza della depressione raddoppia durante la pubertà. La frequenza dei disturbi del comportamento alimentare nelle adolescenti si è innalzata vertiginosamente.[7]

Infine, a meno che le cose cambino, le prospettive a lungo termine di sposarsi e di avere una vita matrimoniale serena e stabile si fanno per i ragazzi di oggi sempre più cupe ad ogni generazione. Come abbiamo visto nel capitolo 9, se durante gli anni Settanta e Ottanta la percentuale dei divorzi si aggirava intorno al 50 per cento, con l'ingresso negli anni Novanta la percentuale dei divorzi tra le nuove coppie di sposi induce a prevedere che su tre nuovi matrimoni, due finiranno con un divorzio.

Un malessere emozionale

Queste allarmanti statistiche sono un po' come il canarino che i minatori mettono nelle miniere di carbone perché con la sua morte li avverta della mancanza di ossigeno. Al di là dei numeri, che fanno riflettere, la situazione difficile dei giovani di oggi si manifesta in maniera meno vistosa nei problemi quotidiani che non sono ancora esplosi in crisi aperte. Forse i dati maggiormente rivelatori – un segnale diretto della minore competenza emozionale – provengono da un campione nazionale di ragazzi americani, di età fra i sette e i sedici anni, utilizzato per paragonare la loro condizione emozionale a metà degli anni Settanta con quella alla fine degli anni Ottanta.[8] In base alle valutazioni dei genitori e degli insegnanti, si è accertato un costante peggioramento. Nessun problema si è segnalato in maniera particolare, ma tutti gli indici sono peggiorati. In media i ragazzi hanno incontrato maggiori difficoltà in questi ambiti:

- *Chiusura in se stessi o problemi sociali*: preferenza a restare soli; non comunicare; rimuginare in silenzio; essere privi di energia; sentirsi infelici; dipendere eccessivamente dagli altri.
- *Ansia e depressione*: essere soli; nutrire molte paure e preoccupazioni; avere il bisogno di essere perfetti; non sentirsi amati; sentirsi nervosi o tristi e depressi.
- *Difficoltà nell'attenzione e nella riflessione*: incapaci di fare attenzione o di restare seduti tranquilli; fantasticare a occhi aperti; agire senza riflettere; essere troppo nervosi per concentrarsi; avere risultati scolastici scadenti; incapacità di distogliere la mente da un pensiero fisso.
- *Delinquenza o aggressività*: frequentare ragazzi che si cacciano nei guai; mentire e imbrogliare; litigare spesso; trattare gli altri con cattiveria; pretendere attenzione; distruggere gli oggetti altrui; disobbedire a casa e a scuola; essere testardi e di umore mutevole; parlare troppo; prendere in giro gli altri in maniera eccessiva; avere un temperamento collerico.

Anche se nessuno di questi problemi, considerato isolatamente, suscita preoccupazione, preso insieme a tutti gli altri diventa il segnale di un cambiamento dell'atmosfera, di un nuovo tipo di tossicità che si infiltra e avvelena l'esperienza stessa dell'infanzia e dell'adolescenza, rivelando impressionanti lacune di competenza emozionale. Questo malessere sembra un prezzo che la vita moderna impone a tutti i ragazzi del mondo. Benché gli americani lamentino spesso situazioni particolarmente difficili se paragonate a quelle di altri paesi, studi condotti in tutto il mondo hanno riscontrato stime uguali o peggiori di quelle degli Usa. Per esempio, negli anni Ottanta, gli insegnanti e i genitori in Olanda, in Cina e in Germania hanno indicato per i propri ragazzi lo stesso grado di problemi che era stato riscontrato nei giovani americani nel 1976. In alcuni paesi, compresi l'Australia, la Francia e la Thailandia, i giovani si trovano in condizioni peggiori di quelle attuali negli Usa. Ma questo divario potrebbe non durare a lungo. Le forze più consistenti che spingono verso il basso la spirale della competenza emozionale sembrano acquistare più velocità negli Stati Uniti rispetto a molti altri paesi sviluppati.[9]

Nessun ragazzo, ricco o povero, è esente dal rischio; siamo dinanzi a problemi universali che affliggono ogni gruppo etnico e razziale e ogni fascia di reddito. Pertanto, anche se i ragazzi poveri hanno gli indici più bassi per quanto riguarda le capacità emozionali, il loro tasso di deterioramento negli anni non è peggiore di quello dei figli del ceto medio o delle classi ricche; tutti mostrano la stessa costante caduta. In ogni strato sociale è anche triplicato il numero dei ragazzi che hanno ricevuto aiuto psicologico (forse un buon segno, poiché indica la maggior disponibilità di sostegno psicologico), come pure si è avuto quasi il raddoppiamento del numero di ragazzi con problemi emozionali tali da *richiedere* tale aiuto, ma che non ne hanno potuto usufruire (un brutto segno): da circa il 9 per cento nel 1976 al 18 per cento nel 1989.

Urie Bronfenbrenner, l'illustre studioso di psicologia evolutiva della Cornell University che ha istituito una ricerca comparata internazionale sul benessere dei ragazzi, afferma: «In assenza di buoni sistemi di supporto, le tensioni esterne sono diventate così grandi che persino famiglie solide si frantumano. La frenesia, l'instabilità e l'incongruenza della vita familiare quotidiana aumentano in ogni segmento sociale, compresa la fascia delle persone colte e benestanti. È a rischio nientemeno che la prossima generazione, in particolare i maschi, i quali nella crescita sono particolarmente vulnerabili a forze negative come quelle provocate dagli effetti devastanti del divorzio, della povertà e della disoccupazione. La situazione dei ragazzi e delle famiglie americane è disperata come mai prima d'ora [...] Stiamo privando milioni di ragazzi della competenza e del carattere morale».[10]

Non è un fenomeno soltanto americano, ma globale, perché a livello mondiale la concorrenza economica tende a ridurre il costo del lavoro e ciò produce contraccolpi negativi sulle famiglie. Viviamo in tempi di famiglie finanziariamente in difficoltà, nelle quali entrambi i genitori lavorano per molte ore al giorno, cosicché i figli sono abbandonati a se stessi o sotto l'influsso costante della televisione; è un'epoca nella quale un numero maggiore di ragazzi cresce nella povertà, in cui la famiglia con un solo genitore sta diventando sempre più comune, in cui un numero sempre più alto di bambini viene lasciato in asili così mal gestiti che i bimbi si trovano a essere quasi completamente trascurati. Tutto questo comporta, anche per genitori ben intenzionati, la perdita di quei continui, impercettibili, rapporti con i figli nei quali si costruisce e si alimenta la competenza emozionale.

Se le famiglie non sono più in grado di fornire ai ragazzi una base solida per vivere, che cosa dobbiamo fare? Una valutazione più attenta della dinamica dei problemi specifici ci mostra come certe lacune nelle competenze sociali o emozionali producano gravi difficoltà e come misure correttive e preventive ben dirette possano mantenere sulla retta via un più alto numero di ragazzi.

Tenere a freno l'aggressività

Nella mia scuola elementare il duro era Jimmy, un ragazzo che quando io ero in prima frequentava la quarta. Era il classico bambino che ti rubava i soldi per comprare la merenda, che ti prendeva la bicicletta, che ti metteva le mani addosso appena ti rivolgeva la parola. Jimmy era il tipico prepotente, che attaccava briga alla minima provocazione o affatto gratuitamente. Tutti ne avevamo paura e lo tenevamo a distanza. Tutti odiavano e temevano Jimmy; nessuno voleva giocare con lui. Era come se, dovunque lui andasse nel cortile della scuola, una guardia del corpo invisibile facesse allontanare gli altri bambini dalla sua strada.

Ragazzi come Jimmy sono chiaramente in difficoltà. Ma risulta meno ovvio che un'aggressività così manifesta in età infantile è il segno premonitore di difficoltà emozionali e di altro tipo che sorgeranno in avvenire. All'età di sedici anni Jimmy era già finito in carcere per aggressione. Molti studi hanno dimostrato che in ragazzi come lui l'aggressività infantile ha effetti duraturi per il resto della vita.[11] Come abbiamo visto, le famiglie di bambini così aggressivi in genere sono composte da genitori che alternano la trascuratezza alle punizioni dure e imprevedibili: una condotta che, comprensibilmente, rende i piccoli inclini alla paranoia e pronti a dare battaglia.

Non tutti i ragazzi irascibili sono prepotenti; alcuni sono tipi isolati ed emarginati che reagiscono eccessivamente allo scherno o a ciò che essi percepiscono come un'offesa o un'ingiustizia. Ma il difetto percettivo comune a tutti questi ragazzi è che essi considerano offensivi gesti e atteggiamenti del tutto innocenti e immaginano che i coetanei siano nei loro confronti più ostili di quel che effettivamente sono. Ciò li porta a fraintendere come gesti minacciosi atti del tutto insignificanti – un contatto occasionale è visto come una vendetta – e ad attaccare per reazione. Ovviamente questo comportamento induce gli altri a evitarli, isolandoli ulteriormente. Questi ragazzi irascibili e isolati sono sensibilissimi a ingiustizie e a comportamenti scorretti nei propri confronti. In genere si considerano delle vittime e possono recitare un elenco di casi in cui, ad esempio, gli insegnanti li hanno incolpati di qualcosa, mentre in realtà erano innocenti. Un altro tratto comportamentale di questi ragazzi è che quando sono in preda all'ira conoscono un solo modo di reagire: l'attacco fisico.

Questi pregiudizi percettivi possono essere osservati in un esperimento nel quale ragazzi prepotenti e ragazzi più pacifici guardano insieme alcuni filmati. In uno, un ragazzo urta un coetaneo e a quest'ultimo cadono per terra i libri: altri ragazzi che assistono alla scena si mettono a sghignazzare. Quello a cui sono caduti i libri si arrabbia e cerca di colpire uno dei presenti sorpreso a ridere. Quando i ragazzi che hanno assistito al filmato ne parlano a proiezione conclusa, i prepotenti sono sempre pronti a giustificare il ragazzo che ha menato le mani. Ancor più rivelatore è il fatto che, quando, durante la discussione del filmato, i ragazzi devono valutare l'aggressività mostrata dai protagonisti del film, i prepotenti giudicano più combattivo il ragazzo che ha urtato il suo coetaneo e giustificano la rabbia di quest'ultimo e il suo scagliarsi contro coloro che assistevano sghignazzando.[12]

Questi giudizi affrettati attestano una deformazione percettiva assai profonda in coloro che hanno un'aggressività elevata: essi agiscono presupponendo l'ostilità e la minaccia altrui e prestano troppo poca attenzione a ciò che effettivamente accade. Appena presumono di essere minacciati, passano all'azione. Per esempio, se un ragazzo aggressivo gioca a dama con un altro che muove una pedina quando non è il suo turno, egli interpreterà il gesto come un tentativo di «barare», senza soffermarsi a capire se è stato un errore innocente. Egli presuppone malevolenza piuttosto che innocenza; la sua reazione è automaticamente ostile. Alla percezione automatica di un atto ostile è legata una risposta aggressiva altrettanto automatica. Invece di far notare all'altro ragazzo che ha commesso un errore, passerà subito alle accuse, alle grida e alle botte. E più questi giovanissimi si comportano così, più l'aggressione diventa per loro automatica e si restringono le alternative possibili, quali la cortesia o lo scherzo.

Ragazzi simili sono emotivamente vulnerabili nel senso che si alterano facilmente e si stizziscono più spesso degli altri e per ragioni più numerose; una volta in collera, la loro riflessione è offuscata e pertanto considerano ostili atti benevoli e ricadono nell'abitudine di reagire menando le mani.[13]

Questi pregiudizi percettivi in merito alla presunta ostilità altrui sono già visibili nelle prime classi delle elementari. Anche se la maggior parte dei bambini, soprattutto dei maschi, è indisciplinata ai tempi dell'asilo e in prima elementare, i bambini più aggressivi sono coloro che neppure in seconda classe sono riusciti ad apprendere un minimo di autocontrollo. Mentre gli altri hanno cominciato a imparare a comporre i dissidi durante il gioco con la trattativa e il compromesso, i prepotenti si affidano sempre di più alla forza e agli sfoghi rabbiosi. Per questa loro condotta pagano un prezzo sociale: durante il gioco e la ricreazione, a sole due o tre ore dal primo contatto con un bambino prepotente, gli altri affermano già di averlo in antipatia.[14]

Studi condotti in maniera da seguire i bambini dagli anni prescolari fino all'adolescenza rivelano che la metà di quelli che in prima elementare sono turbolenti, incapaci di andare d'accordo con gli altri, disobbedienti ai genitori e ribelli agli insegnanti, diventano delinquenti durante l'adolescenza.[15] Ovviamente, non tutti i bambini aggressivi sono destinati in seguito a diventare violenti e criminali. Ma rispetto a tutti gli altri, essi sono quelli che corrono il rischio maggiore di commettere, una volta o l'altra, reati di violenza.

La deriva verso il crimine si manifesta assai precocemente nella vita di questi ragazzi. In un asilo di Montreal una valutazione dell'ostilità e della turbolenza dei bambini ha mostrato che i soggetti più aggressivi all'età di cinque anni, dai cinque agli otto anni dopo, ossia nella loro prima adolescenza, erano di gran lunga i più inclini a comportamenti delinquenziali. Di tre volte più alta rispetto agli altri ragazzi era la probabilità che ammettessero di aver picchiato qualcuno senza motivo, di aver rubato nei negozi, di aver usato un'arma in uno scontro, di aver derubato pezzi di un'automobile o di averla forzata, di essersi ubriacati, e tutto ciò prima di aver compiuto quattordici anni.[16]

La via che tipicamente conduce alla violenza e alla criminalità inizia con bambini aggressivi e difficili da controllare in prima e seconda elementare.[17] Solitamente, sin dai primi anni di scuola, la loro scarsa capacità di frenare gli impulsi incide sul basso rendimento scolastico e sul fatto che considerino se stessi «stupidi»: un giudizio che vedono confermato dall'essere confinati in classi differenziali (e benché bambini simili possano avere un tasso più elevato di «iperattività» o di difficoltà nell'apprendimento, ciò non vale affatto per tutti). I bambini che, all'atto di iniziare la scuola, hanno già appreso in famiglia uno stile «coercitivo» – cioè prepotente – sono anche considerati pessimi scolari dagli insegnanti, che devono impiegare troppo tempo nel disciplinarli. Il fatto che bambini simili siano naturalmente portati a trasgredire le regole della disciplina scolastica significa, agli occhi dell'insegnante, che sprecano tempo altrimenti utilizzabile nell'apprendimento; perciò il loro fallimento scolastico è solitamente già evidente sin dalla terza elementare. Anche se i ragazzi che imboccano una strada che li porterà alla delinquenza hanno in genere quozienti di intelligenza più bassi dei coetanei, un ruolo ancor più diretto è giocato dalla loro impulsività: a dieci anni l'impulsività è un fattore predittivo della successiva attitudine delinquenziale tre volte più importante del quoziente intellettivo.[18]

In quarta o in quinta, questi bambini – ormai considerati prepotenti o semplicemente «difficili» – vengono respinti dai coetanei, fanno amicizia difficilmente o non la fanno affatto, e il loro rendimento scolastico è fallimentare. Sentendosi privi di amici, gravitano attorno ad altri emarginati sociali. Tra la quarta e la nona classe, si legano al loro gruppo di emarginati e si dedicano a un'esistenza di trasgressione della legge: rispetto agli altri coetanei, compiono assenze ingiustificate da scuola e assumono alcol e droga in proporzione cinque volte maggiore, con la massima punta di tali comportamenti anomali tra la settima e l'ottava classe. Negli anni della scuola media, a questi soggetti si associa un altro genere di «ritardati», attratti dal loro stile trasgressivo; costoro sono spesso ragazzi più giovani, che a casa vengono abbandonati a se stessi e hanno cominciato da soli a frequentare la strada durante le elementari. Negli anni delle scuole superiori questo gruppo di emarginati abbandona in genere la scuola indirizzandosi verso la delinquenza, dedicandosi a reati minori come il taccheggio, il furto e lo spaccio di droga.

(Una differenza indicativa affiora tra i ragazzi e le ragazze in questo itinerario. Uno studio su bambine «cattive» di quarta – indisciplinate e non rispettose degli insegnanti, ma non emarginate dai coetanei – ha mostrato che alla fine delle scuole superiori il 40 per cento di loro aveva avuto un bambino.[19] Questo dato è tre volte più alto della media delle ragazze rimaste incinte che frequentavano la loro stessa scuola. In altri termini le adolescenti antisociali non diventano violente, ma hanno gravidanze premature.)

Ovviamente non c'è una strada unica che porta alla violenza e alla criminalità e sono molti i fattori che possono mettere a repentaglio un ragazzo: essere nato in un quartiere ad alto tasso di criminalità, dove i giovanissimi sono più esposti alla tentazione di compiere reati e atti di violenza, provenire da una famiglia sottoposta ad alti livelli di stress o vivere in povertà. Ma nessuno di tali fattori rende inevitabile una vita di criminalità e di violenza. A parità di essi, le forze psicologiche all'opera nei bambini aggressivi intensificano grandemente la probabilità che finiscano col diventare criminali violenti. Gerald Patterson, uno psicologo che ha seguito da vicino l'itinerario di centinaia di ragazzi fino al loro ingresso nella vita adulta, afferma: «Le azioni antisociali di un bambino di cinque anni possono essere il prototipo delle azioni di un adolescente delinquente».[20]

Una scuola per i prepotenti

La *forma mentis* che i ragazzi aggressivi portano con sé durante la vita è tale da spingerli con certezza a finire nei guai. Uno studio su minorenni colpevoli di atti di violenza e su studenti liceali aggressivi ha mostrato in loro una mentalità comune: quando hanno problemi con qualcuno, immediatamente considerano l'altro come un antagonista e traggono affrettate conclusioni sulla sua ostilità nei loro confronti, senza cercare di informarsi meglio e senza provare a risolvere i problemi in maniera pacifica. Allo stesso tempo, non pensano alle possibili conseguenze negative di una soluzione violenta – in genere uno scontro fisico. Essi giustificano mentalmente la propria attitudine aggressiva con convinzioni quali «Picchiare qualcuno è giusto, se la rabbia ti fa diventare matto»; «Se ti sottrai a un combattimento tutti penseranno che sei un vigliacco»; «Chi viene picchiato duramente in realtà non soffre poi molto».[21]

Ma un aiuto tempestivo può mutare attitudini siffatte e può bloccare il percorso di un ragazzo verso la delinquenza; numerosi programmi sperimentali hanno avuto un certo successo nell'aiutare i ragazzi aggressivi a imparare a controllare la loro inclinazione antisociale prima che essa li conduca in guai seri. Uno di questi programmi, elaborato alla Duke University, si rivolgeva a bambini difficili e irascibili delle scuole elementari, proponendo periodi di addestramento di quaranta minuti l'uno due volte alla settimana, per una durata dalle sei alle dodici settimane. Ai bambini veniva insegnato, ad esempio, a considerare come alcuni segnali sociali da loro interpretati come ostili fossero in realtà neutrali o amichevoli. I ragazzi imparavano a mettersi nei panni degli altri loro coetanei, ad acquisire la percezione di come venivano considerati dagli altri bambini e di ciò che gli altri potevano aver pensato o sentito negli episodi e nei contatti che li avevano fatti inquietare così tanto. Ricevevano anche un addestramento diretto per il controllo della collera mediante la simulazione di episodi – ad esempio essere derisi – che nella realtà avrebbero potuto far loro perdere la pazienza. Una delle abilità principali per il controllo della collera consisteva nel sorvegliare i propri sentimenti, diventando consapevoli delle sensazioni corporee, come il rossore del viso e la tensione muscolare, che si verificano quando ci si arrabbia, nel considerare queste sensazioni come segnali di stop e nel riflettere sul da farsi invece di aggredire l'altro impulsivamente.

John Lochman, uno psicologo della Duke University che era stato tra coloro che avevano progettato questo programma, mi disse: «I bambini discutono di situazioni nelle quali si sono trovati di recente, come venire urtati nell'atrio della scuola quando pensano che il gesto sia stato fatto apposta per provocarli. Discutono di come avrebbero potuto affrontare la situazione. Ad esempio, uno di loro ha detto di essersi limitato a fissare chi lo aveva urtato, di avergli detto di non farlo più e di essersi allontanato. Questa condotta lo aveva messo nella posizione di esercitare un certo controllo e di mantenere l'autostima senza iniziare uno scontro».

Queste proposte di autocontrollo vengono accolte con favore. Molti bambini aggressivi sono infatti scontenti di arrabbiarsi così facilmente e perciò sono propensi a imparare l'autocontrollo. Ovviamente, quando cadono in preda alla collera, reazioni così fredde come allontanarsi o contare fino a dieci per far scemare l'impulso a reagire battendosi, non vengono automatiche; i ragazzi imparano a praticare queste alternative recitando scenette come quella di salire su un autobus dove altri ragazzi cominciano a prenderli in giro. In questo modo possono cercare di escogitare reazioni amichevoli che consentano loro di mantenere la propria dignità senza essere costretti a fare a botte, a piangere o a fuggire pieni di vergogna.

Tre anni dopo aver iniziato l'addestramento, Lochman ha paragonato questi ragazzi ad altri che erano stati altrettanto aggressivi, ma non avevano usufruito delle lezioni per il controllo dell'irascibilità. Scoprì che, nell'adolescenza, i ragazzi che avevano seguito il programma di autocontrollo erano molto meno turbolenti in classe, nutrivano sentimenti più positivi verso se stessi, e avevano minori probabilità di bere e di drogarsi. Più a lungo avevano seguito il programma, meno aggressivi erano diventati da adolescenti.

Prevenire la depressione

Dana, sedicenne, era sempre andata d'accordo con gli altri. Ma ora, all'improvviso, non riusciva più ad avere buoni rapporti con le sue amiche e, cosa che la turbava ancor di più, non riusciva a restare legata a un ragazzo, anche se ci andava a letto. Di umor nero e con una sensazione costante di stanchezza, Dana perse interesse al mangiare e a qualunque forma di divertimento; disse che si sentiva disperata e incapace di fare qualcosa per uscire da quello stato d'animo e che stava pensando al suicidio.

Il precipitare nella depressione era stato provocato dall'ultima rottura con un ragazzo. Dana riferì che non sapeva come uscire con un ragazzo senza avere subito rapporti sessuali – anche se questo la faceva sentire a disagio – e che non sapeva porre termine a una relazione anche se era insoddisfacente. Andava a letto con i ragazzi, quando tutto ciò che voleva veramente era di conoscerli meglio.

Si era appena trasferita in una nuova scuola e si sentiva timida e apprensiva nel fare amicizia con le ragazze nel nuovo ambiente. Per esempio, si asteneva dall'iniziare una conversazione e si limitava solo a rispondere quando qualcun'altra le rivolgeva la parola. Si sentiva incapace di comunicare agli altri ciò che provava e le sembrava persino di non saper dire nulla dopo un banale: «Ciao, come stai?».[22]

Dana seguì a scopo terapeutico un programma sperimentale per adolescenti depressi alla Columbia University. Il trattamento mirava ad aiutarla a migliorare la propria vita di relazione: come sviluppare un'amicizia, come sentirsi più sicura di sé con i coetanei, come imporre limiti all'intimità sessuale, come costruire un rapporto intimo, come esprimere i propri sentimenti. In sostanza si trattava di un addestramento volto a recuperare alcune delle più basilari abilità emozionali. Funzionò: la sua depressione scomparve.

Le difficoltà della vita di relazione, in particolare nei giovani, sono un fattore che scatena la depressione. Spesso le difficoltà nascono nel rapporto dei ragazzi con i genitori, come pure in quello con i coetanei. Spesso i bambini e gli adolescenti depressi non sono capaci – o non sono disposti – a parlare della loro tristezza. Non sembrano in grado di definire con accuratezza i propri sentimenti e manifestano invece sorda irritazione, impazienza, nervosismo e rabbia, soprattutto verso i genitori. Di conseguenza un tale comportamento rende più difficile per i genitori offrire loro quel sostegno emotivo e quella guida di cui ha necessità il ragazzo depresso. Si innesca perciò una spirale discendente che in genere porta a discussioni continue e a una sempre maggiore estraniazione.

Un nuovo esame delle cause della depressione nei giovani evidenzia lacune in due aree di competenza emozionale: da un lato, le abilità relazionali, e dall'altro un modo di interpretare gli insuccessi che favorisce la depressione. Anche se la predisposizione alla depressione è quasi certamente in parte di natura genetica, per altri versi essa sembra derivare da modi di pensare pessimistici che, pur essendo correggibili, inducono i bambini a reagire alle piccole sconfitte della vita – un brutto voto, le discussioni con i genitori, un rifiuto sociale – deprimendosi. Sembra inoltre che la predisposizione alla depressione, quali che ne siano le basi, si stia diffondendo sempre più largamente tra i giovani.

Un costo della modernità: la crescita della depressione

Questi anni di fine millennio ci introducono a un'Epoca di Malinconia, così come il Ventesimo secolo è stato un'Epoca di Ansia. I dati internazionali mostrano quella che appare una moderna epidemia di depressione, che si diffonde ovunque a causa dell'adozione, in tutto il mondo, degli stili di vita moderni. Su scala mondiale, tutte le generazioni susseguitesi dall'inizio del secolo hanno conosciuto un rischio maggiore rispetto a quello dei genitori di soffrire, nel corso della vita, di una depressione seria, che non è semplicemente una condizione di tristezza, ma è apatia, abbattimento, autocommiserazione paralizzante e senso di disperazione schiacciante.[23] E gli episodi depressivi si presentano in età sempre più giovane. La depressione infantile, un tempo quasi sconosciuta (o, almeno, non riconosciuta) si affaccia come un tratto costante dello scenario attuale.

Anche se la probabilità della depressione aumenta con l'età, gli incrementi maggiori riguardano i giovani. Per i nati dopo il 1955, la probabilità di soffrire di una grave depressione a un certo momento della vita è, in molti paesi, tre volte o più alta di quella dei loro nonni. Fra gli americani nati prima del 1905, la percentuale di coloro che nell'arco della vita hanno sofferto di una grave depressione era solo dell'1 per cento; per i nati dopo il 1955, all'età di ventiquattro anni circa, il 6 per cento era depresso. Per i nati fra il 1945 e il 1954, le possibilità di aver avuto una depressione grave prima del trentaquattresimo anno di età sono dieci volte maggiori che per i nati fra il 1905 e il 1914.[24] E per ogni generazione l'insorgenza di un primo episodio depressivo si è verificata in età sempre più bassa.

Uno studio mondiale condotto su più di 39.000 persone ha rilevato la stessa tendenza in paesi tra loro diversissimi come Porto Rico, il Canada, l'Italia, la Germania, la Francia, Taiwan, il Libano e la Nuova Zelanda. A Beirut la crescita della depressione ha seguito da vicino gli eventi politici: le tendenze al rialzo hanno conosciuto una brusca impennata durante la guerra civile. In Germania, la percentuale di depressione all'età di 35 anni per i nati prima del 1914 è del 4 per cento, mentre per i nati nel decennio antecedente al 1944 è del 14 per cento. A livello mondiale, le generazioni che hanno raggiunto la maggiore età in tempi di turbamenti politici, hanno avuto tassi più elevati di depressione, anche se la tendenza complessiva al rialzo è indipendente da ogni avvenimento politico.

Anche l'abbassamento dell'età in cui si hanno le prime esperienze depressive sembra una tendenza mondiale. Quando ho chiesto agli esperti di formulare un'ipotesi sulle cause, ho raccolto numerose teorie.

Il dottor Frederick Goodwin, allora direttore del National Institute of Mental Health, ha ipotizzato: «C'è stata una tremenda erosione dei nuclei familiari, un raddoppiamento della percentuale dei divorzi, un calo del tempo che i genitori dedicano ai figli e un aumento della mobilità. Non si cresce più all'interno di una famiglia allargata. La perdita di queste fonti stabili di autoidentificazione comporta una maggiore suscettibilità alla depressione».

Il dottor David Kupfer, titolare del corso di psichiatria alla facoltà di medicina dell'Università di Pittsburgh, ha sottolineato un'altra tendenza: «Con la diffusione dell'industrializzazione dopo la seconda guerra mondiale, in un certo senso nessuno si è più trovato a casa sua. In un numero sempre più alto di famiglie c'è stato un aumento dell'indifferenza dei genitori verso i bisogni dei figli durante la loro crescita. Questa non è una causa diretta della depressione, ma provoca una condizione di vulnerabilità. Fattori precoci di stress emotivo possono incidere sullo sviluppo nervoso e ciò può portare a una depressione anche molti decenni dopo, quando ci si trovi in una situazione di grande stress».

Martin Seligman, psicologo dell'Università della Pennsylvania, ha proposto questa teoria: «Negli ultimi trenta o quarant'anni abbiamo assistito alla crescita dell'individualismo e a un declino delle più diffuse credenze religiose e dei sostegni offerti dalla comunità e dalla famiglia allargata. Questo significa una perdita delle risorse che possono proteggere dalle sconfitte e dai fallimenti. Nella misura in cui si considera un fallimento qualcosa di durevole, e lo si ingigantisce come se rovinasse tutta la propria vita, si è inclini a fare di una sconfitta temporanea una fonte duratura di disperazione. Ma se si possiede una prospettiva più ampia, ad esempio se si crede in Dio e nell'al di là, la perdita del lavoro verrà considerata solo una sconfitta temporanea».

Quale che ne sia la causa, la depressione nei giovani è un problema pressante. Negli Stati Uniti, le stime del numero di bambini e adolescenti depressi in un determinato anno sono molto varie, al contrario di quelle che concernono la loro vulnerabilità nell'arco dell'intera vita. Tali studi epidemiologici, che ricorrono a criteri rigorosi – i sintomi considerati nella diagnostica ufficiale della depressione –, hanno scoperto che per ragazzi e ragazze fra i dieci e i tredici anni la percentuale di incidenza di depressione grave nel corso di un anno si aggira sull'8-9 per cento, anche se altri studi la dimezzano (e in alcuni studi essa scende al 2 per cento). Alcuni dati suggeriscono che nella pubertà la percentuale raddoppia per i soggetti di sesso femminile; fino al 16 per cento delle ragazze fra i quattordici e i sedici anni soffrono di una crisi depressiva, mentre il valore resta immutato per i ragazzi.[25]

Il decorso della depressione nei giovani

Il fatto che nei giovanissimi la depressione non dovrebbe soltanto essere curata, ma *prevenuta*, risulta evidente da una scoperta allarmante: episodi depressivi anche lievi nel bambino possono essere il segno premonitore di crisi più gravi nella vita adulta.[26] Questo smentisce la vecchia tesi secondo la quale la depressione infantile non avrebbe conseguenze importanti a lungo termine, visto che i bambini la supererebbero con lo sviluppo. Ovviamente di tanto in tanto ogni ragazzo diventa triste; l'infanzia e l'adolescenza sono, come l'età adulta, periodi di delusioni occasionali e di perdite grandi o piccole con le conseguenti sofferenze. La necessità di una prevenzione non riguarda questi casi, ma i bambini che vengono precipitati dalla tristezza in una spirale di incupimento che li lascia disperati, irritabili e chiusi in se stessi, in preda a una malinconia molto grave.

Fra i giovanissimi la cui depressione era abbastanza grave da rendere consigliabile un trattamento terapeutico, tre quarti hanno conosciuto un episodio successivo di depressione grave, secondo i dati raccolti da Maria Kovacs, una psicologa del Western Psychiatric Institute and Clinic di Pittsburgh.[27] La Kovacs ha studiato i bambini ai quali era stata diagnosticata una depressione all'età di otto anni, valutandoli costantemente a distanza di pochi anni finché alcuni raggiunsero i ventiquattro.

I bambini affetti da depressione grave soffrirono in media di episodi della durata di circa undici mesi, anche se in un caso ogni sei la depressione si protrasse per diciotto mesi. La depressione lieve, iniziata in alcuni bambini già all'età di cinque anni, produceva menomazioni minori ma durava assai più a lungo, in media circa quattro anni. Kovacs ha scoperto che i bambini che hanno sofferto di una depressione lieve hanno maggiori probabilità che essa si intensifichi trasformandosi in una depressione grave: la cosiddetta doppia depressione. Coloro che sviluppano una doppia depressione sono molto più inclini a soffrire di ricorrenti episodi depressivi col passare degli anni. Quando i bambini che hanno avuto un episodio depressivo diventano adolescenti e adulti, soffrono di depressione o di disturbi maniaco-depressivi, in media, un anno ogni tre.

Il prezzo pagato dai giovanissimi va oltre la sofferenza causata dalla depressione in se stessa; la Kovacs mi ha detto: «I ragazzi imparano le abilità sociali (per esempio, che cosa fare se vuoi qualcosa e non riesci ad averla) nei rapporti con i coetanei: osservando come gli altri affrontano una situazione simile e cercando di emularli. Ma i ragazzi depressi hanno forti probabilità di essere tra gli alunni più trascurati della scuola, quelli con i quali i compagni non giocano molto».[28]

L'umor nero o la tristezza provata da questi bambini li induce a evitare di inaugurare contatti sociali e a distogliere lo sguardo quando un altro bambino cerca di stabilire un contatto con loro: un segnale sociale che l'altro interpreta come un rifiuto. Il risultato conclusivo è che i bambini depressi finiscono per essere quelli rifiutati o trascurati nel gioco e nella ricreazione. Questa lacuna nella loro esperienza interpersonale significa che a loro viene a mancare ciò che normalmente apprenderebbero nelle baruffe di gioco: una carenza che può renderli ritardati dal punto di vista sociale ed emozionale, creando un lungo distacco che dovrà essere recuperato una volta superata la depressione.[29] Infatti, quando i ragazzi depressi sono stati confrontati a quelli che non hanno sofferto di depressione, si sono rivelati socialmente più disadattati, con meno amici, meno preferiti come compagni di gioco, meno simpatici e più a disagio nei rapporti con i coetanei.

Un altro prezzo pagato da questi giovanissimi è lo scarso rendimento scolastico; la depressione interferisce con la memoria e la concentrazione e rende più difficile prestare attenzione in classe e tenere a mente ciò che si è appreso. Per un ragazzo che non prova piacere in niente sarà faticoso radunare le energie necessarie a capire a fondo lezioni impegnative, anche perché difficilmente sarà dotato della capacità di apprendere con facilità. Comprensibilmente, più a lungo rimanevano depressi i ragazzi studiati dalla Kovacs, meno buoni erano i loro voti e più scadenti i loro risultati nelle verifiche scolastiche. In effetti si manifestò una correlazione positiva tra la durata della depressione di un bambino e i voti scolastici, con un costante calo di rendimento nel corso dell'episodio depressivo. Ovviamente, le difficoltà scolastiche peggiorano la depressione. Osserva la Kovacs: «Immagina di sentirti già depresso e poi di lasciare la scuola in seguito ai risultati sempre più scadenti finendo per restare seduto a casa da solo invece di giocare con gli altri ragazzi».

Modi di pensare che ingenerano la depressione

Proprio come accade negli adulti, un modo pessimistico di interpretare le sconfitte della vita sembra alimentare il senso di incapacità e di disperazione al centro della depressione infantile. È noto da tempo che le persone *già* depresse hanno questo modo di pensare. Ciò che è emerso solo recentemente è che invece i ragazzi più inclini alla malinconia mostrano una tendenza verso questa visione pessimistica ancor *prima* di diventare depressi. Questa osservazione suggerisce la possibilità di «vaccinarli» contro la depressione prima che la malattia esploda.

Una prova del nesso esistente tra depressione e visione pessimistica della vita proviene dagli studi sulle opinioni che i giovanissimi hanno della propria capacità di controllare ciò che accade nella propria vita, ad esempio riuscire a modificare per il meglio la propria situazione. Questa capacità si esprime in valutazioni di se stessi del tipo: «Quando ho problemi a casa sono più bravo della maggior parte dei ragazzi nel contribuire a risolverli» e «Quando studio molto, ottengo buoni voti». I ragazzi che affermano che nessuna di queste descrizioni positive corrisponde alla loro condizione non credono di poter fare qualcosa per migliorare le cose; questo senso di impotenza è maggiore nei giovani più depressi.[30]

Uno studio rivelatore ha esaminato alunni della quinta e sesta classe delle elementari nei pochi giorni successivi alla consegna delle pagelle. Come tutti ricordiamo, le pagelle sono una delle maggiori fonti di esultanza e di disperazione durante l'infanzia. I ricercatori hanno constatato una correlazione assai marcata tra la depressione e il modo in cui i bambini valutano se stessi quando ricevono un voto peggiore di quello atteso. Quelli che attribuiscono il brutto voto a un difetto personale («Sono stupido») si sentono più depressi di quelli che lo mettono in relazione a qualcosa che essi potrebbero modificare («Se studio di più matematica, prenderò un voto più alto»).[31]

I ricercatori hanno identificato un gruppo di alunni di terza, quarta e quinta classe rifiutati dai compagni di classe e hanno seguito le vicende di quelli che hanno continuato a restare emarginati l'anno seguente. Il modo in cui i bambini spiegavano il rifiuto subito sembrava di importanza cruciale ai fini della loro depressione. Quelli che consideravano il rifiuto come conseguenza di qualche loro difetto si deprimevano maggiormente. Ma gli ottimisti, che sentivano di poter fare qualcosa per cambiare in meglio le cose, non erano particolarmente depressi nonostante il persistente rifiuto.[32] In uno studio sui giovanissimi impegnati nel passaggio notoriamente difficile alla settima classe, quelli con un'attitudine pessimistica rispondevano alle accresciute difficoltà scolastiche e a ogni tensione familiare aggiuntiva diventando depressi.[33]

La prova più diretta del fatto che una visione pessimistica rende i giovanissimi altamente suscettibili alla depressione proviene da uno studio durato cinque anni su bambini osservati a partire dalla terza classe.[34] Fra i più piccoli, il fattore predittivo più forte della futura depressione era una visione pessimistica della vita abbinata a un grave trauma (come il divorzio dei genitori o la morte di un familiare) che aveva lasciato il bambino sconvolto e disorientato e, presumibilmente, i genitori meno capaci di sostenerlo nella crescita. Progredendo nella scuola elementare, il modo di pensare dei bambini sui fatti positivi o negativi della loro vita, andò mutando, mostrando una sempre maggior disponibilità ad attribuirli ai tratti della propria personalità: «Prendo buoni voti perché sono intelligente»; «Non ho molti amici perché non sono divertente». Questo mutamento pare svilupparsi gradualmente dalla terza alla quinta classe. Mentre ciò avviene, i bambini che maturano una visione pessimistica – attribuendo i propri insuccessi a qualche difetto irrimediabile di se stessi – cominciano a cadere in preda a stati d'animo depressi in risposta agli insuccessi. Cosa ancor peggiore, la stessa esperienza della depressione sembra rafforzare questi modi di pensare pessimistici, cosicché, anche dopo la scomparsa della depressione, il ragazzo rimane segnato da quella che potremmo definire una cicatrice emozionale, ossia da un insieme di convinzioni alimentate dalla depressione e solidificatesi nella mente – non sono in grado di andare bene a scuola, non sono simpatico, non posso far nulla per sfuggire ai miei cupi pensieri. Queste fissazioni possono rendere il bambino ancor più vulnerabile a un'altra crisi depressiva in futuro.

Mandare la depressione in corto circuito

Una buona notizia: sembra proprio che insegnando ai ragazzi alcuni modi più produttivi di guardare alle proprie difficoltà abbassi il rischio di depressione.* In uno studio su una scuola superiore dell'O-

* Nei bambini, diversamente dagli adulti, l'assunzione di farmaci non rappresenta nel trattamento della depressione una chiara alternativa alla psicoterapia o all'educazione preventiva; infatti i bambini metabolizzano i farmaci diversamente dagli adulti. Gli antidepressivi triciclici, che spesso hanno successo con gli adulti, secondo studi specifici nei bambini non si sono dimostrati migliori di un placebo farmacologicamente inattivo. Nuovi antidepressivi, inclusa la fluoxetina, non sono stati ancora sperimentati per l'impiego sui bambini. La desipramina, uno dei triciclici più comuni e più sicuri impiegati per gli adulti, all'epoca in cui scrivo è oggetto di un severo esame da parte della Food and Drug Administration come possibile causa di morte nei bambini.

regon, circa uno studente su quattro era affetto da ciò che gli psicologi definiscono una «depressione di basso livello» – non abbastanza grave, cioè, da poter dire che superasse una normale infelicità.[35] Alcuni di questi studenti potevano forse trovarsi nelle prime settimane o nei primi mesi di quella che sarebbe diventata una vera e propria depressione.

In una classe speciale del doposcuola 75 studenti affetti da questa blanda depressione impararono ad affrontare gli schemi di pensiero associati con la depressione, a migliorare la propria abilità nel fare amicizie, a migliorare i rapporti con i genitori e a intraprendere più attività sociali ritenute piacevoli. Al termine di questo programma, della durata di otto settimane, il 55 per cento degli studenti si era ristabilito; fra gli studenti che non avevano seguito il programma, invece, soltanto un quarto di soggetti aveva cominciato a uscire dalla depressione. Un anno dopo, un quarto degli studenti appartenenti a questo gruppo di controllo era caduto in preda a una depressione grave, mentre la stessa evoluzione si era verificata solamente nel 14 per cento degli studenti impegnati nel programma di prevenzione. Anche se questo programma era stato svolto in sole otto sedute, sembrava aver ridotto di metà il rischio della depressione.[36]

Risultati altrettanto promettenti erano venuti da una classe speciale di ragazzi dai dieci ai tredici anni che avevano difficoltà con i genitori e mostravano alcuni sintomi depressivi. Questa classe aveva seguito, durante il doposcuola, una lezione settimanale nel corso della quale aveva appreso abilità emozionali fondamentali, come affrontare i contrasti, pensare prima di agire, e – forse l'abilità più importante – affrontare il pessimismo associato alla depressione; per esempio, decidere di studiare di più dopo aver riportato brutti voti in un compito, invece di pensare: «Non sono abbastanza intelligente».

«Un ragazzo impara in queste lezioni che stati d'animo come l'ansia, la tristezza e la rabbia non calano su di te senza che tu possa esercitare alcun controllo su di essi, ma che invece tu puoi cambiare il modo in cui ti senti attraverso ciò che pensi», rileva lo psicologo Martin Seligman, uno dei promotori del programma durato dodici settimane. Poiché mettere in discussione i pensieri deprimenti sconfigge la tristezza che incombe sull'anima, Seligman aggiunse che tale tecnica «è un corroborante istantaneo che diventa un'abitudine».

Anche in questo caso le lezioni speciali abbassarono di metà il tasso di depressione e questo risultato si protrasse per due anni. Un anno dopo la fine del programma, solo l'8 per cento dei partecipanti al corso risultò affetto da una depressione moderata o grave, rispetto al 29 per cento di ragazzi di un gruppo di controllo. E dopo due anni, circa il 20 per cento di coloro che avevano seguito il corso mostrava alcuni sintomi di una blanda depressione quanto meno blanda, che era emersa invece nel 44 per cento del gruppo di controllo.

Apprendere queste abilità emozionali al culmine dell'adolescenza può essere particolarmente utile. Seligman osserva: «Questi ragazzi sembrano saper affrontare meglio le consuete sofferenze adolescenziali dovute ai rifiuti. Sembrano aver imparato questa abilità in un momento cruciale per il rischio di ammalarsi di depressione, proprio mentre fanno il loro ingresso nell'adolescenza. E la lezione appresa sembra persistere e rafforzarsi nel corso degli anni, indicando che essi la stanno effettivamente mettendo in pratica nella loro vita quotidiana».

Altri esperti di depressione infantile plaudono a questi nuovi programmi. «Se si vuol fare davvero qualcosa di utile per malattie psichiatriche come la depressione, bisogna agire prima che i bambini si ammalino la prima volta» osservò la Kovacs. «La vera soluzione è una "vaccinazione" psicologica.»

Disturbi del comportamento alimentare

Durante il corso postlaurea di psicologia clinica che seguii alla fine degli anni Sessanta, conobbi due donne che soffrivano di disturbi del comportamento alimentare, anche se compresi la natura dei loro problemi solo molti anni dopo. Una si era brillantemente laureata in matematica ad Harvard ed era mia amica dagli anni dell'università; l'altra era una bibliotecaria del M.I.T. La dottoressa in matematica, benché fosse magrissima, non riusciva a mangiare: il cibo, a suo dire, la disgustava. La bibliotecaria era una donna formosa e si abbuffava di gelati, torte e altri dolci; poi – come una volta mi confidò non senza imbarazzo – andava di nascosto al bagno e si procurava il vomito. Oggi alla dottoressa in matematica verrebbe diagnosticata l'anoressia nervosa, mentre alla bibliotecaria la bulimia.

All'epoca, simili definizioni non esistevano. I medici stavano appena cominciando a esaminare il problema; Hilda Bruch, un pioniere di questi studi, pubblicò il suo articolo fondamentale sui disturbi del comportamento alimentare nel 1969.[37] La Bruch, che si interrogava sui casi di donne che rifiutavano il cibo fino a morire, ipotizzò che una delle molteplici cause consistesse nella incapacità di identificare e di rispondere appropriatamente agli stimoli corporei, in particolare, com'è ovvio, a quello della fame. Da allora la letteratura medica sui disturbi alimentari ha conosciuto una fioritura impressionante ed è stata avanzata una molteplicità di ipotesi sulle loro cause, che vanno da una sensazione di inadeguatezza delle ragazze e delle bambine di fronte a modelli inarrivabili di bellezza femminile con i quali si sentono costrette a competere, alla presenza di madri importune che invischiano le proprie figlie in una trama di sensi di colpa e di rimproveri per sottoporle al proprio controllo.

La maggior parte di queste ipotesi soffriva di un grosso inconveniente: erano estrapolazioni da osservazioni eseguite durante la terapia. Molto più attendibili, da un punto di vista scientifico, sono gli studi condotti su gruppi di persone piuttosto ampi, per verificare quali di esse, in un arco di tempo di diversi anni, finiranno per essere afflitte da una di queste patologie. Studi simili consentono un paragone chiaro che può indicare, per esempio, se la presenza di genitori dominanti predispone una ragazza a disturbi del comportamento alimentare. Oltre a ciò, è possibile identificare l'insieme delle condizioni che suscitano il problema, distinguendole da altre che potrebbero sembrare cause, ma che in effetti si riscontrano altrettanto spesso in persone non affette dal problema e in quelle che si sottopongono alla terapia.

Quando uno studio di questo tipo venne svolto su più di novecento adolescenti dalla settima alla decima classe, si riscontrò che le carenze emozionali – in particolare l'incapacità di individuare i sentimenti dolorosi e di controllarli – erano un fattore chiave che conduceva a disturbi del comportamento alimentare.[38] In una scuola superiore della periferia ricca di Minneapolis, nella decima classe c'erano 61 adolescenti che già soffrivano di gravi sintomi di anoressia o di bulimia. Più i problemi erano gravi – più le ragazze reagivano a insuccessi, difficoltà e seccature con forti sentimenti negativi che non potevano placare – minore era la consapevolezza di ciò che esattamente stavano provando. Quando queste due tendenze emozionali venivano associate a un sentimento di pronunciata insoddisfazione per il proprio corpo, allora l'esito era l'anoressia o la bulimia. La presenza di genitori eccessivamente dominanti non sembrava giocare un ruolo di primo piano nel provocare i disturbi del comportamento alimentare. (Come la stessa Bruch aveva avvertito, era improbabile che le teorie basate sul senno di poi fossero accurate; per esempio, è facile che i genitori si controllino maggiormente in risposta ai disturbi della figlia, nel disperato tentativo di aiutarla.) Irrilevanti furono anche giudicate spiegazioni diffuse come la paura della sessualità, l'inizio precoce della pubertà e una bassa autostima.

La catena causale messa in luce da questo studio, invece, iniziava con gli effetti prodotti sulle giovanissime adolescenti dal fatto di crescere in una società ossessionata dall'aver assunto una magrezza innaturale come simbolo della bellezza femminile. Molto prima dell'adolescenza le bambine sono già sensibili al loro peso corporeo. Una bambina di sei anni, ad esempio, quando la madre le chiese di andare in piscina, scoppiò a piangere dicendo che sarebbe sembrata grassa in costume da bagno. In realtà, afferma il pediatra della bimba che riferisce l'episodio, il suo peso era normale per l'altezza.[39] In uno studio su 271 adolescenti, metà delle ragazze pensavano di essere troppo grasse, benché la grande maggioranza di loro fosse normale. Ma lo studio di Minneapolis ha mostrato che l'ossessione di essere sovrappeso non è in sé sufficiente a spiegare come mai alcune ragazze sviluppino disturbi del comportamento alimentare.

Alcuni obesi sono incapaci di esprimere la differenza tra aver paura, essere arrabbiati e aver fame e perciò trattano tutte queste sensazioni come se significassero soltanto fame; ciò li induce a mangiare in eccesso ogni volta che si sentono male.[40] Qualcosa di simile sembra succedere alle ragazze dello studio di cui sopra. Gloria Leon, la psicologa della Minnesota University che ha condotto lo studio sui disturbi del comportamento alimentare delle adolescenti, osservò che esse «hanno scarsa consapevolezza dei propri sentimenti e dei segnali del proprio corpo; questo era il più forte fattore predittivo del fatto che avrebbero sviluppato un disturbo alimentare nell'arco dei due anni successivi. Nella grande maggioranza i giovani imparano a distinguere le proprie diverse sensazioni, a dire se si sentono annoiati, arrabbiati, depressi o affamati: questa è una parte fondamentale dell'apprendimento emozionale. Ma queste adolescenti fanno fatica a distinguere le sensazioni più elementari. Può darsi che abbiano un problema con il loro ragazzo e non sono sicure se sono arrabbiate, ansiose o depresse; semplicemente sperimentano una diffusa tempesta emozionale che non sanno come affrontare efficacemente. Imparano a procurarsi una sensazione di benessere mangiando; questa può diventare un'abitudine emozionale fortemente radicata».

Ma quando una tale abitudine rassicurante interagisce con la pressione che le ragazze avvertono a restare magre, ecco aprirsi la strada allo sviluppo dei disturbi del comportamento alimentare. «All'inizio l'adolescente può cominciare ad abbuffarsi» osserva la Leon. «Ma per rimanere magra, può ricorrere al vomito o ai lassativi o a intensi esercizi fisici per perdere il grasso accumulato mangiando troppo. Questa lotta per far fronte alla confusione emozionale può prendere però anche un'altra strada, ossia quella di non mangiare affatto: può essere un modo per farti sentire che esercitano almeno un qualche controllo sui sentimenti che le sommergono.»

La combinazione di una scarsa consapevolezza interiore e di deboli abilità sociali comporta che queste ragazze, quando si trovano in difficoltà con i genitori o gli amici, non siano in grado di agire efficacemente per migliorare il rapporto o per alleviare la propria angoscia. Al contrario, il dispiacere scatena in loro i disturbi del comportamento alimentare, che siano la bulimia o l'anoressia, o semplicemente il mangiare troppo. Gloria Leon ritiene che un trattamento efficace per queste ragazze debba includere un certo recupero delle abilità emozionali di cui sono carenti. «I medici constatano che la terapia è più efficace se si affrontano le carenze» mi ha detto la Leon. «Queste ragazze hanno bisogno di imparare a riconoscere i propri sentimenti e di apprendere i metodi per rasserenarsi e migliorare i rapporti senza ricorrere alle proprie cattive abitudini alimentari.»

Soli con se stessi: abbandoni

Ecco un dramma da scuola elementare: Ben, un bambino di quarta con pochi amici, ha appena saputo dal suo unico compagno, Jason, che durante la pausa per il pranzo non giocheranno assieme, perché Jason vuole giocare con Chad, un altro bambino. Ben, sconfortato, abbassa il capo e si mette a piangere. Quando i singhiozzi sono cessati, Ben si avvicina al tavolo dove Jason e Chad stanno consumando il pasto.

«Ti odio!» grida Ben a Jason.

«Perché?» gli chiede quest'ultimo.

«Perché hai mentito» risponde Ben in tono d'accusa. «Hai detto che per tutta la settimana avresti giocato con me e hai mentito.»

Poi Ben gli gira le spalle e torna al proprio tavolo vuoto, piangendo in silenzio. Jason e Chad vanno da lui e cercano di parlargli, ma Ben si mette le dita nelle orecchie, ignorandoli volutamente, e corre via dal refettorio andando a nascondersi dietro i bidoni dei rifiuti della scuola. Alcune ragazzine che hanno assistito al fatto cercano di farli riappacificare. Trovano Ben e gli riferiscono che Jason è disposto a giocare anche con lui. Ma Ben non ne vuol sapere e dice loro di lasciarlo in pace. Medica da solo le proprie ferite, singhiozzando e rimuginando in silenzio.[41]

Senza dubbio un episodio struggente; la sensazione di essere respinti e di rimanere senza amici è qualcosa che quasi tutti abbiamo provato in qualche momento dell'infanzia o dell'adolescenza. Ma ciò che è più rivelatore della reazione di Ben è la sua incapacità di rispondere agli sforzi di Jason per ristabilire l'amicizia, un atteggiamento che prolunga la sua situazione critica quando essa avrebbe potuto aver termine. Una tale incapacità di cogliere segnali fondamentali è tipica dei bambini considerati antipatici; come abbiamo visto nel capitolo 8, i bambini oggetto di rifiuto sociale sono in genere poco abili nel decifrare i segnali emozionali e sociali e, anche quando ci riescono, il repertorio delle loro risposte è spesso assai limitato.

L'abbandono scolastico è un rischio che colpisce in modo particolare i ragazzi rifiutati dagli altri. Il tasso di abbandono scolastico di questi giovanissimi è tra le due e le otto volte maggiore di quello dei ragazzi che hanno amici. Uno studio ha scoperto, ad esempio, che circa il 25 per cento dei ragazzi che alle elementari venivano considerati antipatici, ha abbandonato gli studi prima di ultimare la scuola secondaria superiore, rispetto a una percentuale complessiva dell'8 per cento.[42] C'è poco da stupirsi: immaginate di dover trascorrere trenta ore alla settimana in un posto dove non siete simpatici a nessuno.

Le inclinazioni emozionali che portano i ragazzi all'emarginazione sociale sono di due tipi. Come abbiamo visto, una è la propensione a scoppi d'ira violenti e a percepire l'ostilità altrui anche in assenza di reali intenzioni ostili. Il secondo è la timidezza e l'apprensione nei contatti sociali. Al di là e al di sopra di questi fattori caratteriali stanno poi i ragazzi «imbranati» – i cui impacci mettono gli altri ripetutamente a disagio e che solitamente vengono emarginati.

Uno dei modi in cui questi giovanissimi mostrano la propria «imbranataggine» consiste nel tipo di segnali emozionali che essi inviano. Quando ai bambini delle elementari con pochi amici si chiede di associare un'emozione come il disgusto o la rabbia con immagini di volti che manifestano una vasta gamma di emozioni, essi commettono errori più numerosi dei bambini simpatici. Quando ai bambini dell'asilo è stato chiesto di spiegare come fare amicizia o evitare di scontrarsi con qualcuno, i soggetti considerati antipatici – cioè quelli con i quali gli altri evitano di giocare – se ne sono usciti con risposte del tutto inappropriate («Dargli un pugno» come soluzione al conflitto quando due bambini vogliono lo stesso giocattolo, ad esempio) o con vaghe richieste di aiuto a una persona più grande. E quando è stato chiesto ad alcuni adolescenti di fingere di essere tristi, arrabbiati o maliziosi, i più antipatici recitarono la parte nel modo meno persuasivo. Non c'è forse da stupirsi che questi ragazzi giungano a considerarsi incapaci di fare amicizie; la loro incompetenza sociale si trasforma così in una profezia che si autoavvera. Invece di imparare nuovi modi di fare amicizia, essi semplicemente continuano a ripetere gli stessi errori già rivelatisi tali in passato, oppure reagiscono in maniera ancor più stupida.[43]

Nella roulette della simpatia, questi ragazzi non soddisfano i criteri emozionali di base: stare con loro non è considerato divertente ed essi non sanno mettere a proprio agio un coetaneo. Osservazioni compiute su ragazzi antipatici durante il gioco, mostrano ad esempio che essi sono molto più inclini degli altri a ingannare, a tenere il broncio, a abbandonare il gioco quando perdono o a vantarsi quando vincono. Ovviamente la maggior parte dei ragazzi vuol vincere, ma è capace di contenere la propria reazione emotiva sia in caso di sconfitta sia in caso di vittoria, così da non danneggiare il rapporto con i compagni di gioco.

Mentre i ragazzi socialmente disadattati – che hanno continue difficoltà a decifrare le emozioni e a rispondere a esse – finiscono per restare socialmente isolati, questo esito non riguarda, com'è ovvio, i ragazzi che attraversano un'emarginazione solo temporanea.

Ma per quelli continuamente esclusi e rifiutati, il penoso stato di emarginazione persiste con il passare degli anni scolastici. Mentre il giovane entra nell'età adulta, le possibilità di finire ai margini della società sono molto elevate. È nell'ambito delle amicizie intime e nel tumulto del gioco che gli adolescenti affinano le abilità sociali ed emozionali che impiegheranno nei rapporti interpersonali. I ragazzi esclusi da questa sfera di apprendimento risultano, ovviamente, svantaggiati.

Comprensibilmente, chi viene rifiutato denuncia uno stato di grande ansia e riferisce di avere molte preoccupazioni, di sentirsi depresso e solo. In effetti è stato dimostrato che il grado di simpatia di cui gode un bambino in terza classe è un fattore predittivo più attendibile di ogni altro per quanto riguarda problemi di salute mentale che possono insorgere a diciotto anni: più attendibile delle valutazioni di insegnanti e assistenti sanitari, del rendimento scolastico, del quoziente intellettivo e perfino dei risultati ottenuti nei test psicologici.[44] E, come abbiamo visto, nelle fasi successive della vita le persone con pochi amici e cronicamente sole corrono rischi maggiori di malattia e di morte precoce.

Come ha evidenziato lo psicoanalista Harry Stuck Sullivan, impariamo a intrattenere rapporti intimi – ad accettare le differenze e a condividere i sentimenti più profondi – nell'ambito delle nostre prime grandi amicizie con individui del nostro sesso. Ma rispetto ai loro coetanei i bambini socialmente respinti hanno soltanto la metà delle probabilità di avere un amico preferito durante gli anni cruciali della scuola elementare; pertanto viene loro a mancare un'opportunità essenziale per la crescita emozionale.[45] Un amico può fare la differenza, anche quando tutti gli altri coetanei ti girano le spalle (e anche quando quell'amicizia non sia affatto solida).

Addestrare all'amicizia

C'è una speranza per i ragazzi rifiutati, nonostante la loro inadeguatezza. Steven Asher, uno psicologo dell'Università dell'Illinois, ha ideato un corso di «addestramento all'amicizia» per bambini antipatici, che si è rivelato di una certa efficacia.[46] Dopo aver identificato in terza e quarta classe i bambini che erano considerati meno simpatici, Asher impartì loro sei lezioni su come «rendere più divertenti i giochi» essendo «cordiali, divertenti e gentili». Per evitare di etichettarli come i più antipatici, ai bambini fu detto che avrebbero avuto la funzione di «consulenti» dell'istruttore, il quale stava cercando di imparare come rendere più divertenti i giochi dei bambini.

I bambini furono addestrati a comportarsi secondo modalità che Asher aveva trovato tipiche dei ragazzi più simpatici. Per esempio, vennero incoraggiati a pensare a soluzioni e a compromessi alternativi (invece di accapigliarsi), nel caso in cui sorgessero tra loro contrasti sulle regole del gioco; a ricordarsi di parlare con il compagno di giochi e di fargli domande; ad ascoltarlo e a osservarlo per vedere come agisce; a dire qualcosa di gentile quando l'altro bambino fa bene qualcosa; a sorridere e a offrire aiuto, suggerimenti o incoraggiamento. I bambini provarono anche a praticare questi comportamenti gradevoli mentre giocavano con un compagno di classe e in seguito l'istruttore commentò con loro gli aspetti positivi della loro condotta. Questo breve corso su come andare d'accordo con gli altri ebbe un effetto notevole: un anno dopo, i bambini che l'avevano seguito – tutti scelti tra i meno amati nella rispettiva classe – si erano saldamente guadagnata la simpatia dei compagni. Nessuno di loro era diventato un campione di popolarità, ma nessuno veniva più rifiutato.

Risultati simili sono stati riscontrati da Stephen Nowicki, uno psicologo della Emory University.[47] Il suo programma addestra gli emarginati sociali ad affinare la propria capacità di decifrare i sentimenti altrui e di rispondere a essi nella maniera più appropriata. I ragazzi, ad esempio, vengono filmati mentre tentano di esprimere sentimenti come la felicità o la tristezza e vengono istruiti su come migliorare la propria espressività emozionale. Poi, mettono alla prova le loro migliorate capacità con un coetaneo del quale vogliono diventare amici.

Tali programmi hanno riscosso una percentuale di successi compresa fra il 50 e il 60 per cento nell'accrescere la simpatia dei ragazzi rifiutati. Questi programmi (almeno nelle versioni attuali) sembrano funzionare meglio per i bambini di terza e quarta classe che non per ragazzi più grandi e sembrano più utili per i bambini incapaci di stabilire rapporti sociali che per quelli molto aggressivi. Ma è solo questione di metterli a punto; il segnale positivo è che molti ragazzi rifiutati, o comunque la maggior parte di essi possono essere introdotti nel circolo dell'amicizia con un po' di addestramento emozionale di base.

Alcol e droghe: la dipendenza come automedicazione

Gli studenti nel mio campus universitario lo definiscono «bere fino al nero», ossia riempirsi di birra fino al punto di perdere i sensi. Una delle tecniche consiste nell'attaccare un imbuto a un tubo da giardinaggio in modo che una lattina di birra possa essere scolata in circa dieci secondi. Non si tratta di una stranezza isolata. Un'indagine ha mostrato che due quinti degli studenti universitari di sesso maschile si scolano sette o più birre in una sola volta, mentre l'11 per cento si autodefinisce «forte bevitore». Ovviamente, un'altra definizione potrebbe essere quella di «alcolizzato».[48] Quasi la metà degli studenti e quasi il 40 per cento delle studentesse universitarie si ubriacano almeno due volte in un mese.[49]

Anche se negli Stati Uniti l'uso della maggior parte delle droghe fra i giovani ha conosciuto in generale una contrazione negli anni Ottanta, c'è una tendenza costante verso un maggior uso dell'alcol in fasce di età sempre più basse. Un'inchiesta condotta nel 1993 ha scoperto che il 35 per cento delle studentesse universitarie afferma di bere per ubriacarsi, mentre appena il 10 per cento faceva altrettanto nel 1977; complessivamente uno studente su tre beve per ubriacarsi. Questo comportamento è fonte di altri pericoli: il 90 per cento di tutti gli stupri denunciati nei college universitari è avvenuto quando o l'aggressore o la vittima, o entrambi, avevano bevuto.[50] Gli incidenti legati all'abuso di alcol sono la principale causa di morte fra i giovani dai quindici ai ventiquattro anni.[51]

La sperimentazione delle droghe e dell'alcol potrebbe apparire un rito di passaggio per gli adolescenti, ma per alcuni di loro questo primo episodio può avere effetti duraturi. Per la maggioranza dei drogati e dei tossicodipendenti l'inizio della dipendenza può esser fatto risalire all'adolescenza, anche se pochi di quelli che in quegli anni fanno esperienza di droga e sesso finiscono per diventare alcolizzati o tossicodipendenti. Quando prende il diploma, più del 90 per cento degli studenti delle superiori ha sperimentato l'alcol e tuttavia solo il 14 per cento circa finisce col diventare alcolizzato; dei milioni di americani che hanno sperimentato la cocaina, meno del 5 per cento è diventato dipendente.[52] Da che cosa dipende la differenza?

Certamente chi vive in quartieri con un'alta presenza di criminalità, nei quali la droga è venduta a ogni angolo di strada e il trafficante è l'espressione locale più evidente del successo economico, corre maggiori rischi di diventare tossicodipendente. Alcuni finiscono tossicodipendenti dopo essere diventati piccoli spacciatori; altri per la facile reperibilità della droga o per effetto di una sottocultura giovanile che esalta l'uso delle stesse, un fattore, quest'ultimo, che innalza il rischio di tossicodipendenza in ogni quartiere, anche (e forse soprattutto) nei più benestanti. E tuttavia la domanda rimane: fra quanti sono esposti a queste attrattive o a queste pressioni e che continuano a sperimentare la droga, chi sono coloro che hanno maggiori probabilità di contrarre un'abitudine duratura?

Una teoria scientifica corrente è che a contrarre l'abitudine, diventando sempre più dipendenti dall'alcol e dalla droga, sono coloro che fanno uso di queste sostanze come di una sorta di medicinale – un modo per placare sentimenti di ansia, di rabbia o di depressione. Durante la loro prima sperimentazione si imbattono in una soluzione chimica, un modo per calmare i sentimenti di ansia o di malinconia che li tormentano. Così, su molte centinaia di studenti di settima e ottava classe seguiti per due anni, quelli che risultarono soggetti ai livelli più alti di sofferenza emozionale risultarono in seguito maggiormente dediti all'abuso di alcol o di stupefacenti.[53] Questo spiegherebbe perché tanti giovani possono sperimentare le droghe e l'alcol senza diventare dipendenti, mentre altri lo divengono sin dall'inizio: i più vulnerabili alla dipendenza sembrano trovare nella droga o nell'alcol un modo immediato per lenire le emozioni che li hanno fatti soffrire per anni.

Come ha affermato Ralph Tarter, uno psicologo del Western Psychiatric Institute and Clinic di Pittsburgh: «Per le persone biologicamente predisposte, la prima bevuta o la prima dose di stupefacenti sono esperienze immensamente corroboranti, in un modo che altri semplicemente non sperimentano. Molti tossicodipendenti in fase di recupero mi dicono: "Quando ho preso la mia prima dose di droga, mi sono sentito normale per la prima volta". La droga dà loro stabilità psicologica, almeno a breve termine».[54] Questo, ovviamente, è il patto col diavolo della dipendenza: una sensazione positiva a breve termine in cambio del continuo disfacimento di tutta una vita.

Certe caratteristiche emozionali sembrano indurre a trovare sollievo in una sostanza piuttosto che in un'altra. Per esempio, ci sono due percorsi emozionali che conducono all'alcolismo. Uno comincia quando una persona molto tesa e ansiosa durante l'infanzia scopre, in genere da adolescente, che l'alcol placa l'ansia. Molto spesso si tratta di figli, in genere maschi, di alcolisti, che sono ricorsi anche loro all'alcol per calmare il proprio nervosismo. Un contrassegno biologico di questo tipo di alcolizzati è dato dalla scarsa secrezione di Gaba, un neurotrasmettitore che regola l'ansia: una carenza di Gaba si manifesta soggettivamente con un alto livello di tensione. Uno studio ha rilevato che i figli di padri alcolizzati hanno bassi livelli di Gaba e sono molto ansiosi, ma quando bevono alcol i loro livelli di Gaba salgono e l'ansia si attenua.[55] Questi figli di alcolizzati bevono per allentare la tensione, trovando nell'alcol un rilassamento che, in apparenza, non saprebbero ottenere in altro modo. Persone simili possono ricorrere all'abuso di sedativi come di alcol col medesimo scopo di ridurre l'ansia.

Uno studio neuropsicologico su figli di alcolizzati che all'età di dodici anni hanno mostrato sintomi di ansia, quali un aumento della frequenza cardiaca in risposta allo stress e un alto grado di impulsività, ha riscontrato che questi adolescenti avevano anche una scarsa funzionalità del lobo frontale.[56] Pertanto, le aree cerebrali che avrebbero potuto attenuare l'ansia o controllare l'impulsività erano in loro meno funzionanti che in altri individui. E poiché i lobi prefrontali sono anche sede della memoria di lavoro – che presenta alla mente le conseguenze delle varie possibilità di azione mentre si prende una decisione – la loro carente funzionalità può indurli a scivolare nell'alcolismo, facendogli ignorare le conseguenze a lungo termine del bere, proprio mentre – grazie all'alcol – sperimentano un'immediata azione calmante sull'ansia.

Questo estremo desiderio di serenità sembra essere il contrassegno emozionale di una predisposizione genetica all'alcolismo. Uno studio su 1.300 familiari di alcolisti ha mostrato che i figli degli alcolisti più a rischio di diventare essi stessi alcolizzati erano quelli soggetti a livelli di ansia cronicamente elevati. In effetti i ricercatori conclusero che l'alcolismo si sviluppa in persone di questo tipo come «automedicazione dei sintomi di ansia».[57]

Un secondo percorso emozionale che porta all'alcolismo scaturisce da un alto livello di agitazione, di impulsività e di noia. Questo tipo si mostra nell'infanzia in bambini irrequieti, nervosi e indisciplinati; negli anni delle elementari sotto forma di agitazione, iperattività e tendenza a mettersi nei guai, una propensione che, come abbiamo visto, può spingere tali bambini a cercare amici nelle aree marginali, portandoli talvolta a una carriera da criminali o alla diagnosi di «disturbo antisociale della personalità». Queste persone (e si tratta prevalentemente di uomini) si lamentano soprattutto di essere agitate; la loro prima debolezza è un'impulsività incontrollata; la loro reazione usuale alla noia, che spesso li affligge, è una ricerca impulsiva del rischio e dell'eccitazione. Da adulti, persone con tratti simili (che possono essere collegati a carenze di altri due neurotrasmettitori, la serotonina e le Mao) constatano che l'alcol può placare la loro agitazione. E il fatto di non poter sopportare la monotonia li rende disposti a provare qualunque cosa; questa attitudine, abbinata alla loro generale impulsività, li predispone all'abuso di alcol e di molte altre droghe.[58]

Anche se la depressione può indurre a bere, gli effetti metabolici dell'alcol dopo un sollievo di breve durata spesso peggiorano la depressione. Chi ricorre all'alcol come un palliativo emozionale, lo fa molto più spesso per placare l'ansia che per sfuggire alla depressione; una categoria di droghe del tutto diversa lenisce le sensazioni delle persone depresse, almeno temporaneamente. Il sentirsi cronicamente infelici espone a un maggior rischio di dipendenza da stimolanti come la cocaina, che forniscono un diretto antidoto al senso di depressione. Uno studio ha rilevato che a più della metà dei pazienti curati in una clinica per dipendenza da cocaina era stata diagnosticata una depressione grave prima che incominciassero ad assumere lo stupefacente in via abitudinaria; più profonda era stata la precedente depressione e più forte era diventata l'abituale assunzione di droga.[59]

Una irascibilità cronica può condurre a un altro tipo di predisposizione. In uno studio su quattrocento pazienti in cura per tossicodipendenza da eroina e da altri oppiacei, il più evidente tratto emozionale era una permanente difficoltà a controllare la collera e la tendenza ad arrabbiarsi facilmente. Alcuni pazienti ammisero che con gli oppiacei finalmente si sentivano normali e rilassati.[60]

Anche se la predisposizione all'abuso di stupefacenti può in alcuni casi avere una base organica cerebrale, i sentimenti che inducono le persone ad «automedicarsi» con l'alcol o le droghe possono essere controllati senza ricorso a medicinali, come hanno dimostrato da decenni gli Alcolisti Anonimi e altri programmi di recupero. Acquisire la capacità di controllare quei sentimenti – placare l'ansia, scacciare la depressione, calmare la collera – rimuove la tendenza a far uso di droghe o di alcol come prima risposta. Queste abilità emozionali fondamentali vengono insegnate nei programmi terapeutici di recupero dall'abuso di droga e di alcol. Ovviamente sarebbe molto meglio se venissero apprese presto nella vita, molto prima che si stabilisca l'abitudine a ricorrere a queste sostanze.

Non più guerre: un comune percorso di prevenzione definitivo

Nell'ultimo decennio si è dichiarata «guerra» di volta in volta a mali sociali come le gravidanze precoci, gli abbandoni scolastici, la droga e, più recentemente, la violenza. Il guaio di queste campagne è però che arrivano troppo tardi, dopo che il male da colpire ha già raggiunto proporzioni epidemiche e si è radicato stabilmente nella vita dei giovani. Si tratta di interventi in momenti ormai critici, come risolvere un problema sanitario con l'invio di un'ambulanza per salvare il malato piuttosto che con una vaccinazione che scongiurerebbe in anticipo la malattia. Invece di continuare simili «guerre», abbiamo bisogno di seguire la logica della prevenzione offrendo ai nostri bambini quelle capacità per affrontare la vita che aumenteranno le loro probabilità di sottrarsi a un destino sfortunato.[61]

Il mio richiamare l'attenzione sulle carenze emozionali e sociali non vuol rappresentare la negazione del ruolo giocato da altri fattori di rischio, come il crescere in una famiglia frantumata, violenta e caotica o in un quartiere povero, segnato dal crimine e dalla droga. La povertà da se stessa infligge traumi emozionali ai bambini: i bambini più poveri già a cinque anni sono più timorosi, ansiosi e tristi dei loro coetanei benestanti. Hanno anche maggiori problemi comportamentali – ad esempio fanno i capricci frequentemente e rompono gli oggetti – una tendenza che continua durante l'adolescenza. La pressione della povertà corrode anche la vita familiare: in genere ci sono minori espressioni di affetto da parte dei genitori, più depressione nelle madri (che spesso sono sole e senza lavoro) e un maggior ricorso a punizioni severe come sgridate, botte e intimidazioni.[62]

Ma la competenza emozionale esercita un ruolo che va ben oltre i fattori familiari ed economici, che può rivelarsi decisivo nel determinare fino a che punto un certo bambino o adolescente è indifeso dinanzi alle avversità o trova un nucleo di resistenza per sopravvivere a esse. Studi a lungo termine su centinaia di bambini cresciuti in povertà, in famiglie violente o allevati da un genitore con gravi disturbi mentali mostrano che coloro che sanno resistere persino di fronte alle più tremende avversità posseggono in genere abilità emozionali fondamentali.[63] Queste comprendono la capacità decisiva di socializzare in maniera vincente attirando gli altri verso di sé, la fiducia in se stessi, un ottimismo persistente anche di fronte al fallimento e alla frustrazione, la capacità di riprendersi in fretta dai dispiaceri e un'indole accomodante.

Ma la grande maggioranza dei bambini affronta le difficoltà della vita senza queste risorse. Ovviamente molte di queste capacità sono innate, una fortunata eredità genetica, ma perfino le qualità del carattere possono mutare in meglio, come abbiamo visto nel capitolo 14. Una linea di intervento è ovviamente di carattere politico ed economico e consiste nell'alleviare la povertà e le altre condizioni sociali che generano questi problemi. Ma a prescindere da questi provvedimenti (che sembrano passare sempre più in secondo piano nei programmi di governo) si può offrire molto ai bambini per aiutarli ad affrontare meglio avversità così debilitanti.

Prendiamo il caso dei disturbi emozionali, di cui fa esperienza nel corso della vita circa un americano su due. Uno studio su un campione rappresentativo composto da 8.098 americani ha scoperto che il 48 per cento di essi ha sofferto di almeno un problema psichiatrico nel corso della vita.[64] Più severamente colpito è stato il 14 per cento, afflitto contemporaneamente da tre o più problemi psichiatrici. Questo gruppo raccoglie le persone che hanno maggiori disagi e corrisponde al 60 per cento di tutti i disturbi psichiatrici che si verificano in un qualsiasi momento e al 90 per cento di quelli più gravi e invalidanti. Benché pazienti simili abbiano bisogno di una terapia intensiva nel presente, il migliore approccio terapeutico sarebbe la prevenzione dei loro problemi sin dall'inizio, dovunque fosse possibile. Certamente non tutti i disturbi mentali possono essere prevenuti, ma ve ne sono alcuni, forse molti, che sono suscettibili di prevenzione. Ronald Kessler, il sociologo dell'Università del Michigan che ha condotto lo studio, mi ha detto: «Dobbiamo intervenire presto. Prendiamo il caso di una ragazza che in sesta classe abbia una fobia sociale e che nei primi anni delle scuole superiori cominci a bere per dominare le sue ansie. A ventotto, ventinove anni, quando diviene oggetto del nostro studio, è ancora una persona piena di paure, è ormai dedita all'alcol e alle droghe ed è depressa perché la sua vita è un fallimento. Il grosso problema è: che cosa avremmo potuto fare prima, per evitare tutto questo?».

Lo stesso discorso vale, ovviamente, per uscire dalla spirale della violenza o per la maggioranza dei pericoli che si parano dinanzi ai giovani di oggi. Programmi educativi per prevenire vari problemi specifici come l'uso di droga e la violenza sono proliferati in maniera incontrollata negli ultimi dieci anni, creando una sorta di piccola industria nel mercato educativo. Ma molti di essi, compresi molti dei più commercializzati e utilizzati, si sono dimostrati inefficaci. Con rammarico degli educatori, alcuni programmi hanno perfino dato l'impressione di accrescere i problemi che dovevano evitare, in particolare l'abuso di sostanze stupefacenti e i rapporti sessuali fra adolescenti.

L'INFORMAZIONE NON È SUFFICIENTE

Un esempio istruttivo è offerto dagli abusi sessuali sui bambini. Nel 1993 sono stati denunciati negli Stati Uniti circa duecentomila casi accertati con una crescita su base annua di circa il 10 per cento. Benché le stime siano molto varie, la maggior parte degli esperti concorda sul fatto che fra il 20 e il 30 per cento delle ragazze e circa la metà dei ragazzi sono o sono stati vittime di qualche forma di abuso sessuale entro il diciassettesimo anno di età (le cifre salgono o calano a seconda della definizione di abuso sessuale, a prescindere da altri fattori).[65] Non esiste un profilo tipologico unico per descrivere il bambino particolarmente vulnerabile all'abuso sessuale; ma per effetto di ciò che è loro accaduto la maggior parte di loro si sentono privi di protezione, incapaci di resistere da soli e isolati dagli altri.

Tenendo presenti questi pericoli, molte scuole hanno cominciato a offrire programmi di prevenzione degli abusi sessuali. La maggior parte di questi programmi si concentra strettamente sulle informazioni fondamentali circa l'abuso sessuale, insegnando, ad esempio, ai ragazzi a distinguere tra contatti fisici «buoni» e «cattivi», mettendoli in guardia contro i pericoli ed esortandoli a riferire a un adulto se capita loro qualcosa di increscioso. Ma un'inchiesta nazionale su duemila ragazzi ha riscontrato che questa istruzione di base era di scarsissima utilità nell'aiutare i giovanissimi a fare qualcosa per evitare di diventare le vittime di un compagno prepotente a scuola o di un potenziale molestatore di bambini.[66] Ancor peggio, i ragazzi che avevano seguito solo questo programma educativo e che in seguito erano diventati vittime di aggressioni sessuali denunciavano l'accaduto con una frequenza inferiore alla *metà* rispetto a coloro che non avevano seguito alcun programma.

All'opposto, gli adolescenti a cui era stata fornita un'istruzione più ampia, che comprendeva le competenze sociali ed emozionali correlate, erano più capaci di proteggersi dal pericolo di diventare vittime di abusi sessuali: erano molto più inclini a esigere di essere lasciati in pace, a gridare o a combattere, a minacciare di riferire l'episodio e a raccontare effettivamente se era loro accaduto qualcosa di male. Quest'ultimo vantaggio – denunciare la violenza subita – ha un notevole valore preventivo, poiché molti molestatori prendono di mira centinaia di bambini. Uno studio su molestatori di bambini tra i quaranta e i cinquant'anni ha mostrato che, in media, essi fanno una vittima al mese a partire dagli anni dell'adolescenza. Una denuncia relativa a un conduttore di autobus e a un insegnante di informatica in una scuola superiore rivela che essi, tra tutti e due, hanno molestato circa trecento minori ogni anno, nessuno dei quali denunciò di aver subito abusi sessuali; gli abusi vennero alla luce solo dopo che uno dei ragazzi, che era stato molestato dall'insegnante, cominciò a sua volta a molestare la sorella.[67]

I ragazzi che avevano ricevuto un'istruzione più ampia sugli abusi sessuali erano tre volte più pronti a denunciare l'abuso rispetto a quelli che avevano seguito solo un corso preventivo minimo. Che cosa produceva risultati così interessanti? Questi programmi non trattavano l'argomento una sola volta, ma venivano ripetuti parecchie volte a livelli diversi nel corso della carriera scolastica di un ragazzo, come parte dell'educazione sanitaria e sessuale. Inoltre i genitori venivano invitati a trasmettere al bambino lo stesso messaggio insegnato a scuola (i bambini con i genitori che accolsero l'invito erano i più preparati nel resistere alla minaccia di abusi sessuali).

Oltre a questo, le competenze sociali ed emozionali facevano la differenza. Per un bambino non è sufficiente saper distinguere i contatti fisici «buoni» da quelli «cattivi»; essi devono essere consapevoli di saper riconoscere quando una situazione prende una piega sbagliata o pericolosa assai prima che inizi il contatto fisico. Questo comporta non solo l'autoconsapevolezza, ma anche una fiducia in se stessi e una sicurezza di sé sufficienti a metterli in condizione di credere alle proprie sensazioni di pericolo e di agire di conseguenza, anche di fronte a un adulto che rassicuri il minore affermando che «non c'è niente di male». Perciò un adolescente deve poter disporre di un repertorio di soluzioni – dallo scappare al minacciare di riferire l'episodio – per scongiurare quello che sta per accadere. Per questi motivi, i migliori programmi educativi insegnano ai ragazzi a far valere la propria volontà, ad affermare i propri diritti invece di rimanere passivi, a conoscere quali sono i confini della propria persona che devono essere rispettati e a difenderli.

I programmi più efficaci integrano l'informazione di base sugli abusi sessuali con le abilità emozionali e sociali essenziali. Questi programmi insegnano ai ragazzi a trovare il modo di risolvere positivamente i conflitti interpersonali, ad avere più fiducia in se stessi, a non autoincolparsi se accade qualcosa di negativo, a sentire di poter contare su una rete di sostegno costituita da insegnanti e genitori, a cui possono rivolgersi. Se a ragazzi così preparati capita qualcosa di spiacevole, sono molto più propensi degli altri a riferirlo.

I COMPONENTI ATTIVI

Simili acquisizioni hanno portato a riconsiderare quali dovrebbero essere i componenti di un programma preventivo ottimale, in base agli elementi che valutazioni imparziali hanno dimostrato essere veramente efficaci. In un progetto quinquennale, promosso dalla W. T. Grant Foundation, un gruppo di ricercatori ha studiato la situazione e ha individuato i componenti attivi che apparivano fondamentali nel determinare il successo dei programmi.[68] Secondo questi ricercatori, l'elenco delle abilità fondamentali che dovrebbero essere insegnate, qualunque sia il problema specifico da prevenire, comprende tutti i componenti dell'intelligenza emozionale (vedi Appendice D per l'elenco completo).[69]

Le abilità emozionali comprendono l'autoconsapevolezza; identificare, esprimere e controllare i sentimenti; frenare gli impulsi e rimandare la gratificazione; controllare la tensione e l'ansia. Un'abilità fondamentale, nel trattenere gli impulsi, sta nel conoscere la differenza tra sentimenti e azioni, e nell'apprendere a migliorare le proprie decisioni emozionali, innanzitutto frenando l'impulso ad agire e poi identificando (prima di agire) le azioni alternative e le relative conseguenze. Molte competenze sono interpersonali: decifrare i segnali sociali ed emozionali, ascoltare, essere in grado di resistere alle influenze negative, mettersi dal punto di vista dell'altro e capire quale comportamento sia accettabile in una situazione.

Queste sono le abilità sociali ed emozionali più importanti nella vita e comprendono rimedi almeno parziali per la maggior parte delle difficoltà che ho discusso nel capitolo, se non proprio per tutte. La scelta di problemi specifici per la soluzione dei quali queste abilità offrono una sorta di vaccinazione preventiva è quasi a piacimento: il ruolo delle competenze sociali ed emozionali può essere esemplificato nei casi più diversi, dalle gravidanze premature indesiderate, al suicidio degli adolescenti.

Certamente le cause di tutti questi problemi sono complesse, perché comprendono un intreccio di determinazione biologica, dinamica familiare, di politica della povertà e cultura della strada. Nessun intervento singolo, compreso quello che ha di mira le emozioni, può pretendere di risolvere da solo i problemi. Ma dal momento che le carenze emozionali provocano rischi aggiuntivi nella vita dei ragazzi – e abbiamo constatato che ne producono molti – l'attenzione dev'essere rivolta ai rimedi emozionali, non per escludere altre risposte, ma in combinazione con esse. La prossima domanda è: come dev'essere un'educazione delle emozioni?

16

INSEGNARE A SCUOLA LE EMOZIONI

> La prima speranza di una nazione è riposta nella corretta educazione della sua gioventù.
>
> ERASMO

È uno strano gioco di ruoli che si svolge in una quinta elementare, tra quindici alunni seduti in cerchio sul pavimento con le gambe incrociate nello stile dei pellirosse. Quando l'insegnante li chiama per nome, i bambini non rispondono con l'inespressivo «presente» in uso nelle scuole, ma con un numero che indica come si sentono; «uno» significa essere giù di corda, «dieci» sentirsi pieni di energia.

Oggi il morale è alto:

«Jessica.»

«Dieci. Sono su di giri, è venerdì.»

«Patrick.»

«Nove. Sono eccitato, un po' nervoso.»

«Nicole.»

«Dieci. Sono serena e felice...»

È una lezione di Scienza del sé al Nueva Learning Center, una scuola ottenuta dalla ristrutturazione di quella che un tempo era la grande villa della famiglia Crocker, la dinastia che fondò una delle più grandi banche di San Francisco. Ora l'edificio, che assomiglia a una versione in miniatura del Teatro dell'Opera di San Francisco, ospita una scuola privata che offre quello che può essere considerato un corso modello di intelligenza emotiva.

Oggetto della Scienza del sé sono i sentimenti: i propri e quelli che scaturiscono dai rapporti con gli altri. L'argomento, per la sua stessa natura, richiede che insegnanti e studenti si concentrino sul tessuto emozionale della vita di un bambino, tema che viene volutamente ignorato in quasi tutte le altre scuole americane. In questo caso, la strategia consiste nell'utilizzare come argomento del giorno le tensioni e i traumi presenti nella vita dei bambini. Gli insegnanti parlano di questioni concrete: del dolore di sentirsi esclusi, dell'invidia, dei contrasti che potrebbero sfociare in una zuffa nel cortile della scuola. Come afferma Karen Stone McCown, che ha elaborato il programma della Scienza del sé ed è direttrice della scuola, «l'apprendimento non avviene a prescindere dai sentimenti dei ragazzi. Ai fini dell'apprendimento, l'alfabetizzazione emozionale è importante come la matematica e la lettura».[1]

La Scienza del sé è una disciplina pionieristica, antesignana di un'idea che sta diffondendosi in ogni scuola da una costa all'altra degli Stati Uniti.* Le denominazioni di questi corsi vanno da «Sviluppo sociale» ad «Abilità di vita», ad «Apprendimento sociale ed emozionale». Alcuni, riferendosi alla concezione delle intelligenze multiple di Howard Gardner, usano la definizione «intelligenze personali». Il filo comune è l'obiettivo di alzare il livello della competenza sociale ed emozionale nei ragazzi come parte della loro istruzione regolare: non si tratta di un insegnamento di recupero per ragazzi poco sicuri, ritenuti «in difficoltà», ma di un insieme di abilità e di comprensioni essenziali per chiunque.

I corsi di alfabetizzazione emozionale hanno radici lontane nel movimento per l'educazione affettiva degli anni Sessanta. All'epoca si pensava che le lezioni psicologiche e motivazionali venissero apprese meglio se comportavano l'esperienza immediata di quanto veniva insegnato concettualmente. Il movimento per l'alfabetizzazione emotiva rovescia però completamente il senso della *educazione affettiva*, perché invece di usare l'affettività per educare, educa la stessa affettività.

Nell'immediato, molti di questi corsi e l'impulso alla loro diffusione provengono da una serie di programmi scolastici di prevenzione in corso di attuazione, ciascuno dei quali ha di mira un problema specifico dell'adolescenza: il fumo, l'abuso di droghe, le gravidanze precoci, gli abbandoni scolastici e, più recentemente, la violenza. Come abbiamo visto nell'ultimo capitolo, lo studio sui programmi di prevenzione, condotto dal W.T. Grant Foundation, ha rilevato che essi sono assai più efficaci quando insegnano un nucleo di competenze emozionali e sociali fondamentali, come il controllo degli impulsi e della collera, e il trovare soluzioni creative alle situazioni sociali difficili. Da questo principio è scaturita una nuova serie di interventi.

Come si è visto nel capitolo 15, gli interventi volti ad affrontare carenze specifiche di abilità emozionali e sociali, che accentuano problemi come l'aggressività o la depressione, possono risultare efficacissimi per attenuare le difficoltà dei ragazzi. Ma, nel complesso, questi interventi ben programmati sono stati condotti da ricercatori di psicologia a titolo sperimentale. Il passo successivo è di raccogliere le lezioni apprese nel corso di questi programmi così precisamente mirati e di generalizzarle come misura preventiva per l'intera popolazione scolastica, facendole impartire dagli insegnanti ordinari.

*Per ulteriori informazioni sui corsi di alfabetizzazione emozionale, rivolgersi a: The Collaborative for the Advancement of Social and Emotional Learning (Casel), Yale Child Study Center, P.O. Box 207900, 230 South Frontage Road, New Haven, CT 06520-7900.

Questo approccio più sofisticato e più efficace alla prevenzione comprende informazioni su problemi come l'Aids, le droghe e simili, trasmesse in momenti della vita dei ragazzi in cui essi cominciano ad affrontarli. Ma il suo tema principale è quella competenza essenziale che viene riversata su ogni specifico problema, ossia l'intelligenza emotiva.

Questo nuovo punto di partenza nell'introdurre l'alfabetizzazione emozionale nelle scuole fa delle emozioni e della vita sociale vere e proprie materie di insegnamento cosicché questi aspetti tanto rilevanti della vita quotidiana dell'alunno non vengono più considerati come intrusioni non pertinenti né – quando danno luogo a episodi incresciosi – come occasionale materia disciplinare di cui si occupano i presidi o i consigli scolastici.

In se stesse le lezioni, a uno sguardo superficiale, possono apparire piatte, inadeguate a offrire una soluzione ai drammatici problemi che affrontano. Ma ciò accade soprattutto perché, come in una buona educazione familiare, le lezioni impartite sono di basso profilo, ma assai significative e vengono tenute regolarmente e per un lungo periodo di tempo. È così che l'apprendimento emozionale mette radici e fruttifica: quando le esperienze vengono ripetute di continuo, il cervello le accoglie come percorsi consolidati, come abitudini neurali a cui ricorrere in momenti di costrizione, di frustrazione e di sofferenza. E anche se i contenuti quotidiani delle lezioni di alfabetizzazione emozionale possono apparire banali, il risultato – formare esseri umani dignitosi – è più importante che mai per il nostro futuro.

Una lezione in collaborazione

Paragonate per un attimo una lezione di Scienza del sé con le vostre esperienze scolastiche.

Un gruppo di alunni di quinta sta per iniziare il gioco dei Quadrati in Collaborazione, nel quale gli studenti si mettono insieme in diversi gruppi per comporre una serie di puzzle di forma quadrata. La difficoltà sta nel fatto che ogni gruppo deve operare in silenzio, senza che sia permesso neppure fare dei segni.

L'insegnante, Jo-An Varga, divide la classe in tre gruppi e a ognuno assegna un diverso tavolo. Tre osservatori, scelti fra i ragazzi che conoscono bene il gioco, tengono una tabella per valutare, ad esempio, chi in ogni gruppo dirige l'organizzazione, chi fa il buffone e chi disturba.

Gli scolari mettono sul tavolo le tessere e cominciano a lavorare. Dopo un minuto circa risulta evidente che un gruppo funziona in modo sorprendentemente affiatato e finisce i puzzle in pochi minuti.

In un secondo gruppo di quattro alunni, ciascuno è impegnato in sforzi solitari e paralleli e lavora al proprio puzzle, senza ottenere alcun risultato. Lentamente iniziano a lavorare insieme componendo il primo quadrato e continuano a operare congiuntamente finché tutti i puzzle sono risolti.

Il terzo gruppo si affatica ancora; un solo puzzle è prossimo a essere completato e anche quello assomiglia più a un trapezio che a un quadrato. Sean, Fairlie e Rahman devono ancora trovare la scioltezza e la coordinazione alla quale sono arrivati gli altri due gruppi. I quattro bambini sono visibilmente frustrati, osservano freneticamente i pezzi sul tavolo, prendono le tessere che gli sembrano giuste e le inseriscono vicino ai quadrati parzialmente costruiti, ma solo per restare delusi dalla mancata coesione.

La tensione si spezza un po' quando Rahman prende due pezzi e li mette davanti agli occhi come una maschera; i compagni si mettono a ridere. Questo si dimostrerà un momento cruciale nella lezione di quel giorno.

Jo-An Varga, l'insegnante, li incoraggia: «Quelli di voi che hanno finito possono dare un suggerimento preciso a chi sta ancora lavorando».

Dagan si avvicina al gruppo ancora attivo, indica due tessere che sporgono dal quadrato e suggerisce: «Dovete girare questi due pezzi». Subito Rahman, col suo faccione tutto concentrato, intuisce la nuova configurazione e il primo puzzle viene ben presto completato. A esso seguono gli altri. Scoppia un applauso spontaneo mentre l'ultima tessera combacia nell'ultimo puzzle del terzo gruppo.

Un punto di discussione

Mentre la classe riflette sulla lezione di collaborazione appena conclusa, avviene uno scambio di opinioni piuttosto acceso. Rahman, alto e con folti capelli neri tagliati a spazzola, discute animatamente con Tucker, l'osservatore del suo gruppo, sulla regola che vieta di fare dei segni. Tucker, con i capelli biondi ben pettinati tranne per un ciuffo ribelle, indossa una larga maglietta azzurra che reca stampato il motto «Sii responsabile», una scritta che in certo modo sottolinea il suo ruolo ufficiale di osservatore.

«Puoi anche offrire un pezzo, questo non è fare dei segni» dice Tucker a Rahman in tono enfatico e polemico.

«Invece sì» insiste Rahman con veemenza.

Varga si accorge del tono sempre più acceso della discussione e si porta verso il tavolo. È un incidente importante, uno scambio spontaneo di emozioni infuocate; è in momenti come questi che le lezioni già imparate si dimostrano efficaci e che nuove lezioni possono essere insegnate con maggior profitto. E, come ogni buon insegnante sa, le lezioni impartite in momenti così accesi resteranno ben impresse nella memoria degli alunni.

«La mia non è una critica, Tucker, perché tu hai collaborato molto bene, ma cerca di esprimere ciò che intendi con un tono di voce che non suoni così critico» ammaestra Varga.

Tucker, ora con voce più calma, dice a Rahman: «Puoi mettere un pezzo dove pensi che debba andare, puoi dare a qualcun altro il pezzo che pensi gli possa servire, senza fare cenni. Semplicemente offrendolo».

Rahman risponde con tono iroso: «Avrei potuto fare semplicemente così» – si gratta la testa per esemplificare un gesto innocente – «e lui avrebbe detto: "Non fare segni!"».

La rabbia di Rahman va chiaramente al di là dell'oggetto della disputa che è l'interpretazione della regola di non fare segni. I suoi occhi cadono continuamente sulla tabella di valutazione compilata da Tucker e che, sebbene non sia stata ancora menzionata, è la vera causa della tensione insorta tra Tucker e Rahman. Sulla tabella di valutazione Tucker ha registrato il nome di Rahman nello spazio riservato a «Chi disturba?».

Varga, notando che Rahman osserva il giudizio negativo stilato da Tucker nei suoi confronti sull'apposito modulo, azzarda una supposizione, rivolgendosi a Tucker: «Lui pensa che tu l'abbia definito negativamente come uno che *disturba*. Che cosa intendevi dire?».

«Non volevo dire che disturbava in un *brutto modo*» risponde Tucker, ora fattosi più conciliante.

Rahman non ci crede, ma anche lui parla con voce più calma: «La tua è una risposta un po' stiracchiata, se proprio vuoi sapere come la penso».

Varga mette in luce un modo di interpretare positivamente la questione. «Tucker sta tentando di dire che ciò che può essere considerato un comportamento di disturbo, può anche significare un modo per alleggerire la tensione in un momento di frustrazione.»

«Ma», protesta Rahman in maniera più concreta, «Tucker ha scritto che *disturbavo* per significare che, quando tutti eravamo concentrati, io ho fatto così» e assume un'espressione ridicola e buffonesca, con gli occhi in fuori e le guance gonfie.

Varga cerca di approfondire l'insegnamento emozionale, dicendo a Tucker: «Tu non volevi dire che Rahman disturbava in malo modo. Ma da come ne parli, trasmetti un messaggio diverso. Rahman ha bisogno che tu presti attenzione e accetti le sue impressioni. Rahman diceva che una definizione negativa come *disturbare* non gli sembra giusta. Non gli piace essere definito in quel modo».

Poi, rivolta a Rahman, aggiunge: «Apprezzo come hai fatto valere le tue opinioni parlando con Tucker. Non sei aggressivo. Capisco che non è piacevole essere etichettato come uno che *disturba*. Quando hai messo quei pezzi davanti agli occhi, sembrava che ti sentissi frustrato e volessi alleggerire l'atmosfera. Ma Tucker ha scritto che disturbavi, perché non ha capito la tua intenzione. È giusto?».

Entrambi acconsentono, mentre gli altri alunni mettono via i puzzle. Il piccolo melodramma scolastico giunge al finale. «Ti senti meglio?» chiede Varga. «O sei ancora infastidito?»

«Sì, mi sento bene» risponde Rahman, con voce più dolce ora che sente di essere stato ascoltato e compreso. Anche Tucker annuisce, sorridendo. I due ragazzi, notando che tutti gli altri sono già usciti per la lezione successiva, si girano ed escono di corsa insieme.

Post factum: uno scontro che non è avvenuto

Mentre un nuovo gruppo si siede, Varga analizza ciò che è appena accaduto. L'accesa discussione e il suo raffreddarsi sono una dimostrazione di ciò che i ragazzi stanno imparando sulla risoluzione dei conflitti. Come afferma Varga, ciò che in genere sfocia in un conflitto inizia con una «mancanza di comunicazione, con il partire da presunzioni e il saltare subito alle conclusioni, inviando un messaggio "duro" in modi tali che rendono difficile agli altri di ascoltare quello che stai dicendo».

Gli studenti imparano nella Scienza del sé che il punto non è quello di evitare completamente i conflitti, ma di risolvere i contrasti e di sciogliere il risentimento prima che degenerino in un vero e proprio scontro. Nel modo in cui Tucker e Rahman hanno svolto la discussione si scorgono le tracce delle lezioni precedentemente apprese. Entrambi, ad esempio, hanno compiuto un certo sforzo per esprimere il proprio punto di vista in modo da non accrescere il conflitto. Questa sicurezza di sé (distinta dall'aggressività o dalla passività) viene insegnata a Nueva dalla terza classe in avanti. Si sottolinea la necessità di esprimere con franchezza i propri sentimenti, ma in maniera da non degenerare nell'aggressività. Mentre all'inizio della discussione nessuno dei due ragazzi guardava l'altro, nel prosieguo essi cominciarono a mostrare segni di «ascolto attivo», ponendosi l'uno di fronte all'altro, guardandosi negli occhi e inviando quei segnali silenziosi che fanno capire a chi parla che lo si sta ascoltando.

Adoperando concretamente questi strumenti con l'aiuto di un istruttore, la «sicurezza di sé» e l'«ascolto attivo» diventano per i bambini qualcosa di più di semplici frasi insignificanti lette in un questionario: diventano modi di reagire ai quali ricorrere nei momenti in cui se ne ha urgente bisogno.

Dominare la sfera emotiva è particolarmente difficile, perché bisogna acquisire le necessarie abilità in momenti nei quali, di solito, si è meno capaci di recepire nuove informazioni e di apprendere nuove abitudini di risposta, cioè quando si è alterati. Dare istruzioni in momenti simili è utile. «Chiunque, adulto o bambino delle elementari, ha bisogno di aiuto per poter osservare se stesso quando è alterato» precisa Varga. «Il cuore batte più forte, le mani sudano, sei agitato e stai tentando di ascoltare con attenzione mentre mantieni l'autocontrollo per affrontare la situazione senza gridare, accusare, o ammutolire chiudendosi in una reazione difensiva.»

L'aspetto più notevole, per chiunque conosca bene la condotta rissosa dei ragazzi di quinta elementare, è come sia Tucker sia Rahman cercassero di affermare le proprie opinioni senza ricorrere alle accuse, agli insulti o alle grida. Non hanno lasciato che i propri sentimenti li trascinassero verso insulti sprezzanti o una scazzottata, né hanno isolato l'altro uscendo arrabbiati dalla stanza. Quello che sarebbe potuto essere il germe di uno scontro in piena regola ha invece contribuito ad aumentare la loro capacità di scelta fra le svariate possibilità di risolvere un conflitto. In altre circostanze, tutto sarebbe potuto andare diversamente. Ogni giorno, ragazzi più grandi fanno a pugni, e anche peggio, per molto meno.

Gli argomenti del giorno

Nel circolo che di solito apre ogni lezione di Scienza del sé i numeri non sono sempre così alti come lo erano oggi. Quando sono bassi – gli uno, i due o i tre che indicano che ci si sente molto male –, accade che qualcuno chieda: «Vuoi parlare del motivo per cui ti senti in questo modo?». E, se lo studente vuole parlarne (nessuno è invitato con insistenza a parlare quando non vuole), ciò consente di portare alla luce il problema e di considerare opzioni creative per affrontarlo.

Le difficoltà che emergono variano a seconda dell'età. Nei bambini più piccoli di solito si ha a che fare con le prese in giro, con la sensazione di esclusione e con le paure. In sesta classe affiora un nuovo tipo di preoccupazioni: sentirsi offesi perché un ragazzo o una ragazza non ti hanno chiesto di uscire, oppure perché si viene esclusi; gli amici che si comportano in modo immaturo; le dolorose situazioni in cui si trovano i più giovani («Certi ragazzi più grandi mi hanno preso di mira»; «I miei amici fumano e cercano sempre di far provare anche me»).

Questi sono temi che hanno una grande importanza nella vita di un bambino che ne parla, ai margini della scuola, durante la pausa del pranzo, sull'autobus o a casa di un amico. Ancor più spesso i ragazzi tengono per sé questi problemi, rimuginandoci ossessivamente sopra da soli durante la notte, senza poterne parlare con nessuno. Nella Scienza del sé possono diventare argomenti del giorno.

Ognuna di queste discussioni fornisce materiale per lo scopo dichiarato della Scienza del sé, che è quello di gettare luce sul senso del proprio io da parte del ragazzo e sui suoi rapporti con gli altri. Anche se il corso si articola secondo un piano di lezioni, è condotto in maniera elastica in modo che, quando accadono episodi come il conflitto tra Rahman e Tucker, si possa farne tesoro. I temi proposti dagli alunni forniscono gli esempi concreti ai quali alunni e insegnanti, allo stesso modo, possono applicare le abilità che stanno imparando, ad esempio i metodi di risoluzione dei conflitti serviti a raffreddare l'accesa disputa tra i due ragazzi.

L'Abc dell'intelligenza emotiva

Applicato ormai da quasi vent'anni, il programma della Scienza del sé si pone come modello per l'insegnamento dell'intelligenza emotiva. Talvolta le lezioni sono sorprendentemente sofisticate; come mi ha detto Karen Stone McCown, direttrice di Nueva: «Quando trattiamo il tema della collera aiutiamo i ragazzi a capire come essa sia quasi sempre una reazione secondaria e a cercare cosa c'è sotto: sei offeso? sei geloso? I nostri ragazzi imparano che esistono sempre diverse scelte per reagire a un'emozione e più modalità di risposta conosci, più la tua vita può arricchirsi».

I contenuti della Scienza del sé corrispondono quasi punto per punto ai componenti dell'intelligenza emotiva e alle abilità fondamentali consigliate per la prevenzione dei pericoli che minacciano i giovanissimi (vedi Appendice E per l'elenco completo).[2] I contenuti dell'insegnamento comprendono l'autoconsapevolezza, ossia la capacità di riconoscere i sentimenti e di costruire un vocabolario per la loro verbalizzazione; cogliere i nessi tra pensieri, sentimenti e reazioni; sapere se si sta prendendo una decisione in base a riflessioni o a sentimenti; prevedere le conseguenze di scelte alternative; applicare queste conoscenze a decisioni su temi come le droghe, il fumo o il sesso. L'autoconsapevolezza può anche consentire nel riconoscimento della propria forza e delle proprie debolezze e nel sapersi considerare in una luce positiva, ma realistica (evitando così una trappola nella quale cade comunemente il movimento dell'autostima).

Un altro aspetto che viene sottolineato è come controllare le emozioni: capire che cosa sta dietro un sentimento (per esempio l'offesa che scatena la collera) e imparare come trattare l'ansia, la collera e la tristezza. Si dà anche molto rilievo all'assunzione di responsabilità relativamente a decisioni e azioni e al mantenimento degli impegni assunti.

Un'abilità sociale fondamentale è l'empatia, ossia il comprendere i sentimenti altrui e la capacità di assumere il loro punto di vista, rispettando i diversi modi in cui le persone considerano una situazione. Un'attenzione particolare viene dedicata ai rapporti interpersonali. La trattazione di questo tema comprende: imparare a saper ascoltare e a porre domande; distinguere tra ciò che qualcuno dice o fa e le proprie reazioni o i propri giudizi; essere sicuri di sé, invece di arrabbiarsi o restare passivi; imparare l'arte di collaborare, di risolvere i conflitti e negoziare i compromessi.

Nella Scienza del sé non vengono dati voti; la vita stessa è l'esame finale. Ma alla fine dell'ottava classe, quando gli studenti stanno per lasciare Nueva per andare alle superiori, ognuno di loro affronta un'interrogazione socratica, un esame orale nella Scienza del sé. Ecco una domanda tratta da un recente esame finale: «Descrivi il modo appropriato di aiutare un amico a risolvere un conflitto o con qualcuno che fa pressione su di lui perché provi a drogarsi o con un amico che si diverte a schernirlo». Oppure: «Quali sono alcune maniere salutari di affrontare la tensione, la collera e la paura?».

Se fosse vivo, Aristotele – così attento al tema della capacità di padroneggiare le emozioni – approverebbe.

L'alfabetizzazione emozionale nei quartieri degradati delle grandi città

È comprensibile che gli scettici si chiedano se un corso sulla Scienza del sé possa funzionare in un ambiente sociale non privilegiato, oppure se sia fattibile soltanto in una piccola scuola privata come Nueva, dove ogni ragazzo è per certi aspetti ben dotato. In breve, si può insegnare la competenza emozionale dove ce n'è più urgentemente bisogno, nel caos di una scuola pubblica dei quartieri più degradati di una città? Per rispondere a questa domanda, si può far visita all'Augusta Lewis Troup Middle School di New Haven, lontana dal Nueva Learning Center non solo geograficamente, ma anche socialmente ed economicamente.

A dire la verità, a Troup si vive in un'atmosfera stimolante per quanto riguarda l'insegnamento: la scuola è anche conosciuta come la Troup Magnet Academy of Science ed è una delle due scuole locali che hanno lo scopo di raccogliere da tutta New Haven gli studenti dalla quinta all'ottava classe per arricchire la loro preparazione scientifica. Gli studenti di questa scuola possono porre domande sulla fisica dello spazio extraterrestre collegandosi attraverso un'antenna satellitare con gli astronauti a Houston oppure possono programmare i propri computer per suonare brani musicali. Ma nonostante queste attrattive didattiche, come in molte altre città, la fuga della popolazione bianca verso la periferia residenziale di New Haven e verso le scuole private ha fatto sì che il 95 per cento degli iscritti a Troup siano neri o ispanici.

A pochi isolati di distanza dal campus dell'Università di Yale – anche questo un universo assai lontano –, Troup si trova in un'area operaia in decadenza, che negli anni Cinquanta annoverava ventimila dipendenti delle industrie vicine, dalla Olin Brass Mills alla Winchester Arms. Oggi questa base operaia si è ristretta sotto le tremila unità, e con essa si sono ristretti gli orizzonti economici delle famiglie che vivono nella zona. New Haven, come molti altri centri industriali del New England, è sprofondata in un pozzo di povertà, droga e violenza.

Fu in risposta alle necessità impellenti di questo incubo metropolitano che negli anni Ottanta un gruppo di psicologi e di educatori di Yale ha elaborato il Social Competence Program (Programma di Competenza Sociale), un insieme di corsi che copre all'incirca lo stesso ambito del programma di Scienza del sé del Nueva Learning Center. Ma a Troup la connessione con gli argomenti da trattare è spesso più diretta e cruda. Non è un puro esercizio accademico quando, in ottava classe, nella lezione di educazione sessuale, gli studenti imparano a prendere personalmente le decisioni che possano aiutarli a evitare malattie come l'Aids. A New Haven c'è la più alta percentuale di donne malate di Aids di tutti gli Stati Uniti; un certo numero di madri che mandano i loro figli a Troup hanno contratto la malattia e così pure alcuni studenti della scuola. Nonostante il curriculum didattico arricchito, gli studenti di questa scuola devono combattere con tutti i problemi tipici dei quartieri degradati; molti ragazzi hanno situazioni familiari così confuse, per non dire orribili, che qualche volta non riescono neppure a recarsi a scuola.

Come in tutte le scuole di New Haven, il segnale più vistoso che accoglie il visitatore ha la forma familiare di un segnale stradale giallo a forma di rombo nel quale c'è scritto: «Area libera dalla droga». Alla porta ci accoglie Mary Ellen Collins, funzionario scolastico che si occupa di molti aspetti gestionali e che affronta i problemi particolari chc si presentano di volta in volta nella vita dell'istituto; nel suo ruolo è compreso anche quello di aiutare gli insegnanti in relazione alle necessità del programma di competenza sociale. Se un insegnante non sa come presentare una lezione, la Collins si recherà in classe per mostrargli come deve fare.

«Ho insegnato in questa scuola per vent'anni» dice la Collins, salutandomi. «Guardi questo quartiere: con tutti i problemi che questi ragazzi devono affrontare per vivere non riesco più a vedere me stessa nel ruolo di semplice insegnante che tratta le consuete materie scolastiche. Prenda i ragazzi che versano in gravi difficoltà perché loro stessi o un familiare hanno l'Aids: non sono certa che lo ammetterebbero durante la discussione sull'Aids, ma una volta che un ragazzo sa che un insegnante è disposto ad ascoltare anche problemi emotivi e non solo scolastici, la strada è aperta perché si possa avere una conversazione sull'argomento.»

Al terzo piano della vecchia scuola di mattoni, Joyce Andrews sta tenendo agli alunni di quinta una lezione di competenza sociale, materia che viene insegnata tre volte la settimana. La Andrews, come tutti gli altri insegnanti di quinta, ha seguito un corso estivo speciale sulla didattica della materia, ma la sua esuberanza indica che i temi della competenza sociale le sono congeniali.

La lezione odierna verte sull'identificazione dei sentimenti; essere in grado di denominarli e pertanto di distinguerli meglio è un'abilità emozionale essenziale. Il compito assegnato il giorno prima era di portare fotografie tratte da una rivista ritraenti il volto di qualcuno, di dare un nome all'emozione che compare su quel volto e di spiegare come si può arguire che quella persona prova quel sentimento. Dopo aver raccolto i compiti, la Andrews scrive alla lavagna l'elenco dei sentimenti – tristezza, preoccupazione, eccitazione, felicità e così via – e dà il via a un rapidissimo scambio di battute con i diciotto alunni che quel giorno sono riusciti a venire a scuola. Seduti a gruppi di quattro, i ragazzi alzano la mano freneticamente, sforzandosi di attirare l'attenzione dell'insegnante per poter così dare la loro risposta.

Mentre aggiunge il termine «frustrato» all'elenco sulla lavagna, la Andrews chiede: «Quanti di voi si sono sentiti frustrati qualche volta?». Tutti alzano la mano.

«Come vi sentite quando siete frustrati?»

Le risposte arrivano a fiotti: «Stanco», «Confusa», «Non riesco a pensare nel modo giusto», «Ansiosa».

Aggiungendo all'elenco il termine «esasperato», Joyce chiede: «Io conosco questa sensazione: quando un'insegnante si sente esasperata?».

«Quando tutti parlano insieme» suggerisce una ragazza, sorridendo.

Senza pause nel dialogo con gli studenti, la Andrews distribuisce un foglio prestampato. In una colonna sono raffigurati i volti di ragazzi e ragazze, ognuno dei quali esprime una delle sei emozioni fondamentali – felicità, tristezza, collera, sorpresa, timore, disgusto – ed è riportata una descrizione dell'attività dei muscoli facciali che servono a manifestarle. Per esempio:

Paura:
- La bocca è aperta con gli angoli incurvati verso l'alto.
- Gli occhi sono aperti e gli angoli interni sono verso l'alto.
- Le sopracciglia sono inarcate e si accostano l'una all'altra.
- La fronte è increspata dalle rughe.[3]

Mentre leggono il foglio, sui volti dei ragazzi compaiono espressioni di paura, rabbia, sorpresa o disgusto, in quanto cercano di imitare le immagini e di seguire le indicazioni sulla posizione dei muscoli facciali per ogni emozione. La lezione deriva dalla ricerca di Paul Ekman sull'espressività facciale; come tale è insegnata nella maggioranza dei corsi introduttivi di psicologia di ogni università e raramente, se non mai, nelle scuole inferiori. Questa lezione elementare su come collegare un nome con un sentimento e il sentimento con l'espressione del viso che gli corrisponde, potrebbe sembrare così ovvia da non esserci affatto bisogno di insegnarla. Tuttavia può servire da antidoto a errori sorprendentemente comuni nell'alfabetizzazione emozionale. Si rammenti che i ragazzi aggressivi e prepotenti spesso attaccano gli altri in preda all'ira perché interpretano come ostili messaggi ed espressioni in realtà neutrali, e che le ragazze affette da disturbi del comportamento alimentare non sanno distinguere la collera dall'ansia e dalla fame.

Alfabetizzazione emozionale camuffata

Con i programmi scolastici già assediati da una proliferazione di nuove materie e impegni, alcuni insegnanti che si sentono sovraccarichi di lavoro si oppongono a sottrarre ore alle materie fondamentali per aggiungere un altro corso. Perciò una strategia emergente nell'educazione emozionale è quella di non creare una nuova materia, ma di mescolare le lezioni sui sentimenti e i rapporti interpersonali con gli altri argomenti già oggetto d'insegnamento. Le lezioni emozionali possono fondersi naturalmente con materie quali lettura e scrittura, educazione sanitaria, scienze, studi sociali e altre ancora. Anche se nelle scuole di New Haven «Abilità di Vita» è in alcuni anni scolastici una materia separata, in altri anni il programma di sviluppo sociale si mescola a corsi come quello di lettura o di educazione sanitaria. Alcune lezioni vengono tenute persino nelle ore di matematica, in particolare quelle che concernono le abilità di studio fondamentali come evitare le distrazioni, motivarsi allo studio e controllare gli impulsi per potersi dedicare all'apprendimento.

Alcuni programmi sulle abilità emozionali e sociali non contemplano affatto un insegnamento separato, ma piuttosto inseriscono le proprie lezioni nel tessuto stesso della vita scolastica. Un modello di questa impostazione – in sostanza un corso invisibile di competenza emozionale e sociale – è il Child Development Project (Progetto di Sviluppo del Bambino), creato da un gruppo diretto dallo psicologo Eric Schaps. Il progetto, con base a Oakland in California, viene attualmente sperimentato in un certo numero di scuole di tutto il paese, la maggior parte delle quali si trovano in quartieri che presentano gli stessi problemi delle aree soggette a degrado di New Haven.[4]

Il progetto offre contenuti preordinati che si adattano alle materie esistenti. In prima, ad esempio, i bambini, durante la lezione di lettura si cimentano con un racconto, «La Rana e il Rospo sono amici», nel quale la Rana, desiderosa di giocare col suo amico Rospo che è in letargo, gli fa uno scherzo per svegliarlo prima del tempo. Il racconto è usato come base per una discussione sull'amicizia e su argomenti quali le reazioni di chi è oggetto di uno scherzo. Il seguito delle avventure della Rana e del Rospo solleva temi quali l'autocoscienza, la consapevolezza dei bisogni di un amico, come ci si sente a essere presi in giro e la condivisione con gli amici dei propri sentimenti. Il programma prevede racconti sempre più sofisticati, adatti alle varie classi delle elementari e delle medie, che offrono agli insegnanti lo spunto per discutere argomenti quali l'empatia, l'assunzione del punto di vista altrui e il prendersi cura degli altri.

Un altro modo in cui le lezioni emozionali sono intrecciate con il tessuto esistente della vita scolastica è quello di aiutare gli insegnanti a ripensare il modo di disciplinare gli studenti che si comportano male. Il presupposto del programma di Sviluppo del Bambino è che momenti simili offrano opportunità allettanti per insegnare ai ragazzi le abilità di cui sono privi – il controllo degli impulsi, il saper spiegare i propri sentimenti e risolvere i conflitti – e che ci sono modi migliori della coercizione per imporre la disciplina. Un insegnante che vede tre bambini di prima elementare spintonarsi l'un l'altro per entrare primi nella sala da pranzo potrebbe suggerire che ognuno di loro indovini un numero e far entrare per primo chi ci riesce. La lezione immediata è che ci sono modi corretti e imparziali di comporre dispute così insignificanti, mentre l'insegnamento più profondo è che le dispute possono comunque essere negoziate. E poiché si tratta di un'impostazione che i ragazzi possono apprendere per comporre altre contese simili («Prima io!» è, alla fin fine, una pretesa diffusissima tra i bambini e, in una forma o nell'altra, anche tra gli adulti), essa reca con sé un messaggio più positivo dell'onnipresente e autoritario: «Smettila!».

Il calendario emozionale

«Le mie amiche Alice e Lynn non giocheranno con me.»

Questo lamento struggente viene da una bambina di terza della scuola elementare John Muir di Seattle. È espresso in un biglietto anonimo imbucato in una «cassetta delle lettere» posta in classe – in pratica una scatola di cartone colorata – nella quale gli alunni sono invitati a depositare per iscritto le loro lamentele e le segnalazioni dei propri problemi, in maniera che l'intera classe possa discuterne e pensare ai modi di affrontarli. Nella discussione non saranno fatti i nomi degli interessati; al contrario l'insegnante sottolineerà che tutti i bambini condividono simili problemi prima o poi e che tutti hanno bisogno di imparare ad affrontarli. Mentre parlano di come ci si sente a essere esclusi o di che cosa si possa fare per essere accettati, i bambini hanno la possibilità di elaborare nuove soluzioni per questi disagi: ciò rappresenta un correttivo all'idea fissa che il conflitto sia la sola strada per risolvere i contrasti.

La cassetta delle lettere è un modo che consente di tematizzare di volta in volta le crisi e le questioni di attualità nella classe, visto che un programma troppo rigido può risultare inadeguato alla fluida realtà dell'infanzia. Con la crescita e il mutamento dei bambini, le preoccupazioni del momento cambiano di conseguenza. Per risultare più efficaci, gli insegnamenti emozionali devono essere legati allo sviluppo del bambino e vanno ripetuti in diverse età in modi adatti alle mutevoli capacità di comprensione del ragazzo e alle nuove sfide che deve affrontare.

Un problema è quello di stabilire quando si debba cominciare. Alcuni sostengono che non è mai troppo presto e che si deve iniziare fin dai primi anni di vita. Il pediatra di Harvard T. Berry Brazelton pensa che molti genitori potrebbero essere addestrati come «iniziatori» emozionali dei loro bambini piccoli e alcuni programmi, realizzati con visite a domicilio, prevedono effettivamente questo ruolo. Si può sostenere con forza la necessità di sottolineare più sistematicamente il tema delle abilità sociali ed emozionali in programmi prescolari come l'Head Start; come abbiamo visto nel capitolo 12, la prontezza d'apprendimento dei bambini dipende in larga misura dall'acquisizione di alcune abilità emozionali essenziali. Gli anni prescolari sono di importanza cruciale per costruire le abilità fondamentali e ci sono prove che l'Head Start, se ben gestito (avvertenza importante), possa produrre effetti benefici a lungo termine, emozionali e sociali, nella vita di chi lo ha seguito, effetti che possono protrarsi fino ai primi anni dell'età adulta: meno problemi con la droga, meno arresti, matrimoni migliori, maggiori capacità di guadagno.[5]

Interventi simili funzionano nel migliore dei modi quando seguono il calendario emozionale dello sviluppo.[6] Come attesta il vagito dei neonati, i bambini provano sentimenti intensi sin dalla nascita. Ma il cervello di un neonato è ben lontano dalla piena maturazione; come vedemmo nel capitolo 15, le emozioni dell'adolescente maturano complessivamente solo quando il sistema nervoso raggiunge il suo sviluppo finale – un processo che procede scandito da un orologio biologico innato durante tutta l'infanzia e nella prima adolescenza. Il repertorio di sentimenti del neonato è primitivo in confronto alla varietà emozionale di un bambino di cinque anni, il quale, a sua volta, è carente rispetto a un adolescente. Infatti, gli adulti troppo spesso cadono nella trappola di aspettarsi che i bambini abbiano raggiunto una maturità che va ben oltre la loro età, dimenticando che ogni emozione fa la sua comparsa in un momento già programmato in anticipo. Le sbruffonate di un bambino di quattro anni possono ad esempio suscitare i rimproveri del genitore, ma occorre ricordare che l'autoconsapevolezza necessaria all'umiltà in genere non affiora fino ai cinque anni.

Il calendario della crescita emozionale è intrecciato e collegato ad altre linee di sviluppo, in particolare per quanto riguarda i processi cognitivi da un lato e la maturazione biologica e cerebrale dall'altro. Come abbiamo visto, capacità emozionali quali l'empatia e l'autoregolazione emozionale cominciano a costruirsi dall'infanzia. L'anno di scuola materna precedente all'ingresso nella scuola dell'obbligo segna un culmine nella maturazione delle «emozioni sociali» – sentimenti come l'insicurezza e l'umiltà, la gelosia e l'invidia, l'orgoglio e la fiducia –, le quali richiedono tutte la capacità di paragonare se stessi con gli altri. Il bambino di cinque anni, entrando nel più vasto mondo sociale della scuola, entra anche nel mondo della comparazione sociale. Non è solo il mutamento esterno che suscita i paragoni, ma anche l'emergere di un'abilità cognitiva: la capacità di confrontarsi agli altri in merito a qualità particolari come la simpatia, l'attrattiva o i talenti sportivi. È questa l'età in cui, per esempio, avere una sorella maggiore che prende sempre buoni voti può indurre la sorella minore a pensare di essere più «stupida».

Il dottor David Hamburg, psichiatra e presidente della Carnegie Corporation, che ha valutato alcuni programmi avanzati di educazione emozionale, considera i momenti di transizione della scuola materna alla scuola elementare e poi di nuovo dalle elementari alla media come momenti cruciali nel processo adattativo del ragazzo.[7] Dai sei agli undici anni, dice Hamburg, «la scuola è un crogiolo e un'esperienza definitoria che influenzerà pesantemente l'adolescenza del ragazzo e anche gli anni successivi. In un bambino il senso del proprio valore dipende sostanzialmente dal rendimento scolastico. Un ragazzo che fallisce a scuola, comincia ad assumere quegli atteggiamenti controproducenti che possono oscurare le prospettive di tutta la sua vita». Fra le doti essenziali per avere un buon profitto a scuola, nota Hamburg, vi è la capacità di «rimandare la gratificazione, di essere socialmente responsabile nei modi opportuni, di mantenere il controllo sulle emozioni e di avere una visione ottimistica», in altre parole l'intelligenza emotiva.[8]

La pubertà, essendo un'epoca di cambiamenti straordinari nella biologia, nelle capacità riflessive e nel funzionamento cerebrale del bambino, è anche un'età cruciale per impartire lezioni emozionali e sociali. Per quanto riguarda l'adolescenza, Hamburg osserva che «la maggior parte degli adolescenti ha dai dieci ai quindici anni quando si trova esposta per la prima volta alla sessualità, all'alcol, alle droghe, al fumo» e ad altre tentazioni.[9]

La transizione alla scuola media segna la fine dell'infanzia ed è essa stessa una formidabile sfida emozionale. A parte ogni altro problema, quando entrano nel nuovo contesto scolastico, quasi tutti gli studenti hanno un calo di fiducia in se stessi e un aumento di autoconsapevolezza; la loro immagine di sé diventa instabile e si trasforma tumultuosamente. Uno dei colpi più duri è quello portato all'«autostima sociale», cioè alla fiducia di poter stringere e mantenere le amicizie. In questo momento cruciale, sottolinea Hamburg, è immensamente utile rafforzare le capacità dei giovanissimi di costruire rapporti intimi, di superare le crisi nelle amicizie e di alimentare la propria fiducia in se stessi.

Hamburg nota che quando gli studenti entrano nella scuola media, proprio al culmine dell'adolescenza, quelli che hanno seguito corsi di alfabetizzazione emozionale sono diversi dagli altri: sono meno turbati dalle pressioni provenienti dai nuovi compagni, dall'innalzamento delle difficoltà scolastiche e dalla tentazione di fumare e far uso di droghe. Hanno appreso abilità emozionali che, almeno a breve termine, li «vaccinano» contro la confusione e le pressioni che devono fronteggiare.

La scelta di tempo è essenziale

Avendo tracciato una mappa dello sviluppo delle emozioni, psicologi evolutivi e altri ricercatori, sono in grado di essere più precisi sul tipo di insegnamenti che i ragazzi dovrebbero ricevere in ogni momento dello sviluppo della intelligenza emotiva e sulle carenze che permarranno più a lungo in coloro che non acquisiscono le competenze giuste al momento opportuno, nonché sulle esperienze di recupero che potrebbero integrare ciò che è mancato.

Nel programma di New Haven, per esempio, i bambini più piccoli ricevono lezioni basilari di autoconsapevolezza, di rapporti interpersonali e di capacità di prendere decisioni. In prima classe gli scolari siedono in cerchio e fanno girare il «cubo dei sentimenti», che reca sulle sue facce parole come «triste» o «eccitato». I bambini descrivono un momento in cui hanno provato quei sentimenti: questo esercizio dà loro più sicurezza nel collegare i sentimenti alle parole e suscita empatia quando i bambini avvertono che gli altri hanno provato i loro stessi sentimenti.

In quarta e quinta, allorché i rapporti tra coetanei assumono un'immensa importanza nella loro vita, essi ricevono lezioni che contribuiscono al miglior andamento delle loro amicizie: lezioni di empatia, di controllo degli impulsi e di dominio della collera. La lezione di «Abilità di vita» sulla lettura delle emozioni dalle espressioni del volto, seguite dai ragazzi di quinta della scuola Troup, è, ad esempio, essenzialmente una lezione sull'empatia. Per apprendere il controllo degli impulsi c'è un metodo definito «stop luminoso», illustrato in un poster in bella mostra che contiene sei diverse opzioni.

luce rossa	1. Fermati, calmati e pensa prima di agire.
luce gialla	2. Esponi il problema e dì come ti senti.
	3. Fissa uno scopo positivo.
	4. Pensa a soluzioni diverse.
	5. Pensa in anticipo alle conseguenze.
luce verde	6. Procedi e prova il piano migliore.

Allo «stop luminoso» si ricorre di regola ogni volta che un ragazzo è sul punto di aggredire qualcuno in preda alla collera, di rinchiudersi imbronciato in se stesso per qualche offesa o di scoppiare in lacrime per essere stato preso in giro; esso offre una serie concreta di passi da eseguire per affrontare in maniera più razionale momenti così carichi di tensione. Oltre al controllo dei sentimenti, indica una via per agire in maniera più efficace. Come modo abituale di dominare gli impulsi emozionali incontrollati – di pensare, prima di agire in base ai sentimenti – può evolversi in una strategia fondamentale per affrontare i rischi dell'adolescenza e oltre.

In sesta classe le lezioni si riferiscono più direttamente alle tentazioni e alle pressioni per il sesso, le droghe o il bere, che iniziano allora a entrare nella vita dei ragazzi. In nona classe, mentre gli adolescenti si confrontano con realtà sociali più ambigue, viene sottolineata la capacità di assumere prospettive multiple (la tua, insieme a quelle degli altri coinvolti nella stessa situazione). «Se un ragazzo è furibondo perché ha visto la sua ragazza parlare con un altro,» dice uno degli insegnanti di New Haven «verrà esortato a considerare le cose anche dal loro punto di vista, invece di scendere subito sul terreno dello scontro.»

L'alfabetizzazione emozionale come prevenzione

Alcuni tra i più efficaci programmi di alfabetizzazione emozionale sono stati sviluppati in risposta a un problema specifico, e cioè quello della violenza. Uno dei corsi di alfabetizzazione emozionale a scopo preventivo, che sta sviluppandosi rapidamente in parecchie centinaia di scuole pubbliche di New York e in altre scuole di tutto il paese, è il Resolving Conflict Creatively Program (Programma di Risoluzione Creativa dei Conflitti). Esso si concentra sul modo di appianare i contrasti che sorgono nell'ambiente scolastico e possono sfociare in incidenti come quello occorso nell'atrio della Jefferson High School, dove Ian Moore e Tyrone Sinkler furono uccisi a colpi d'arma da fuoco da un compagno di classe.

Linda Lantieri, creatrice del Programma e direttrice del centro nazionale per la sua impostazione, con sede a Manhattan, lo considera utile per scopi che trascendono la semplice prevenzione degli scontri tra gli studenti. Ella dichiara: «Il programma mostra agli studenti che oltre alla passività e all'aggressività esistono molte alternative per affrontare i conflitti. Mostriamo loro l'inutilità della violenza e la sostituiamo con abilità concrete. I ragazzi imparano a difendere i propri diritti senza ricorrere alla violenza. Queste sono abilità che restano per tutta la vita e non servono soltanto ai soggetti più inclini alla violenza».[10]

In un esercizio i ragazzi cercano di escogitare un singolo atto – non importa quanto piccolo, purché realistico – che sarebbe stato utile per risolvere un loro conflitto. In un altro esercizio gli studenti rappresentano una scena nella quale una sorella più grande che sta facendo i compiti a casa non ne può più di ascoltare la cassetta di musica rap che la sorella minore sta ascoltando a volume alto. Frustrata, la più grande spegne il registratore nonostante le proteste della più piccola. La classe escogita modi di risolvere il problema che siano soddisfacenti per entrambe le sorelle.

Una chiave per il successo del programma di risoluzione dei conflitti sta nel riuscire a estenderlo oltre l'aula scolastica, al cortile e al bar della scuola, dove è più probabile che esplodano le liti. A tal fine, alcuni studenti sono addestrati a fare da mediatori, un ruolo che si può cominciare a praticare dagli ultimi anni delle elementari. Quando la tensione esplode, gli studenti possono cercare un mediatore che li aiuti a comporre il litigio. I mediatori della scuola imparano a risolvere le liti, ad affrontare situazioni in cui un ragazzo viene deriso o minacciato, ad appianare gli incidenti interrazziali e gli altri scontri potenzialmente esplosivi della vita scolastica.

I mediatori imparano a esprimersi in maniera tale da essere percepiti come imparziali. Una delle loro tattiche consiste nel sedersi a un tavolo con gli interessati e nell'indurli ad ascoltare l'interlocutore senza interruzioni o insulti. Fanno in modo che ognuno si calmi e dichiari le proprie ragioni. Poi chiedono a entrambi di ripetere ciò che è stato detto dall'altro in maniera che sia chiaro che hanno capito effettivamente. Poi, tutti insieme, cercano di pensare a soluzioni accettabili da ambo le parti; la composizione del litigio assume spesso la forma di un patto scritto firmato dagli interessati.

Oltre alla mediazione nelle contese, il programma insegna agli studenti a pensare ai contrasti in maniera diversa fin dal principio. Come afferma Angel Perez, addestrato a fare il mediatore nelle elementari, il programma «cambiò la mia mentalità. Prima pensavo: se qualcuno se la prende con me, se qualcuno mi fa qualcosa, la sola risposta è combattere, reagire negli stessi termini. Da quando ho seguito questo programma, ho acquisito un modo di pensare più positivo. Se mi fanno qualcosa di male, non cerco di restituirla, ma di risolvere il problema». Angel Perez ha diffuso questo modo di vedere nella sua comunità.

Anche se il Programma di Risoluzione Creativa dei Conflitti è focalizzato sulla prevenzione della violenza, la Lantieri gli attribuisce una funzione più ampia. La sua opinione è che le abilità necessarie a evitare la violenza non possano essere separate dallo spettro completo della competenza emozionale e che, ad esempio, ai fini della prevenzione della violenza, il saper riconoscere i propri sentimenti e controllare gli impulsi o il dolore è importante come il saper reprimere la collera. Gran parte dell'addestramento ha a che fare con i tratti fondamentali dell'intelligenza emotiva: riconoscere e ampliare la gamma dei sentimenti, avere la capacità di denominarli ed empatizzare. Quando Lantieri descrive i risultati della valutazione degli effetti del suo programma, sottolinea con la medesima soddisfazione sia un maggior «volersi bene tra i ragazzi», sia il calo degli scontri fisici, delle umiliazioni e degli insulti.

Una simile convergenza sull'alfabetizzazione emozionale si è verificata con un gruppo di psicologi impegnati ad aiutare i giovani avviati su una strada che li avrebbe condotti a una vita di crimini e di violenza. Decine di studi su ragazzi di questo genere, come abbiamo visto nel capitolo 15, hanno delineato con chiarezza il percorso imboccato dalla maggior parte di loro, che comincia con l'impulsività e la facilità all'ira nei primi anni di scuola, passa attraverso l'emarginazione sociale alla fine delle elementari e termina con i legami intrecciati con altri ragazzi simili a loro e con l'avviarsi a una serie crescente di reati negli anni della scuola media. Nei primi anni dell'età adulta, questi giovani sono per lo più già schedati dalla polizia e pronti a commettere crimini violenti.

Quando si giunse a progettare interventi che potessero aiutare questi ragazzi a uscire dalla strada della violenza e del crimine, il risultato fu, ancora una volta, un programma di alfabetizzazione emozionale.[11] Uno di questi programmi, sviluppato da un gruppo che comprende Mark Greenberg dell'Università di Washington, è il Paths (Paths è l'acronimo di Parents and Teachers Helping Students, «Genitori e insegnanti aiutano gli studenti»). Anche se i ragazzi a rischio di scivolare nel crimine e nella violenza hanno maggiore necessità di queste lezioni, il corso viene impartito a tutta la classe, per evitare di isolare con un'etichetta negativa un gruppo di studenti con maggiori difficoltà.

D'altronde le lezioni sono effettivamente utili per tutti. Esse comprendono, ad esempio, l'imparare sin dai primi anni di scuola a controllare gli impulsi; quando manca tale capacità, i ragazzi hanno particolari difficoltà nel prestare attenzione a ciò che viene insegnato e pertanto il loro apprendimento e i loro voti peggiorano. Un altro aspetto del programma è saper riconoscere i sentimenti; il Paths prevede cinquanta lezioni su diverse emozioni. Ai bambini vengono insegnate le emozioni fondamentali, come la felicità e la collera, e in seguito si affrontano sentimenti più complessi come la gelosia, l'orgoglio e la colpa. Le lezioni di consapevolezza emozionale comprendono l'osservazione dei sentimenti propri e altrui e – fatto più importante per i ragazzi aggressivi – il saper riconoscere quando qualcuno ha davvero un comportamento ostile e quando al contrario gli si attribuisce un'ostilità inesistente.

Una delle lezioni più importanti, ovviamente, è quella sul controllo della collera. La premessa fondamentale che i giovani apprendono sulla collera (e anche su tutte le altre emozioni) è che «tutti i sentimenti sono positivi», ma che alcune reazioni sono buone e altre non lo sono. In questo programma uno degli strumenti per insegnare l'autocontrollo è lo stesso esercizio con lo «stop luminoso» in uso nel corso di New Haven. Altre lezioni riguardano le amicizie, che per alcuni ragazzi sono un modo per controbilanciare l'emarginazione sociale, ma che possono spingerli verso la delinquenza.

Ripensare le scuole: insegnare dando l'esempio. Comunità che si prendono cura dei ragazzi

Poiché a moltissimi giovani il contesto familiare non offre più un punto d'appoggio sicuro nella vita, le scuole restano il solo istituto al quale la comunità può rivolgersi per correggere le carenze di competenza emozionale e sociale dei ragazzi. Questo non significa che esse da sole possano sostituire istituzioni sociali troppo spesso prossime al collasso. Ma poiché quasi tutti i bambini vanno a scuola, almeno all'inizio, la scuola è un luogo che permette di raggiungere ognuno di essi e di fornirgli lezioni fondamentali per la vita che, altrimenti, non potrebbe mai ricevere. L'alfabetizzazione emozionale comporta che il ruolo sociale delle scuole si estenda e vada a compensare le deficienze familiari nella socializzazione dei ragazzi. Questo compito scoraggiante richiede due mutamenti importanti: gli insegnanti devono oltrepassare i limiti della propria missione tradizionale e la comunità dev'essere più coinvolta nella vita della scuola.

Che ci sia o meno un corso esplicitamente dedicato all'alfabetizzazione emozionale può essere molto meno importante del modo in cui queste lezioni vengono insegnate. Non c'è forse materia come questa nella quale la qualità degli insegnanti conti così tanto; il modo in cui un insegnante gestisce la classe è infatti in se stesso un modello, una lezione di fatto, di competenza emozionale o della sua mancanza. Ogni atteggiamento di un insegnante nei confronti di un allievo è una lezione rivolta ad altri venti o trenta studenti.

Il tipo di insegnanti attratto da questi corsi è tale che si determina naturalmente una selezione tra i docenti, perché non tutti per il loro carattere sono portati a insegnarli. Tanto per cominciare, i docenti hanno bisogno di sentirsi a proprio agio nel parlare dei propri sentimenti; non tutti lo sono né vogliono esserlo. Poco o nulla nella formazione consueta degli insegnanti li prepara a questo genere di insegnamento. Per queste ragioni, i programmi di alfabetizzazione emozionale in genere prevedono per i futuri docenti parecchie settimane di addestramento speciale su come impostare le lezioni.

Anche se all'inizio molti insegnanti possono mostrarsi riluttanti ad affrontare un argomento che pare così estraneo alla loro formazione e alle loro abitudini, è provato che, una volta disponibili, resteranno per lo più soddisfatti. Nelle scuole di New Haven, quando gli insegnanti seppero per la prima volta che sarebbero stati preparati per tenere i nuovi corsi di alfabetizzazione emozionale, il 31 per cento rispose di essere riluttante. Dopo un anno di insegnamento, più del 90 per cento affermò di essere soddisfatto e di voler ripetere l'esperienza anche l'anno successivo.

Una missione più vasta per le scuole

Oltre alla formazione dei docenti, l'alfabetizzazione emozionale amplia la nostra visione del compito delle scuole, conferendo a esse più esplicitamente un ruolo sociale nell'impartire ai ragazzi lezioni essenziali per la vita; è questo un ritorno al ruolo classico dell'educazione. Questo obiettivo più ampio richiede, a prescindere da ogni specifica curricolare, che si sfruttino le opportunità fuori e dentro la classe per aiutare i giovani a trasformare momenti di crisi personale in lezioni di competenza emozionale. Il programma funziona anche meglio quando le lezioni a scuola sono coordinate con quello che avviene a casa. Molti programmi di alfabetizzazione emozionale comprendono corsi speciali per i genitori, per insegnare loro ciò che i figli stanno imparando a scuola. Lo scopo non è soltanto quello di consentire ai genitori di integrare ciò che viene impartito a scuola, ma anche quello di aiutare quei genitori che sentono il bisogno di rapportarsi in maniera più efficace con la vita emotiva dei figli.

In tal modo i ragazzi ricevono messaggi coerenti di competenza emozionale in ogni ambito della loro vita. Nelle scuole di New Haven, afferma Tim Shriver, direttore del Programma di Competenza Sociale: «Se i ragazzi attaccano briga al bar, vengono mandati da un mediatore loro coetaneo, che si siede con loro e li invita a discutere del conflitto con la stessa tecnica di assunzione del punto di vista altrui che hanno imparato in classe. Gli istruttori sportivi utilizzeranno la stessa tecnica per dirimere i conflitti sui campi di gioco. Abbiamo impartito corsi ai genitori perché usino questi metodi con i ragazzi a casa».

Queste linee parallele di rafforzamento delle lezioni emozionali – non solo in classe, ma anche sul campo di gioco; non solo a scuola, ma anche a casa – danno risultati ottimali. Si crea così un intreccio più saldo tra la scuola, i genitori e la comunità. Si aumenta la probabilità che ciò che i ragazzi imparano nei corsi di alfabetizzazione emozionale non rimanga una semplice esperienza scolastica, ma venga messo alla prova, praticato e affinato nelle sfide reali della vita.

Un altro modo in cui l'introduzione di questo tema riforma le scuole è nella costruzione di una cultura scolastica che trasformi l'istituto in una «comunità di assistenza», un luogo in cui gli studenti si sentono rispettati, seguiti curati e legati ai compagni, agli insegnanti e alla scuola stessa.[12] Per esempio, le scuole che sorgono in aree come New Haven, nelle quali c'è un alto tasso di disintegrazione familiare, cercano di reclutare nella comunità volontari che si impegnino a lavorare con quegli studenti la cui vita familiare è, nel migliore dei casi, instabile. Nelle scuole di New Haven, adulti responsabili si offrono volontariamente come maestri e compagni di studenti in gravi difficoltà, che a casa non hanno adulti in grado di prendersi stabilmente cura di loro.

In breve il profilo ottimale dei programmi di alfabetizzazione emozionale è di iniziare presto, di essere adeguati all'età, di essere svolti in ogni anno scolastico e di coordinare gli sforzi a scuola, a casa e nella comunità.

Anche se questi programmi per gran parte si adattano bene alla normale struttura di una giornata scolastica, essi rappresentano un mutamento rilevante in ogni contesto didattico. Sarebbe ingenuo non prevedere ostacoli alla loro introduzione nelle scuole. Molti genitori possono ritenere che la materia in se stessa sia troppo personale perché venga trattata a scuola e che sia meglio lasciare temi simili all'educazione dei genitori (un argomento che acquista credibilità nella misura in cui i genitori effettivamente affrontano questi temi, ma che è meno persuasivo quando essi mancano di farlo). Gli insegnanti possono essere riluttanti all'idea di dedicare un'altra parte della giornata a temi che appaiono così slegati dalle materie scolastiche fondamentali; alcuni docenti possono provare dinanzi a questi contenuti un disagio tale da non volerli insegnare e comunque tutti avranno bisogno di un addestramento speciale per farlo. Anche qualche ragazzo si opporrà, soprattutto se gli argomenti non saranno in sintonia con i suoi veri interessi o se gli parranno imposizioni che violano la sua vita privata. C'è inoltre il problema di mantenere una buona qualità dei programmi e di assicurare che mercanti senza scrupoli di prodotti educativi non riescano a piazzare programmi di competenza emozionale malamente progettati, i quali ripeteranno i disastri prodotti, ad esempio, dai corsi raffazzonati sulla droga o sulle gravidanze premature.

Premesso questo, perché non provare?

L'alfabetizzazione emozionale comporta una differenza?

È l'incubo di ogni insegnante: un giorno Tim Shriver aprì il giornale locale e lesse che Lamont, uno dei suoi ex studenti preferiti, era stato colpito da nove proiettili in una strada di New Haven e che versava in condizioni critiche. «Lamont era stato uno dei leader a scuola, un giocatore di football grande e grosso e simpaticissimo, che sorrideva sempre» ricorda Shriver. «All'epoca, Lamont aveva aderito con gioia a un gruppo da me organizzato e diretto nel quale discutevamo di un modello di soluzione dei problemi conosciuto come Socs.»

La sigla sta per Situazione, Opzioni, Conseguenze, Soluzioni, un metodo in quattro momenti: enunciare la situazione e dire come ti fa sentire; pensare alle opzioni per risolvere il problema e a quali potrebbero essere le conseguenze; scegliere una soluzione e attuarla. Insomma una versione più matura del metodo dello «stop luminoso». Lamont, aggiunse Shriver, amava escogitare modi fantasiosi, ma potenzialmente efficaci, di risolvere le pressanti difficoltà della vita scolastica in un istituto superiore, come i problemi sentimentali e gli scontri fisici.

Ma una volta finita la scuola, quelle poche lezioni sembravano non essergli state di aiuto. Alla deriva per le strade, in un mare di povertà, droga e armi, Lamont a ventisei anni giaceva in un letto d'ospedale, avvolto dalle bende, col corpo crivellato dai proiettili. Accorrendo all'ospedale, Shriver trovò Lamont appena in grado di parlare, con la madre e la sorella chine su di lui. Vedendo il suo ex insegnante, Lamont gli fece cenno di avvicinarsi al letto e, mentre Shriver si chinava per sentire le sue parole, bisbigliò: «Shriver, quando esco di qui, userò il metodo Socs».

Lamont frequentò la scuola superiore di Hillhouse negli anni prima che vi si tenesse il corso di sviluppo sociale. La sua vita avrebbe avuto uno svolgimento diverso se avesse potuto beneficiare di tale formazione in tutta la sua carriera scolastica, come accade oggi agli alunni delle scuole pubbliche di New Haven? I segnali indicano una possibile risposta affermativa a questa domanda, anche se nessuno può dirlo con certezza.

Come afferma Tim Shriver: «Una cosa è chiara: il banco di prova per la risoluzione dei problemi sociali non è solo l'aula scolastica, ma anche il bar, la strada, la famiglia». Consideriamo le testimonianze degli insegnanti impegnati nel programma di New Haven. Uno di essi ricorda come una studentessa, ancora nubile, fosse tornata in visita alla scuola dicendo che, quasi certamente, sarebbe ormai diventata una ragazza madre «se non avesse imparato a difendere i suoi diritti durante i nostri corsi di Sviluppo Sociale».[13] Un'altra insegnante ricorda come il rapporto di una studentessa con la madre fosse così difficile che i loro colloqui finivano sempre in litigi furibondi con grida e schiamazzi; dopo che la ragazza ebbe imparato a calmarsi e a pensare prima di reagire, la madre riferì all'insegnante che ora potevano parlare senza più dare in escandescenze. Alla scuola Troup, una studentessa di sesta classe passò un biglietto all'insegnante del suo corso di Sviluppo Sociale; vi era scritto che la sua migliore amica era incinta e che non poteva parlare con nessuno sul da farsi e stava pensando al suicidio, ma lei sapeva che l'insegnante si sarebbe interessata al caso.

Un episodio rivelatore avvenne quando stavo assistendo a una lezione di sviluppo sociale in una settima classe delle New Haven Schools; l'insegnante chiese se qualcuno voleva «riferirmi di un litigio che aveva avuto recentemente e che era finito in maniera positiva».

Una ragazza dodicenne grassottella alzò la mano: «C'era una ragazza che pensavo fosse mia amica e qualcuno ha detto che voleva battersi con me. Mi dissero che dopo la scuola me le avrebbe suonate».

Ma invece di aggredire con rabbia l'altra ragazza, applicò un metodo suggerito nel corso, quello di scoprire come stanno realmente le cose prima di saltare alle conclusioni: «Perciò andai da lei e le chiesi perché aveva detto quelle cose. E lei mi rispose che non le aveva mai dette. Perciò non ci azzuffammo».

Il racconto sembra abbastanza insignificante. Ma va ricordato che la ragazza che lo ha riferito era stata già espulsa da un'altra scuola per rissa. In passato lei attaccava per prima e poi faceva le domande oppure non si preoccupava nemmeno di farle. Per lei affrontare un presunto avversario in maniera costruttiva invece che scagliarsi subito con rabbia contro di lui era una conquista piccola, ma importante.

Forse il segnale più indicativo dell'impatto dei corsi di alfabetizzazione emozionale sono i dati comunicatimi dal preside di questa scuola fondata dodici anni fa. Una regola inflessibile è che i ragazzi sorpresi a fare a botte vengono sospesi. Ma con l'introduzione graduale nei vari anni dei corsi di alfabetizzazione emozionale c'è stato un calo costante nel numero delle sospensioni. «L'anno scorso,» dice il preside «ci furono 106 sospensioni. Quest'anno, fino a ora, siamo in marzo, ce ne sono state solo 26.»

Questi sono benefici concreti. Ma a parte questi aneddoti, resta la questione empirica di sapere quanto contano veramente i corsi di alfabetizzazione emozionale per quelli che li seguono. I dati suggeriscono che, anche se tali corsi non cambiano la vita di nessuno dal giorno alla notte, col passare dei ragazzi da una classe all'altra si manifestano segni visibili di miglioramento nella qualità della vita scolastica e nelle prospettive, nonché nel livello di competenza emozionale, di chi li segue.

Sono state svolte alcune valutazioni obiettive, le migliori delle quali paragonano studenti che hanno seguito i corsi con studenti dello stesso tipo che non li hanno seguiti, secondo il giudizio di osservatori indipendenti che valutano il comportamento dei ragazzi. Un altro metodo consiste nel rilevare i cambiamenti negli stessi studenti prima e dopo i corsi in base a misurazioni obiettive del loro comportamento, come il numero di scontri nel cortile della scuola o il numero delle sospensioni. Sommando queste valutazioni, appare che i ragazzi che hanno seguito i corsi di competenza sociale ed emozionale ne hanno tratto un diffuso beneficio per la loro condotta dentro e fuori la classe e per la loro capacità di apprendimento (vedi per i dettagli l'Appendice F).

AUTOCONSAPEVOLEZZA EMOZIONALE

- Migliore capacità di riconoscere e denominare le nostre emozioni
- Migliore capacità di comprendere le cause dei sentimenti
- Capacità di riconoscere la differenza tra sentimenti e azioni

CONTROLLO DELLE EMOZIONI

- Migliore sopportazione della frustrazione e controllo della collera
- Minor frequenza di umiliazioni verbali, scontri e disturbi in classe
- Migliore capacità di esprimere adeguatamente la collera, senza combattere
- Minor numero di sospensioni ed espulsioni
- Condotta meno aggressiva o autodistruttiva
- Sentimenti più positivi sul proprio io, sulla scuola e sulla famiglia
- Migliore capacità di affrontare lo stress
- Minor solitudine e ansia nei rapporti sociali

INDIRIZZARE LE EMOZIONI IN SENSO PRODUTTIVO

- Maggior senso di responsabilità
- Maggiore capacità di concentrarsi sul compito che si ha di fronte e di fare attenzione
- Minore impulsività, maggiore autocontrollo
- Migliori risultati nelle prove scolastiche

EMPATIA: LEGGERE LE EMOZIONI

- Migliore capacità di assumere il punto di vista altrui
- Maggiore empatia e sensibilità verso i sentimenti altrui
- Migliore capacità di ascoltare gli altri

- Migliore capacità di analizzare e comprendere i rapporti
- Migliore capacità di risolvere i conflitti e negoziare i contrasti
- Migliore capacità di risolvere i problemi nei rapporti
- Maggior sicurezza di sé e capacità di comunicare
- Maggior simpatia e socievolezza; comportamento più amichevole con i coetanei e maggior legame reciproco
- Maggior interesse da parte dei coetanei
- Maggior interesse e premura verso gli altri
- Minor individualismo e maggiore disposizione alla collaborazione in gruppo
- Maggior spirito di condivisione, di collaborazione e di disponibilità a rendersi utili agli altri
- Maggior democrazia nel trattare con gli altri

Una voce in questo elenco richiede speciale attenzione: il programma di alfabetizzazione emozionale migliora i risultati *scolastici* dei ragazzi. Questa non è una conclusione isolata, ma ricorre continuamente in simili studi. In un'epoca in cui a troppi giovani manca la capacità di affrontare i propri turbamenti, di ascoltare o di concentrarsi, di tenere a freno gli impulsi, di sentirsi responsabili del proprio lavoro o di curare l'apprendimento, qualunque cosa rafforzi queste abilità contribuirà alla loro educazione. In tal senso l'alfabetizzazione emozionale aumenta la capacità di insegnamento della scuola. Anche in un'epoca di tagli finanziari, si può sostenere che questi programmi valgono l'investimento, perché contribuiscono a invertire la tendenza al declino del sistema educativo e danno alla scuola la forza per adempiere alla sua missione principale.

Al di là di questi vantaggi educativi, i corsi paiono aiutare i ragazzi a realizzare meglio il loro ruolo nella vita, a diventare migliori amici, studenti, figli e figlie e, nel futuro, ad avere maggiori probabilità di essere migliori mariti e mogli, dipendenti e superiori, genitori e cittadini. Anche se non tutti i giovani acquisiranno queste abilità con pari sicurezza, nella misura in cui ci riusciranno tutti noi ce ne avvantaggeremo. «Un'onda che sale solleva tutte le barche» come dice Tim Shriver. «Non soltanto i ragazzi che hanno dei problemi, ma tutti i giovani possono trarre benefici da queste abilità; esse sono una vaccinazione per la vita.»

Carattere, moralità e le arti della democrazia

C'è una parola tradizionale per designare quell'insieme di abilità che sono rappresentate dall'intelligenza emotiva: il *carattere*. Il carattere, scrive Amitai Etzioni, teorico sociale della George Washington University, è il «muscolo psicologico richiesto dalla condotta morale».[14] Il filosofo John Dewey riteneva che un'educazione morale fosse massimamente efficace quando le lezioni venivano impartite in presenza di accadimenti reali e non astrattamente: è questo il modo dell'alfabetizzazione emozionale.[15]

Se lo sviluppo del carattere è un fondamento delle società democratiche, vi prego di considerare alcuni modi in cui l'intelligenza emotiva rafforza questo fondamento. La base del carattere è la disciplina; la vita virtuosa si basa sull'autocontrollo, come i filosofi a partire da Aristotele hanno sempre osservato. Un altro caposaldo del carattere è la capacità di motivare e guidare se stessi in ogni azione, dal fare i compiti, al portare a termine un lavoro, all'alzarsi dal letto al mattino. E, come abbiamo visto, la capacità di rinviare la gratificazione e di controllare e incanalare i propri impulsi ad agire è un'abilità emozionale fondamentale, che in passato veniva chiamata volontà. «Abbiamo bisogno di controllare noi stessi – i nostri appetiti e le nostre passioni – per comportarci giustamente verso gli altri» osserva Thomas Lickona in un saggio sulla formazione del carattere.[16] «Mantenere l'emozione sotto il controllo della ragione richiede volontà.»

La capacità di accantonare gli impulsi egoistici presenta benefici sociali: apre la strada all'empatia, all'ascolto degli altri, all'assunzione della prospettiva altrui. L'empatia, come abbiamo visto, porta alla benevolenza, all'altruismo e alla compassione. Vedere le cose dal punto di vista altrui infrange gli stereotipi e i pregiudizi e alimenta perciò la tolleranza e l'accettazione delle differenze. Queste capacità sono quanto mai necessarie in una società sempre più pluralista come la nostra, perché consentono di convivere nel rispetto reciproco e creano la possibilità di un discorso pubblico costruttivo. Sono le arti fondamentali della democrazia.[17]

Le scuole, rileva Etzioni, svolgono un ruolo centrale nella maturazione del carattere, inculcando la disciplina e l'empatia, che a loro volta consentono un sincero impegno in difesa dei valori morali e civici.[18] A questo scopo non basta tenere ai ragazzi lezioni sui valori: hanno bisogno di metterle in pratica, e ciò avviene solo quando riescono a costruire le abilità emozionali e sociali essenziali. In questo senso, l'alfabetizzazione emozionale va di pari passo con la formazione del carattere, con l'educazione alla crescita morale e con l'educazione civica.

Un'ultima parola

Mentre sto ultimando il libro, alcuni inquietanti articoli di giornale catturano la mia attenzione. Uno annuncia che le armi sono diventate la prima causa di morte in America, sopravanzando gli incidenti automobilistici. Il secondo riporta che l'anno scorso la percentuale degli omicidi è salita del 3 per cento.[19] Particolarmente inquietante è la previsione di un criminologo, riferita nel secondo articolo, secondo la quale ci troveremmo in un momento di calma prima della «tempesta criminale» che ci aspetterebbe nel prossimo decennio. La ragione da lui proposta a sostegno della tesi è che gli omicidi compiuti da adolescenti tra i quattordici e i quindici anni sono in crescita e che quel gruppo di età rappresenta la punta avanzata di un'esplosione di violenza da parte di criminali ancora più giovani. Nel prossimo decennio questi minorenni avranno dai diciotto ai ventiquattro anni, l'età in cui i reati violenti raggiungono l'apice nel corso di una carriera criminale. Se ne vedono i segni all'orizzonte: un terzo articolo riporta che nei quattro anni tra il 1988 e il 1992, le cifre del ministero della Giustizia mostrano un balzo in avanti del 68 per cento nel numero dei minorenni imputati di omicidio, aggressione, furto, stupro; il solo numero delle aggressioni è cresciuto dell'80 per cento.[20]

Questi adolescenti appartengono alla prima generazione che ha avuto facile accesso non solo alle pistole, ma ai fucili automatici, proprio come quella dei loro genitori è stata la prima a fare largo uso di droghe. Il fatto che gli adolescenti siano armati significa che i litigi in passato risolti con una scazzottata possono oggi facilmente degenerare in una sparatoria. Come evidenzia un altro esperto, questi adolescenti «non sono certo molto bravi nell'evitare le liti».

Un motivo per cui sono carenti di questa abilità fondamentale è che, come società, non ci siamo preoccupati di insegnare a ogni ragazzo i modi essenziali per controllare la collera e risolvere positivamente i conflitti, né ci siamo curati di insegnare l'empatia, il controllo degli impulsi o gli altri aspetti fondamentali della competenza emozionale. Lasciando al caso l'apprendimento delle lezioni emozionali da parte dei ragazzi, rischiamo in gran parte di sprecare le opportunità offerte dalla lenta maturazione del cervello umano per aiutare i bambini a crearsi un sano repertorio emozionale.

Nonostante l'elevato interesse per l'alfabetizzazione emozionale tra alcuni educatori, questi corsi sono ancora troppo pochi; la maggior parte degli insegnanti, dei presidi e dei genitori semplicemente ne ignora l'esistenza. I modelli migliori si trovano in gran parte al di fuori dell'attuale norma scolastica, ossia in un certo numero di scuole private e in poche centinaia di scuole pubbliche. Ovviamente nessun programma, incluso il nostro, è una risposta a ogni problema. Ma data la crisi che noi e i nostri ragazzi ci troviamo a fronteggiare, e data la speranza alimentata dai corsi di alfabetizzazione emozionale, dobbiamo chiederci: non dovremmo, ora più che mai, insegnare a ogni bambino queste abilità che sono le più essenziali per la vita?

E se non ora, quando?

APPENDICI

APPENDICE A

CHE COS'È UN'EMOZIONE

Una parola su ciò che intendo con il termine emozione, sul cui preciso significato gli psicologi e i filosofi si sono interrogati per più di un secolo. In senso letterale l'*Oxford English Dictionary* definisce emozione «ogni agitazione o turbamento della mente, sentimento, passione: ogni stato mentale violento o eccitato». Io riferisco il termine *emozione* a un sentimento e ai pensieri, alle condizioni psicologiche e biologiche che lo contraddistinguono, nonché a una serie di propensioni ad agire. Vi sono centinaia di emozioni con tutte le loro mescolanze, variazioni, mutazioni e sfumature. In effetti le parole di cui disponiamo sono insufficienti a significare ogni sottile variazione emotiva.

I ricercatori continuano a discutere su quali precisamente possano essere considerate le emozioni primarie – il blu, il rosso e il giallo del sentimento dai quali derivano tutte le mescolanze – o perfino sull'esistenza di tali emozioni primarie. Alcuni teorici propongono famiglie emozionali fondamentali, anche se non tutti concordano nell'identificarle. Ecco i candidati principali e alcuni membri delle loro famiglie:

- *Collera*: furia, sdegno, risentimento, ira, esasperazione, indignazione, irritazione, acrimonia, animosità, fastidio, irritabilità, ostilità e, forse al grado estremo, odio e violenza patologici.
- *Tristezza*: pena, dolore, mancanza d'allegria, cupezza, malinconia, autocommiserazione, solitudine, abbattimento, disperazione e, in casi patologici, grave depressione.
- *Paura*: ansia, timore, nervosismo, preoccupazione, apprensione, cautela, esitazione, tensione, spavento, terrore; come stato psicopatologico, fobia e panico.
- *Gioia*: felicità, godimento, sollievo, contentezza, beatitudine, diletto, divertimento, fierezza, piacere sensuale, esaltazione, estasi, gratificazione, soddisfazione, euforia, capriccio e, al limite estremo, entusiasmo maniacale.

- *Amore*: accettazione, benevolenza, fiducia, gentilezza, affinità, devozione, adorazione, infatuazione, *agape*.
- *Sorpresa*: shock, stupore, meraviglia, trasecolamento.
- *Disgusto*: disprezzo, sdegno, aborrimento, avversione, ripugnanza, schifo.
- *Vergogna*: senso di colpa, imbarazzo, rammarico, rimorso, umiliazione, rimpianto, mortificazione, contrizione.

A dire la verità questo elenco non risolve ogni problema di classificazione delle emozioni. Per esempio, come considerare emozioni miste quali la gelosia, una variante della collera che si mescola anche alla tristezza e alla paura? E dove collocare le virtù, quali la speranza e la fede, il coraggio e il perdono, la certezza e l'equanimità? O alcuni dei vizi più classici, sentimenti quali il dubbio, il compiacimento, la pigrizia e il torpore o la noia? Non ci sono risposte chiare: il dibattito scientifico sulla classificazione delle emozioni prosegue.

L'argomento a favore dell'esistenza di un gruppo di emozioni fondamentali dipende, entro certi limiti, dalla scoperta di Paul Ekman, della University California di San Francisco, che le espressioni facciali specifiche per quattro di esse (paura, collera, tristezza, gioia) sono riconosciute in ogni cultura del mondo, compresi popoli analfabeti che presumibilmente non sono influenzati dal cinema o dalla televisione. Ciò suggerisce l'universalità di queste emozioni. Ekman ha mostrato fotografie che ritraevano con precisione tecnica volti esprimenti le quattro emozioni fondamentali a persone di culture lontanissime dalla nostra come i Fore della Nuova Guinea – una tribù isolata che vive in lontani altipiani ed è rimasta all'età della pietra – e ha constatato che dovunque la gente riconosceva le stesse emozioni fondamentali. Questa universalità delle espressioni facciali dell'emozione fu probabilmente notata per primo da Darwin, che la giudicò una prova del fatto che le forze evolutive avevano impresso questi segnali nel nostro sistema nervoso centrale.

Nella ricerca di principi fondamentali, seguo Ekman e altri nel pensare alle emozioni in termini di famiglie o dimensioni, e considerando le famiglie principali – collera, tristezza, paura, gioia, amore, vergogna e così via – come esempi tipici delle sfumature infinite della vita emotiva. Ciascuna di queste famiglie ha un nucleo emozionale con le connesse derivazioni che scaturiscono da esso secondo innumerevoli mutamenti. Le derivazioni più esterne sono gli *umori* o stati d'animo, che, tecnicamente parlando, sono più attenuati e assai più durevoli delle emozioni (mentre, per esempio, è relativamente raro rimanere per tutto un giorno in preda a una collera furibonda, non lo è altrettanto essere di un umore scorbutico e irritabile, dal quale possono facilmente scatenarsi brevi accessi d'ira). Al di là degli umori vi sono i *temperamenti*, ossia la propensione a evocare una certa emozione o umore che rende le persone malinconiche, timide o allegre. E ancora al di là di tali disposizioni emozionali vi sono i veri e propri *disturbi* delle emozioni, come la depressione clinica o l'ansia persistente, nei quali ci si sente intrappolati per sempre in uno stato di alterazione costante.

APPENDICE B

CARATTERISTICHE DELLA MENTE EMOZIONALE

Solo in anni recenti è emerso un modello scientifico della mente emozionale che spiega come le nostre azioni siano in gran parte determinate dalle emozioni – come si possa essere ragionevoli in un certo momento e irrazionali subito dopo – e in che senso le emozioni hanno le loro ragioni e la loro logica. Forse le due migliori valutazioni della mente emozionale vengono offerte indipendentemente da Paul Ekman, direttore dello Human Interaction Laboratory presso la California University, a San Francisco, e da Seymour Epstein, psicologo clinico della University of Massachusetts.[1] Anche se Ekman ed Epstein hanno valutato prove scientifiche differenti, i loro risultati congiunti offrono un elenco delle qualità essenziali che distinguono le emozioni dal resto della vita mentale.[2]

Una reazione rapida, ma imprecisa

La mente emozionale è assai più rapida di quella razionale, perché passa all'azione senza neppure fermarsi un attimo a riflettere sul da farsi. La sua rapidità le preclude la riflessione deliberata e analitica che caratterizza la mente pensante. Nel processo evolutivo questa rapidità è connessa, molto probabilmente, alla decisione più essenziale, ossia a che cosa bisogna fare attenzione e, una volta vigili (ad esempio di fronte a un altro animale) a prendere in una frazione di secondo decisioni del tipo: fra noi due chi è la preda, io o lui? Gli organismi che dovevano soffermarsi troppo a lungo per riflettere sulle risposte a simili domande avevano minori probabilità di generare una prole numerosa alla quale trasmettere i geni che determinavano la loro lentezza nell'agire.

Le azioni che scaturiscono dalla mente emozionale sono accompagnate da una sensazione di sicurezza particolarmente forte, derivante da un modo di vedere le cose semplificato e immediato, che può apparire assolutamente sconcertante alla mente razionale. A cose fatte o anche in mezzo all'azione ci sorprendiamo a pensare: «Perché ho fatto questo?», un segno che la mente razionale si sta svegliando, ma senza la prontezza di quella emozionale.

Poiché l'intervallo tra il fattore che scatena un'emozione e l'erompere dell'emozione stessa può essere quasi istantaneo, il meccanismo che valuta la percezione di tale fattore dev'essere velocissimo, anche secondo il tempo di reazione cerebrale che si calcola in millesimi di secondo. Questa valutazione della necessità di agire dev'essere automatica, così rapida che non varca neppure la soglia della consapevolezza.[3] Tale risposta emozionale rapida, si propaga in noi prima che sappiamo che cosa sta succedendo.

Questa modalità percettiva rapida sacrifica l'accuratezza a vantaggio della velocità, basandosi sulle prime impressioni, reagendo al quadro complessivo o ai suoi aspetti più vistosi. Essa vede le cose nella loro totalità simultanea e reagisce senza prendere tempo per un'analisi riflessiva. L'impressione, determinata da elementi di particolare vivezza, sovrasta ogni attenta valutazione dei dettagli. Il grande vantaggio è che la mente emozionale può leggere una realtà emotiva (lui è adirato con me; lei sta mentendo; questo fatto lo sta rattristando) in un istante, producendo quel giudizio intuitivo immediato che ci dice di chi dobbiamo diffidare, di chi possiamo fidarci e chi si trova in una situazione difficile. La mente emozionale è il nostro radar per scoprire il pericolo; se noi (o i nostri antenati nel corso dell'evoluzione) aspettassimo l'intervento della mente razionale per formulare alcuni di questi giudizi, potremmo non solo sbagliarci, ma addirittura morire. Lo svantaggio è che queste impressioni e questi giudizi intuitivi, verificandosi in una frazione di secondo, possono essere erronei o malaccorti.

Paul Ekman suggerisce che questa rapidità, per la quale le emozioni possono coglierci prima ancora che noi si sia consapevoli del loro insorgere, è essenziale per il loro elevato valore adattativo: esse ci mettono in movimento per reagire a fatti incalzanti, senza perdere tempo a pensare se o come rispondere. Impiegando il sistema elaborato per decifrare le emozioni dai sottili mutamenti dell'espressione del viso, Ekman può rintracciare microemozioni che affiorano sul volto in un tempo brevissimo, per meno di mezzo secondo. Ekman e i suoi collaboratori hanno scoperto che le espressioni emozionali cominciano a manifestarsi con mutamenti della muscolatura facciale in pochi millesimi di secondo dopo il fatto che scatena la reazione e che i mutamenti fisiologici tipici di una certa emozione – come la deviazione del flusso sanguigno e l'accelerazione del battito cardiaco – iniziano anch'essi dopo poche frazioni di secondo. Questa celerità vale soprattutto per emozioni intense, come la paura di una minaccia improvvisa.

Ekman sostiene che, in senso tecnico, l'esplodere di un'emozione è brevissimo e che dura appena qualche secondo e non minuti, ore o giorni. Secondo lui sarebbe contrario all'adattamento evolutivo se un'emozione tenesse cervello e corpo in scacco per un tempo lungo, a prescindere dal mutare delle circostanze. Se le emozioni prodotte da un singolo fatto continuassero a dominarci inalterate dopo che l'evento è terminato, a prescindere da ciò che di nuovo sta accadendo intorno a noi, allora i nostri sentimenti sarebbero guide assai scadenti per l'azione. Perché le emozioni si protraggano a lungo, il fattore scatenante deve perdurare, suscitando così continuamente l'emozione, come quando la perdita di una persona cara continua a farci piangere. Quando i sentimenti durano per ore, in genere si tratta di stati d'animo – una forma più attenuata. Essi stabiliscono un tono affettivo, ma non permeano la percezione e l'azione con la stessa forza con cui irrompe un'emozione vibrante.

Prima i sentimenti, poi i pensieri

Poiché la mente razionale ha bisogno di più tempo rispetto alla mente emozionale per registrare le impressioni e per reagire, il «primo impulso» in una situazione emozionale è dettato dal cuore e non dal cervello. C'è anche un secondo tipo di reazione emozionale, più lento della risposta lampo, che cova e fermenta nei nostri pensieri prima di portare a un sentimento. Questa seconda via è più deliberata e in genere siamo consapevoli dei pensieri che ci guidano verso di essa. In questo tipo di reazione emotiva, la valutazione è più ampia; i nostri pensieri – l'elemento cognitivo – giocano un ruolo chiave nel determinare quali emozioni verranno suscitate. Una volta formulata una valutazione – «questo tassista mi sta imbrogliando» o «questo bimbo è adorabile» – segue un'appropriata risposta emozionale. In questa sequenza più lenta, un pensiero più articolato precede il sentimento. Emozioni più complesse, come l'imbarazzo o l'apprensione per un esame imminente, seguono una strada più lenta, impiegando secondi o minuti prima di svilupparsi: sono queste le emozioni che derivano dai pensieri.

All'opposto, nella sequenza di reazione rapida il sentimento sembra precedere o essere simultaneo al pensiero. Questa reazione emozionale istantanea si verifica in situazioni urgenti nelle quali è in gioco la nostra sopravvivenza. La potenza di tali decisioni rapide è che ci mobilitano in un istante per fronteggiare un'emergenza. I nostri sentimenti più intensi sono reazioni involontarie; non possiamo decidere quando insorgeranno. «L'amore,» ha scritto Stendhal «è come una febbre che va e viene indipendentemente dalla volontà.» Non solo l'amore, ma anche la collera e la paura si impadroniscono di noi, sembrano accadere e non già essere scelte da noi. Per questa ragione possono offrire un alibi: «Il fatto che non *possiamo scegliere le emozioni che abbiamo*», rileva Ekman consente alla gente di giustificare le proprie azioni dicendo che le hanno fatte mentre erano in preda a un'emozione.[4]

Così come esistono vie rapide o lente per l'insorgere di un'emozione – una attraverso la percezione immediata e l'altra attraverso il pensiero riflessivo –, esistono anche emozioni che vengono provocate volutamente. Un esempio è dato dalla manipolazione intenzionale dei sentimenti che costituisce il bagaglio professionale di qualunque attore, come le lacrime che affiorano quando intenzionalmente ci si sofferma su ricordi tristi per suscitarle. Gli attori sono semplicemente più abili del resto dell'umanità nel saper usare intenzionalmente la seconda via alle emozioni, ossia la produzione del sentimento attraverso il pensiero. Anche se non possiamo cambiare facilmente l'emozione specifica che verrà provocata da un certo tipo di pensiero, molto spesso possiamo scegliere, e scegliamo, che cosa pensare. Come una fantasia sessuale può portare a sensazioni di eccitazione sessuale, così i bei ricordi ci rallegrano o i pensieri malinconici ci rendono pensosi.

Ma in genere la mente razionale non decide che emozioni «dovremmo» avere. Al contrario, i sentimenti si presentano come un fatto compiuto. Ciò che di solito la mente razionale può controllare è il corso di quelle reazioni. A parte qualche eccezione, non siamo noi a decidere *quando* essere furiosi, tristi e così via.

Una realtà simbolica e infantile

La logica della mente emozionale è *associativa*; per essa, elementi che simboleggiano una realtà o ne suscitano il ricordo equivalgono a quella stessa realtà. Per questo le similitudini, le metafore e le immagini si rivolgono direttamente alla mente emozionale, come fanno l'arte, i romanzi, i film, la poesia, il canto, il teatro, l'opera. Grandi maestri spirituali come Buddha e Gesù hanno toccato il cuore dei discepoli parlando il linguaggio dell'emozione, insegnando con le parabole, le favole e i racconti. Infatti il simbolo e il rituale religioso non hanno molto senso dal punto di vista razionale; essi si esprimono nell'idioma del cuore.

Questa logica del cuore – della mente emozionale – è ben descritta da Freud col concetto di «processo primario» del pensiero; è la logica della religione e della poesia, della psicosi dei bambini, del sogno e del mito (come afferma Joseph Campbell: «I sogni sono miti privati; i miti sono sogni condivisi»). Il processo primario è la chiave per decifrare il significato di opere come l'*Ulisse* di James Joyce: nel processo primario del pensiero, associazioni libere determinano il flusso narrativo; un oggetto ne simboleggia un altro; un sentimento ne soppianta un altro e sta al suo posto; le totalità vengono condensate nelle parti. Non ci sono né il tempo né la legge di causa-effetto. Anzi, nel processo primario non c'è negazione. Tutto è possibile. Il metodo psicoanalitico è in parte l'arte di decifrare e dipanare queste sostituzioni di significato.

Se la mente emozionale segue questa logica e le sue regole, nella quale un elemento sta al posto di un altro, per essa non è necessario che le cose vengano definite dalla loro identità oggettiva: ciò che conta è come vengono *percepite*; le cose sono ciò che appaiono. Quel che una cosa ci fa ricordare può essere molto più importante di quel che essa «è». Nella vita emozionale le identità possono essere come un ologramma, nel senso che una singola parte evoca l'intero. Come sottolinea Seymour Epstein, mentre la mente razionale istituisce connessioni logiche fra causa ed effetto, la mente emozionale è indiscriminata e collega le cose semplicemente in base ad aspetti superficialmente simili.[5]

La mente emozionale è infantile in molti modi e lo è tanto più, quanto più forte cresce l'emozione. Una delle sue modalità è il pensiero *categorico*, che vede tutto o bianco o nero, senza sfumature di grigio; una persona mortificata dopo aver compiuto una gaffe potrebbe pensare all'istante: «Non dico *mai* una cosa per il verso giusto». Un altro segno di questo modo infantile è il pensiero *personalizzato*, che percepisce gli eventi in maniera deformata, riconducendoli tutti al proprio io; se pensi ad esempio, all'automobilista che dopo un incidente lo spiegava dicendo «il palo del telefono mi è venuto addosso».

Questo modo infantile è *autoconvalidante,* perché sopprime o ignora ricordi o fatti che ne scardinerebbero le convinzioni e si aggrappa a quelli che lo confermano. Le convinzioni della mente razionale sono sperimentali; una nuova prova può smentire una convinzione, sostituendola con un'altra. La mente razionale ragiona in base alle prove oggettive. La mente emozionale, invece, considera le proprie convinzioni assolutamente vere e perciò sottovaluta ogni prova contraria. Per questo è così difficile ragionare con chi è emotivamente turbato: quale che sia la saldezza del vostro argomento da un punto di vista logico, non ha rilevanza se si scontra con la convinzione emozionale del momento. I sentimenti si autogiustificano con un insieme di percezioni e di «prove» tutte loro.

Il passato imposto sul presente

Quando un qualche aspetto di un fatto appare simile a un ricordo del passato dotato di forte carica emotiva, la mente emozionale reagisce provocando i sentimenti che si accompagnavano all'evento ricordato.

La mente emozionale reagisce al presente *come se fosse il passato.*[6] Il guaio è che, specialmente quando la valutazione è rapida e automatica, può accadere che non ci si renda conto che le cose sono cambiate rispetto alla situazione passata. Qualcuno che ha imparato dalle percosse dolorosamente subite durante l'infanzia a reagire a uno sguardo adirato con grande paura e disgusto, manterrà in certa misura quella reazione pure da adulto, anche quando uno sguardo cattivo non comporterà la stessa minaccia.

Se i sentimenti sono forti, allora la reazione che viene provocata è ovvia. Ma se i sentimenti sono vaghi o sottili, può accadere che non ci si renda conto della reazione emotiva in corso, anche se essa colora sottilmente il nostro modo di reagire in quel momento. Pensieri e reazioni al momento presente assumeranno il tono dei pensieri e delle reazioni del passato, anche se può sembrare che la reazione sia dovuta soltanto alla circostanza momentanea. La nostra mente emozionale imbriglierà la mente razionale piegandola ai propri fini e per questo noi presentiamo spiegazioni dei nostri sentimenti e delle nostre reazioni – le cosiddette razionalizzazioni – che le giustificano nei termini del momento presente, senza comprendere l'influenza della memoria emozionale. In questo senso, non possiamo avere idea di ciò che sta davvero accadendo, anche se possiamo nutrire la convinzione certa che sappiamo esattamente cosa sta succedendo. In momenti simili la mente emozionale ha ingabbiato quella razionale, ponendola al suo servizio.

Realtà legata a uno stato specifico

Il funzionamento della mente emozionale è in larga misura legato a uno stato specifico, dettato dal particolare sentimento che si afferma in un certo momento. Il modo in cui pensiamo e agiamo quando ci sentiamo romantici è del tutto differente da quello che adottiamo quando siamo in collera o abbattuti; nella meccanica delle emozioni, ogni sentimento ha il suo distinto repertorio di pensiero, di reazioni e perfino di ricordi. Questi repertori legati a uno stato specifico diventano predominanti in momenti di intensa emozione.

Un segnale che un tale repertorio è attivo è la memoria selettiva. Parte della reazione della mente a una situazione emozionale è un riordinamento della memoria e delle opzioni per l'azione, in maniera che le più pertinenti si trovino in posizione gerarchicamente più alta e così siano più facilmente messe in pratica. E, come abbiamo visto, ogni importante emozione ha il suo contrassegno biologico: un insieme di mutamenti radicali che tengono in scacco l'organismo mentre l'emozione sale – una serie di segnali automatici caratteristici esibiti quando si è nella morsa dell'emozione.[7]

APPENDICE C

I CIRCUITI NEURALI DELLA PAURA

L'amigdala ha una funzione centrale per la paura. Quando una rara malattia cerebrale distrusse l'amigdala di S.M. (senza però danneggiare le altre strutture cerebrali), la paura scomparve dal suo repertorio mentale. La donna diventò incapace di identificare le espressioni di paura sul volto degli altri e di esprimere paura personalmente. Come afferma il suo neurologo, «se qualcuno puntasse una pistola alla tempia di S.M., lei sarebbe conscia intellettualmente di aver paura, ma non si sentirebbe impaurita come lo saremmo io, lei e chiunque altro».

I neuroscienziati hanno esplorato i circuiti della paura nelle loro più sottili diramazioni, benché allo stato attuale delle ricerche non siano stati studiati con completezza i circuiti di alcuna emozione. La paura è un caso che si presta assai bene per comprendere la dinamica neurale delle emozioni. Nel processo evolutivo la paura riveste un'importanza particolare, perché più di ogni altra emozione ha rilievo per la sopravvivenza. Ovviamente nei tempi odierni le paure ingiustificate sono la rovina della vita quotidiana e ci procurano sofferenze dovute a una grande varietà di preoccupazioni, all'angoscia e, in casi patologici, agli attacchi di panico, alle fobie o al disturbo ossessivo compulsivo.

Immaginate di essere soli a casa di notte e di stare leggendo un libro, quando all'improvviso sentite un rumore in un'altra stanza. Ciò che accade nel vostro cervello nei momenti successivi ci fa capire come funzionano i circuiti neurali della paura e quale sia il ruolo dell'amigdala come sistema di allarme. Il primo circuito cerebrale coinvolto si limita a ricevere il suono nella sua natura fisica ondulatoria e lo trasforma nel linguaggio del cervello per mettervi in allarme. Questo circuito va dall'orecchio al tronco encefalico e poi al talamo. Di lì si dipartono due vie nervose: una diramazione più piccola conduce all'amigdala e al vicino ippocampo; l'altra, più grande, porta alla corteccia uditiva nel lobo temporale, dove i suoni vengono classificati e compresi.

L'ippocampo, un magazzino fondamentale per la memoria, rapidamente raffronta quel «rumore» ad altri suoni simili già uditi in passato, per capire se è un suono conosciuto: è un rumore che voi immediatamente riconoscete? Nel frattempo la corteccia uditiva sta svolgendo un'analisi più sofisticata del suono per cercare di comprenderne la fonte: forse il gatto? Una persiana che il vento manda a sbattere contro la finestra? Un ladro? La corteccia uditiva formula un messaggio – potrebbe essere il gatto che ha fatto cadere una lampada dal tavolo, ma potrebbe anche essere un ladro – e lo invia all'amigdala e all'ippocampo, che rapidamente lo paragonano a ricordi simili.

Se la conclusione è rassicurante (è soltanto la persiana che sbatte a ogni raffica di vento), allora l'allarme generale non si innalza a un livello più alto. Ma se siete ancora incerti, un altro circuito fra l'amigdala, l'ippocampo e la corteccia prefrontale, accresce ulteriormente l'incertezza e fissa la vostra attenzione, inducendovi a cercare di identificare la fonte del suono con sempre maggior preoccupazione. Se da questa ulteriore analisi non si ricava una risposta soddisfacente, l'amigdala fa scattare un allarme e la sua area centrale attiva l'ipotalamo, il tronco encefalico e il sistema neurovegetativo.

La meravigliosa architettura dell'amigdala come sistema d'allarme centralizzato del cervello si rende evidente in questo momento di apprensione e di ansia subliminale. Nell'amigdala ogni fascio di neuroni ha diramazioni particolari con recettori predisposti per differenti neurotrasmettitori, qualcosa di simile a quei sistemi di allarme nei quali le singole abitazioni sono collegate con operatori pronti a chiamare i vigili del fuoco, la polizia o un vicino di casa ogni volta che parte un segnale d'allarme dagli impianti delle varie case.

Diverse parti dell'amigdala ricevono informazioni differenziate. Al nucleo laterale dell'amigdala pervengono diramazioni dal talamo e dalle cortecce uditiva e visiva. Gli odori, attraverso il bulbo olfattivo, arrivano all'area corticomediale dell'amigdala, mentre i sapori e i segnali viscerali finiscono nell'area centrale. Questi segnali in arrivo fanno sì che l'amigdala sia come una sentinella sempre all'erta, che analizza ogni esperienza sensoriale.

Dall'amigdala si dipartono diramazioni verso ogni area principale del cervello. Dalle aree centrale e mediale un fascio va verso le aree dell'ipotalamo che secernono l'ormone corticotropo (Crh), la sostanza con la quale l'organismo reagisce alle emergenze, attivando la reazione di combattimento o fuga attraverso una serie di altri ormoni. L'area basale dell'amigdala invia diramazioni al corpo striato, collegandosi così al sistema cerebrale che regola il movimento. E, mediante il vicino nucleo centrale, l'amigdala invia segnali al sistema neurovegetativo attraverso il midollo spinale, attivando una vasta serie di reazioni a largo raggio che riguardano il sistema cardiovascolare, i muscoli e l'intestino. Dall'area basolaterale dell'amigdala si diramano fasci nervosi verso la corteccia del cingolo e verso le fibre conosciute come «il grigio centrale», struttura che regola la muscolatura scheletrica. Sono queste cellule che fanno ringhiare il cane o inarcare il gatto per minacciare l'intruso nel loro territorio. Negli uomini questi stessi circuiti tendono i muscoli delle corde vocali e creano il tono alto di voce emessa quando si ha paura.

Un altra via che si diparte dall'amigdala conduce al locus ceruleus, nel tronco cerebrale che, a sua volta, produce la noradrenalina e la diffonde nel cervello. L'effetto della noradrenalina è di aumentare la reattività complessiva delle aree cerebrali che la ricevono, rendendo più sensibili i circuiti sensoriali. La noradrenalina soffonde la corteccia, il tronco encefalico e lo stesso sistema limbico, in sostanza mette in tensione il cervello. Ora, perfino uno scricchiolio consueto in casa può farvi provare un fremito di paura. Questi mutamenti in gran parte sfuggono alla consapevolezza, cosicché voi non siete ancora coscienti di aver paura.

Ma appena cominciate davvero a provar paura – cioè quando l'ansia che è rimasta inconscia penetra nella coscienza –, l'amigdala ordina all'istante una reazione di vasta portata. Essa segnala alle cellule del tronco encefalico di far assumere ai muscoli del viso un'espressione di paura, di rendervi nervosi e allarmati, di bloccare i movimenti già in corso non legati alla reazione, di accelerare il battito cardiaco, e alzare la pressione sanguigna e rallentare la respirazione (vi sarete accorti che, non appena provate paura, improvvisamente trattenete il respiro, ciò che vi permette di udire più distintamente eventuali altri rumori provocati da ciò che vi ha impaurito). Questa è solo parte di una serie di cambiamenti, ampia e ben coordinata che l'amigdala e le aree a essa collegate organizzano durante quelli che abbiamo definito «sequestri» neurali.

Nel frattempo l'amigdala, insieme all'ippocampo a essa collegato, ordina alle cellule che inviano i neurotrasmettitori di provocare scariche, ad esempio, di dopamina, che vi inducono a concentrare l'attenzione sulla fonte della vostra paura – gli strani rumori che avete udito – e predispongono i muscoli a reagire di conseguenza. Allo stesso tempo l'amigdala comunica con le aree sensoriali della visione e dell'attenzione, facendo in modo che gli occhi cerchino tutto ciò che è rilevante per l'emergenza. Simultaneamente i sistemi mnemonici corticali vengono riorganizzati in modo che le conoscenze e i ricordi più pertinenti alla particolare urgenza emozionale possano essere prontamente rievocati, avendo la precedenza su altre linee di pensiero meno pertinenti.

Una volta che questi segnali sono stati inviati, voi siete in preda alla paura: diventate consapevoli della caratteristica tensione dello stomaco e dell'intestino, del cuore che batte più in fretta, della tensione dei muscoli del collo e delle spalle e del tremito delle membra; il corpo si immobilizza, mentre vi sforzate di udire altri suoni e correte col pensiero a identificare possibili pericoli in agguato e i modi per reagire. L'intera sequenza – dalla sorpresa all'incertezza, all'apprensione alla paura – può verificarsi in un secondo circa. (Per maggiori informazioni, vedi Jerome Kagan, *Galen's Prophecy*, New York, Basic Books, 1994.)

APPENDICE D

IL CONSORZIO W.T. GRANT: I COMPONENTI ATTIVI DEI PROGRAMMI DI PREVENZIONE

I componenti fondamentali di programmi efficaci comprendono:

ABILITÀ EMOZIONALI

- Identificare e denominare i sentimenti.
- Esprimere i sentimenti.
- Valutare l'intensità dei sentimenti.
- Controllare i sentimenti.
- Rimandare la gratificazione.
- Controllare gli impulsi.
- Ridurre lo stress.
- Conoscere la differenza fra sentimenti e azioni.

ABILITÀ COGNITIVE

- Colloquiare con se stessi: condurre un «dialogo interno» come modo per affrontare un argomento oppure per mettere in discussione o per rafforzare il proprio comportamento.
- Leggere e interpretare i segnali sociali: per esempio, riconoscere le influenze sociali sul comportamento e collocare se stessi nella prospettiva più ampia della comunità.
- Adoperare metodi graduali di risoluzione dei problemi e di assunzione delle decisioni: per esempio, controllare gli impulsi, fissare gli obiettivi, identificare azioni alternative, prevedere in anticipo le conseguenze.
- Comprendere la prospettiva altrui.
- Comprendere le norme comportamentali (qual è e quale non è un comportamento accettabile).
- Avere un atteggiamento positivo verso la vita.
- Essere autoconsapevoli: per esempio, sviluppare aspettative realistiche su se stessi.

ABILITÀ COMPORTAMENTALI

- Non verbali: comunicare attraverso gli occhi, l'espressività del viso, il tono di voce, i gesti e così via.
- Verbali: porre richieste chiare, reagire alle critiche con efficacia, resistere alle influenze negative, ascoltare gli altri, aiutarli, partecipare alle attività positive dei gruppi di coetanei.

FONTI: W. T. Grant Consortium on the School-Based Promotion of Social Competence, «Drug and Alcohol Prevention Curricula», in J. David Hawkins e altri, *Communities That Care,* San Francisco, Jossey-Bass, 1992.

APPENDICE E

IL CURRICULUM DELLA SCIENZA DEL SÉ

Componenti principali:

- *Essere autoconsapevoli:* osservare se stessi e riconoscere i propri sentimenti; costruire un vocabolario per i sentimenti; conoscere il rapporto tra pensieri, sentimenti e reazioni.
- *Decidere personalmente:* esaminare le proprie azioni e conoscerne le conseguenze; sapere se una decisione è dettata dal pensiero o dal sentimento; applicare queste idee a questioni quali il sesso e la droga.
- *Controllare i sentimenti*: «colloquiare con se stessi» allo scopo di cogliere messaggi negativi come le autodenigrazioni; capire che cosa c'è dietro un sentimento (ad esempio il senso di offesa che è sotteso alla collera); trovare modi di controllare le paure e le ansie, la collera e la tristezza.
- *Controllare lo stress*: imparare il valore dell'esercizio, della immaginazione guidata e dei metodi di rilassamento.
- *Essere empatici:* comprendere i sentimenti e le preoccupazioni degli altri e assumere il loro punto di vista; apprezzare i diversi modi con cui le persone guardano alla realtà.
- *Comunicare*: parlare dei sentimenti con efficacia; saper ascoltare e saper domandare; distinguere tra ciò che qualcuno fa o dice e le tue reazioni o i tuoi giudizi al riguardo; esporre il proprio punto di vista invece di incolpare gli altri.
- *Essere aperti*: apprezzare l'apertura e costruire la fiducia in un rapporto; sapere quando si può parlare dei propri sentimenti privati senza correre rischi.
- *Essere perspicaci*: identificare modelli tipici nella propria vita emotiva e nelle proprie reazioni; riconoscere modelli simili negli altri.
- *Autoaccettarsi*: sentirsi orgoglioso di sé e considerarsi in una luce positiva; riconoscere i propri punti forti e le proprie debolezze; essere capaci di ridere di se stessi.

- *Essere personalmente responsabili*: assumersi le responsabilità; riconoscere le conseguenze delle proprie decisioni e azioni; accettare i propri sentimenti e umori; portare a compimento gli impegni assunti (ad esempio nello studio).
- *Essere sicuri di sé*: affermare i propri interessi e sentimenti senza rabbia o passività.
- *Saper entrare nella dinamica di gruppo*: saper collaborare; sapere quando e come comandare e quando e come eseguire.
- *Saper risolvere i conflitti:* saper affrontare lealmente gli altri ragazzi, i genitori, gli insegnanti; saper negoziare i compromessi in maniera che ambo le parti restino soddisfatte.

FONTI: Karen F. Stone e Harold Q. Dillehunt, *Self Science: The Subiect Is Me,* Santa Monica, Goodyear Publishing Co., 1978.

APPENDICE F

APPRENDIMENTO SOCIALE ED EMOZIONALE: RISULTATI

Progetto di Sviluppo del Bambino

Eric Schaps, Development Studies Center, Oakland, California.

Valutato nelle scuole della California settentrionale, in classi dalla prima alla sesta elementare e nell'ultimo anno della scuola materna da parte di osservatori indipendenti; raffronti con scuole di controllo.

RISULTATI:

- più responsabile
- più sicuro di sé
- più simpatico e socievole
- meno egoista e più utile agli altri
- più comprensivo nei confronti degli altri
- meno indifferente e più premuroso
- più strategie per la risoluzione dei problemi interpersonali
- più in armonia con gli altri
- più «democratico»
- più abile nella risoluzione dei conflitti

FONTI: E. Schaps e V. Battistich, «Promoting Health Development Through School-Based Prevention: New Approaches», *OSAP Prevention Monograph, no. 8: Preventing Adolescent Drug Use: From Theory to Practice,* Eric Gopelrud (ed.), Rockville, MD: Office of Substance Abuse Prevention, U.S. Dept. of Health and Human Services, 1991.

D. Solomon, M. Watson, V. Battistich, E. Schaps e K. Delucchi, «Creating a Caring Community: Educational Practices That Promote Children's Prosocial Development», in *Effective and Responsible Teaching: The New Synthesis,* a cura di F. K. Oser, A. Dick e J.-L. Patry, San Francisco, Jossey-Bass, 1992.

Paths

Mark Greenberg, Fast Track Project, Università dello stato di Washington.

Valutato in scuole di Seattle, in classi dalla prima alla quinta, da parte di insegnanti; raffronti con studenti di controllo equivalenti, scelti tra 1) studenti normali, 2) studenti sordi, 3) studenti di classi differenziali.

RISULTATI:

- Miglioramento nelle abilità sociali cognitive
- Miglioramento dell'emozione, del riconoscimento e della comprensione
- Miglioramento dell'autocontrollo
- Miglioramento della pianificazione per risolvere compiti cognitivi
- Maggiore riflessione prima di agire
- Più efficace risoluzione dei conflitti
- Miglioramento dell'atmosfera nella classe

STUDENTI CON BISOGNI PARTICOLARI:

Miglioramento della condotta in classe per quanto riguarda:

- Tolleranza della frustrazione
- Abilità sociali nell'affermare se stesso
- Orientamento nel compito da eseguire
- Abilità nel rapporto con i coetanei
- Condivisione
- Socievolezza
- Autocontrollo

MIGLIORATA COMPRENSIONE EMOZIONALE:

- Riconoscimento
- Classificazione
- Diminuzione della tristezza e della depressione riferita
- Diminuzione dell'ansia e della chiusura in se stessi

FONTI: Conduct Problems Research Group, «A Developmental and Clinical Model for the Prevention of Conduct Disorder: The Fast Track Program», *Development and Psychopathology 4* (1992).

M. T. Greenberg e C. A. Kusche, *Promoting Social and Emotional Development in Deaf Children: The PATHS Project,* Seattle, University of Washington Press, 1993.

M. T. Greenberg, C. A. Kusche, E. T. Cook e J. P. Quamma, «Promoting Emotional Competence in School-Aged Children: The Effects of the PATHS Curriculum», *Development and Psychopathology,* 7 (1995).

Progetto di Sviluppo Sociale di Seattle

J. David Hawkins, Social Development Research Group, Università dello stato di Washington.

Valutato nelle scuole elementari e medie di Seattle da personale indipendente secondo parametri obiettivi, con raffronti a scuole che non applicano il programma.

RISULTATI:

- Attaccamento più positivo alla famiglia e alla scuola
- Minore aggressività nei maschi, minore tendenza all'autodistruzione nelle femmine
- Minor numero sospensioni ed espulsioni fra gli studenti con scarso profitto
- Minore iniziazione all'uso della droga
- Minor incidenza di reati
- Risultati migliori nelle verifiche del rendimento scolastico

FONTI: E. Schaps e V. Battistich, «Promoting Health Development Through School-Based Prevention: New Approaches», *OSAP Prevention Monograph, no. 8: Preventing Adolescent Drug Use: From Theory to Practice,* Eric Gopelrud (ed.), Rockville, MD: Office of Substance Abuse Prevention, U.S. Dept. of Health and Human Services, 1991.

J. D. Hawkins e altri, «The Seattle Social Development Project», in J. McCord e R. Trembaly, a cura di, *The Prevention of Antisocial Behavior in Children,* New York, Guilford, 1992.

J. D. Hawkins, E. Von Cleve e R. F. Catalano, «Reducing Early Childhood Aggression: Results of a Primary Prevention Program», *Journal of the American Academy of Child and Adolescent Psychiatry* 30, 2 (1991), pp. 208-217.

J. A. O'Donnell, J. D. Hawkins, R. F. Catalano, R. D. Abbott e L. E. Day, «Preventing School Failure, Drug Use and Delinquency Among Low-Income Children: Effects of a Long-Term Prevention Project in Elementary Schools», *American Journal of Orthopsychiatry 65* (1994).

Programma di Promozione della Competenza Sociale di Yale-New Haven

Roger Weissberg, Università dell'Illinois, Chicago.

Valutato nelle scuole pubbliche di New Haven, in classi dalla 5ª alla 8ª, in base a osservazioni condotte da personale indipendente e alle relazioni di studenti e insegnanti. Paragonato con un gruppo di controllo.

RISULTATI:

- Maggiore abilità nella risoluzione dei problemi
- Maggior coinvolgimento con i coetanei
- Miglior controllo degli impulsi
- Migliore comportamento
- Migliori rapporti interpersonali e maggior simpatia
- Maggiore abilità nell'affrontare le situazioni
- Maggiore abilità nel trattare i problemi interpersonali
- Miglioramento nell'affrontare l'ansia

- Diminuzione dei comportamenti delinquenziali
- Maggiori abilità nella risoluzione dei conflitti

FONTI: M. J. Elias e R. P. Weissberg, «School-Based Social Competence Promotion as a Primary Prevention Strategy: A Tale of Two Projects», *Prevention in Human Services* 7, 1 (1990), pp. 177-200.

M. Caplan, R. P. Weissberg, J. S. Grober, P. J. Sivo, K. Grady e C. Jacobi, «Social Competence Promotion with Inner-City and Suburban Young Adolescents: Effects of Social Adjustment and Alcohol Use», *Journal of Consulting and Clinical Psychology* 60, 1 (1992), pp. 56-63.

Programma per la risoluzione creativa dei conflitti

Linda Lantieri, Centro Nazionale per il programma di risoluzione creativa dei conflitti (una iniziativa degli Educatori per la Responsabilità Sociale), New York City.

Valutato da insegnanti nelle scuole della città di New York, classi dalla 1ª alla 12ª e ultimo anno di scuola materna, prima e dopo l'applicazione del programma.

RISULTATI:

- Meno violenza in classe
- Meno umiliazioni verbali in classe
- Più benevolenza
- Più disponibilità a collaborare
- Più empatia
- Più abilità di comunicazione

FONTI: Metis Associates, Inc., The Resolving Conflict Creatively Program: 1988-1989. *Summary of Significant Findings of RCCP New York Site,* New York, Metis Associates, maggio 1990.

Il progetto di miglioramento della coscienza sociale e di soluzione dei problemi sociali

Maurice Elias, Rutgers University.

Valutato nelle scuole del New Jersey, classi dalla 1ª alla 6ª e ultimo anno di scuola materna, in base ai giudizi degli insegnanti e degli studenti e in base ai registri scolastici, raffrontato con i non partecipanti.

RISULTATI:

- Maggiore sensibilità ai sentimenti altrui
- Miglior comprensione delle conseguenze del proprio comportamento
- Accresciuta capacità di valutare le situazioni interpersonali e di pianificare azioni appropriate

- Maggiore autostima
- Maggiore altruismo
- Maggior numero di richieste d'aiuto da parte dei coetanei
- Migliore gestione della transizione alla scuola media
- Comportamento meno antisociale, autodistruttivo e socialmente disordinato, anche nella scuola superiore
- Accresciuta capacità di imparare ad apprendere le abilità
- Miglioramento dell'autocontrollo, della coscienza sociale e della capacità di prendere decisioni in senso socialmente positivo dentro e fuori la classe

FONTI: M. J. Elias, M. A. Gara, T. F. Schuyler, L. R. Branden-Muller e M. A. Sayette, «The Promotion of Social Competence: Longitudinal Study of a Preventive School-Based Program», *American Journal of Orthopsychiatry* 61, 1991, pp. 409-17.

M. J. Elias e J. Clabby, *Building Social Problem Solving Skills: Guidelines From a School-Based Program,* San Francisco, Jossey-Bass, 1992.

NOTE

PARTE PRIMA

IL CERVELLO EMOZIONALE

1. A che cosa servono le emozioni?

1. Associated Press, 15 settembre 1993.
2. Il carattere senza tempo del tema dell'amore altruista traspare dalla sua grande diffusione nei miti di tutto il mondo: i racconti di Jataka, narrati per millenni in tutta l'Asia, sono tutte variazioni di queste parabole del sacrificio di sé.
3. Le teorie evolutive che postulano il valore adattativo dell'altruismo sono state efficacemente riassunte da Malcolm Slavin e Daniel Kriegman, nel loro libro, *The Adaptive Design of the Human Psyche*, New York, Guilford Press, 1992.
4. Gran parte di questa discussione si basa sull'importantissimo saggio di Paul Ekman, «An Argument for Basic Emotions», *Cognition and Emotion* 6 1992, pp. 169-200. Questo punto in particolare è tratto dal saggio di P.N. Johnson-Laird e K. Oatley, pubblicato sullo stesso numero della rivista.
5. *The New York Times*, 11 novembre 1994.
6. Si tratta di un'osservazione di Paul Ekman, che lavora alla California University di San Francisco.
7. Alcune di tali modificazioni sono documentate da Robert W. Levenson, Paul Ekman e Wallace V. Friesen, nel loro articolo, «Voluntary Facial Action Generates Emotion-Specific Autonomous Nervous System Activity», *Psychophysiology* 27, 1990. Questo elenco è stato tratto da quella e da altre fonti. Allo stato attuale, esso resta, in una certa misura, speculativo; oggi, il preciso carattere biologico di ogni emozione è oggetto di un acceso dibattito scientifico, nel quale alcuni ricercatori ritengono che fra le diverse emozioni ci siano più sovrapposizioni che differenze, oppure che attualmente la nostra capacità di misurare i loro correlati biologici sia troppo immatura per consentirci di distinguerle in modo attendibile. Il lettore interessato a questo dibattito può consultare Paul Ekman e Richard Davidson, a cura di, *Fundamental Questions About Emotions*, New York, Oxford University Press, 1994.

8. Come dice Paul Ekman: «La collera è l'emozione più pericolosa; alcuni dei principali problemi che stanno distruggendo la società odierna implicano una completa perdita di controllo su questa emozione. Mobilitandoci al combattimento, al giorno d'oggi la collera è l'emozione con minor valore adattativo. Le nostre emozioni si evolsero quando non possedevamo ancora una tecnologia che ci permettesse di agire in modo tanto efficiente spinti dal loro impulso. Nella preistoria, se un uomo era colpito da una collera improvvisa e per un istante voleva uccidere qualcuno non poteva farlo tanto facilmente – ma oggi sì».
9. Erasmo da Rotterdam, *Elogio della follia*, trad. it. di Erich Linder, rivista da Nicola Petruzzellis, Milano, Mursia, 1966.
10. Queste risposte elementari definiscono ciò che potrebbe essere considerato la «vita emotiva» – o meglio, la «vita istintiva» – di queste specie. Più importanti in termini evolutivi, queste sono decisioni fondamentali per la sopravvivenza; gli animali in grado di attuarle al meglio, o abbastanza bene, sopravviveranno e passeranno i propri geni alle generazioni successive. In questi tempi primordiali, la vita mentale era molto grossolana; nell'arco di una giornata, i sensi e un semplice repertorio di reazioni agli stimoli bastavano alla sopravvivenza di una lucertola, di una rana, di un uccello o di un pesce e forse anche a quella di un brontosauro. Ma questo misero cervello non consentiva ancora quelle che noi chiamiamo emozioni.
11. R. Joseph, *The Naked Neuron: Evolution and the Languages of the Brain and Body*, New York, Plenum Publishing, 1993; Paul D. MacLean, *The Triune Brain in Evolution*, New York, Plenum, 1990.
12. Ned Kalin M.D., Departments of Psychology and Psychiatry, University of Wisconsin, «Aspects of emotion conserved across species», redatto per il MacArthur Affective Neuroscience Meeting tenutosi nel novembre 1992.

2. Anatomia di un «sequestro» emozionale

1. Il caso dell'uomo senza sentimenti è stato descritto da R. Joseph, op. cit., p. 83. D'altro canto, anche nelle persone che non hanno un'amigdala possono esserci alcuni residui di sentimento: si veda Paul Ekman e Richard Davidson, a cura di, *Questions About Emotion*, New York, Oxford University Press, 1994. Le differenze nei risultati dei diversi studi probabilmente dipendono proprio dalle parti dell'amigdala e dai circuiti collegati mancanti nei diversi casi: l'ultima parola sui dettagli della neurologia dell'emozione è ancora lontana.
2. Come molti neuroscienziati, LeDoux lavora a diversi livelli, studiando, ad esempio, in che modo lesioni specifiche praticate nel cervello di un ratto ne modifichino il comportamento; seguendo meticolosamente il percorso di singoli neuroni; allestendo esperimenti complessi di condizionamento della paura in ratti che abbiano subito l'alterazione chirurgica del cervello. Le sue scoperte, e le altre qui passate in rassegna, costituiscono la frontiera dell'esplorazione nelle neuroscienze, e pertanto restano in una certa misura speculative – soprattutto le implicazioni che

sembrano scaturire dai dati grezzi e portare alla comprensione della nostra vita emozionale. Il lavoro di LeDoux è comunque sostenuto da una mole crescente di prove convergenti ottenute da numerosi neuroscienziati che stanno gradualmente mettendo a nudo i fondamenti neurali delle emozioni. Si veda, ad esempio, Joseph LeDoux, «Sensory Systems and Emotion», *Integrative Psychiatry* 4, 1986; Joseph LeDoux, «Emotion and the Limbic System Concept», *Concepts in Neuroscience* 2, 1992.

3. L'idea che il sistema limbico fosse il centro del cervello emozionale venne introdotta più di quarant'anni fa dal neurologo Paul MacLean. In tempi più recenti, scoperte come quella di LeDoux hanno perfezionato il concetto del sistema limbico, dimostrando che alcune delle sue strutture fondamentali, come l'ippocampo, sono meno direttamente interessate alle emozioni, mentre i circuiti che collegano all'amigdala altre parti del cervello – in particolare i lobi prefrontali – hanno un ruolo più importante. Al di là di questo, cresce la consapevolezza del fatto che ogni emozione possa avvalersi di aree cerebrali distinte. L'opinione più diffusa, attualmente, è che non esista un singolo «cervello emozionale», nettamente definito, ma che piuttosto ci siano diversi sistemi di circuiti che assegnano la regolazione di una data emozione ad aree diverse e disperse, sebbene coordinate, del cervello. I neuroscienziati ipotizzano che quando sarà terminata la completa mappatura cerebrale delle emozioni, ognuna delle principali emozioni avrà la sua topografia – ossia una mappa distinta di vie neurali che determinano le sue qualità esclusive (anche se molti, o la maggior parte, di questi circuiti sono probabilmente connessi a strutture fondamentali del sistema limbico, come l'amigdala, e alla corteccia prefrontale. Si veda Joseph LeDoux, «Emotional Memory Systems in the Brain», *Behavioral and Brain Research* 58, 1993.
4. Questa analisi si basa sull'eccellente sintesi di Jerome Kagan, *Galen's Prophecy*, New York, Basic Books, 1994.
5. Ho scritto sulle ricerche di Joseph LeDoux nel *New York Times* del 15 agosto 1989. In questo capitolo, la discussione si basa sui colloqui che ho avuto personalmente con lui e su diversi suoi articoli, compresi i seguenti: Joseph LeDoux, «Emotional Memory Systems in the Brain», *Behavioural Brain Research* 58, 1993; Joseph LeDoux, «Emotion, Memory and the Brain», *Scientific American*, giugno 1994 (trad. it. «Emozioni, memoria e cervello», *Le Scienze*, no. 312, agosto 1994, p. 32); Joseph LeDoux, «Emotion and the Limbic System Concept», *Concepts in Neuroscience* 2, 1992.
6. William Raft Kunst-Wilson e R.B. Zajonc, «Affective Discrimination of Stimuli That Cannot Be Recognized», *Science*, 1 febbraio 1980.
7. John A. Bargh, «First Second: The Preconscious in Social Interactions», presentato all'incontro della American Psychological Society, Washington DC, giugno 1994.
8. Larry Cahill et al., «Beta-adrenergic activation and memory for emotional events», *Nature*, 20 ottobre 1994.
9. La discussione più dettagliata dei primi anni di vita e delle conseguenze dello sviluppo cerebrale sulla sfera delle emozioni è quella di Allan Schore, *Affect Regulation and the Origin of Self*, Hillsdale, NJ, Lawrence Erlbaum Associates, 1994.

10. LeDoux, citato in «How Scary Things Get That Way», *Science*, 6 novembre 1992, p. 887.
11. Gran parte di questa speculazione riguardante la regolazione fine della risposta emozionale da parte della neocorteccia si ispira a Ned Kalin, op. cit.
12. Uno sguardo più attento alla neuroanatomia dimostra che i lobi prefrontali funzionano come centri di controllo delle emozioni. Molti dati indicano che parte della corteccia prefrontale costituisce un sito a livello del quale converge gran parte o la totalità dei circuiti interessati a una reazione emotiva. Negli esseri umani, le connessioni più forti fra neocorteccia e amigdala interessano il lobo prefrontale sinistro e le parti del lobo temporale (fondamentale nell'identificazione di un oggetto) situate al di sotto e di lato rispetto al lobo frontale. Entrambe queste connessioni sono costituite da una proiezione monosinaptica – si tratta cioè di una via rapida e potente – quella che potremmo definire un'autostrada neurale virtuale. La proiezione monosinaptica fra l'amigdala e la corteccia prefrontale raggiunge un'area chiamata *corteccia orbitofrontale*. Quest'area sembra importantissima per valutare e correggere le risposte emozionali in corso.
    La corteccia orbitofrontale riceve segnali dall'amigdala e ha la propria rete di proiezioni, intricata ed estesa, in tutto il sistema limbico. Grazie a questa rete, essa ha un ruolo importante nella regolazione delle risposte emotive – ivi compresa la possibilità di inibire i segnali provenienti dal sistema limbico non appena essi raggiungono altre aree della corteccia, smorzandone così il carattere di urgenza. Si veda, a tal proposito Ned Kalin, Departments of Psychology and Psychiatry, University of Wisconsin, «Aspects of Emotion Conserved Across Species», un manoscritto non pubblicato preparato per il MacArthur Affective Neuroscience Meeting, tenutosi nel novembre 1992; e Allan Schore, *Affect Regulation and the Origin of Self*, Hillsdale, NJ, Lawrence Erlbaum Associates, 1994.
    Il collegamento fra l'amigdala e la corteccia prefrontale non è solo strutturale, ma, come sempre accade, anche biochimico: sia la sezione ventromediale della corteccia prefrontale, sia l'amigdala presentano concentrazioni particolarmente elevate di recettori per la serotonina (un neurotrasmettitore). Oltre ad altre funzioni, questa sostanza chimica sembra avere anche quella di stimolare la cooperazione: le scimmie con una densità elevatissima di recettori serotoninergici nel circuito corteccia prefrontale-amigdala sono ben «sintonizzate» dal punto di vista sociale, mentre quelle con basse concentrazioni degli stessi recettori hanno un comportamento ostile e antagonista. Si veda Antonio Damasio, *Descartes' Error*, New York, Grosset/Putnam, 1994; (trad. it. di Filippo Macaluso, *L'errore di Cartesio. Emozione, ragione e cervello umano*, Milano, Adelphi, 1996).
13. Studi condotti sull'animale dimostrano che quando aree dei lobi prefrontali vengono lesionate, in modo che non possano più modulare i segnali emozionali provenienti dall'area limbica, gli animali diventano erratici, soggetti ad esplosioni impulsive e imprevedibili di rabbia o paura. A. R. Luria, il brillante neuropsicologo russo, già negli anni Trenta ipotizzava che la corteccia prefrontale fosse una regione chiave per l'auto-

controllo e il contenimento delle esplosioni emozionali; i pazienti che avevano riportato danni in quest'area, egli osservava, erano impulsivi e soggetti a fiammate di terrore o di collera. Uno studio condotto su ventiquattro uomini e donne riconosciuti colpevoli di omicidi perpetrati sotto l'impulso della passione mise in evidenza, servendosi della tomografia ad emissione di positroni, che essi presentavano in queste aree della corteccia prefrontale un livello di attività molto inferiore alla norma.

14. Victor Dennenberg, uno psicologo della University of Connecticut, è autore di alcune delle principali ricerche sulle lesioni dei lobi del ratto.
15. G. Gianotti, «Emotional behavior and hemispheric side of lesion», *Cortex*, 8, 1972.
16. Il caso del paziente colpito da ictus e divenuto in seguito più gioviale è stato descritto da Mary K. Morris, del Department of Neurology della University of Florida, in occasione dell'International Neurophysiological Society Meeting, tenutosi a San Antonio dal 13 al 16 febbraio 1991.
17. Lynn D. Selemon et al., «Prefrontal Cortex», *American Journal of Psychiatry*, 152, 1995.
18. Philip Harden e Robert Pihl, «Cognitive Function, Cardiovascular Reactivity, and Beahavior in Boys at High Risk for Alcoholism», *Journal of Abnormal Psychology* 104, 1995.
19. Antonio Damasio, *Descartes'Error: Emotion, Reason and the Human Brain*, New York, Grosset/Putnam, 1994; (trad. it. di Filippo Macaluso, *L'errore di Cartesio. Emozione, ragione e cervello umano*, Milano, Adelphi, 1996).

PARTE SECONDA

LA NATURA DELL'INTELLIGENZA EMOTIVA

3. Quando intelligente vuol dire stupido

1. La storia di Jason H. venne pubblicata in «Warning by a Valedictorian Who Faced Prison» sul *New York Times* del 23 giugno 1992.
2. Si tratta di Howard Gardner, nel suo articolo, «Cracking Open the IQ Box», *The American Prospect*, inverno 1995.
3. Richard Herrnstein e Charles Murray, *The Bell Curve: Intelligence and Class Structure in American Life*, New York, Free Press, 1994, p. 66.
4. George Vaillant, *Adaptation to Life*, Boston, Little, Brown, 1977. Il punteggio medio Sat del gruppo di Harvard era pari a 584, su una scala nella quale il massimo è 800. Vaillant, che ora lavora alla Harvard University Medical School, mi spiegò che i punteggi conseguiti nei test hanno un valore predittivo relativamente scarso nei confronti del successo personale di questi uomini fortunati.
5. J.K. Felsman e G.E. Vaillant, «Resilient Children as Adults: A 40-Year Study», in *The Invulnerable Child*, a cura di E.J. Anderson e B.J. Cohler, New York, Guilford Press, 1987.
6. Karen Arnold, che effettuò lo studio sugli studenti brillanti insieme a Terry Denny, presso la University of Illinois, venne citata nella *Chicago Tribune* del 29 maggio 1992.

7. I principali collaboratori di Gardner nello sviluppo di Project Spectrum sono stati Mara Krechevsky e David Feldman.
8. Ho intervistato per la prima volta Howard Gardner sulla sua teoria delle intelligenze multiple in, «Rethinking the Value of Intelligence Tests», pubblicato su, *The New York Times Education Supplement* del 3 novembre 1986 e, da allora, molte altre volte.
9. Il confronto fra i test per la misura del Qi e le capacità Spectrum è riportato in un capitolo (scritto in collaborazione con Mara Krechevsky) di Howard Gardner, *Multiple Intelligences: The Theory in Practice*, New York, Basic Books, 1993; (trad. it. di Isabella Blum, *L'educazione delle intelligenze multiple. Dalla teoria alla prassi pedagogica*, Milano, Anabasi, 1993).
10. Il sommario «in nuce» è tratto da Howard Gardner, *Multiple Intelligences*, pag. 9. (trad. it. di Isabella Blum, *Intelligenze multiple*, Milano, Anabasi, 1993).
11. Howard Gardner e Thomas Hatch, «Multiple Intelligences Go to School», *Educational Researcher* 18, 8, 1989.
12. Il modello dell'intelligenza emotiva venne proposto per la prima volta da Peter Salovey e John D. Mayer, nel loro «Emotional Intelligence», pubblicato su *Imagination, Cognition and Personality*, 9, 1990, pp. 185-211.
13. Robert J. Sternberg, *Beyond I.Q.*, New York, Cambridge University Press, 1985.
14. La definizione fondamentale di «intelligenza emotiva» si trova in Salovey e Mayer, «Emotional Intelligence», p. 189.
15. Jack Block, University of California di Berkeley, manoscritto non pubblicato, febbraio 1995. Block usa il concetto di «resilienza dell'ego» invece di quello di intelligenza emotiva, ma osserva che le sue principali componenti comprendono l'autoregolazione emotiva, la capacità adattativa di controllare gli impulsi, il senso di *self-efficacy* e l'intelligenza sociale. Poiché questi sono i principali elementi dell'intelligenza emotiva, la resilienza dell'ego può essere considerata una misura sostitutiva dell'intelligenza emotiva, proprio come i punteggi Sat lo sono nei confronti del Qi. Block ha analizzato i dati raccolti in uno studio longitudinale su circa cento soggetti di entrambi i sessi osservati durante l'adolescenza e poi in età giovanile (entro i 25 anni), e si è servito di metodi statistici per valutare i correlati, a livello di personalità e comportamento, di un elevato Qi indipendentemente dall'intelligenza emotiva, e l'intelligenza emotiva indipendentemente dal Qi. Egli ha scoperto l'esistenza di una modesta correlazione fra Qi e resilienza dell'ego, che tuttavia sono concetti indipendenti.

4. Conosci te stesso

1. Il mio uso dell'espressione *autoconsapevolezza* si riferisce a un'attenzione riflessiva e introspettiva verso la propria esperienza.
2. Vedi anche: Jon Kabat-Zinn, *Wherever You Go, There You Are*, New York, Hyperion, 1994.
3. Il lettore troverà un confronto perspicace fra l'attenzione dello psicoanalista e l'autoconsapevolezza nel libro di Mark Epstein, *Thoughts Without*

a Thinker, New York, Basic Books, 1995. Epstein osserva che se questa capacità viene meticolosamente coltivata, può discostarsi dall'autoconsapevolezza dell'osservatore e «diventare un "ego sviluppato" più flessibile e coraggioso, capace di abbracciare tutta la vita».

4. William Styron, *Darkness Visible: A Memoir of Madness*, New York, Random House, 1990, p. 64.
5. John D. Mayer e Alexander Stevens, «An Emerging Understanding of the Reflective (Meta) Experience of Mood», manoscritto non pubblicato, 1993.
6. Mayer e Stevens, «An Emerging Understanding». Alcuni dei termini per indicare questi stili di autoconsapevolezza emozionale sono miei adattamenti delle loro categorie.
7. Gran parte di questo lavoro venne effettuato da Randy Larsen, o insieme a lui. Larsen è un ex specializzando di Diener, che adesso lavora alla University of Michigan.
8. Gary, il chirurgo emotivamente indifferente è stato descritto da Hillel I. Swiller nel suo articolo, «Alexithymia: Treatment Utilizing Combined Individual and Group Psychotherapy» *International Journal for Group Psychotherapy* 38, 1, 1988, pp. 47-61.
9. *Analfabeta emozionale* era il termine usato da M.B. Freedman e B.S. Sweet nel loro «Some Specific Features of Group Psychotherapy», *International Journal for Group Psychoterapy* 4 (1954), pp 335-68.
10. Gli aspetti clinici dell'alessitimia sono descritti da Graeme J. Taylor, «Alexithymia: History of the Concept», un articolo presentato al meeting annuale della American Psychiatric Association, tenutosi a Washington DC nel maggio 1986.
11. La descrizione dell'alessitimia è tratta da Peter Sifneos, «Affect, Emotional Conflict, and Deficit: An Overview», *Psychotherapy-and-Psychosomatics* 56, 1991, pp. 116-122.
12. Il caso della donna che non sapeva perché piangeva è descritto da H. Warnes nel suo articolo «Alexithymia, Clinical and Therapeutic Aspects», *Psychotherapy-and-Psychosomatics* 46, 1986, pp. 96-104.
13. Damasio, *Descartes' Error*, op. cit.
14. Gli studi sulla paura dei serpenti sono descritti da Kagan nel suo, *Galen's Prophecy*.

5. Schiavi delle passioni

1. Per maggiori dettagli sul rapporto fra sentimenti positivi e negativi da una parte e benessere dall'altra, si veda Ed Diener e Randy J. Larsen, «The Experience of Emotional Well-Being», in *Handbook of Emotions*, a cura di Michael Lewis e Jeannette Haviland, New York, Guilford Press, 1993.
2. Ho intervistato Diane Tice sulla sua ricerca riguardante il modo in cui gli individui si scuotono di dosso gli stati d'animo negativi nel dicembre del 1992. Tice ha pubblicato insieme al marito Roy Baumeister i suoi risultati sulla collera in un capitolo di *Handbook of Mental Control*, a cura di

Daniel Wegner e James Pennebaker, vol. 5, Englewood Cliffs, NJ, Prentice Hall, 1993.

3. Si veda anche Arlie Hochschild, *The Managed Heart*, New York, Free Press, 1980.
4. L'argomentazione contro la collera a favore dell'autocontrollo si basa in larga misura su Diane Tice e Roy F. Baumeister, «Controlling Anger: Self-Induced Emotion Change» in *Handbook of Mental Control*, a cura di Wegner e Pennebaker. Si veda però anche Carol Tavris, *Anger: The Misunderstood Emotion*, New York, Touchstone, 1989.
5. La ricerca sulla rabbia è descritta in Dolf Zillmann, «Mental Control of Angry Aggression» in *Handbook of Mental Control*, a cura di Wegner e Pennebaker.
6. Citato in Tavris, *Anger: The Misunderstood Emotion*, pag. 135.
7. Le strategie di Redford Williams per controllare l'ostilità sono descritte nei dettagli in Redford Williams e Virginia Williams, *Anger Kills*, New York, Times Books, 1993.
8. Si veda ad esempio, S.K. Mallick e B.R. McCandless, «A Study of Catharsis Aggression», *Journal of Personality and Social Psychology* 4, 1966. Per un riassunto di questa ricerca, si veda Tavris, *Anger: The Misunderstood Emotion*.
9. Tavris, *Anger: The Misunderstood Emotion*.
10. Lizabeth Roemer e Thomas Borkovec, «Worry: Unwanted Cognitive Activity That Controls Unwanted Somatic Experience», in *Handbook of Mental Control*, a cura di Wegner e Pennebaker.
11. David Riggs e Edna Foa, «Obsessive-Compulsive Disorder», in *Clinical Handbook of Psychological Disorders*, a cura di David Barlow, New York, Guilford Press, 1993.
12. La paziente tormentata dalle preoccupazioni era citata da Roemer e Borkovec, «Worry», pag. 221.
13. Si veda, ad esempio, *Clinical Handbook of Psychological Disorders*, a cura di David H. Barlow, New York, Guilford Press, 1993.
14. William Styron, *Darkness Visible: A Memoir of Madness*, New York, Random House, 1990.
15. Le preoccupazioni dei pazienti depressi sono descritte da Susan Nolen-Hoeksma, «Sex Differences in Control of Depression», in *Handbook of Mental Control*, a cura di Wegner e Pennebaker, p. 307.
16. K.S. Dobson, «A Meta-analysis of the Efficacy of Cognitive Therapy for Depression», *Journal of Consulting and Clinical Psychology* 57, 1989.
17. Lo studio sui pensieri dei pazienti depressi è stato descritto da Richard Wenzlaff, nel suo contributo, «The Mental Control of Depression», pubblicato in *Handbook of Mental Control*, a cura di Wegner e Pennebaker.
18. Shelley Taylor et al., «Maintaining Positive Illusions in the Face of Negative Information», *Journal of Clinical and Social Psychology* 8, 1989.
19. La descrizione dello studente «repressore» è tratta da Daniel A. Weinberger, «The Construct Validity of the Repressive Coping Style», in *Repression and Dissociation*, a cura di J.L. Singer, Chicago, University of Chicago Press, 1990. Weinberger, che ha sviluppato il concetto di soggetti «repressori» nei suoi primi studi con Gary F. Schwartz e Richard Davidson, è diventato il leader nella ricerca sull'argomento.

6. La capacità fondamentale

1. Daniel Goleman, *Vital Lies, Simple Truths: The Psychology of Self-Deception*, New York, Simon e Schuster, 1985.
2. Alan Baddeley, *Working Memory*, Oxford, Clarendon Press, 1986.
3. Patricia Goldman-Rakic, «Cellular and Circuit Basis of Working Memory in Prefrontal Cortex of Nonhuman Primates», *Progress in Brain Research* 85, 1990; Daniel Weinberger, «A Connectioninst Approach to the Prefrontal Cortex», *Journal of Neuropsychiatry* 5, 1993.
4. Anders Ericsson, «Expert Performance: Its Structure and Acquisition», *American Psychologist*, agosto 1994.
5. Herrnstein e Murray, *The Bell Curve*.
6. James Flynn, *Asian-American Achievement Beyond IQ*, New Jersey, Lawrence Erlbaum, 1991.
7. Lo studio sul ritardo della gratificazione nei bambini di quattro anni è stato descritto da Yuichi Shoda, Walter Mischel e Philip K. Peake, «Predicting Adolescent Cognitive and Self-regulatory Competencies From Preschool Delay of Gratification», *Developmental Psychology* 26, 6, 1990, pp. 978-986.
8. L'analisi dei dati sul Sat venne effettuata da Phil Peake, uno psicologo dello Smith College.
9. Comunicazione personale di Phil Peake, psicologo dello Smith College, che ha analizzato i dati Sat dello studio sul ritardo della gratificazione di Walter Mischel.
10. Si veda la discussione in: Jack Block, «On the Relation Between IQ, Impulsivity, and Delinquency», *Journal of Abnormal Psychology* 104, 1995.
11. Timothy A. Brown et al., «Generalized Axiety Disorder», in *Clinical Handbook of Psychological Desorders*, a cura di David H. Barlow, New York, Guilford Press, 1993.
12. W.E. Collins et al., «Relationships of Anxiety Scores to Academy and Field Training Performance of Air Traffic Control Specialists», *FAA Office of Aviation Medicine Reports*, maggio 1989.
13. Bettina Seipp, «Anxiety and Academic Performance: A Meta-Analysis», *Anxiety Research* 4, 1, 1991.
14. Richard Metzger et al., «Worry Changes Decision-making: The Effects of Negative Thoughts on Cognitive Processing», *Journal of Clinical Psychology*, gennaio 1990.
15. Ralph Haber e Richard Alpert «Test Anxiety», *Journal of Abnormal and Social Psychology* 13, 1958.
16. Theodore Chapin, «The Relationship of Trait Anxiety and Academic Performance to Achievement Anxiety», *Journal of College Student Development*, maggio 1989.
17. John Hunsley, «Internal Dialogue During Academic Examinations», *Cognitive Therapy and Research*, dicembre 1987.
18. Alice Isen et al., «The Influence of Positive Affect on Clinical Problem Solving», *Medical Decision Making*, luglio-settembre, 1991.
19. C.R. Snyder et al., «The Will and the Ways: Development and Validation of an Individual-Differences Measure of Hope», *Journal of Personality and Social Psychology* 60, 4, 1991, p. 579.

20. Ho intervistato C.R. Snyder sul *New York Times* del 24 dicembre 1991.
21. Martin Seligman, *Learned Optimism*, New York, Knopf, 1991.
22. Si veda ad esempio, Carol Whalen et al., «Optimism in Children's Judgments of Health and Environmental Risks», *Health Psychology* 13, 1994.
23. Ho intervistato Martin Seligman sull'ottimismo per il *New York Times* del 3 febbraio 1987.
24. Ho intervistato Albert Bandura sul concetto di *self-efficacy* per il *New York Times* dell'8 maggio 1988.
25. Mihaly Csikszentmihalyi, «Play and Intrinsic Rewards», *Journal of Humanistic Psychology* 15, 3, 1975.
26. Mihaly Csikszentmihalyi, *Flow: The Psychology of Optimal Experience*, 1ª ed., New York, Harper and Row, 1990. (trad. it di A. Guglielmini, *La corrente della vita. La psicologia del benessere interiore*, Frassinelli 1992.)
27. *Newsweek*, 28 febbraio 1994.
28. Ho intervistato Csikszentmihalyi per il *New York Times* del 4 marzo 1986.
29. Jean Hamilton et al., «Intrinsic Enjoyment and Boredom Coping Scales: Validation With Personality, Evoked Potential and Attention Measures», *Personality and Individual Differences* 5, 2, 1984.
30. Ernest Hartmann, *The Functions of Sleep*, New Haven, Yale University Press, 1973.
31. Ho intervistato Csikszentmihalyi per il *New York Times* del 22 marzo 1992.
32. Jeanne Nakamura, «Optimal Experience and the Uses of Talent» in Mihaly Csikszentmihalyi e Isabella Csikszentmihalyi, *Optimal Experience: Psychological Studies of Flow in Consciousness*, Cambridge, Cambridge University Press, 1988.

7. Le radici dell'empatia

1. Si veda ad esempio, John Mayer e Melissa Kirkpatrick, «Hot Information-Processing Becomes More Accurate With Open Emotional Experience», University of New Hampshire, manoscritto non pubblicato, ottobre 1994; Randy Larsen et al., «Cognitive Operations Associated With Individual Differences in Affect Intensity», *Journal of Personality and Social Psychology* 53, 1987.
2. Robert Rosenthal et al., «The Pons Test: Measuring Sensitivity to Nonverbal Cues», in *Advances in Psychological Assessment*, a cura di P. McReynolds; San Francisco, Jossey-Bass, 1977.
3. Stephen Nowicki e Marshall Duke, «A Measure of Nonverbal Social Processing Ability in Children Between the Ages of 6 and 10», articolo presentato al meeting dell'American Psychological Society, 1989.
4. Le madri che assunsero il ruolo di ricercatrici furono addestrate da Marian Radke-Yarrow e Carolyn Zahn-Waxler presso il Laboratory of Developmental Psychology del National Institute of Mental Health.
5. Ho scritto sull'empatia, le sue radici nello sviluppo e le sue basi neurologiche sul *New York Times* del 28 marzo 1989.
6. Marian Radke-Yarrow e Carolyn Zahn-Waxler, «Roots, Motives and Patterns in Children's Prosocial Behavior», in *Development and Maintenance*

of Prosocial Behavior, a cura di Ervin Staub et al., New York, Plenum, 1984.

7. Daniel Stern, *The Interpersonal World of the Infant*, New York, Basic Books, 1987, p. 30.
8. Stern, op. cit.
9. I bambini depressi sono descritti nell'articolo di Jeffrey Pickens e Tiffany Field, «Facial Expressivity in Infants of Depressed Mothers», *Developmental Psychology* 29, 6 , 1993.
10. Lo studio sull'infanzia violenta degli stupratori venne effettuato da Robert Prentky, uno psicologo di Filadelfia.
11. Sull'empatia nei pazienti borderline, il lettore può consultare l'articolo, «Giftedness and Psychological Abuse in Borderline Personality Disorders: Their Relevance to Genesis and Treatment», *Journal of Personality Disorders* 6, 1992.
12. Leslie Brothers, «A Biological Perspective on Empathy», *American Journal of Psychiatry* 146, 1, 1989.
13. Brothers, «A Biological Perspective», p. 16.
14. Robert Levenson e Anna Ruef, «Empathy: A Physiological Substrate», *Journal of Personality and Social Psychology* 63, 2, 1992.
15. Martin L. Hoffman, «Empathy, Social Cognition, and Moral Action» in, *Moral Behavior and Development: Advances in Theory, Research, and Applications*, a cura di W. Kurtines e J. Gerwitz, New York, John Wiley and Sons, 1984.
16. Gli studi sul legame fra empatia ed etica sono descritti da Hoffman nel suo «Empathy, Social Cognition, and Moral Action».
17. Ho parlato delle emozioni che culminano nei crimini sessuali sul numero del 14 aprile 1992 del *New York Times*. La fonte è William Pithers, uno psicologo che lavora con il Vermont Department of Corrections.
18. Ho descritto più dettagliatamente la natura della psicopatia in un articolo che scrissi per il *New York Times* del 7 luglio 1987. Gran parte di quello che ho scritto qui si ispira al lavoro di Robert Hare, uno psicologo esperto di psicopatia che lavora alla University of British Columbia.
19. Leon Bing, *Do or Die*, New York, Harper Collins, 1991.
20. Neil S. Jacobson et al., «Affect, Verbal Content, and Psychophysiology in the Arguments of Couples With a Violent Husband», *Journal of Clinical and Consulting Psychology*, luglio 1994.
21. Uno degli articoli più recenti sull'argomento è Christopher Patrick et al., «Emotion in the Criminal Psychopath: Fear Image Processing», *Journal of Abnormal Psychology* 103, 1994.

8. Le arti sociali

1. Lo scambio fra Jay e Len è stato riportato da Judy Dunn e Jane Brown in, «Relationship, Talk About Feelings, and the Development of Affect Regulation in Early Childhood», in *The Development of Emotion Regulation and Dysregulation*, a cura di Judy Garber e Kenneth A. Dodge; Cambridge, Cambridge University Press, 1991. La drammatizzazione è mia.

2. Le norme di espressione sono descritte in Paul Ekman e Wallace Friesen, *Unmasking the Face*, Englewood Cliffs, NJ, Prentice Hall, 1975.
3. L'aneddoto è stato raccontato da David Busch in, «Culture Cul-de-Sac», *Arizona State University Research*, primavera/estate 1994.
4. Lo studio sul trasferimento dello stato d'animo è stato descritto da Ellen Sullins nel numero dell'aprile 1991 di *Personality and Social Psychology Bulletin*.
5. Gli studi sulla trasmissione e la sincronia degli stati d'animo sono stati effettuati da Frank Bernieri, uno psicologo della Oregon State University; ho scritto del suo lavoro sul *New York Times*. Gran parte della sua ricerca trova spazio in Frank Bernieri e Robert Rosenthal, «Interpersonal Coordination, Behavior Matching, and Interpersonal Synchrony», in *Fundamentals of Nonverbal Behavior*, a cura di Robert Feldman e Bernand Rime, Cambridge, Cambridge University Press, 1991.
6. Questa teoria è stata proposta da Bernieri e Rosenthal, *Fundamentals of Nonverbal Behavior*.
7. Thomas Hatch, «Social Intelligence in Young Children», articolo presentato al meeting annuale della American Psychological Association del 1990.
8. Mark Snyder, «Impression Management: The Self in Social Interaction», in *Social Psychology in the '80s*, a cura di L.S. Wrightsman e K. Deaux, Monterey, CA, Brooks/Cole, 1981.
9. E. Lakin Phillips, *The Social Skills Basis of Psychopathology*, New York, Grune and Stratton, 1978, p. 140.
10. Stephen Nowicki e Marshall Duke, *Helping the Child Who Doesn't Fit In*, Atlanta, Peachtree Publishers, 1992. Si veda anche Byron Rourke, *Nonverbal Learning Disabilities*, New York, Guilford Press, 1989.
11. Nowicki e Duke, *Helping the Child Who Doesn't Fit In*.
12. Questa scenetta, e la rassegna della ricerca sull'ingresso di un nuovo arrivato in un gruppo già affiatato è tratta da Martha Putallaz e Aviva Wasserman, «Children's Entry Behavior», in *Peer Rejection in Childhood*, a cura di Steven Asher e John Coie, New York, Cambridge University Press, 1990.
13. Putallaz e Wasserman, «Children's Entry Behavior».
14. Hatch, «Social Intelligence in Young Children».
15. Il racconto di Terry Dobson dell'episodio fra l'ubriaco e il vecchio giapponese è stato usato con l'autorizzazione degli eredi di Dobson. È stato raccontato anche da Ram Dass e Paul Gorman nel loro *How Can I Help?*, New York, Alfred A. Knopf, 1985, pp. 167-171.

PARTE TERZA

INTELLIGENZA EMOTIVA APPLICATA

9. Nemici intimi

1. Esistono molti sistemi per calcolare il tasso di divorzio, e i metodi statistici impiegati determinano il risultato. Con alcuni metodi, il tasso di di-

vorzio presenta un picco intorno al 50 per cento, e poi diminuisce un poco. Se ci si serve del numero totale di divorzi in un anno, il tasso sembra aver raggiunto il massimo negli anni Ottanta. Le statistiche alle quali mi riferisco qui, tuttavia, non calcolano il numero dei divorzi in un dato anno, ma le probabilità che un'unione sancita in un determinato anno finisca con il divorzio. Questo tipo di elaborazione statistica mostra un'ascesa del tasso di divorzio nell'ultimo secolo. Il lettore che fosse interessato ad approfondire l'argomento può consultare John Gottman, *What Predicts Divorce: The Relationship Between Marital Processes and Marital Outcomes*, Hillsdale, NJ, Lawrence Erlbaum Associates, Inc., 1993.

2. Eleanor Maccoby e C.N. Jacklin, «Gender Segregation in Childwood», in *Advances in Child Development and Behavior*, a cura di H. Reese, New York, Academic Press, 1987.
3. John Gottman, «Same and Cross Sex Friendship in Young Children», in *Conversation of Friends*, a cura di J. Gottman e J. Parker, New York, Cambridge University Press, 1986.
4. Questa differenza di sesso nella socializzazione delle emozioni, e l'elenco che segue, si basano sull'eccellente rassegna di Leslie R. Brody e Judith A. Hall, «Gender and Emotion», in *Handbook of Emotions*, a cura di Michael Lewis e Jeannette Haviland, New York, Guilford Press, 1993.
5. Brody e Hall, «Gender and Emotion», p. 456.
6. Robert B. Cairns e Beverley D. Cairns, *Lifelines and Risks*, New York, Cambridge University Press, 1994.
7. Brody e Hall, «Gender and Emotion» p. 454.
8. I risultati relativi alle differenze di genere sono passati in rassegna in Brody e Hall, «Gender and Emotion».
9. L'importanza di una buona comunicazione per le donne è stata descritta in Mark H. Davis e H. Alan Oathout, «Maintenance of Satisfaction in Romantic Relationships: Empathy and Relational Competence», *Journal of Personality and Social Psychology* 53, 2, 1987, pp. 397-410.
10. Robert J. Sternberg, «Triangulating Love», in *The Psychology of Love*, a cura di Robert Sternberg e Michael Barnes, New Haven, Yale University Press, 1988.
11. La ricerca è quella di Ruben C. Gur, che lavora presso la School of Medicine della Pennsylvania University.
12. Lo scambio fra Fred e Ingrid è tratto da Gottman, *What Predicts Divorce*, p. 84.
13. La ricerca sui coniugi effettuata da John Gottman e colleghi presso la Washington University è stata descritta in modo più dettagliato in due libri: John Gottman, *Why Marriages Succeed or Fail*, New York, Simon and Schuster, 1994, e *What Predicts Divorce*.
14. Gottman, *What Predicts Divorce*.
15. Aaron Beck, *Love Is Never Enough*, New York, Harper and Row, 1988, pp. 145-146.
16. Gottman, *What Predicts Divorce*.
17. Il pensiero distorto dei mariti violenti è descritto da Amy Holtzworth-Munroe e Glenn Hutchinson nel loro, «Attributing Negative Intent to Wife Behavior: The Attributions of Maritally Violent versus Nonviolent Men», *Journal of Abnormal Psychology* 102, 2, 1993, pp. 206-211. Per quan-

to riguarda la sospettosità degli uomini aggressivi si veda Neil Malamuth e Lisa Brown «Sexually Aggressive Men's Perceptions of Women's Communications», *Journal of Personality and Social Psychology* 67, 1994.

18. Esistono tre tipi di mariti che diventano violenti: quelli che lo fanno raramente, quelli che lo fanno spinti dall'impulso quando vanno in collera e quelli che lo fanno in modo freddo e calcolato. La terapia sembra essere utile solo per i primi due tipi. Si veda Neil Jacobson et al., *Clinical Handbook of Marital Therapy*, New York, Guilford Press, 1994.
19. Gottman, *What Predicts Divorce*.
20. Robert Levenson et al., «The Influence of Age and Gender on Affect, Physiology, and Their Interrelations: A Study of Long-term Marriages», *Journal of Personality and Social Psychology* 67, 1994.
21. Gottman, *What Predicts Divorce*.
22. Gottman, *What Predicts Divorce*.
23. «Wife Charged with Shooting Husband Over Football on TV», *The New York Times*, 3 novembre 1993.
24. Gottman, *What Predicts Divorce*.
25. Gottman, *What Predicts Divorce*.
26. I quattro stadi che portano allo «scontro positivo» sono tratti da Gottman, *Why Marriages Succeed or Fail*.
27. Gottman, ibidem.
28. Beck, *Love Is Never Enough*.
29. Harville Hendrix, *Getting the Love You Want*, New York, Henry Holt, 1988.

10. Dirigere col cuore

1. Carl Lavin, «When Moods Affect Safety: Communications in a Cockpit Mean a Lot a Few Miles Up», *The New York Times*, 26 giugno 1994.
2. Michael Maccoby, «The Corporate Climber Has to Find His Heart», *Fortune*, dicembre 1976.
3. Durante una conversazione avuta nel giugno 1994. Per l'impatto delle tecnologie dell'informazione, il lettore può consultare il libro della Zuboff, *In the Age of the Smart Machine*, New York, Basic Books, 1991.
4. L'aneddoto del vicepresidente sarcastico mi è stato raccontato da Hendrie Weisinger, uno psicologo della Ucla Graduate School of Business. Il suo libro è *The Critical Edge: How to Criticize Up and Down the Organization and Make It Pay Off*, Boston, Little, Brown, 1989.
5. L'inchiesta sui dirigenti che criticavano gli impiegati venne effetiuata da Robert Baron, uno psicologo che lavora presso il Rensselaer Polytechnic Institute, da me intervistato per il *New York Times* dell'11 settembre 1990.
6. Robert Baron, «Countering the Effects of Desctructive Criticism: The Relative Efficacy of Four Interventions», *Journal of Applied Psychology* 75, 3, 1990.
7. Harry Levinson, «Feedback to Subordinates», *Addendum to the Levinson Letter*, Levinson Institute, Waltham, MA, 1992.
8. Stando ai risultati di un'inchiesta su 645 aziende a livello nazionale effettuata dai consulenti di direzione della Towers Perrin di Manhattan, descritta sul *New York Times* del 26 agosto 1990.

9. Vamik Volkan, *The Need to Have Enemies and Allies*, Northvale, NJ, Jason Aronson, 1988.
10. Ho intervistato Pettigrew sul *New York Times* del 12 maggio 1987.
11. Samuel Gaertner e John Davidio, *Prejudice, Discrimination, and Racism*, New York, Academic Press, 1987.
12. Gaertner e Davidio, *Prejudice, Discrimination, and Racism.*
13. Citato in Howard Kohn, «Service With a Sneer», *The New York Times Sunday Magazine*, 11 novembre 1994.
14. «Responding to a Diverse Work Force», *The New York Times*, 26 agosto 1990.
15. Fletcher Blanchard, «Reducing the Expression of Racial Prejudice», *Psychological Science* vol. 2, 1991.
16. Gaertner e Davidio, *Prejudice, Discrimination, and Racism.*
17. Peter Drucker, «The Age of Social Transformation», *The Atlantic Monthly*, novembre 1994.
18. Il concetto di intelligenza di gruppo è stato proposto in Wendy Williams e Robert Sternberg, «Group Intelligence: Why Some Groups Are Better Than Others», *Intelligence*, 1988.
19. Lo studio sugli ingegneri dei Bell Labs con prestazioni eccezionali è stato descritto in Robert Kelley e Janet Caplan, «How Bell Labs Creates Star Performers», *Harvard Business Review*, luglio-agosto 1993.
20. L'utilità delle reti informali è stata constatata da David Krackhardt e Jeffrey R. Hanson, «Informal Networks: The Company Behind the Chart» *Harvard Business Review,* luglio-agosto 1993, p. 104.

11. Mente e medicina

1. Francisco Varela in occasione del Third Mind and Life meeting, tenutosi a Dharamsala in India, dicembre 1990.
2. Si veda Robert Ader et al., *Psychoneuroimmunology*, seconda edizione, San Diego, Academic Press, 1990.
3. David Felten et al., «Noradrenergic Sympathetic Innervation of Lymphoid Tissue», *Journal of Immunology* 135, 1985.
4. B.S. Rabin et al., «Bidirectional Interaction Between the Central Nervous System and the Immune System», *Critical Reviews in Immunology* 9, 4, 1989, pp. 279-312.
5. Si veda ad esempio, Steven B. Maier et al., «Psychoneuroimmunology», *American Psychologist*, dicembre 1994.
6. Howard Friedman e Boothby-Kewley, «The Disease-Prone Personality: A Meta-Analytic View», *American Psychologist* 42, 1987. Questa vasta analisi ha impiegato una «meta-analisi», nella quale i risultati di molti studi più piccoli possono essere combinati statisticamente in un'unica immensa indagine. Questo consente di rilevare più facilmente effetti che potrebbero non essersi manifestati in un determinato studio, grazie al numero totale molto più vasto di soggetti studiati.
7. Gli scettici sostengono che il quadro emotivo legato a una maggiore incidenza di malattia è il profilo del classico nevrotico – un tipo ansioso, depresso e collerico, emotivamente fallito – e che tale maggiore incidenza,

riferita da questi soggetti, non è dovuta tanto a ragioni mediche, quanto alla loro inclinazione a piagnucolare e a lamentarsi sui problemi di salute, esagerandone la gravità. Friedman e altri, però, sostengono che l'esistenza di un legame fra emozione e malattia emerge da ricerche nelle quali a determinare il livello di malattia non sono le lamentele del paziente, ma la valutazione dei sintomi e degli esami clinici fatta dal medico – una base invero più oggettiva. Naturalmente, c'è la possibilità che l'aumentata sofferenza psicologica derivi da un disturbo fisico, come pure che finisca per aggravarlo; per questo motivo, i dati più convincenti sono quelli raccolti nel corso di studi prospettici nei quali gli stati emotivi vengono valutati prima dell'insorgenza della patologia fisica.

8. Gail Ironson et al., «Effects of Anger on Left Ventricular Ejection Fraction in Coronary Artery Disease», *The American Journal of Cardiology* 70, 1992. L'efficienza del cuore come pompa quantifica la capacità del cuore du pompare il sangue fuori dai ventricoli a ciascuna contrazione. Nelle patologie cardiache la diminuzione di tale efficienza sta a significare un indebolimento del muscolo cardiaco.
9. Fra le decine di studi che sono stati condotti sull'ostilità e sulla morte per cardiopatie, alcuni non sono riusciti a trovare un nesso fra le due variabili. Tale insuccesso, però, potrebbe essere dovuto a differenze metodologiche, ad esempio all'uso di una misura poco sensibile dell'ostilità, come pure alla relativa impercettibilità dell'effetto. Ad esempio, sembra che il maggior numero di morti causate dall'ostilità abbia luogo nella mezza età. Uno studio che non riuscisse a identificare le cause di morte degli individui di questa fascia di età, si lascerebbe sfuggire l'effetto.
10. Redford Williams, *The Trusting Heart*, New York, Times Books/Rabdom House, 1989.
11. Ho intervistato Peter Kaufman per il *New York Times* del 1 settembre 1992.
12. Carl Thoreson, lavoro presentato all'International Congress of Behavioral Medicine, tenutosi nel luglio 1990 in Svezia a Uppsala.
13. Lynda H. Powell, «Emotional Arousal as a Predictor of Long-Term Mortality and Morbidity in Post M.I. Men», *Circulation* 82, 4, Supp. III, ottobre 1990.
14. Murray A. Mittleman, «Triggering of Myocardial Infarction Onset by Episodes of Anger», *Circulation* 89, 2, 1994.
15. Robert Levenson, «Can We Control Our Emotions, and How Does Such Control Change an Emotional Episode?», in *Fundamental Questions About Emotions*, a cura di Richard Davidson e Paul Ekman, New York, Oxford University Press, 1995.
16. Ho scritto a proposito della ricerca di Redford Williams sul nesso fra collera e cardiopatia sul *New York Times Good Health Magazine* del 16 aprile 1989.
17. Thoreson, op. cit.
18. Williams, *The Trusting Heart*.
19. Timothy Brown et al., «Generalized Anxiety Disorder», in *Clinical Handbook of Psychological Disorders*, a cura di David H. Barlow, New York, Guilford Press, 1993.
20. Bruce McEwen e Eliot Stellar, «Stress and the Individual: Mechanisms

Leading to Disease», *Archives of Internal Medicine* 153, 27 settembre 1993. Lo studio descritto è quello di M. Robertson e J. Ritz, «Biology and Clinical Relevance of Human Natural Killer Cells», *Blood* 76, 1990.

21. Anche lasciando da parte quelle biologiche, possono esserci molte ragioni che spiegano come mai le persone sotto stress sono più vulnerabili alla malattia. Una potrebbe essere che il modo in cui gli individui cercano di placare la propria ansia – ad esempio fumando, bevendo o abbuffandosi di cibi grassi – sono essi stessi poco salutari. Un'altra ragione è che l'ansia e la preoccupazione costante possono far perdere il sonno o indurre l'individuo a non attenersi alle istruzioni del proprio medico – ad esempio per quanto riguarda l'assunzione di farmaci – e questo può causare il protrarsi di patologie già in atto. Molto probabilmente, tutti questi fattori cooperano alla formazione del legame fra stress e malattia.
22. Ad esempio, nello studio sugli studenti di medicina che affrontavano lo stress da esame, i soggetti non solo mostravano un controllo ridotto delle infezioni erpetiche, ma presentavano anche un declino nella capacità dei globuli bianchi di uccidere le cellule infettate, come pure un aumento dei livelli di sostanze chimiche associate alla soppressione delle capacità immunitarie dei linfociti (i globuli bianchi fondamentali per la risposta immunitaria). Si veda a tal proposito Ronald Glaser e Janice Kiecolt-Glaser, «Stress-Associated Depression in Cellular Immunity», *Brain, Behavior and Immunity* 1, 1987. Tuttavia, nella maggior parte di questi studi che dimostrano un indebolimento delle difese immunitarie in seguito allo stress, non è chiaro se tali livelli fossero abbastanza bassi da comportare un rischio per la salute.
23. Sheldon Cohen et al., «Psychological Stress and Susceptibility to the Common Cold», *New England Journal of Medicine* 325, 1991.
24. Arthur Stone et al., «Secretory IgA as a Measure of Immunocompetence», *Journal of Human Stress* 13, 1987. In un altro studio, 246 mariti, mogli, e bambini tenevano diari quotidiani nei quali prendevano nota degli eventi stressanti della loro vita familiare nel corso della stagione interessata dall'influenza. Coloro che avevano le crisi familiari più serie presentavano anche la più alta incidenza di influenza, misurata sia come giorni con febbre, sia come livelli anticorpali contro il virus dell'influenza. Si veda a tal proposito R.D. Clover et al., «Family Functioning and Stress as Predictors of Influenza B Infection», *Journal of Family Practice* 28, maggio 1989.
25. Si veda a tal proposito, una serie di studi di Ronald Glaser e Janice Kiecolt-Glaser, fra i quali, «Psychological Influences on Immunity», *American Psychologist* 43, 1988. Il rapporto fra stress e riattivazione erpetica è talmente forte che è stato dimostrato in uno studio condotto su soli dieci pazienti, usando come misura l'effettiva rottura delle vesciche erpetiche; quanto maggiori erano l'ansia, gli alterchi e lo stress riportati dai pazienti, tanto maggiore era la probabilità che essi andassero incontro a riattivazioni dell'herpes nelle settimane successive; viceversa, periodi tranquilli portavano a uno stato di quiescenza del virus. Si veda H.E. Schmidt et al., «Stress as a Precipitating Factor in Subjects With Recurrent Herpes Labialis», *Journal of Family Practice* 20, 1985.
26. Carl Thoreson, presentato in occasione dell'International Congress of

Behavioral Medicine, tenutosi nel luglio 1990 in Svezia, a Uppsala. L'ansia può anche avere un ruolo importante nel rendere alcuni uomini più vulnerabili alle patologie cardiache. In uno studio condotto presso la facoltà di medicina della University of Alabama, 1123 uomini e donne di età compresa fra i 45 e i 77 anni vennero valutati per quanto riguardava il loro profilo emozionale. Gli uomini che nella mezza età erano più soggetti all'ansia e alla preoccupazione avevano probabilità di gran lunga superiori rispetto agli altri di essere ipertesi a distanza di vent'anni. Si veda Abraham Markowitz et al., *Journal of the American Medical Association,* 14 novembre 1993.

27. Joseph C. Courtney et al., «Stressful Life Events and the Risk of Colorectal Cancer», *Epidemiology*, 4, 5, settembre 1993.
28. Si veda, ad esempio, Daniel Goleman e Joel Gurin, *Mind Body Medicine*, New York Consumer Reports Books/St.Martin's Press, 1993.
29. Si veda, ad esempio, Seymour Reichlin, «Neuroendocrine-Immune Interactions», *New England Journal of Medicine*, 21 ottobre 1993.
30. Citato in James Strain, «Cost Offset From A Psychiatric Consultation-Liaison Intervention With Elderly Hip Fracture Patients», *American Journal of Psychiatry* 148, 1991.
31. Howard Burton et al., «The Relationship of Depression to Survival in Chronic Renal Failure», *Psychosomatic Medicine*, marzo 1986.
32. Robert Anda et al., «Depressed Affect, Hopelessness, and the Risk of the Ischemic Heart Disease in a Cohort of U.S. Adults», *Epidemiology*, luglio 1993.
33. Nancy Frasure-Smith et al., «Depression Following Myocardial Infarction», *Journal of the American Medical Association*, 20 ottobre 1993.
34. Michael von Korff, lo psichiatra della University of Washington che effettuò lo studio, mi fece osservare che in questi casi, nei quali è già un'impresa formidabile affrontare la vita quotidiana: «Se si cura la depressione di un paziente si riscontreranno dei miglioramenti al di là di qualunque cambiamento della loro condizione medica. Se sei depresso, i tuoi sintomi ti appaiono più gravi. Avere una patologia fisica cronica è un grande stimolo all'adattamento. Se sei depresso sei meno capace di imparare a gestire la tua malattia. Pur essendo fisicamente debilitato, invece, se sei motivato e hai energia e autostima – tutti aspetti a rischio nel paziente depresso – puoi adattarti in modo eccezionale anche a un'infermità grave».
35. Chris Peterson et al., *Learned Helplessness: A Theory for the Age of Personal Control* , New York, Oxford University Press, 1993.
36. Timothy Elliot et al., «Negotiating Reality After Physical Loss: Hope, Depression, and Disability», *Journal of Personality and Social Psychology* 61, 4, 1991.
37. James House et al., «Social Relationships and Health», *Science*, 29 luglio 1988. Si veda però anche un risultato più ambiguo: Carol Smith et al. «Meta-Analysis of the Associations Between Social Support and Health Outcomes», *Journal of Behavioral Medicine*, 1994.
38. Altri studi suggeriscono la presenza di un meccanismo biologico. Questi riscontri (citati in House, «Social Relationships and Health») hanno messo in evidenza come la semplice presenza di un'altra persona possa ri-

durre l'ansia e diminuire la sofferenza fisiologica dei pazienti ricoverati nelle unità di cura intensiva. L'effetto confortante della presenza di un'altra persona ha dimostrato di ridurre non solo la frequenza cardiaca e la pressione ematica, ma anche la secrezione di acidi grassi che possono ostruire le arterie. Per spiegare gli effetti curativi del contatto sociale, è stata avanzata una teoria che suggerisce l'esistenza di un meccanismo cerebrale. Questa teoria si rifà a dati ottenuti nell'animale, i quali dimostrano un effetto calmante sulla zona ipotalamica posteriore, un'area del sistema limbico con numerose connessioni con l'amigdala. La presenza confortante di un'altra persona, secondo questa teoria, inibisce l'attività del sistema limbico, abbassando la velocità di secrezione dell'acetilcolina, del cortisolo, e delle catecolamine, tutte sostanze chimiche attive sul sistema nervoso e che inducono un'accelerazione dell'attività respiratoria, un aumento della frequenza cardiaca e altri segni fisiologici di stress.

39. Strain, «Cost Offset».
40. Lisa Berkman et al., «Emotional Support and Survival After Myocardial Infarction. A Prospective Population Based Study of the Elderly», *Annals of Internal Medicine*, 15 dicembre 1992.
41. Annika Rosengren et al., «Stressful Life Events, Social Support, and Mortality in Men Born in 1933», *British Medical Journal*, 19 ottobre 1993.
42. Janice Kiecolt-Glaser et al., «Marital Quality, Marital Disruption, and Immune Function», *Psychosomatic Medicine* 49, 1987.
43. Ho intervistato John Cacioppo per il *New York Times* del 15 dicembre 1992.
44. James Pennebaker, «Putting Stress Into Words: Health, Linguistic and Therapeutic Implications», articolo presentatoo all'incontro annuale dell'American Psychological Association tenutosi nel 1992 a Washington, DC.
45. Lester Luborsky et al., «Is Psychotherapy Good for Your Health?» articolo presentato all'incontro annuale dell'American Psychological Association del 1993, tenutosi a Washington DC.
46. David Spiegel et al., «Effect of Psychosocial Treatment on Survival of Patients with Metastatic Breast Cancer», *Lancet*, 8668, ii, 1989.
47. Questo dato mi venne riportato da Steven Cohen-Cole, uno psichiatra della Emory University, che intervistai per il *New York Times* del 13 novembre 1991.
48. Ad esempio, il programma Planetree, presso il Pacific Presbyterian Hospital di San Francisco effettua ricerche di lavori specialistici e non, relativi a qualunque argomento medico, per chiunque ne faccia richiesta.
49. Un programma è stato messo a punto dal Mack Lipkin Jr, presso la New York University Medical School.
50. Ho scritto di questo argomento sul *New York Times* del 10 dicembre 1987.
51. Ancora, Planetree è un modello, come lo sono pure le case di Ronald McDonald, che consentono ai genitori di risiedere nelle vicinanze degli ospedali dove sono ricoverati i loro bambini.
52. Si veda Jon Kabat-Zinn, *Full Catastrophe Living*, New York, Delacorte, 1991.

53. Si veda Dean Ornish, *Dr. Dean Ornish's Program for Reversing Heart Disease*, New York, Ballantine, 1991.
54. *Health Professions Education and Relationship-Centered Care*. Rapporto della Pew-Fetzer Task Force on Advancing Psychosocial Health Education, Pew Health Professions Commission e Fetzer Institute presso il Center of Health Professions, University of California di San Francisco, San Francisco, agosto 1994.
55. Strain, «Cost Offset».
56. Redford Williams e Margaret Chesney, «Psychosocial Factors and Prognosis in Established Coronary Heart Disease», *Journal of the American Medical Association*, 20 ottobre 1993.
57. A. Stanely Kramer, «A Prescription for Healing», *Newsweek*, 7 giugno 1993.

PARTE QUARTA

FINESTRE DI OPPORTUNITÀ

12. Il crogiolo familiare

1. Beverly Wilson e John Gottman, «Marital Conflict and Parenting: The Role of Negativity in Families», in *Handbook of Parenting*, a cura di M.H. Bornstein, vol. 4, Hillsdale, NJ, Lawrence Erlbaum, 1994.
2. La ricerca sulle emozioni in ambito familiare era un'estensione degli studi sulle coppie sposate di John Gottman, dei quali si è parlato nel capitolo 9. Si veda Carole Hooven, Lynn Katz, e John Gottman, «The Family as a Meta-emotion Culture», *Cognition and Emotion*, primavera 1994.
3. Hooven, Katz, e Gottman, «The Family as a Meta-Emotion Culture».
4. T. Berry Brazelton, nella prefazione a *Heart Start: The Emotional Foundations of School Readiness*, Arlington, VA, National Center for Clinical Infant Programs, 1992.
5. Si veda T. Berry Brazelton, *Heart Start*.
6. Si veda T. Berry Brazelton, *Heart Start*, p. 7.
7. Si veda T. Berry Brazelton, *Heart Start*, p. 9.
8. M. Erickson et al., «The Relationship Between Quality of Attachment and Behavior Problems in Preschool in a High-Risk Sample», in *Monographs of the Society of Research in Child Development*, a cura di I. Betherton e E. Waters, 50, serie no. 209.
9. Si veda T. Berry Brazelton, *Heart Start*, p. 13.
10. L.R. Huesman, Leonard Eron, e Patty Warnicke-Yarmel, «Intellectual Function and Aggression», *The Journal of Personality and Social Psychology*, gennaio 1987. Riscontri simili sono stati riferiti da Alexander Thomas e Stella Chess, nel numero di settembre 1988 di *Child Development*, in uno studio condotto su 75 bambini valutati a intervalli regolari a partire dal 1956, quando avevano un'età compresa fra i 7 e i 12 anni. Alexander Thomas et al., «Longitudinal Study of Negative Emotional States and Adjustments From Early Childhood Through Adolescence», *Child Development* 59, 1988. Dieci anni dopo i bambini che genitori e insegnanti

avevano giudicato più aggressivi alla scuola elementare, ormai verso la fine dell'adolescenza presentavano i maggiori turbamenti emozionali. Si trattava di bambini (fra i quali i maschi erano il doppio delle femmine) che non solo attaccavano briga continuamente, ma anche sprezzanti o apertamente ostili verso gli altri bambini e perfino verso la propria famiglia e gli insegnanti. La loro ostilità rimase immodificata con il passare degli anni; da adolescenti, essi avevano problemi ad andare d'accordo con i compagni di classe e con i propri familiari, e avevano difficoltà scolastiche. Quando vennero ricontattati da adulti, i loro problemi spaziavano dalle noie con la legge, all'ansia e alla depressione.

11. Le osservazioni compiute all'asilo nido sono descritte da Mary Main e Carol George, «Response of Abused and Disadvantaged Toddlers to Distress in Agemates: A Study in the Day-Care Setting», *Developmental Psychology* 21, 3, 1985. Le stesse osservazioni sono state fatte anche con i bambini in età prescolare: Bonnie Klimes-Dougan e Janet Kistner, «Physically Abused Preschoolers' Responses to Peers' Distress», *Developmental Psychology* 26, 1990.
12. Robert Emery, «Family Violence», *American Psychologist*, febbraio 1989.
13. Il fatto che i bambini oggetto di violenza siano destinati a diventare genitori violenti essi stessi è al centro del dibattito scientifico. Si veda, ad esempio, Cathy Spatz Widom, «Child Abuse, Neglect and Adult Behavior», *American Journal of Orthopsychiatry*, luglio 1989.

13. Traumi e ri-apprendimento emozionale

1. Ho scritto dei bambini traumatizzati dal massacro della Cleveland Elementary School sul *New York Times*, «Education Life», del 7 gennaio 1990.
2. Gli esempi di Ptsd nelle vittime del crimine sono stati forniti da Shelly Niederbach, uno psicologo che lavora a Brooklyn, presso il Victims' Counseling Service.
3. Il ricordo del Vietnam è tratto da M. Davis, «Analysis of Aversive Memòries Using the Fear-Potentiated Startle Paradigm», in *The Neuropsychology of Memory*, a cura di N. Butters e L.R. Squire, New York, Guilford Press, 1992.
4. LeDoux sostiene che questi ricordi siano particolarmente duraturi, in «Indelibility of Subcortical Emotional Memories», *Journal of Cognitive Neuroscience* 1, 1989, pp. 238-243.
5. Ho intervistato Charney per il *New York Times* del 12 giugno 1990.
6. Gli esperimenti con le coppie di animali mi sono stati descritti da John Krystal, e sono stati ripetuti in diversi laboratori. Gli studi più importanti sono stati compiuti da Jay Weiss, alla Duke University.
7. Il migliore resoconto delle modificazioni cerebrali alla base del Ptsd e del ruolo che in essi gioca l'amigdala, si trova in Dennis Charney et al., «Psychobiologic Mechanisms of Posttraumatic Stress Disorder», *Archives of General Psychiatry* 50, aprile 1993, pp. 294-305.
8. Alcuni dei dati relativi alle modificazioni indotte dal trauma in questa rete cerebrale provengono da esperimenti nei quali veterani del Vietnam con Ptsd ricevettero iniezioni di yohimbina, un farmaco usato dagli In-

diani del Sud America per avvelenare la punta delle frecce e ridurre all'impotenza la preda. In piccolissime dosi, la yohimbina blocca l'azione di un recettore specifico (una regione specializzata del neurone) che solitamente blocca l'azione delle catecolamine. La yohimbina, per così dire, toglie il freno, impedendo a questi recettori di percepire la secrezione delle catecolamine; ciò si traduce in un aumento dei livelli di tali neurotrasmettitori. Con i freni dell'ansia messi fuori combattimento dalle iniezioni di yohimbina, nove pazienti con Ptsd su quindici sperimentarono attacchi di panico, e sei di essi ebbero intensi flashback. Un veterano ebbe delle allucinazioni nelle quali vedeva un elicottero colpito precipitare in un lampo luminoso lasciando una scia di fumo; un altro vide una mina far saltare in aria una jeep con a bordo i suoi amici – la stessa scena che l'aveva tormentato per più di vent'anni sotto forma di incubi e di flashback. Lo studio sulla yohimbina venne effettuato da John Krystal, direttore del Laboratory of Clinical Psychopharmacology presso il National Center for Ptsd del VA Hospital di West Haven, Connecticut.

9. Si veda Charney, «Psychobiologic Mechanisms».
10. Il cervello, cercando di abbassare la velocità della secrezione di Crf, compensa diminuendo il numero dei suoi recettori. Un segno eloquente del fatto che questo è ciò che accade negli individui con Ptsd proviene da uno studio nel quale otto pazienti ricevevano iniezioni di Crf. Di solito, un'iniezione di Crf scatena un'onda di Acth, l'ormone che si diffonde nel corpo per scatenare le catecolamine. Ma nei pazienti con Ptsd – a differenza di quanto accadeva in un gruppo di controllo di soggetti normali – non si osservò una modificazione apprezzabile dei livelli di Acth – un segno, questo, che il loro cervello aveva ridotto i recettori per il Crf in quanto essi erano già sovraccarichi di ormone dello stress. La ricerca mi venne descritta da Charles Nemeroff, uno psichiatra della Duke University.
11. Ho intervistato Nemeroff per il *New York Times* del 12 giugno 1990.
12. Ad esempio, in un esperimento, i veterani del Vietnam ai quali era stato diagnosticato il Ptsd venivano fatti assistere a un filmato di 15 minuti di scene di combattimento tratte dal film *Platoon*. In un gruppo, i veterani ricevevano l'iniezione di naloxone, una sostanza che blocca le endorfine; dopo aver visto il filmato, questi soggetti non presentavano alcun cambiamento nella loro sensibilità al dolore. Ma nel gruppo al quale non era stato somministrato il bloccante, la sensibilità al dolore degli uomini diminuì del 30 per cento, indicando un aumento della secrezione di endorfine. La stessa scena non aveva effetto su veterani che non avevano Ptsd, a indicazione del fatto che nelle vittime di questo disturbo le vie nervose che regolano le endorfine erano eccessivamente sensibili o iperattive – un effetto che divenne evidente solo quando essi vennero riesposti a qualcosa che ricordava loro il trauma originale. In questa sequenza, l'amigdala dapprima valuta l'importanza emozionale dell'evento. Lo studio venne effettuato da Roger Pitman, uno psichiatra di Harvard. Come nel caso di altri sintomi del Ptsd, questa modificazione cerebrale non viene appresa solo in circostanze difficili, ma può essere rievocata anche quando qualcosa ci ricorda il terribile evento originale. Ad esempio, Pitman scoprì che quando i ratti di laboratorio venivano

sottoposti ad uno shock mentre stavano in gabbia, essi sviluppavano la stessa analgesia su base endorfinica riscontrata nei veterani del Vietnam che avevano visto lo spezzone di *Platoon*. Settimane dopo, quando i ratti venivano messi nuovamente nelle gabbie in cui avevano subito lo shock senza che però esso si ripresentasse – essi ancora una volta ridiventavano insensibili al dolore, come era accaduto originariamente quando avevano subito lo shock elettrico. Si veda Roger Pitman, «Naloxone-Reversibile Analgesic Response to Combat-Related Stimuli in Posttraumatic Stress Disorder», *Archives of General Medicine*, giugno 1990. Si veda anche Hillel Gloover, «Emotional Numbing: A Possibile Endorphin-Mediated Phenomenon Associated with Post-Traumatic Stress Disorders and Other Allied Psychopathologic States», *Journal of Traumatic Stress* 5, 4, 1992.

13. I dati sul cervello passati in rassegna in questa sezione sono basati sull'eccellente articolo di Dennis Charney, «Psychobiologic Mechanisms».
14. Charney, «Psychobiologic Mechanisms», 300.
15. Nello studio di Richard Davidson, le risposte dei volontari in termini di sudorazione (una misura dell'ansia) venivano registrate mentre essi sentivano un suono seguito da un rumore forte e sgradevole. Il rumore scatenava un aumento della sudorazione. Dopo un certo tempo, bastava il suono a scatenare la stessa reazione, a dimostrazione del fatto che i volontari avevano appreso un'avversione verso di esso. Mentre continuavano ad ascoltare il suono senza che esso fosse più associato al rumore, l'avversione appresa diminuiva – e il suono non era seguito più dalla sudorazione. Quanto più attiva era la corteccia prefrontale sinistra dei volontari, tanto più velocemente essi perdevano la loro paura appresa.
In un altro esperimento che dimostrava il ruolo dei lobi prefrontali nel superare una paura, alcuni ratti di laboratorio – come accade spesso in questi studi – appresero a temere un suono associato con uno shock elettrico. I ratti venivano poi sottoposti all'equivalente di una lobotomia, una lesione chirurgica nel cervello che separava i lobi prefrontali dall'amigdala. Per diversi giorni successivi, i ratti che avevano imparato a temere il suono, gradualmente persero la loro paura. Ma nel caso dei ratti con i lobi prefrontali scollegati, fu necessario un tempo quasi doppio per disimparare il condizionamento – a indicazione del ruolo fondamentale dei lobi prefrontali nel gestire la paura in particolare e le esperienze emozionali in genere. Questo esperimento venne effettuato da Maria Morgan, una studentessa specializzanda di Joseph LeDoux presso il Center for Neural Science, della New York University.
16. Venni a conoscenza di questo studio grazie a Rachel Yehuda, studiosa di neurochimica e direttrice del Traumatic Stress Studies Program presso il Mt. Sinai School of Medicine di Manhattan. Ne descrissi i risultati sul *New York Times* del 6 ottobre 1992.
17. Lenore Terr, *Too Scared to Cry*, New York, Harper Collins, 1990.
18. Judith Lewis Herman, *Trauma and Recovery*, New York, Basic Books, 1992.
19. Mardi Horowitz, *Stress Response Syndromes*, Northvale, NJ, Jason Aronson, 1986.
20. Almeno nel caso di soggetti adulti, il riapprendimento si osserva anche a

livello filosofico. È necessario affrontare l'eterna domanda della vittima: «Perché proprio io?». Quando l'individuo è vittima di un trauma, la sua fede nel fatto che il mondo sia un luogo in cui si possa confidare, e che ciò che ci accade nella vita è giusto viene scossa profondamente – in altre parole viene minata la certezza di poter avere il controllo sul nostro destino semplicemente vivendo una vita retta. Le risposte a questo enigma, naturalmente, non devono necessariamente essere di natura filosofica o religiosa; il compito è quello di ricostruire un sistema di credenze o una fede che consenta di vivere, ancora una volta, come se il mondo, e le persone che ci vivono, fossero degni di fiducia.

21. Il fatto che la paura originale permanga, anche se dominata, è stato dimostrato nel corso di studi nei quali ratti di laboratorio vennero condizionati in modo da temere un suono, ad esempio quello di un campanello, quando esso veniva presentato in associazione a uno shock elettrico. In seguito, quando essi sentivano il campanello reagivano mostrando paura, anche se esso non era accompagnato da shock alcuno. Gradualmente, nel corso di un anno (un tempo molto lungo per un ratto, circa un terzo della sua vita) gli animali persero il loro timore del campanello. Ma la paura veniva pienamente ripristinata quando il suono del campanello veniva ancora una volta associato allo shock elettrico. La paura si ripresentava istantaneamente – ma impiegava mesi e mesi per scemare. Negli esseri umani, la situazione corrispondente, naturalmente, si ha quando una paura instauratasi in seguito a un trauma subito molto tempo prima, rimasta dormiente per anni, si ripresenta in modo travolgente, rievocata da qualcosa che ricorda il trauma originale.
22. La ricerca di Luborsky sulla terapia è stata descritta nei particolari in Lester Luborsky e Paul Crits-Christoph, *Understanding Transference: The Ccrt Method*, New York, Basic Books, 1990.

14. Il temperamento non è destino

1. Si veda, ad esempio, Jerome Kagan et al., «Initial Reactions to Unfamiliarity», *Current Directions in Psychological Science*, dicembre 1992. Il lettore troverà la descrizione più completa della biologia del temperamento nel libro di Kagan *Galen's Prophecy*.
2. Tom e Ralph, gli archetipi del tipo timido e spavaldo, sono descritti in Kagan, *Galen's Prophecy*, pp. 155-157.
3. Iris Bell, «Increased Prevalence of Stress-related Symptoms in Middle-ages Women Who Report Childhood Shyness», *Annals of Behavior Medicine* 16, 1994.
4. Iris R. Bell et al., «Failure of Heart Rate Habituation During Cognitive and Olfactory Laboratory Stressors in Young Adults With Childhood Shyness», *Annals of Behavior Medicine* 16, 1994.
5. Chris Hayward et al., «Pubertal Stage and Panic Attack History in Sixth- and Seventh-grade Girls», *American Journal of Psychiatry*, vol. 149, 9, settembre 1992, pp. 1239-1243; Jerold Rosenbaum et al., «Behavioral Inhibition in Childhood. A Risk Factor for Anxiety Disorders», *Harvard Review of Psychiatry*, maggio 1993.

6. La ricerca sulla personalità e le differenze fra i due emisferi vennero effettuate da Richard Davidson, della University of Wisconsin, e da Andrew Tomarken, uno psicologo della Varderbilt University; si veda Andrew Tomarken e Richard Davidson, «Frontal Brain Activation in Repressors and Nonrepressors», *Journal of Abnormal Psychology* 103, 1994.
7. Le osservazioni sul modo in cui le madri possono aiutare i loro bambini timidi a diventare più spavaldi vennero effettuate da Doreen Arcus. I particolari sono riportati in Kagan, *Galen's Prophecy*.
8. Kagan, *Galen's Prophecy*, pp. 194-195.
9. Jens Asendorpf, «The Malleability of Behavioral Inhibition: A Study of Individual Developmental Functions», *Developmental Psychology* 30, 6, 1994.
10. David H. Hubel, Thorsten Wiesel e S. Levay «Plasticity of Ocular Columns in Monkey Striate Cortex», *Philosophical Transactions of the Royal Society of London* 278, 1977.
11. Il lavoro di Marian Diamond e altri è stato descritto da Richard Thompson, nel suo libro *The Brain*, San Francisco, W.H. Freeman, 1985.
12. L.R. Baxter et al., «Caudate Glucose Metabolism Rate Changes With Both Drug and Behavior Therapy for Obsessive-Compulsive Disorder», *Archives of General Psychiatry* 49, 1992.
13. L.R. Baxter et al., «Local Cerebral Glucose Metabolic Rates in Obsessive-Compulsive Disorder», *Archives of General Psychiatry*, 44, 1987.
14. Bryan Kolb, «Brain Development, Plasticity, and Behavior», *American Psychologist* 44, 1989.
15. Richard Davidson, «Asymmetric Brain Function, Affective Style and Psychopathology: The Role of Early Experience and Plasticity», *Development and Psychoopathology* vol. 6, 1994, pp. 741-758.
16. Schore, *Affect Regulation*.
17. M.E. Phelps et al., «PET: A Biochemical Image of the Brain at Work», in *Brain Work and Mental Activity: Quantitative Studies with Radioactive Tracers*, a cura di N.A. Lassen et al., Copenhagen, Munksgaard, 1991.

PARTE QUINTA

ALFABETIZZAZIONE EMOZIONALE

15. Il costo dell'analfabetismo emozionale

1. Ho scritto sui corsi di alfabetizzazione emozionale in *The New York Times*, 3 marzo 1992.
2. Uniform Crime Reports, *Crime in the U.S., 1991*, pubblicato dal ministero della Giustizia.
3. Nel 1990 gli arresti di minorenni per crimini violenti sono saliti a 430 su 100.000, con un balzo di crescita del 27 per cento sopra la percentuale del 1980. Gli arresti di adolescenti per stupro sono saliti da 10,9 su 100.000 nel 1965 a 21,9 su 100.000 nel 1990. Gli omicidi di adolescenti sono più che quadruplicati dal 1965 al 1990, passando da 2,8 su 100.000 a 12,1; nel 1990 tre omicidi di adolescenti su quattro venivano commes-

si con armi da fuoco, con una crescita del 79 per cento nel corso del decennio. Le aggressioni da parte di adolescenti sono cresciute del 64 per cento dal 1980 al 1990. Vedi, ad esempio, Ruby Takanashi, «The Opportunities of Adolescence», *American Psychologist*, febbraio 1993.

4. Nel 1950 la percentuale dei suicidi per i giovani dai 15 ai 24 anni era di 4,5 su 100.000. Nel 1989 era tre volte più alta, e precisamente di 13,3. Le percentuali di suicidi per i ragazzi dai 10 ai 14 sono quasi triplicate fra il 1968 e il 1985. Le cifre sui suicidi, sulle vittime di omicidi e sulle gravidanze sono tratte da *Health, 1991*, U. S. Department of Health and Human Services, e da Children Safety Network, *A Data Book of Child and Adolescent Injury*, National Center for Education in Maternal and Child Health, Washington, DC, 1991.
5. Nei tre decenni a partire dal 1960, i casi di gonorrea sono saliti a un livello quattro volte più alto fra i ragazzi dai 10 ai 14 anni e tre volte più alto fra quelli dai 15 ai 19 anni. Nel 1990, il 20 per cento dei malati di Aids aveva dai venti ai trent'anni e molti di loro avevano contratto il virus durante l'adolescenza. La pressione culturale per iniziare presto ad avere rapporti sessuali è diventata più forte. Un'inchiesta negli anni novanta ha rilevato che più di un terzo delle giovani donne afferma di aver cominciato ad avere rapporti sessuali per la pressione esercitata dai coetanei; nella generazione precedente la stessa affermazione era fatta solo dal 13 per cento delle donne. Vedi Rubi Takanashi, «The Opportunities of Adolescence», cit., e Children Safety Network, *A Data Book of Child and Adolescent Injury*.
6. L'uso di eroina e cocaina fra i bianchi è cresciuto da 18 casi su 100.000 individui nel 1970 a 68 nel 1990, cioè di circa tre volte. Ma nel corso degli stessi due decenni la crescita fra i neri è stata da 53 su 100.000 del 1970 a un impressionante 766 nel 1990, quasi *13 volte* in più rispetto alla percentuale di vent'anni prima. I dati provengono da *Crime in the U.S., 1991*, cit.
7. Secondo inchieste svolte negli Stati Uniti, in Nuova Zelanda, in Canada e a Porto Rico, un ragazzo su cinque ha difficoltà psicologiche che gli rendono più difficile l'esistenza. L'ansia è tra i problemi più comuni fra i bambini sotto gli undici anni: il 10 per cento soffre di fobie così gravi da non poter condurre una vita normale; un altro 5 per cento soffre di ansia generalizzata e di preoccupazione costante; un altro 4 per cento è afflitto dall'angoscia di essere separato dai genitori. Il bere eccessivo tra i maschi adolescenti e giovani è aumentato di circa il 20 per cento entro i vent'anni di età. Ho riferito gran parte di questi dati sui disturbi emozionali nei ragazzi in *The New York Times*, 10 gennaio 1989.
8. Thomas Achenbach e Catherine Howell, «Are America's Children's Problems Getting Worse? A 13-Year Comparison», *Journal of the American Academy of Child and Adolescent Psychiatry*, novembre 1989.
9. Lo studio comparativo è stato condotto da Urie Bronfenbrenner ed è pubblicato in Michael Lamb e Kathleen Sternberg, *Child Care in Context: Cross-Cultural Perspectives*, Englewood, NJ, Lawrence Erlbaum, 1992.
10. Relazione di Urie Bronfenbrenner a un congresso alla Cornell University, 24 settembre 1993.
11. Vedi, ad esempio, Alexander Thomas e altri, «Longitudinal Study of

Negative Emotional States and Adjustments from Early Childhood Through Adolescence», *Child Development*, vol. 59, settembre 1988.

12. John Lochman, «Social-Cognitive Processes of Severely Violent, Moderately Aggressive, and Nonaggressive Boys», in *Journal of Clinical and Consulting Psychology*, 1994.
13. Kenneth A. Dodge, «Emotion and Social Information Processing», in J. Garber e K. Dodge, *The Development of Emotion Regulation and Dysregulation*, New York, Cambridge University Press, 1991.
14. J. D. Coie e J. B. Kupersmidt, «A Behavioral Analysis of Emerging Social Status in Boys' Groups», *Child Development* 54, 1983.
15. Vedi per esempio Dan Offord e altri, «Outcome, Prognosis, and Risk in a Longitudinal Follow-up Study», *Journal of the American Academy of Child and Adolescent Psychiatry* 31, 1992.
16. Richard Tremblay e altri, «Predicting Early Onset of Male Antisocial Behavior from Preschool Behavior», *Archives of General Psychiatry*, settembre 1994.
17. Ciò che avviene nella famiglia prima che il bambino raggiunga l'età scolare ha ovviamente importanza cruciale nel creare una predisposizione all'aggressività. Uno studio, ad esempio, ha mostrato che i bambini rifiutati dalle madri durante il primo anno di vita e la cui nascita fu più difficile del normale avevano una probabilità più alta di quattro volte rispetto agli altri di commettere un crimine violento entro i 18 anni. Adriane Raines e altri, «Birth Complications Combined with Early Maternal Rejection at Age One Predispose to Violent Crime at Age 18 Years», *Archives of General Psychiatry*, dicembre 1994.
18. Anche se un basso quoziente intellettivo verbale sembra un fattore predittivo della delinquenza (uno studio ha riscontrato uno scarto di otto punti fra i delinquenti e i non delinquenti), si hanno prove che l'impulsività è più direttamente e fortemente responsabile sia dei bassi punteggi nelle prove verbali di determinazione del quoziente intellettivo sia della delinquenza. Quanto ai punteggi bassi si deve osservare che i bambini impulsivi non fanno sufficiente attenzione all'apprendimento del linguaggio e alle abilità di ragionamento sulle quali si basano i punteggi delle prove verbali del quoziente intellettivo. Pertanto l'impulsività abbassa i punteggi. Nel Pittsburgh Youth Study – un progetto ben elaborato per valutare sia l'impulsività sia il quoziente intellettivo nei ragazzi dai dieci ai dodici anni – l'impulsività risultava quasi tre volte più importante del quoziente intellettivo verbale come fattore predittivo della delinquenza. Vedi la discussione in Jack Block, «On the Relation Between IQ, Impulsivity, and Delinquency», *Journal of Abnormal Psychology* 104, 1995.
19. Marion Underwood e Melinda Albert, «Fourth-Grade Peer Status as a Predictor of Adolescent Pregnancy», relazione presentata al convegno della Society for Research on Child Development, Kansas City, Missouri, aprile 1989.
20. Gerald R. Patterson, «Orderly Change in a Stable World: The Antisocial Trait as Chimera», *Journal of Clinical and Consulting Psychology* 62, 1993.
21. Ronald Slaby e Nancy Guerra, «Cognitive Mediators of Aggression in Adolescent Offenders», *Developmental Psychology* 24, 1988.

22. Laura Mufson e altri, *Interpersonal Psychotherapy for Depressed Adolescents*, New York, Guilford Press, 1993.
23. Cross-National Collaborative Group, «The Changing Rate of Major Depression: Cross-National Comparisons», *Journal of the American Medical Association*, 2 dicembre 1992.
24. Peter Lewinsohn e altri, «Age-Cohort Changes in the Lifetime Occurence of Depression and Other Mental Disorders», *Journal of Abnormal Psychology* 102, 1993.
25. Patricia Cohen e altri, New York Psychiatric Institute, 1988; Peter Lewinsohn e altri, «Adolescent Psychopathology: I. Prevalence and Incidence of Depression in High School Students», *Journal of Abnormal Psychology* 102, 1993. Vedi anche Mufson e altri, *Interpersonal Psychotherapy*, cit. Per un resoconto su stime inferiori: E. Costello, «Developments in Child Psychiatric Epidemiology», *Journal of the American Academy of Child and Adolescent Psychiatry* 28, 1989.
26. Maria Kovacs e Leo Bastiaens, «The Psychotherapeutic Management of Major Depressive and Dysthymic Disorders in Childhood and Adolescence: Issues and Prospects», in I. M. Goodyer, ed., *Mood Disorders in Childhood and Adolescence*, New York, Cambridge University Press, 1994.
27. Kovacs, op. cit.
28. Ho intervistato Maria Kovacs in *The New York Times*, 11 gennaio 1994.
29. Maria Kovacs e David Goldston, «Cognitive and Social Development of Depressed Children and Adolescents», *Journal of the American Academy of Child and Adolescent Psychiatry*, maggio 1991.
30. John Weiss e altri, «Control-related Beliefs and Self-reported Depressive Symptoms in Late Childhood», *Journal of Abnormal Psychology* 102, 1993.
31. Vedi Ruth Hilsman e Judy Garber, «A Test of the Cognitive Diathesis Model of Depression in Children: Academic Stressors, Attributional Style, Perceived Competence and Control», *Journal of Personality and Social Psychology* 67, 1994; Judith Garber, «Cognitions, Depressive Symptoms, and Development in Adolescents», *Journal of Abnormal Psychology* 102, 1993.
32. Garber, «Cognitions», cit.
33. Ibidem.
34. Susan Nolen-Hoeksema e altri, «Predictors and Consequences of Childhood Depressive Symptoms: A Five-Year Longitudinal Study», *Journal of Abnormal Psychology* 101, 1992.
35. Gregory Clarke, University of Oregon Health Sciences Center, «Prevention of Depression in At-Risk High School Adolescents», relazione tenuta alla riunione della American Academy of Child and Adolescent Psychiatry, ottobre 1993.
36. Garber, «Cognitions», cit.
37. Hilda Bruch, «Hunger and Instinct», *Journal of Nervous and Mental Disease* 149, 1969. Il suo libro fondamentale, *The Golden Cage: The Enigma of Anorexia Nervosa*, Cambridge, MA, Harvard University Press, comparve solo nel 1978.
38. Gloria R. Leon e altri, «Personality and Behavioral Vulnerabilities Associated with Risk Status for Eating Disorders in Adolescent Girls», *Journal of Abnormal Psychology* 102, 1993.

39. La bambina di sei anni che si sentiva grassa era una paziente del dottor William Feldman, un pediatra dell'Università di Ottawa.
40. Osservazione di Sifneos, «Affect, Emotional Conflict and Deficit».
41. Steven Asher e Sonda Gabriel, «The Social World of Peer-Rejected Children», relazione presentata alla riunione annuale dell'American Educational Research Association, San Francisco, marzo 1989.
42. Ibidem.
43. Kenneth Dodge e Esther Feldman, «Social Cognition and Sociometric Status», a cura di, Steven Asher e John Coie, *Peer Rejection in Childhood*, New York, Cambridge University Press, 1990.
44. Emory Cowen e altri, «Longterm Follow-up of Early Detected vulnerable Children», *Journal of Clinical and Consulting Psychology* 41, 1973.
45. Jeffrey Parker e Steven Asher, «Friendship Adjustment, Group Acceptance and Social Dissatisfaction in Childhood», relazione presentata all'incontro annuale dell'American Educational Research Association, Boston 1990.
46. Steven Asher e Gladys Williams, «Helping Children Without Friends in Home and School Contexts», in *Children's Social Development: Information for Parents and Teachers*, Urbana and Champaign, University of Illinois Press, 1987.
47. Stephen Nowicki, «A Remediation Procedure for Nonverbal Processing Deficits», manoscritto inedito, Duke University, 1989.
48. Indagine condotta all'Università del Massachusetts da Project Pulse, riportata in *The Daily Hampshire Gazette*, 13 novembre 1993.
49. Le cifre sono state fornite da Harvey Wechsler, direttore del College Alcohol Studies all'Harvard School of Public Health, agosto 1994.
50. Rapporto del Columbia University Center on Addiction and Substance Abuse, maggio 1993.
51. Relazione di Alan Marlatt alla riunione annuale dell'American Psychological Association, agosto 1994.
52. I dati provengono da Meyer Glantz, che facente funzione di responsabile della Etiology Research Section del National Institute for Drug and Alcohol Abuse.
53. Jeanne Tschann, «Initiation of Substance Abuse in Early Adolescence», *Health Psychology* 4, 1994.
54. Ho intervistato Ralph Tarter in *The New York Times*, 26 aprile 1990.
55. Howard Moss e altri, «Plasma GABA-like Activity in Response to Ethanol Challenge in Men at High Risk for Alcoholism», *Biological Psychiatry* 27, 6, marzo 1990.
56. Philip Harden e Robert Pihl, «Cognitive Function, Cardiovascular Reactivity, and Behavior in Boys at High Risk for Alcoholism», *Journal of Abnormal Psychology* 104, 1995.
57. Kathleen Merikangas e altri, «Familial Transmission of Depression and Alcoholism», *Archives of General Psychiatry*, aprile 1985.
58. Moss e altri, cit.
59. Edward Khantzian, «Psychiatric and Psychodynamic Factors in Cocaine Addiction», a cura di, Arnold Washton e Mark Gold, *Cocaine: A Clinician's Handbook*, New York, Guilford Press, 1987.

60. Edward Khantzian, Harvard Medical School, comunicazione personale; osservazioni basate su oltre 200 pazienti eroinomani da lui curati.
61. «Non più guerre»: la frase mi fu suggerita da Tim Shriver del Collaborative for the Advancement of Social and Emotional Learning allo Yale Child Studies Center.
62. Greg Duncan, «Economic Deprivation and Early Childhood Development» e Patricia Garrett, «Poverty Experiences of Young Children and the Quality of Their Home Environments» in *Child Development*, aprile 1994.
63. Norman Garmezy, *The Invulnerable Child*, New York, Guilford Press, 1987. Ho scritto sui ragazzi che crescono bene e con successo, nonostante le avversità, sul *New York Times*, 13 ottobre 1987.
64. Ronald C. Kessler e altri, «Lifetime and 12-month Prevalence of DSM-III-R Psychiatric Disorders in the U.S.», *Archives of General Psychiatry*, gennaio 1994.
65. Il numero dei ragazzi e delle ragazze che hanno subito abusi sessuali negli Stati Uniti è stato fornito da Malcolm Brown della Violence and Traumatic Stress Branch del National Institute of Mental Health; il numero dei casi accertati è fornito dal National Committee for the Prevention of Child Abuse and Neglect. Un'indagine nazionale sui giovanissimi ha riscontrato che le percentuali sono del 3,2 per cento per le ragazze e dello 0,6 per cento per i ragazzi in un dato anno: David Finkelhor e Jennifer Dziuba-Leatherman, «Children as Victims of Violence: A National Survey», *Pediatrics*, ottobre 1984.
66. L'inchiesta nazionale sui ragazzi in merito ai programmi di prevenzione degli abusi sessuali è stata condotta da David Finkelhor, un sociologo dell'Università del New Hampshire.
67. Cifre comunicatemi in un colloquio da Malcolm Gordon, psicologo della Violence and Traumatic Stress Branch del National Institute of Mental Health.
68. W. T. Grant Consortium on the School-Based Promotion of Social Competence, «Drug and Alcohol Prevention Curricula», in J. David Hawkins e altri, *Communities That Care*, San Francisco, Jossey-Bass, 1992.
69. Ibid., p. 136.

16. Insegnare a scuola le emozioni

1. Ho intervistato Karen Stone McCown in *The New York Times*, 7 novembre 1993.
2. Karen F. Stone e Harold Q. Dillehunt, *Self Science: The Subject Is Me*, Santa Monica, Goodyear Publishing Co. 1978.
3. Committee for Children, «Guide to Feelings», *Second Step 4-5*, 1992, p. 84.
4. Per il Progetto di Sviluppo del Bambino (Child Development Project) vedi Daniel Solomon e altri, «Enhancing Children's Prosocial Behavior in the Classroom», *American Educational Research Journal*, inverno 1988.
5. Relazione di High Scope Educational Research Foundation, Ypsilanti, Michigan, aprile 1993.

6. Carolyn Saarni, «Emotional Competence: How Emotions and Relationships Become Integrated», a cura di, R. A. Thompson, *Socioemotional Development. Nebraska Symposium on Motivation* 36, 1990.
7. David Hamburg, *Today's Children: Creating a Future for a Generation in Crisis*, New York, Times Books, 1992.
8. Ibid., pp. 171-172.
9. Ibid., p. 182.
10. Ho intervistato Linda Lantieri in *The New York Times*, 3 marzo 1992.
11. Hawkins e altri, *Communities That Care*, cit.
12. Ibidem.
13. Roger P. Weisberg e altri, «Promoting Positive Social Development and Health Practice in Young Urban Adolescents», a cura di M. J. Elias, *Social Decision-making in the Middle School*, Gaithersburg, MD, Aspen Publishers, 1992.
14. Amitai Etzioni, *The Spirit of Community*, New York, Crown, 1993.
15. Steven C. Rockefeller, *John Dewey: Religious Faith and Democratic Humanism*, New York, Columbia University Press, 1991.
16. Thomas Lickona, *Educating for Character*, New York, Bantam, 1991.
17. Francis Moore Lappe e Paul Martin DuBois, *The Quickening of America*, San Francisco, Jossey Bass, 1994.
18. Amitai Etzioni e altri, *Character Building for a Democratic, Civil Society*, Washington DC, The Communitarian Network, 1994.
19. «Murders Across Nation Rise by 3 Percent, but Overall Violent Crime Is Down», *The New York Times*, 2 maggio 1994.
20. «Serious Crimes by Juveniles Soar», Associated Press, 25 luglio 1994.

Appendice B. Caratteristiche della mente emozionale

1. Sul *New York Times*, in molte occasioni, ho scritto del modello di Seymour Epstein dell'«inconscio esperienziale» e gran parte del riassunto che ne ho dato qui è fondato sulle conversazioni con lui, sulle lettere che egli mi ha scritto, sul suo articolo «Integration of the Cognitive and Psychodynamic Unconscious», *American Psychologist* 44, 1994, e sul libro da lui scritto insieme con Archie Brodsky, *You're Smarter Than You Think*, New York, Simon and Schuster, 1993. Anche se il suo modello della mente esperienziale ha influito sul mio modello della «mente emozionale», ho elaborato una mia interpretazione.
2. Paul Ekman, «An Argument for the Basic Emotions», *Cognition and Emotion* 6, 1992, p. 175. L'elenco degli aspetti che distinguono le emozioni è un po' più lungo, ma questi sono quelli che ci interessano qui.
3. Ibid., p. 187.
4. Ibid., p. 189.
5. Epstein, 1993, cit., p. 55.
6. J. Toobey e L. Cosmides, «The Past Explains the Present: Emotional Adaptations and the Structure of Ancestral Environments», *Ethology and Sociobiology* 11, pp. 418-19.
7. Anche se può sembrare evidente che ogni emozione ha il suo schema biologico, quest'idea non è comune tra coloro che studiano la psicofisio-

logia delle emozioni. Si dibatte ancora, con argomenti molto tecnici, se lo stato di attivazione sia fondamentalmente lo stesso per tutte le emozioni o se si possano individuare modelli particolari per ognuna di esse. Senza entrare nei dettagli della discussione, ho sostenuto le ragioni di coloro che ritengono che vi siano profili biologici particolari per ogni emozione importante.

RINGRAZIAMENTI

Per la prima volta ho sentito l'espressione «alfabetizzazione emozionale» in bocca a Eileen Rockefeller Growald, allora fondatrice e presidente dell'Institute for the Advancement of Health. Fu quella conversazione casuale che stimolò il mio interesse e fornì la cornice alle indagini che finalmente sono sfociate in questo libro. Nel corso degli anni, è stato un piacere osservare come Eileen abbia coltivato questo campo di ricerca.

Il sostegno offertomi dal Fetzer Institute di Kalamazoo, nel Michigan, mi ha consentito di esplorare in maniera più approfondita che cosa può significare «alfabetizzazione emozionale» e sono grato a Rob Lehman, presidente dell'Istituto, dei suoi importanti iniziali incoraggiamenti e della collaborazione ancora in corso con David Sluyter, direttore del programma dell'Istituto. Fu Rob Lehman che, nella fase iniziale della ricerca, mi incoraggiò a scrivere un libro sull'«alfabetizzazione emozionale».

Sono profondamente in debito con le centinaia di ricercatori che, nel corso degli anni, hanno condiviso con me le loro scoperte e i cui sforzi sono esaminati e compendiati in questo libro. A Peter Salovey dell'Università di Yale devo il concetto di «intelligenza emotiva». Ho anche appreso molto dal lavoro di tanti educatori e operatori nel settore della prevenzione di base, i quali rappresentano l'avanguardia del nascente movimento di «alfabetizzazione emozionale». I loro sforzi concreti per accrescere le abilità sociali ed emozionali dei ragazzi e per ricreare nella scuola un ambiente più umano mi hanno ispirato. Fra costoro ricordo Mark Greenberg e David Hawkins dell'Università di Washington, David Schaps e Catherine Lewis del Developmental Studies Center di Oakland, in California; Tim Shriver dello Yale Child Studies Center; Roger Weissberg dell'Università dell'Illinois a Chicago; Maurice Elias della Rutgers University; Shelly Kessler del Goddard Institute on Teaching and Learning, a Boulder in Colorado; Chevy Martin e Karen Stone McCown del Nueva Learning

Center di Hillsborough in California; Linda Lantieri, direttrice del National Center for Resolving Conflict Creatively a New York.

Ho un debito particolare verso coloro che hanno rivisto e commentato varie parti del manoscritto: Howard Gardner della Graduate School of Education alla Harvard University; Peter Salovey, del dipartimento di psicologia all'Università di Yale; Paul Ekman, direttore dello Human Interaction Laboratory all'Università della California di San Francisco; Michael Lerner, direttore del Commonweal a Bolinas, in California; Denis Prager, allora direttore del programma sanitario alla John D. and Catherine T. MacArthur Foundation; Mark Gerzon, direttore di Common Enterprise, a Boulder, in Colorado; Mary Schwab-Stone del Child Studies Center alla School of Medicine dell'Università di Yale; David Spiegel, del dipartimento di psichiatria della Stanford University Medical School; Mark Greenberg, direttore del Fast Track Program, all'Università di Washington; Shoshona Zuboff, della Harvard School of Business; Joseph LeDoux, del Center for Neural Science, all'Università di New York; Richard Davidson, direttore del laboratorio di psicofisiologia dell'Università del Wisconsin; Paul Kaufman, di Mind and Media, a Point Reyes, California; Jessica Brackman, Naomi Wolf e, specialmente, Fay Goleman.

Ho ricevuto dotti e utili suggerimenti da Page DuBois, grecista dell'Università della California del Sud; da Matthew Kapstein, docente di filosofia morale e della religione alla Columbia University; da Steven Rockefeller, biografo di John Dewey, del Middlebury College. Joy Nolan ha raccolto le illustrazioni di episodi emozionali; Margaret Howe e Annette Spychalla hanno preparato l'appendice sui risultati dei programmi di «alfabetizzazione emozionale». Sam e Susan Harris mi hanno fornito materiale essenziale.

I miei redattori al *New York Times* negli ultimi dieci anni hanno contribuito magnificamente alle mie molte ricerche sulle nuove scoperte in campo emozionale, comparse dapprima sulle pagine del quotidiano e che ispirano gran parte del libro.

Toni Burbank, il mio redattore a Bantam Books, ha offerto l'entusiasmo e l'acume redazionali che hanno acuito la mia determinazione e la mia riflessione.

Infine mia moglie, Tara Bennett-Goleman, ci ha messo l'affetto, l'amore e l'intelligenza che hanno alimentato questo progetto in tutto il suo sviluppo.

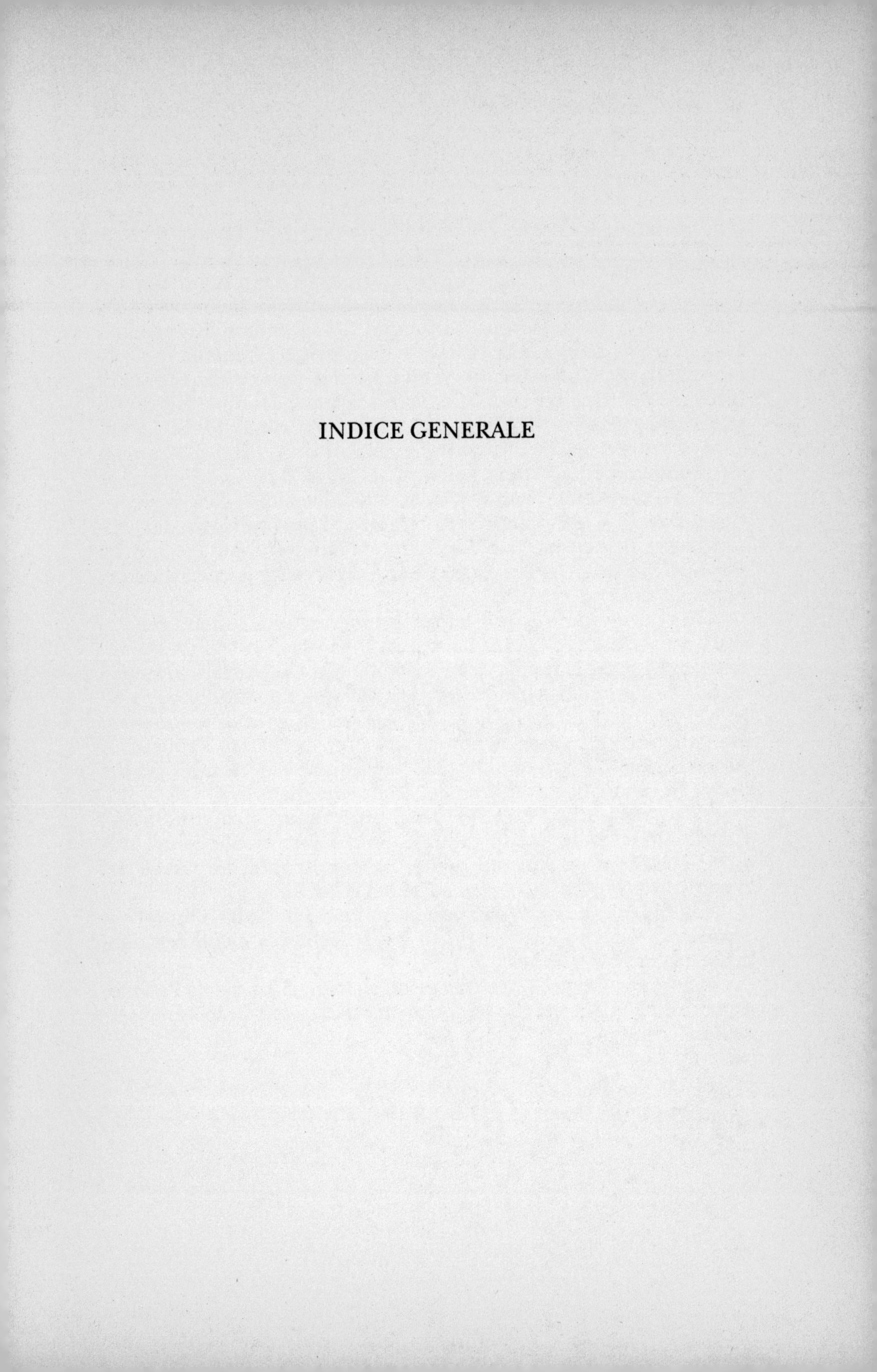

INDICE GENERALE

Prefazione all'edizione italiana .... *pag.* 7
La sfida di Aristotele 11

PARTE PRIMA

INTELLIGENZA EMOTIVA

1. A che cosa servono le emozioni 21
2. Anatomia di un «sequestro» emozionale 32

PARTE SECONDA

LA NATURA
DELL'INTELLIGENZA EMOTIVA

3. Quando intelligente è uguale a ottuso 53
4. Conosci te stesso 68
5. Schiavi delle passioni 79
6. Intelligenza emotiva: una capacità fondamentale 104
7. Le radici dell'empatia 124
8. Le arti sociali 140

PARTE TERZA

INTELLIGENZA EMOTIVA APPLICATA

9. Nemici intimi 159
10. Dirigere col cuore 180
11. Mente e medicina 198

PARTE QUARTA

UN'OCCASIONE DA COGLIERE

12. Il crogiolo familiare 225
13. Emozioni e superamento dei traumi 237
14. Il temperamento non è destino 254

PARTE QUINTA

ALFABETIZZAZIONE EMOTIVA

15. Il costo dell'analfabetismo emozionale 271
16. Insegnare a scuola le emozioni 303

Appendice A: che cos'è un'emozione 333
Appendice B: caratteristiche della mente emozionale 336
Appendice C: i circuiti neurali della paura 342
Appendice D: il consorzio W.T. Grant: i componenti attivi
dei programmi di prevenzione 346
Appendice E: il curriculum della Scienza del sé 348
Appendice F: apprendimento sociale ed emozionale: risultati . 350

Note 357
Ringraziamenti 391

Finito di stampare nel mese di aprile 1996
presso il Nuovo Istituto Italiano d'Arti Grafiche
Bergamo

Printed in Italy